HEYNE <

Zum Buch

HESTRENG, Ostgotland, Frühherbst A. D. 972

Die letzten Überlebenden der Eingeschworenen sind nach den grauenvollen Ereignissen am Grabmal von Attila dem Hunnenkönig wieder in ihre Gefilde zurückgekehrt. Die grünen Felder Ostgotlands sollen den Wikingern ein neues Zuhause werden. Doch Odins Ruf lässt die Eingeschworenen und ihren Anführer Orm nicht zur Ruhe kommen. Schlachtenhungrig und begierig nach neuen Abenteuern setzen sie ihr Drachenboot wieder instand. Sie ahnen, dass die Götter ihnen ein anderes Schicksal vorherbestimmt haben. Nach einem blutigen Überfall auf ihre Siedlung schwören die Wikinger Rache. Gelockt von dem unsagbaren Silberschatz, der im Grab Attilas noch auf sie wartet, beginnen sie ihre gefährlichste Reise – Mann bei Mann, den Tod vor Augen.

Zum Autor

Robert Low ist Journalist und Autor. Mit 19 Jahren war er als Kriegsberichterstatter in Vietnam. Seitdem hat ihn sein Beruf in zahlreiche Krisengebiete der Welt geführt, unter anderem nach Sarajevo, Rumänien und Kosovo. Auf Wunsch seiner Frau und seiner Tochter hat er das Reisen mittlerweile aufgegeben. Um seine Abenteuerlust zu befriedigen, nimmt er regelmäßig an Nachstellungen von Wikingerschlachten teil. Robert Low lebt in Larges, Schottland – dem Ort, wo die Wikinger schließlich besiegt wurden.

Besuchen Sie den Autor im Internet unter www.robert-low.com

Lieferbare Titel

Raubzug – Runenschwert

ROBERT LOW

Drachenboot

DIE EINGESCHWORENEN III

Roman

Aus dem Englischen
von Christine Naegele

WILHELM HEYNE VERLAG
MÜNCHEN

Die Originalausgabe THE WHITE RAVEN erschien 2009
bei HarperCollins Publishers, London

MIX
Papier aus verantwortungsvollen Quellen
FSC® C014496
FSC
www.fsc.org

Verlagsgruppe Random House FSC-DEU-0100
Das für dieses Buch verwendete
FSC®-zertifizierte Papier *Holmen Book Cream*
liefert Holmen Paper, Hallstavik, Schweden

Vollständige deutsche Erstausgabe 12/2012

Printed in Germany 2012
Redaktion: Heiko Arntz
Umschlaggestaltung: Nele Schütz Design unter Verwendung von
© shutterstock/Creative HQ
Satz: Buch-Werkstatt GmbH, Bad Aibling
Druck und Bindung: GGP Media GmbH, Pößneck
ISBN: 978-3-453-41000-8

www.heyne.de

*Für meine wunderbare Frau Kate,
die uns allzeit sicher durch schwierigstes
Gewässer leitet, damit ich in Ruhe
schreiben kann*

Koksalm
Birka
Björnshafen
Skirringsaal
St.-Otmunds-Kapelle
Dyfflin
Nordsee
Ostsee
Jorvik
Hedeby
Hammaburg
Atlantik
Rhein
WESTFRANKEN-
REICH
Donau
OSTFRANKEN-
REICH
KÖNIGREICH
GALICIEN
LANGBARDALAND
Rom
KALIFAT VON
CORDOBA
Norvasund
Mittelmeer
REICH DER IDRISIDEN
N
W
O
S
0
100
200
300
400 Meilen
0
200
400
600 Km

FINNEN
Aldeigjuborg
Neva
Holmgard
Svartey (Klerkons Schwarze Insel)
Lowat
REICH DER BULGAREN
Oka
Düna
KRIWITSCHEN
GARDARIKE
KIPTSCHAKEN
Farolfs Dorf
JASSEN
Desna
DREWLANEN
Don
Dorf Malkiew
Attilas Grab
Wolga
Donez
Känugard
POLANEN
Dnjepr
Sarkel
Itil
Pereyaslavi
PETSCHNEGEN
CHASAREN-REICH
Kaspisches Meer
KIPTSCHAKEN
Asowsches Meer
Schwarzes Meer
Miklagard
Tigris
Euphrat
Serkland
Mittelmeer
Jorsalir
Alexandria
Nil

Holmgard, Winter A. D. 972

Der Tag war kalt, am grauen Himmel zeigte nur ein blendend weißer Fleck, wo sich die Sonne versteckt hielt, als die Scharfrichter des Prinzen einen schlanken Fichtenstamm zuschnitten, etwas länger als ein Mensch, das eine Ende dünn, das andere dicker.

Das dünne Ende wurde angespitzt und eingefettet, dann ergriffen sie die Beine der Frau, die mit dem Gesicht nach unten dalag, schlangen Seile um ihre Knöchel und zogen sie weit auseinander. Ein Mann legte eine Satteldecke auf ihren Rücken und setzte sich darauf, damit sie sich nicht rühren konnte, während ein anderer ihre Handgelenke mit Lederriemen an zwei Pfählen festband, die ebenfalls weit auseinanderstanden. Sie schrie, und ihr Mund war blutig.

»An diesem Tag, im achten Jahr der Herrschaft des Prinzen Wladimir«, intonierte der Stadtschreier, »wurde dieses Weib der Metscheraken für schuldig befunden …« und so weiter und so weiter.

»Danica«, murmelte Thordis so leise, dass nur wir es hören konnten. »Sie heißt Danica.«

Das hieß in der Sprache ihres Slawenstammes Morgenstern. Für sie würde es keinen Morgenstern mehr geben. Der Pfahl wurde in sie hineingetrieben; die Scharfrichter ignorierten ihr Schreien, sorgten aber dafür, dass ihre weißen Hinterbacken stets anständig bedeckt waren, während sie hämmerten und schoben, damit ihre Würde vor der gaffenden Menge gewahrt blieb. Dennoch dauerte es nicht lange, bis ihr weißes Hemd aufreizend an ihrem Körper klebte, durchtränkt von ihrem Blut.

Eine Pfählung ist keine einfache Grausamkeit, es ist eine Kunst, und Wladimirs Scharfrichter beherrschten ihr Handwerk.

Der angespitzte Pfahl wurde langsam und mit Geschick in den Körper der Frau geschoben. Es war ein Scherz Lokis, dass sie die Kunst der Heiler nutzten, denn sie wussten genau, wie sie alle lebenswichtigen Organe umgehen mussten, die Lunge, das Herz und die Leber, auch wenn ihr Opfer zuckte und laut schrie. Sie hielten häufig inne, um Korrekturen vorzunehmen, kurze atemlose Verständigungen und Ratschläge unter Fachleuten, obszön und intim. Sie machten nur einmal eine Pause, um Sägespäne auf den blutigen Schnee zu streuen, damit sie nicht ausrutschten.

Ein Schnitt mit dem Messer reichte, um dem Pfahl am oberen Ende des Rückens rechts vom Rückgrat einen Ausweg zu schaffen, was bewies, dass ihr Herz verschont geblieben war. Die Menge brüllte, und die gut gekleideten Edlen des Wetschen-Rats von Nowgorod nickten zustimmend mit den Bärten, dass Danica jetzt wie ein Ochse am Spieß steckte. Und noch am Leben war, wie es sich gehörte.

Sie lösten die Seile und banden ihre Füße am unteren Ende des Pfahles zusammen, damit sie beim Aufrichten nicht nach unten rutschte. Ganz vorsichtig, damit der Körper nicht erschüttert wurde, ließ man den Pfahl in das Loch gleiten, das mit Erde zugeschüttet wurde. Als er mit Stützen stabilisiert wurde, fing es an zu schneien. Aber man war fertig. Alles war nach Recht und Gesetz der Wetsche ausgeführt worden.

Ihre zusammengebundenen Füße hatten keine Stütze, sodass sie langsam und qualvoll von ihrem eigenen Körpergewicht am Pfahl nach unten gezogen wurde. Es würde drei Tage dauern, bis die stöhnende, blutende Frau tot war, während sich der Schnee zu ihren Füßen rot färbte.

Es war eine Kunst, die man bewundern musste. Eine Strafe, die selbst hartgesottene Zeitgenossen vor Missetaten zurückschrecken ließ in dieser Stadt, die von ihren Bewohnern Nowgorod die Große genannt wurde.

Dennoch fiel es mir schwer, diese Kunst angemesssen zu würdigen, denn ich war als Nächster dran, und ich fragte mich, welchen Preis die Herrscher von Nowgorod akzeptieren würden, damit mir der Pfahl erspart blieb.

Würde der Grabhügel mit allem Silber der Welt ausreichen?

Kapitel 1

Hestreng, Ostgotland, Frühherbst A.D. 972

Am Tag ehe wir die Pferde herunterbringen wollten, regnete es. Ich steckte den Kopf zur Tür hinaus, und an der Art und Weise, wie der Wind vom Meer her pfiff und alles vor sich her trieb, erkannte ich, dass es tagelang regnen würde.

Drinnen rührte Thorgunna im Kessel über dem Feuer und legte Holz nach. Sie hatte ein verschmitztes Elfengesicht, dunkles Haar und war gebaut wie ein gutes Schiff, unsere Thorgunna, oder, wie Kvasir sich ausdrückte, sie war »eine Frau mit einem Bug«. Sie hatte eine Art, die Augenbrauen hochzuziehen und einen aus ihren schwarzen Augen anzusehen, dass es einen vernichten konnte. Wir waren aus dem Staunen nicht mehr herausgekommen, als Kvasir sie geheiratet hatte, und wie Finn bei der Hochzeit, als er betrunken war, gesagt hatte: »Der war zu lange auf See. Wozu braucht jemand wie Kvasir der Sabberer, eine Frau? Wenn er erst einen Winter mit der zusammengelebt hat, wird er darum betteln, wieder an Bord gehen zu dürfen.«

Neben ihr stand Ingrid und hackte Grünkohl, im Gegensatz zu Thorgunna war sie blond und schlank, mit wippenden Zöpfen, und sie warf Botolf, wie sie dachte, heimliche Blicke zu. Sie hatte schon ein Kind von ihm und war ihm öffentlich versprochen. Thorgunna war die Schwester von Thordis, und beide kamen von Gunnarsgard, dem nächsten Hof. Thordis hatte Tor Eisenhand geheiratet, und Gunnarsgard gehörte den beiden Schwestern je zur Hälfte – eine unnatürliche Sache, denn ein guter Hof sollte immer an das älteste Kind gehen. Ihre Base Ingrid hatte ebenfalls bei ihnen gelebt.

Man hätte denken können, dass Tor mit drei Frauen unter einem Dach ein gutes Leben hatte, doch die, die es besser wussten, meinten, dass er ja auch dreifachen Ärger haben müsse. Er hätte auch Thorgunna gern geheiratet, um die andere Hälfte des Hofes ebenfalls zu bekommen, aber da meldete Kvasir sich und brachte sie nach Hestreng, und Ingrid gleich mit. Das war kurz nachdem er hier bei uns angekommen war.

»Wie sieht's da draußen aus?«, fragte Thorgunna.

»Der Hof ist unter Wasser«, berichtete ich und setzte mich ans Feuer. »Koch uns was Gutes – das können wir heute alle gebrauchen.«

Sie schnaubte. »Das kann ich mir denken. Und dabei wird an so einem Tag kein Schlag Arbeit getan.«

Das war ungerecht, denn es gab immer etwas zu tun, auch im Haus. Die zwei Webstühle hatten wochenlang nicht stillgestanden, als zwei Frauen, Leibeigene des Hauses, Bahnen von gestreiftem Vadmaltuch webten, das neue Segel für die *Elk*. Alle waren beschäftigt, selbst die Kinder, sei es mit Nähen, Stricken, Lederarbeiten oder einer Holzschnitzerei.

Allerdings belagerten die Kinder im Halbdunkel lieber Botolf und bettelten um Geschichten. Die drei älteren Jungen waren Söhne der Leibeigenen, die sie von ihren früheren Eigentümern hatten; die zwei Säuglinge waren Kinder meiner Eingeschworenen, dazu kam noch ein Kuckuckskind von Jarl Brand, und das Haus hallte wider von ihrem Lärm.

Die Männer kamen zum Essen herein, graue Gestalten an einem grauen Tag. Sie bliesen sich die Regentropfen von der Nasenspitze und schüttelten das Wasser aus ihren Umhängen.

Ich setzte mich auf meinen Hochsitz, wo ich Ruhe haben würde, während sich die Halle mit Lärm und Geschwätz füllte und der Geruch nach nasser Wolle sich breitmachte. Die irische Leibeigene, Aoife, versuchte gerade, ihrem Sohn eine wollene Tunika über die molligen Ärmchen zu ziehen, aus der er sich aber jedes Mal wieder herauswand. Endlich hatte sie es geschafft, gerade als Thorgunna ihr auf die Schulter klopfte und sie anwies, Muscheln aus dem Vorratshaus zu holen. Sie ging, wobei sie einen besorgten Blick auf ihren Jungen warf, der Cormac hieß und gerade im Begriff war, zu den Hirschhunden in der Ecke zu krabbeln.

Ich saß da in meinen wollenen Kleidern und brütete vor mich hin wie ein schwarzer Hund, das Runenschwert auf den Boden gestützt, während ich auf den Griff mit den hineingeritzten Zeichen starrte. Ich hatte sie mithilfe des kleinen Eldgrim eingeritzt, als wir uns von Attilas Grab mit dem verborgenen Silberschatz zurückschleppten, denn obwohl ich nicht besonders gut im Runenlesen war, reichte es doch, um mit ihrer Hilfe den Weg zu diesem geheimen Ort wiederzufinden.

Nach dem Grauen und den vielen Toten, die wir dort hatten lassen müssen, hatte ich mir geschworen, nie wieder dorthin zu gehen, und doch hatte ich diese Zeichen eingeritzt, als hätte ich es trotzdem vor. Odins Hand, ohne Zweifel.

Ich hatte an dieser Angel gezappelt und mich nach Kräften gewehrt; ich hatte viele gute Gründe gefunden und sie mit reicher Beute untermauert, damit die Eingeschworenen nicht darauf bestanden, zu Attilas Grab zurückzukehren. Und dennoch hatte ich immer gewusst, dass ich Kvasir und die anderen zu diesem verwünschten Ort bringen müsste – oder ich müsste Kvasir in das Geheimnis einweihen und ihn allein ziehen lassen. Das ging auch nicht, denn wir waren Eingeschworene und meine Angst, den Schwur zu brechen, war fast so groß wie meine Angst vor dieser unheimlichen Grabkammer.

Der Schwur.

Wir schwören, dass wir einander Brüder sein wollen, mit Knochen, Blut und Stahl. Wir schwören auf Gungnir, Odins Speer, möge er uns bis in die neun Reiche und darüber hinaus verfluchen, wenn wir diesen Schwur gegeneinander brechen.

Er band uns in Ketten der Gottesfurcht, trieb uns in Kälte und Sturm, ließ uns Dinge tun, von denen die Skalden später singen würden – und andere, die in der Erinnerung besser unter einem großen Stein begraben blieben, so schändlich waren sie. Und doch, wenn wir mit dem Rücken zueinander standen, vor uns die, die nicht zu uns gehörten, dann wussten wir, dass jede Schulter neben uns einem Mann gehörte, der eher sterben als uns verlassen würde.

Es hatte mich von einem Jungen, einem Neiding, auf den Thron meiner eigenen Halle gebracht – und doch war selbst dieser Hochsitz nicht mein eigener, er war die Beute aus dem letzten Kampf für Jarl Brand und Eirik, den neuen König. Ich hatte ihn aus der Halle von Ivar Wetterhut mitgenommen, dessen Kopfbedeckung angeblich Stürme heraufbeschwören konnte. Er hätte damit winken sollen, als wir in seine Bucht gerudert kamen, denn als wir bei schönstem Wetter und ruhiger See wieder abzogen, war sein Hof niedergebrannt und er hatte alles verloren, selbst seinen Thron.

Nach dem Raubzug waren wir alle hierhergekommen. Wir harten Männer, wir Räuber, hatten uns hier in dieser Halle niedergelassen, die nach nasser Wolle und Hunden roch und wo es schreiende Kinder und schimpfende Frauen gab. Seitdem hatte ich getan, was ich konnte, damit sich meine rauen Kerle hier zu Hause fühlten. Und wie ich glaubte, mit Erfolg, deshalb hatte ich beschlossen, einen Stein für uns aufzustellen, damit wir hier Wurzeln schlagen.

Was das Runenschneiden anbelangt, so gibt es in der ganzen Welt nur eine Handvoll wirklicher Meister, die die Kett- und Schussfäden im Leben eines Menschen so perfekt in Stein meißeln können, dass die Nachkommen es noch tausend Jahre später lesen können. Wir wollen, dass jedermann erfährt, wie mutig wir gekämpft, wie leidenschaftlich wir geliebt haben. Wer dieses Kunststück fertigbringt, verdient in jeder Halle den besten Platz auf der Bank.

Die Schlangenrunen auf dem Stein der Eingeschworenen sollte der Runenmeister Klepp Spaki mit einem Werkzeug einmeißeln, das so spitz wie der Schnabel eines Vogels war. Klepp Spaki hatte es von einem Mann gelernt, der bei einem Mann gelernt hatte, der bei Varinn gelernt hatte. Derselbe Varinn, der den Ruhm seines toten Sohnes in einen Stein gemeißelt hatte, was ihm so erstaunlich gut gelungen war, dass der Ort fortan Rauk hieß, was Stein bedeutete.

Als Klepp fertig war, fuhr ich mit den Fingern über die Schlangenlinien, die er für uns gemeißelt hatte. Sie waren noch grobkörnig und auch noch nicht eingefärbt. Ich habe das Runenlesen erst spät gelernt und habe den Odin-Zauber ihrer Zeichen nie richtig beherrscht, auch wusste ich nie, wo der Anfang war, wenn man es mir nicht zeigte.

Man liest genauso viel mit den Fingern wie mit den Augen. Es soll schwer sein – denn schließlich bedeutet das Wort selbst ja schon »Raunen«, und Odin selbst musste neun Nächte am Weltenbaum hängen und sich mit seinem eigenen Speer verletzen, ehe er das Geheimnis entdeckte.

Klepp beschrieb auf dem Stein der Eingeschworenen auch einen Teil meines Lebens, das weiß ich genau, auch wenn Wind und Wetter im Laufe der Jahre den Stein geglättet und mich zerfurcht haben. Zum Beispiel konnte ich mit dem Finger das Galoppieren von Hrafn, dem Hengst, finden und verfolgen, dieses Pferd, das ich einst von dem Dicken Bardi gekauft hatte.

Dieses Pferd war schwarz, es hatte nicht ein einziges weißes Haar, und sein Name »Rabe« passte besser zu ihm als jeder andere. Er war kein Reitpferd, er war ein Zucht- und Kampfhengst. Er sollte der Vater von ganzen Pferdedynastien werden und die Eingeschworenen, die bisher Seeräuber waren, zu Züchtern von edlen Kampfhengsten machen, auf den Weiden, die Jarl Brand von Ostgotland uns im Land der Svearen und Goten gegeben hatte, dem Land, das Eirik Segersäll, oder der Siegesfrohe, allmählich zu einem Großschweden zusammenfügte.

Hrafn. Der Name schon hätte mir Warnung sein sollen, aber ich war zu sehr von dem Gedanken besessen, in Frieden auf diesem fruchtbaren Stück Land zu leben und nie wieder mit den Eingeschworenen diesem verfluchten Silberschatz im Osten nachzujagen. Also hielt ich ein Pferd mit dem Namen Rabe für ein gutes Omen.

Ebenso der Name unseres Hofs: Hestreng, Hengstweide. Es war gutes Weideland, das sich sanft um eine schöne

Bucht zog und uns für den Winter mit gutem Heu versorgte.

Aber es war am Rande des Austrvegrfjord, des Ostwegsfjord. Diesen Namen hatte er nicht aufgrund seiner Lage, sondern weil alle Schiffe, die Raubzüge im Osten planten, diese Wasserstraße nahmen.

Obwohl die Eingeschworenen sich alle Mühe gaben, sesshaft zu werden, hörten sie doch jeden Tag den Ruf der Straße der Wale. Dann standen sie auf dem Kies am Strand, wo das Wasser ihre Stiefel umspülte und der Wind ihnen ins Gesicht blies, und sahen sehnsüchtig die Segel am Horizont verschwinden. Sie wussten, wo alles Silber der Welt vergraben war, dessen Verlockung kein Nordmann widerstehen konnte. Auch ich nicht.

Ich sah den Frauen zu, die sich am Feuer beschäftigten, und dachte an den Stein, der unverrückbar hier stand und hoffte, dass ich sie alle zu einem sesshaften Leben überredet hatte – aber in Wahrheit warteten sie nur darauf, dass die neue *Elk* fertig wurde.

Das war mir an dem Tag klar geworden, als Kvasir und ich in das Hochtal ritten, wo unsere Pferde den Sommer über weideten. Er sah dauernd über seine Schulter zum Meer zurück, wozu er sich auf seiner kleinen Stute extrem weit herumdrehen musste, weil er nur ein Auge hatte, und deshalb fiel es mir auf.

Man konnte die Weiden und die Felder hinter uns nicht sehen, auch nicht den Hügelzug, der sie vor dem scharfen Meereswind schützte. Aber man konnte das Meer und die Salzluft auf der Zunge schmecken, und als Kvasir sich wieder herumdrehte und merkte, dass ich ihn ansah, legte er den Kopf auf die Seite und rieb sich mit dem Finger unter der Klappe, die sein totes Auge bedeckte.

»Na ja«, sagte er bärbeißig, »ich liebe eben das Meer.«

»Du hast jetzt eine Frau«, erinnerte ich ihn. »Versuch lieber, auch das Land zu lieben.«

»Ich glaube, sie wird vielleicht eher lernen müssen, das Meer zu lieben«, brummte er und sah mich mürrisch an, weil ich lachte ... doch dann musste er auch lachen. Wahrscheinlich war Thorgunna keine Frau, die etwas lernte, das sie nicht lernen wollte.

Wir waren stumm weitergeritten, in das Tal, das zu beiden Seiten von Bergen umschlossen war, an deren Hängen sich dichte grüne Wälder bis zur Baumgrenze hochzogen, wo die Berge ihre kahlen grauen Gipfel dem Himmel und dem Schnee entgegenstreckten. Es war ein grüner Edelstein, eine perfekte Sommerweide, die nie zu trocken wurde. Am Ende des Tales stiegen Fichten- und Kiefernwälder an, und auf den Höhen lag der Nebel.

In diesem Tal lag fast unsichtbar eine Hütte, von der man aus der Ferne nur die Rauchfahne sah. Hier lebten Kalk und sein Sohn, die Pferdeknechte, den ganzen Sommer über. Bei unserer Ankunft erschien Kalk, er trug, was Leibeigene immer trugen, eine Kjafal. Dieses ärmellose Gewand hatte eine Kapuze und war an den Seiten offen, zwischen den Beinen wurde es mit einer Schlinge und einem Knochenknebel geschlossen. Mehr trug er nie, ob Sommer oder Winter, obwohl er, wenn der Schnee zu hoch lag, ein Paar ausgetretener Schuhe aus Ochsenfell anzog.

Er begrüßte uns mit einem Kopfnicken, rieb sich das Stoppelkinn und wartete, während wir absaßen.

»Wo ist der Junge?«, fragte ich, und er räusperte sich und wollte ausspucken, erinnerte sich dann aber, dass sein Jarl vor ihm stand. Ich konnte es ihm nachfühlen, es musste ihm schwerfallen, zu akzeptieren, dass ein solcher Jüngling sein Herr war, denn ich brauchte nicht in den Spiegel zu sehen, um zu wissen, wie ich aussah.

Ein schmales Gesicht, den Bart gestutzt, mit blauen Augen und Haaren von einer Farbe wie das Farnkraut im Herbst, das zu mehreren Zöpfen geflochten und zurückgebunden war und auf Schultern fiel, die für einen Jugendlichen von knapp einundzwanzig Jahren auffallend muskulös waren.

Diese Schultern und die breite Brust sprachen von hartem Rudern und von Schwertkämpfen. Selbst ohne die verräterischen Narben auf den Knöcheln, die den Umgang mit Schild und Schwert verrieten, sah man, dass dieser Jüngling ein gestandener Mann war.

Zudem war er wohlhabend und weit gereist, mit einer Halskette aus Silbermünzen aus Serkland, mit einem Loch versehen und auf einer Lederschnur aufgereiht, mit einem schönen silbernen Odinsamulett als krönendem Abschluss: den drei verschlungenen Dreiecken des Valknut, ein gefährliches Zeichen. Diejenigen, die es trugen, neigten dazu, einer Laune des Einäugigen zum Opfer zu fallen.

Ich besaß auch ein ausgezeichnetes Schwert und mehrere gute silberne Armringe, außerdem natürlich den dicken geflochtenen Silberreifen, das Wahrzeichen des Jarl, dessen schlangenköpfige Enden sich auf dem Stoff meiner farbigen Tunika angifteten.

Ich wusste nur zu gut, wie ich aussah und wie Kalk darüber dachte, und ich betrachtete es als nicht mehr als recht und billig, dass er die Augen niederschlug, schluckte und uns grinsend und katzbuckelnd entgegenkam, voll Eifer, zu Diensten zu sein.

Die Rückkehr Jarl Brands, zusammen mit wilden Gesellen in Rüstung, hatte nicht wenige von ihnen von seinen Ländereien verjagt, und die Höfe, die sie zurückgelassen hatten, waren seinen Auserwählten, und darunter mir, als fürstliche Belohnung geschenkt worden. Für Leute wie Kalk war dies einerlei. Leibeigene waren bewegliche Güter und gehörten dem, der gerade auf dem Thron des Hofes saß.

Er sagte, es sei Zeit, die Pferde von den oberen Weiden herunterzubringen, eins habe einen verletzten Huf, und Tor Eisenhand lasse noch immer seine Stuten frei im Tal herumlaufen, das er als sein Eigentum betrachtete.

Wir sagten ihm, wir würden am nächsten Tag wiederkommen, und nahmen das hinkende Fohlen auf dem Rückweg zum Hof mit.

»Glaubst du denn, dass dieses Tal Tor gehört?«, fragte Kvasir schließlich.

Ich zuckte die Schultern. »Ich hoffe nicht. Thorgunna sagt, es gehöre ihr, als Teil ihres Erbes. Ich nutze es, weil ich euer Jarl bin und ihr unter meinem Dach lebt – aber wenn ihr wollt, könntet ihr mir auch sagen, dass ich es nicht nutzen soll. Warum fragst du?«

Kvasir zog den Rotz hoch und spuckte aus, dann schüttelte er den Kopf. »Nur weil ich dachte, dass du solche Dinge weißt. Wenn einem ein ganzes Tal gehört wie ein Paar Stiefel oder ein Sax.«

»Ja und? Soll das Land sich auf den Rücken werfen, um sich von dir den Bauch kraulen zu lassen, wenn du darüber reitest? Oder sollen die Felsen dich angrinsen und dir gratulieren, weil du ihr Besitzer bist?«

Kvasir brummte irgendetwas, und wir ritten schweigend weiter, nicht zu schnell, damit der lahmende Graue bequem mitkam. Wir sprachen an diesem Tag nicht mehr miteinander, aber sein Brüten beschäftigte mich wie eine juckende Stelle, die ich nicht erreichen und kratzen konnte.

Am nächsten Tag kam er zu mir und hockte sich neben meinen Hochsitz, als ich zusah, wie Aoifes Sohn Cormac gerade seine dicken Ärmchen um den Hals eines Hirschhundes schlang, der ihm das Gesicht ableckte, bis er lachte. Der Junge hatte so helles Haar, dass man glauben konnte, der weißhaarige Jarl Brand selbst habe ihn gezeugt – was wir auch vermuteten, denn als Ehrengast hatte er bei Aoife schlafen dürfen. Niemand wusste es genau, am wenigsten Aoife selbst, denn wie sie sagte: »Es war dunkel. Er hatte Met dabei.«

Das engte die Möglichkeiten auch nicht weiter ein, wie wir alle zugeben mussten, wenn wir darüber spekulierten, wer noch infrage kam.

»Was wirst du wegen Thorkel machen?«, fragte Kvasir schließlich, und ich zuckte die Schultern, weil ich es auch nicht wusste. Thorkel war ein weiteres Problem, von dem ich hoffte, es würde sich von selbst erledigen.

Er war auf der Handelsknarr von Hoskuld angekommen, die Tuchballen und so schöne Garne und Nadeln mitbrachte, dass alle Frauen darüber in Entzücken gerieten. Er war vom Schiff gekommen, hatte sich durch die Frauen gedrängt und mich mit einem verlegenen Grinsen aus seinen meergrauen Augen angestarrt.

Ich hatte ihn zuletzt an jenem Strand der Gegend von Bretland grinsen sehen, die die Schotten das Königreich von Strathclyde nannten. Dort war er zurückgetreten und hatte mich seinen Platz bei den Eingeschworenen einnehmen lassen, ohne dass ich darum hatte kämpfen müssen. Es war natürlich alles vorher abgesprochen gewesen. Ich war erst fünfzehn und roh wie ein durchgerittener Arsch, aber Einar der Schwarze, der damals unser Anführer war, war ein kluger Jarl und verständnisvoll genug, sich auf diese Täuschung einzulassen.

Thorkel war fortgezogen, um mit einer Frau in Dyfflin zusammen zu sein. Jetzt saß er in meiner Halle und trank

Bier und erzählte, wie er als Bauer Schiffbruch erlitten hatte, wie seine Frau gestorben war und wie er auch keinen Erfolg gehabt hatte, als er versuchte, Leder und andere Waren zu verkaufen.

Er hatte gehört, dass die Geschichte von Attilas Silberschatz sich bewahrheitet hatte, die Geschichte, die er immer als Märchen abgetan hatte und um deretwegen er vor allem die Eingeschworenen hatte verlassen wollen.

»Wir sollten dich Glückspilz nennen«, sagte Finn, als Thorkel fertigerzählt hatte. Thorkel lachte höflich und etwas zu laut, denn nichts wünschte er sich mehr, als wieder zu den Eingeschworenen zu gehören und eine Chance auf seinen Anteil an diesem Silberschatz zu bekommen, den er so leichtfertig hatte sausen lassen.

»Seit er zurück ist«, sagte Finn, der Strohhalme ins Feuer warf, »scheinen sich alle Männer ein wenig nach links zu neigen.«

Das verstand ich nicht.

»Als hätten sie eine Axt oder ein Schwert am Gürtel«, meinte er. Er rückte zur Seite, um einem Hirschhund Platz zu machen, der seinen Kopf auf mein Knie legte und mich seelenvoll ansah.

»Irgendwann muss ein Mann seine Wahl treffen«, fuhr er fort. »Es sind fast fünf Jahre, seit wir mit Jarl Brand auf den Flüssen der Rus vom Gardarike hierhergesegelt sind, Orm. Fünf Jahre.«

»Wir haben versprochen, ihm jedes Jahr zu dienen«, erinnerte ich ihn und hatte ein Gefühl – wie immer, wenn dieses Thema zur Sprache kam –, als bewege sich die Erde unter meinen Füßen.

»Ja, schon«, gab Kvasir zu. »Das erste Jahr und das folgende waren ja auch gut für uns, obwohl das, was wir verdienten, genauso schnell wieder weg war. Aber so ist das mit uns – wie gewonnen, so zerronnen. Damals dachten wir allerdings, du hättest einen Plan, um uns auszurüsten und wieder ins Grasmeer zu Attilas Schatzkammer zu ziehen. Doch stattdessen bekamen wir Land vom Jarl.«

»Wir hatten ja auch kein Schiff, bis wir anfingen, eins zu bauen«, protestierte ich und merkte, wie mir bei dieser Lüge die Röte in den Nacken stieg. »Wir brauchen ein ...« Das Wort »Heim« drängte sich mir auf, aber das konnte ich diesen Männern nicht sagen, deren Heim das unruhige Meer war.

»Und überhaupt«, sprach ich trotzig weiter, »solange hier Krieg herrschte, waren wir auf jedem Hof, der hinter Jarl Brand stand, willkommen. Aber wenn der Krieg vorbei ist, fragt keiner mehr nach Leuten wie uns. Ich wette, dass es an der ganzen Küste hier keine zwei Hallen gibt, wo man sich darüber freuen würde, wenn eine Schiffsladung Eingeschworener in ihr friedliches Leben gesegelt käme. Würdet ihr lieber im Schnee schlafen und Schafsköttel fressen?«

»Das dritte Kriegsjahr war allerdings hart«, gab Kvasir zu, »und da hatten wir großes Glück, unsere eigene Halle zu haben.«

In diesem dritten Jahr des Krieges gegen Jarl Brands Feinde war viel Blut geflossen, aber ich hatte bisher keine Ahnung von Kvasirs Absichten gehabt. Ich sah ihn scharf an, aber sein Blick war nicht weniger entschlossen, selbst mit nur einem Auge.

»Letztes Jahr wurde uns klar, dass du Gründe suchtest, um nicht dorthin zu ziehen, wo wir alle hinwollten«, sagte er. »Und während wir Geld ausgaben, hast du gespart, und das fanden wir bei einem so jungen Jarl wie dir allerdings sonderbar.«

»Ich musste sparen, weil ihr euer Geld ausgegeben habt«,

erklärte ich aufgebracht. »Ein Jarl soll freigebig sein, und Armringe wachsen nicht auf Bäumen.«

»Ja, natürlich«, erwiderte Kvasir, »und du bist ja auch bekannt für deine Großzügigkeit. Aber dieses Jahr, als Eirik der Rig-Jarl über alle wurde, musste man dich ja fast dazu zwingen, endlich mit dem Bau der *Elk* anzufangen, denn du hast nur an deine Pferde und den Pferdehandel gedacht.«

»Ein Schiff wie die *Elk* ist teuer«, gab ich hitzig zurück. »Es braucht eine gute Mannschaft, die unterhalten und bezahlt werden will – oder wolltest du nur mit denen, die von den Eingeschworenen übrig sind, auf Schatzsuche gehen? Auf der ganzen Welt gibt es kaum noch ein Dutzend, und davon sind die beiden in Hedeby Invaliden, die sich um einander kümmern. Das reicht kaum als Besatzung für eine Knarr, ganz zu schweigen, um damit auf Raubzug zu gehen.«

Kvasir ließ meinen Unmut über sich ergehen, dann wischte er sich Rotz von der Nase und zuckte die Schultern. Ich hatte den Eindruck, dass er mich etwas traurig ansah, was meine Laune nicht gerade verbesserte.

»Du willst die, die noch übrig sind, zu Pferdezüchtern und Bauern machen. Sie sollen ihre Felder pflügen, und vor ihrer Tür sollen Hühner scharren«, murrte er.

»Da sieht man mal, wie gut du Bescheid weißt«, sagte ich spöttisch und streute noch Salz in die Wunde. »Du scheinst nicht einmal zu wissen, dass wir unsere Hühner im Stall halten.«

Er wischte sich die Hand an der Hose ab.

»Nein. Will ich eigentlich auch nicht wissen«, erwiderte er nüchtern. »Ich glaube, die anderen verstehen auch nicht viel von Hühnern, auch nicht von Heu oder von Pferden. Aber sie verstehen etwas von Schiffen – und deshalb fällen sie auch Holz für Gisur und schleppen es heran, um die neue *Fjord Elk* zu bauen. Und darum bleiben sie hier. Und ich würde mir keine Sorgen um eine neue Mannschaft machen, Orm. Thorkel ist bestimmt nicht der Einzige, der auf einen Platz auf der Ruderbank hofft. Selbst nach fünf Jahren funkelt der Silberschatz noch sehr hell.«

»Du hast eine Frau«, sagte ich jetzt verzweifelt, denn ich wusste, er hatte recht. »Ich dachte, es war dir ernst, als du dich ihr versprochen hattest – kannst du sie genauso leicht zurücklassen wie die Hühner?«

Kvasir verzog komisch das Gesicht. »Wie gesagt – sie wird lernen müssen, das Meer zu lieben.«

Ich war platt. Wollte er mir erzählen, dass er sie mitzunehmen gedachte? Auf diese Reise in die Länder der Slawen und in das weite, leere Grasmeer?

»So ist es«, bestätigte er, und ich war sprachlos. Wenn er so entschlossen war, dann hatte ich versagt, und das Geräusch der Hämmer und Zimmermannsäxte vom Strand her schien mich fast zu verhöhnen. Sie war fast fertig, die neue *Fjord Elk,* die jüngste in einer langen Reihe. Und wenn sie erst fertig war …

»Wenn sie fertig ist«, sagte Kvasir, als könne er meine Gedanken lesen, »dann wirst du eine Entscheidung treffen müssen, Orm. Der Schwur hat uns zur Geduld gezwungen … na ja, alle außer Finn … Aber wir werden nicht ewig so geduldig bleiben. Du musst dich wirklich entscheiden.«

Eine Antwort blieb mir erspart, denn die Tür flog auf, und Gisur kam herein, gefolgt von Onund Hnufa, Finn und Runolf Hasenscharte. Botolf und Ingrid waren dichter zusammengerückt und flüsterten.

»Wenn du die vorderen Planken noch dünner hobelst«, sagte Gisur zu Onund, der die *Elk* baute, »dann wird sie Wasser reinlassen wie ein Sieb.«

Der buckelige Onund zog den großen Mantel aus Seehundfell aus, in dem er wie ein Seeungeheuer aussah. Er antwortete nichts, denn er war ein wortkarger Isländer, der nie viel sagte, und erst recht nicht, wenn es darum ging, zu erklären, was er beim Schiffbau mit dem Holz machte. Wortlos saß er da, und seine verwachsene Schulter ragte wie ein Berg über sein Ohr hinaus.

Sie drängten sich und suchten Plätze für ihre Umhänge, damit sie sich nicht gegenseitig volltropften und trotzdem nahe genug am Feuer waren. Wieder flog die Tür mit einem Schwall kalter, feuchter Luft auf, und der rote Njal kam herein und trampelte Matsch von den Stiefeln, was ihm einen vernichtenden Blick von Thorgunna einbrachte.

»Frauenlippen schlagen die schlimmsten Wunden, wie meine Großmutter immer sagte«, brummte er, als er ihr Gesicht sah.

Ingrid riss sich von Botolf los und schloss die Tür. Botolf stand grinsend auf und setzte sich ans Feuer, wo er sofort von Kindern umringt war, die nach Geschichten verlangten. Er wehrte lachend ab, doch es hatte nicht viel Zweck, er wurde überschrien.

»Ich würde nachgeben«, sagte der rote Njal amüsiert. »Kleine Wölfe können selbst den größten Bären zu Fall bringen, wie meine Großmutter immer sagte.«

»Was für ein schöner Anblick«, flüsterte eine Stimme neben mir. Finn hatte sich in der düsteren Halle neben mir niedergelassen. »Wie der Blick in einen stillen Fjord an einem ruhigen Sommertag, was, Orm? Ein schönes Bild. Man darf nur nicht danach greifen.«

Ich sah von ihm zu Kvasir und wieder zurück. Wie zwei Stevenköpfe saßen sie zu beiden Seiten meines Throns, dachte ich düster. Wie Raben auf meiner Schulter. Ich starrte auf den Griff meines Schwertes, ohne ihn zu sehen, drehte ihn in meiner Hand und bohrte das Loch zu meinen Füßen noch tiefer.

Finn streichelte den Kopf des Hirschhundes und betrachtete diese friedliche Szene, sodass ich nur einen Teil seines Gesichts sah, das rot vom Feuerschein war. In seinem schwarzen Bart gab es einige Silberfäden, und wo sein linkes Ohr hätte sein sollen, befand sich nur eine wulstige rote Narbe. Er hatte es in Serkland verloren, auf diesem von allen Göttern verfluchten Berg, wo wir gegen unsere eigenen Leute gekämpft hatten, die ihren Schwur gebrochen und noch Schlimmeres getan hatten.

Es waren wenige übrig von denen, mit denen ich vor sechs Jahren Björnshafen verlassen hatte. Wie ich Kvasir gegenüber erwähnt hatte – kaum genug für die Mannschaft einer Knarr.

»Dann sieh genauer hin«, sagte ich missmutig zu Finn. »Du musst nur den Blick ein wenig heben. Dann kannst du auch danach greifen.«

»Du machst dir etwas vor, Orm«, sagte er. »Du bist zu jung, um am Feuer zu sitzen und deine Halle zu unterteilen. Ich weiß auch, wie viel du hattest und wie viel du ausgegeben hast, und ich vermute, auch dein Beutel ist jetzt ziemlich leer. Dieser Traum nährt sich von Silber.«

»Vielleicht. Aber dieses Anwesen wird uns alle reich machen, wenn ihr nur wollt. Und ich selbst leide nicht unter diesem Silberfieber«, erwiderte ich, verärgert, dass er mich auf mein schwindendes Vermögen angesprochen hatte und darauf, dass ich meine Halle in einzelne Behausungen unterteilen wollte, statt sie groß zu lassen, als Festsaal für eine ganze Mannschaft.

Jetzt sah er mich an. Seine Augen waren hell in der Dunkelheit, und ich sah, sie waren unnachgiebig. Dieser Blick war mir vertraut. Finn kannte nur eine Art und Weise, zu Geld zu kommen, und das einzige Eichmaß, das er kannte, war die Länge seines Schwertes. Und er war nicht der Einzige. Tatsächlich war ich es, der nicht zu den Eingeschworenen passte.

»Aber das Seefieber hat auch dich gepackt. Ich habe doch gesehen, wie du übers Meer schaust, genau wie wir alle«, antwortete er. Ich wurde unruhig. Je näher die Fertigstellung der neuen *Elk* rückte, desto weniger wollte ich an das Schiff erinnert werden. Ich wollte überhaupt nicht ans Meer denken und sagte es auch.

»Angst, Bärentöter?«, fragte Finn, und darin klang mehr Spott mit, glaube ich, als er selbst beabsichtigt hatte. Oder vielleicht lag es auch daran, dass ich mich schämte, denn den Namen Bärentöter hatte ich fälschlich bekommen, für etwas, das ich nicht getan hatte. Doch das wusste niemand außer dem weißen Bären und der Hexe Freydis, und die waren beide tot.

Trotzdem hatte ich Angst. Ich fürchtete das Meer, seinen Sog. Dieser Sog drohte mich zu erfassen, wenn ich nur Wellen am Strand hörte. Das Meer zog mich an wie das Bierfass einen Betrunkenen. Ich fürchtete, wenn ich erst wieder auf der Straße der Wale wäre, würde ich nie wieder zurückkommen. Das sagte ich Finn, und er nickte, als habe er das alles schon immer gewusst.

»Das ist der Ruf des Stevenkopfes. In dir steckt zu viel von Gunnar Raudi, als dass du hier sitzen und den Hennen beim Scharren zusehen könntest«, sagte er. Er war einer der beiden – der andere war Kvasir –, die wussten, dass ich eigentlich nicht Orm Ruriksson war, sondern Orm Gunnarsson. Gunnar. Mein leiblicher Vater, der schon so lange tot war.

Finn sah mich lange und eindringlich an, dann wanderte sein Blick zum Griff meines Schwertes, das ich immer noch langsam drehte.

»Merkwürdig, wie du diesen Griff zerkratzt hast, wo dich doch dieses Runenschwert vor allem Unglück schützen soll«, sagte er.

Seine Stimme war leise und spöttisch, denn er glaubte nicht, dass meine Gesundheit und scheinbare Unverletzlichkeit etwas mit den Runen auf der Klinge zu tun hatten, und sowohl er als auch Kvasir – die Einzigen, denen ich diesen Verdacht mitgeteilt hatte – verbrachten viel Zeit damit, mich vom Gegenteil zu überzeugen.

»Der Zauber ist in der Klinge«, erwiderte ich, denn zu diesem Schluss war ich seit Langem gekommen. Griffe und Verzierungen konnten ersetzt werden. Allein die Klinge war das, was ein Schwert ausmachte.

»Na ja, vielleicht, sie wird ja auch nie rostig und verfärbt sich nicht«, gab er zu, doch dann lachte er abschätzig. »Nein, in Wirklichkeit ist jede Klinge nur so gut wie die Hand, die sie führt.«

»Wenn das so wäre«, sagte ich, »dann hätten dich und mich schon längst die Würmer gefressen.«

Wir schwiegen und dachten beide an das Sterben und die Hitze und an den Kampf, den wir gekämpft hatten, um dieses Schwert zurückzubekommen, nachdem es mir gestohlen worden war. Wir dachten an den kleinen Eldgrim, dessen Kopf jetzt leer war und um den sich Dorschbeißer kümmerte, der beim Gehen schwer hinkte. Wir dachten daran, wie Botolf durch genau dieses Schwert, auf dem jetzt meine Hand lag, ein Bein verloren hatte. Dieses Schwert, auf dem das ganze Gewicht des Geheimnisses um den Weg zum Silberschatz lag. Wir dachten an alle, die dem Silberschatz in Attilas Grab nachgejagt und dabei umgekommen waren.

Finn stand auf.

»So ist es«, sagte er schwer. »Rudergefährten sind gestorben, im Wasser und durch Schwert und Feuer, von der Nordsee bis zum Sandmeer von Serkland, und alles nur, um von Odin mit allem Silber der Welt belohnt zu werden. Ich höre die toten Eingeschworenen murren, dass sie das alles nicht erlitten haben, damit wir jetzt hier sitzen und alt werden und uns überlegen, was hätte sein können. Mir scheint, ich höre mit meinem einen Ohr besser als du mit deinen beiden.«

Da war er wieder, dieser Schwur. »Odins Geschenk ist immer ein Fluch«, sagte ich resigniert, denn ich wusste, er hatte recht. Jede Feier brachte das unvermeidliche Bragafull – die Trinksprüche und die wilden Versprechungen –, denen später, wenn das Trinken uns schwermütig gemacht hatte, die Minni folgten, wenn die Trinkhörner zum Gedenken an die Toten erhoben wurden. Beide waren immer schwerer zu ignorieren.

Dieser Hof hatte doppelt starke Mauern, die tief in die Erde gebaut waren. Sie schützten vor Wasser und Wind, und wenn man darin saß, fühlte man sich so unverrückbar wie der Runenstein, den ich errichten lassen wollte. Und doch wollte ein wütender Sturm uns hier wegblasen, und ich roch den Tang und den Salznebel, der über den Kamm des Hügels zu uns drang. Es war der Atem des Tiers am Stevenkopf, das schnaubend an der Ankerkette zerrte und sich befreien wollte.

Eine Weile noch saßen wir im Rauch, der durch die Halle zog, hörten auf den Wind, der an der Tür rüttelte, während Botolf, jetzt mit mehr Bauch als Muskeln, sein geschnitztes Holzbein ausstreckte, um den Stumpf zu entlasten, und den Kindern Geschichten erzählte.

Er erzählte ihnen von dem Riesen Geirrod, von Thors

Reise nach Utgard, wie man Iduns Äpfel gestohlen hatte und von Otters Lösegeld. Diese letzte Geschichte erzählte er absichtlich, glaube ich, denn sie erwähnte den Drachen Fafner, den Schmied Regin und einen verwünschten Silberschatz, nämlich genau den, der geschickt wurde, um mit Attila begraben zu werden – und den wir gefunden hatten.

»Bei Thors Eiern, Thorgunna«, brummte der rote Njal, »ein Mann bewährt sich auf See, eine Frau am Kochtopf, wie meine Großmutter immer gesagt hat. So gut zu essen bekommt Jarl Brand bestimmt nicht.«

»Doch, bekommt er«, sagte Thorgunna, »aber bei ihm kommt noch Zimt mit rein, wie ich gehört habe. Und pass auf dein loses Mundwerk auf.«

»Zimt«, murmelte Gisur. »Ziemlich ausgefallen. Ich kann mir aber nicht vorstellen, dass das hier noch etwas verbessern könnte.«

»Wir hatten mal ganze Eimer von dem Zeug«, sagte Hauk Schnellsegler, den ich gerade zur Seite schob, um einen Platz auf der Bank etwas näher am Feuer zu bekommen. Mir stand zwar der Hochsitz zu, aber er war einfach zu weit weg von der Wärme.

»Weißt du noch, Orm?«, fragte er und gab mir einen Stoß, sodass mir der Eintopf über die Hand schwappte. »Auf der Insel, wo wir gegen die Piraten aus Serkland kämpften? Wir haben den toten Dänen als Rammbock benutzt, um in ihre Festung zu kommen.«

»Das war später«, sagte Kvasir und wischte sich Bier vom Bart. »Die Insel, wo wir den Zimt fanden, war da, wo diese Männer von Starkad gefangen genommen worden waren, denen die verfluchten Kameltreiber die Schwänze und die Eier abgeschnitten hatten und die sich dann vor Scham umbrachten. Der Letzte rannte sich dann an der Mauer den Schädel ein.«

»Das klingt, als hätte ich da so einiges verpasst«, sagte Thorkel in die Stille, die darauf folgte. Ich ignorierte ihn, doch ich merkte beim Essen, wie er mich ansah.

Der Rauch schlängelte sich nach oben und zog durch die Öffnungen ab, hinaus in Wind und Regen, und ich hörte dem roten Njal und Hasenscharte zu, die darüber stritten, wo andere Feinde und alte Rudergefährten umgekommen waren. Alle waren sie fort, bleiche Gestalten, die als Folgegeister auf schwarzem Wasser durch meine Träume trieben.

Thorgunna war leise hinter mich getreten, zog mein Haar nach hinten und band es zusammen.

»Damit es dir nicht ins Essen hängt«, sagte sie leise. »Übrigens sind dies keine Geschichten für Kinder.«

Finn warf seine Schale ärgerlich auf den Boden und stand auf, während die Hirschhunde sich unter uns mischten, Teller und Finger ableckten und Reste verschlangen. Cormac krabbelte zwischen ihnen herum und lachte.

»Vielleicht sollten wir den hier mal auf die Hirschjagd schicken, ehe der Winter kommt«, lachte Botolf und hob den strahlenden Jungen hoch. Aoife grinste, und Ingrid durchbohrte sie mit ihren Blicken.

Finn sah sie an, dann mich, dann schüttelte er den Kopf und stapfte in den Regen hinaus.

»Warum macht Finn ein Gesicht wie eine Ziege, die eine Wespe im Maul hat?«, wollte Botolf wissen, während Ingrid Aoife noch immer anstarrte und sich an seinen Arm hängte.

»Er denkt, wir führen hier ein zu ruhiges Leben und verweichlichen langsam«, sagte Kvasir, der seinen Teller mit Brot abwischte, das sofort im Rachen eines Hirschhundes verschwand. Er sah seine Frau liebevoll an. »Er schimpft darüber, wie wir sprechen und dass wir uns die Haare schneiden lassen. Er findet, dass wir aufbrechen sollten, um einen Silberschatz zu heben.«

Botolf, der wusste, was er meinte, brummte nachdenklich. Thorgunna schnaufte nur, sie hielt es für nichts als die typische Rastlosigkeit von Kriegern.

»Dann geht auf eure Raubzüge, aber wenn ihr mich fragt, dann ist das keine Beschäftigung für ehrliche Männer. Aber wenigstens strengt ihr euch dann etwas an, um für euer Essen zu sorgen. Mir scheint, dass Jarl Orm mit euch Faulpelzen viel zu nachsichtig ist.«

Mit vielsagendem Geklapper sammelte sie das Geschirr ein und bedachte mich im Vorbeigehen mit einem ihrer Blicke. Niemand sprach, denn ein bekanntes Sprichwort sagt, dass man mit einer Frau nur auf zweierlei Arten streiten kann, von denen keine funktioniert.

Eine unbehagliche Stille breitete sich aus.

»Falls du wieder mit der Geschichte von Otter anfangen willst«, sagte ich zu Botolf, »mach stattdessen lieber Musik.«

Botolf grinste und holte seine Handtrommel, und Hauk fischte seine Flöte aus der Tasche, und zusammen flöteten und trommelten sie, und die Kinder sangen und tanzten, und selbst die Leibeigenen in ihren Kopftüchern und den tristen grauen Kitteln aus Vadmaltuch machten mit. Für eine kurze Zeit vergaßen sie, dass sie bewegliches Eigentum mit durchgewetzten Ellbogen waren. Mich hat es schon immer erstaunt, welche Macht die Musik von Flöten und Trommeln hat.

Das, was sie da trieben, war neuerdings heidnisch, dank der Priester des weißen Christus. Die Handtrommel ist jetzt ein heidnisches Instrument, und gesunde muntere Kinder sind plötzlich Bastarde, wo doch zu Zeiten, als wir noch zu Odin gehörten, ein Kind so gut und wertvoll war wie das andere.

An jenem Tag, als der Wind gegen die Mauern der Halle donnerte und den Regen vom Meer hertrieb, war diese Szene so herzerwärmend, wie sie sich ein Seemann auf einem schaukelnden, schlingernden Deck nur erträumen konnte – aber irgendwo, da war ich sicher, hatte Odin die Nornen wieder überredet, ein blutiges Scharlachrot in das Tuch unseres Lebens einzuweben.

Dieser Gedanke machte mir sehr zu schaffen. Ich ging hinaus in die Nacht, die nach Regen und Meer roch, zu den Pferdeställen. Die Tiere wieherten und stampften, sie waren es nicht gewohnt, eingesperrt zu sein, und Staub und Spreu stoben auf. Im Dunkel schien es hier plötzlich sehr eng, als ob eine Menge ungesehener Personen mich umgäben.

Ich fühlte sie, die verborgenen Toten der Eingeschworenen, die sich fragten, wofür sie ihr Leben hingegeben hatten, und mir zog sich der Magen zusammen. Ich dachte, ich hörte jemanden lachen, und die Dunkelheit war merkwürdig, irgendwie schien sie zu glühen.

Es kam von draußen, am Himmel, wo im Norden feine Streifen von grünem und rotem Licht tanzten. Ich hatte es schon vorher gesehen, also hatte es nichts Beängstigendes, und doch bekam ich beim Geheimnis des Fuchsfeuers jedes Mal eine Gänsehaut.

Andere offenbar auch. Thorkel erschien in der Finsternis und stellte sich neben mich.

»Trollfeuer«, sagte er verwundert. »Manche sagen, das Rot in diesen Feuern bedeutet eine Schlacht, wenn die Krieger in Walhall miteinander kämpfen.«

»Ich habe gehört, es bedeutet, dass Drachen miteinander kämpfen, und ist ein schlechtes Omen«, erwiderte ich. »Vorzeichen von Pest und Krieg.«

»Es bedeutet nichts weiter«, mischte sich in diesem Moment eine weitere Stimme ein, »als dass der Winter früh kommt und hart wird, sodass selbst die Flammen gefrieren.«

Wir drehten uns um und sahen Finn, der in seinen dicken grünen Umhang gehüllt auf uns zukam, die Dampfwölkchen von seinem Atem mischten sich mit unseren.

»Es wird kalt sein auf See, wenn wir losfahren«, fügte er hinzu, und seine Worte hingen in der Luft wie die Lichtschleier am Himmel.

KAPITEL 2

Es dauerte nicht lang, bis Odin mir seine Wünsche unmissverständlich klarmachte. Ich wachte davon auf, dass Aoife, die in meinem geschlossenen Bettkasten bei mir gelegen hatte, aufstand, um nach Cormac zu sehen. Es war kalt in der Halle, in der alle anderen so dicht wie möglich am Feuer schliefen, je nachdem, wie man es ihnen erlaubte. Und nachdem Aoife mich verlassen hatte, wurde mir noch kälter.

Thorgunna und Ingrid waren schon auf, die eine kam zielstrebig auf mich zu, während die andere damit beschäftigt war, die Glut wieder anzufachen und die Leibeigenen mit Fußstößen zu wecken, damit sie Holz und Wasser holten. Ich stöhnte. Es war noch zu früh für Thorgunna.

Mit den Händen auf den Hüften blieb sie stehen und sah zu mir herab, eine Augenbraue hochgezogen. »Du siehst aus wie ein Sack voll Dreck.«

»Herr.«

»Was?«

»Du siehst aus wie ein Sack voll Dreck, *Herr.* Immerhin bin ich hier der Jarl.«

Sie schnaubte verächtlich. »Nach dem Stand der Sonne, die uns schon hell in die Augen scheint, ist es eine Stunde nach Rismal. *Herr.* Und weil du der Jarl bist, bringe ich dir hier eine saubere Tunika und werde dafür sorgen, dass dein Haar ordentlich gekämmt ist. *Herr.* Es sind Männer angekommen, zusammen mit Hoskuld, dem Händler, und sie fragen nach dir und Thorkel. Sie behaupten, Thorkel zu kennen.«

Ich stöhnte noch lauter, denn ich ahnte, wer diese Männer waren und warum sie gekommen waren. Thorkel hatte es vermutlich verbreitet, und jetzt waren sie hier, die Nächsten, die sich um einen Ruderplatz auf der neuen *Elk* bemühten.

»Soll Finn sich darum kümmern«, wehrte ich ab. »Und was du da von der Sonne erzählst, davon glaube ich kein Wort.«

»Finn ist schon mit Heg aufgebrochen, um Planken zu organisieren, wie du es ihnen aufgetragen hast«, erwiderte Thorgunna und warf mir eine blaue Tunika zu. Sie roch nach Sommerblumen und frischer Salzluft. »Mit der Sonne hast du allerdings recht. Aber sie ist schon da, nur irgendwo hinter den Wolken dort über den Bergen.«

Ich hatte keine Wahl, also wälzte ich mich fröstelnd aus dem Bett und musste mich erst noch waschen, ehe Thorgunna mir erlaubte, in die saubere Tunika und meine warme Hose zu schlüpfen.

»Wenn du nicht die ganze Nacht mit dieser Aoife gebumst hättest, würdest du auch nicht so stinken«, erklärte sie, während ich meine vor Kälte steifen Schuhe zuband.

»Konntest du unseretwegen nicht schlafen?«, brummte ich zurück. »Ich kann mich noch gut erinnern, wie ihr, du und Kvasir, einen solchen Krach gemacht habt, nachdem du hier gerade angekommen warst, dass ich ernsthaft daran dachte, euch ein eigenes Haus zu bauen, um endlich wieder schlafen zu können.«

Sie schnaubte verächtlich, war jedoch etwas rot geworden. Sie drehte mich herum, um mein Haar zu flechten. Fast wie eine Mutter, obwohl sie nur eine halbe Handvoll Jahre älter war als ich. Als ich mich wieder zu ihr umdrehte, lächelte sie; und diesem Lächeln konnte man nur schwer widerstehen.

Mein Gesicht wurde erst wieder ernst, als ich in den verschlammten Hof hinaustrat, wo Thorkel und vier weitere Männer im Windschatten des Holzschuppens geduldig warteten. Sie saßen da und aßen von einem Holzteller ihr Rismal aus Brot und gesalzenem Fisch, in den Händen klobige Holzbecher mit Bier. Weil alle noch schliefen, hatte Thorgunna sie nicht in die Halle gelassen, aber dennoch hatte sie ihnen Gastfreundschaft gewährt.

Es war kalt, ein Tag, an dem die letzten Blätter in rostbraunen Häufchen über den Boden wirbelten und kahle Bäume in den perlgrauen Himmel ragten. Thorkel nickte freundlich, drehte nervös seine fleckige Wollmütze in den Händen und zeigte auf die Männer.

»Dies sind Finnlaith aus Dyfflin, Ospak, Tjorvir und Throst Silfra. Wir möchten wissen, ob du gute Männer für die Mannschaft brauchst.«

Ich sah sie an. Alles kräftige Männer. Finnlaith war eindeutig halb irisch, die anderen drei waren Svearen, und alle hatten die typischen rauen roten Knöchel, wie man sie vom Reiben gegen die Innenseite eines Schildes bekommt. Und obwohl ich es nicht sehen konnte, wusste ich, sie alle hatten bestimmt auch Schnittnarben auf dem anderen Handrücken, und ihre Handflächen waren schwielig vom Kämpfen mit Schwert und Axt. Womöglich hatten sie erst vor Kurzem noch gegen uns gekämpft, aber das war jetzt Vergangenheit. Noch in diesem Jahr würde ein König in Uppsala gekrönt werden, der Svearen und Goten unter sich vereinigte.

»Silfra«, sagte ich zu dem, der Throst hieß. »Warum solltest du gerade mich brauchen?«

Sein Beiname – Silber – sei ein Witz, erklärte er mit seinem schweren Akzent. Er besaß nie lange Geld, denn er liebte das Würfelspiel zu sehr. Er brauchte mich, fügte er mit einem schiefen Grinsen hinzu, denn er hatte von Thorkel erfahren – und nicht nur von ihm –, dass ich über einen Berg von Silber verfügte. Thorkel war geistesgegenwärtig genug, um mit den Schultern zu zucken und den Eindruck zu erwecken, als schäme er sich. Ich sah ihn an.

»Sucht drinnen nach Kvasir«, sagte ich. »Thorkel wird euch zeigen, wer er ist. Macht, was er euch sagt, und genießt die Gastfreundschaft meiner Halle. Wir bauen ein Schiff, vielleicht werden wir eine Mannschaft brauchen. Aber vielleicht auch nicht.«

Noch während ich sprach, spürte ich, wie mir das Herz bleischwer wurde. Es war heraus und breitete sich in den Köpfen aus wie eine Läuseplage – Orm, der Töter des weißen Bären, der Günstling Odins, der von einem geheimen Berg aus Silber wusste, baut ein Schiff. Das zog sie an, wie Kvasir es vorausgesagt hatte. Unerschrockene Männer von fern und nah, die mit Schwert und Axt zu kämpfen wussten.

Und das hier war nur der Anfang. Während der nächsten Wochen kamen sie jeden Tag, zu Lande und zu Wasser, allein, zu zweit und in kleinen Gruppen, und sie alle wollten eine Ruderbank auf der *Elk*. Die Halle war voll von ihnen und ihrem Lärm, und Thorgunna war mit ihrem Lächeln nicht mehr ganz so schnell bei der Hand. Eher neigte sie dazu, die Küchengeräte krachen zu lassen und den Leibeigenen Ohrfeigen zu verabreichen.

Dann kam der Augenblick, vor dem ich mich gefürchtet hatte. Gisur und Botolf kamen herauf und verkündeten strahlend, dass der Stevenkopf an seinem Platz saß und die *Fjord Elk* fertig war.

Ich dachte an das erste Schiff mit diesem Namen, als

man mich mit fünfzehn Jahren an Bord gehievt hatte, fortgeschleppt hatte von meinem ruhigen Leben in Björnshafen und hinein in den Mahlstrom der Seeräuberei. Von einem Leben auf dem Feld und am Meer in ein Leben mit Klinge und Schild. Es gab, wie ich mir schweren Herzens eingestehen musste, keinen Weg zurück. Doch beim Anblick dessen, was Onund und Gisur hier vollbracht hatten, tat mein Herz einen solchen Freudensprung, dass auch der letzte Rest meiner alten Träume in sich zusammenfiel.

Ich hatte den Fortgang der Arbeit bislang immer nur flüchtig verfolgt, ich wollte das Schiff nicht wachsen sehen, wollte die Macht des Tieres am Steven nicht spüren, das mich aufs Meer hinauslockte. Jetzt traf mich sein Anblick wie Thors Hammer.

Es glänzte wie ein junges Fohlen, es roch nach Harz und Teer und Salz und schwankte leicht auf der Werft, die wir gebaut hatten, während die Männer das neue Segel einholten und um die Spiere wickelten, eine rot-weiß gestreifte Fläche, die Frucht zweier Jahre Arbeit am Webstuhl. Für dieses Segel hatte ich Hoskuld viel Silber und allerlei Versprechungen gezahlt, überhaupt hatte diese neue *Elk* den Rest meines ohnehin geschrumpften Vermögens restlos aufgebraucht.

Die Seiten und das Ruder waren mit Schnitzereien verziert, die Wetterfahne war versilbert. Der Meginhufr, diese extra dicke Planke, die unterhalb der Wasserlinie auf beiden Seiten des Schiffsrumpfes angebracht ist, war vergoldet, und die Hände der Leibeigenen waren von den Malerarbeiten noch immer blau und gelb verfärbt. Das hatte mich ebenfalls ein Vermögen gekostet – Lapis und Kupfer für die blaue Farbe, Ocker und Auripigment für die gelbe, und alles mit teurem Öl angemischt.

Kein Wunder, dass Hoskuld mit Gisur um die Wette grinste – mit dem, was er an mir verdient hatte, konnte der Händler sich zwei Jahre lang auf die faule Haut legen. Gisur strahlte vor Stolz über das, was sie geleistet hatten, aber eigentlich war es Onunds Werk, obwohl der Bucklige nie ein Zeichen seiner Zufriedenheit von sich gab, außer einem gelegentlichen Brummen, wie ein Bär, wenn er sich kratzt.

Selbst Thorgunna musste zugeben, dass es ein schönes Schiff war, auch wenn sie über die Kosten schimpfte und darüber, wie nutzlos es sei, verglichen mit einer neuen Knarr oder einem vernünftigen Fischerboot. Und über die Zeit, die tüchtige Männer mit dieser Arbeit verschwendet hatten; Zeit, in der sie besser Ställe hätten ausmisten oder Seetang auf den Feldern ausbreiten können.

Aber niemand hörte ihr zu, denn dies war die *Fjord Elk*, deren Stevenkopf ein stolzes Geweih trug und die glatt und geschmeidig die Wellen durchschneiden würde.

Gisur sah mich bedeutungsvoll an. Mein Herz flog wie der Wind über den Wellen. Der Augenblick war gekommen, und ich wusste, was jetzt fällig war – eine *Blot*-Zeremonie, mit zwei Kampfhengsten, dem Opfer des Siegers und dem Schwur. Dem alten Schwur, der einige von uns noch immer aneinander band.

Wir schwören, dass wir einander Brüder sein wollen, mit Knochen, Blut und Stahl. Wir schwören auf Gungnir, Odins Speer, möge er uns bis in die neun Reiche und darüber hinaus verfluchen, wenn wir diesen Schwur gegeneinander brechen.

Ein harter Schwur. Einmal abgelegt, galt er lebenslänglich oder bis man durch jemand anderen abgelöst wurde, was durch Absprache geschehen konnte, oder durch die Herausforderung eines Hoffnungsvollen. Ich hatte nicht erwartet, dass Odin uns vergessen hatte, wahrscheinlich war er nur für eine Weile eingenickt – aber ich hätte es besser wissen müssen; Allvater, der Einäugige, schläft nie, und wenn er schläft, ist sein Auge dennoch halb offen.

Also sagte ich seufzend zu. Es würde geschehen, sobald ich gemeinsam mit Finn und Kvasir entschieden hatte, wohin unser nächster Raubzug gehen sollte.

Ich hoffte, das Wetter würde sich ändern. Dass wir statt der wässrigen Sonne und des Regens, den uns der milchig-graue Himmel immer wieder bescherte, etwas Stärkeres bekommen würden, einen Sturm, der wie der Atem Thors durch die Kiefernwälder fuhr und das Meer aufpeitschte, sodass es nur noch aus Schaum und wehender Mähne bestand. Denn damit wäre die ganze Sache erledigt, zumindest für dieses Jahr, hoffte ich. Denn wenn Jarl Brand hörte, dass Leute aus seinem Land auf Raubzug gingen – zusätzlich zu den Fehden, die sie mit ihren Nachbarn hatten –, hätte das für uns hier in Hestreng nichts Gutes zu bedeuten.

Aber ich hatte vergessen, dass Thor zwar seinen Hammer aus Gewitterwolken schleudert, Odin hingegen seine Treffer lieber aus einem wolkenlosen Himmel schickt.

Der Treffer kam, als wir mit der *Fjord Elk* eine Probefahrt aufs Meer machten. An einem Tag wie Silber und Zinn, mit graugrüner See und Möwen, die hoch über uns kreisten. Ein guter Tag, um herauszufinden, ob sie sich leicht segeln ließ, an dem es, wie Gisur sagte, genug Wind gab, dass Rudern fast überflüssig wurde.

Die Männer brachten ihre Seekisten angeschleppt, um sie bei den Dollen abzustellen. Die Iren, die fast alle nur zur Hälfte dänisches Blut hatten, waren keine besonders erfahrenen Seeleute und reckten beim Anblick der Schilde und Speere die Hälse.

»Gehen wir denn auf Raubzug?«, wollte Ospak wissen. Der rote Njal, der gerade an ihm vorbeigestapft kam und mit den Stiefeln um den Hals ins seichte Wasser platschte, ließ ein kurzes, bellendes Lachen hören. Ein paar von der alten Mannschaft stimmten ein, denn für sie war es selbstverständlich, dass unsereiner ohne Klinge nicht einmal zum Scheißen ging.

»Ein Lächeln hat schon so manche Klinge stumpf gemacht«, rief der rote Njal über die Schulter nach hinten, indem er seinen Schild auf die Ducht schwang, »aber für diejenigen, die finster gucken, ist eine Klinge geeigneter, wie meine Großmutter zu sagen pflegte.«

Der Wind schlug mir meine Zöpfe ins Gesicht, und über mir blähte sich ungeduldig das herrliche neue Segel. Das Tier am Bug glitt an einer langen Welle hinauf und auf der anderen Seite wieder hinab, und ich hörte, wie Onund und Gisur vor Entzücken laut aufschrien. Verstohlen sah ich Finn an, der vor sich hin murmelte und seinen zerbeulten breitkrempigen Hut festhielt.

Er bemerkte mich und runzelte die Stirn.

»Das ist ein ziemlicher Hut voll Wind«, knurrte er. »Ich glaube, wir sollten den alten Ivar aufsuchen, damit er uns sagt, wie man es macht.«

Der alte Ivar war ohne seinen berühmten Wetterhut und alle weiteren Besitztümer nach Gotland geflohen, und es war höchst unwahrscheinlich, dass er Leuten wie uns seine Geheimnisse verraten würde. Aber das brauchte ich Finn nicht zu sagen. Eine Weile standen wir da, er drehte seinen Hut bald in die eine, bald in die andere Richtung und murmelte die Zaubersprüche, die er von Klepp gelernt hatte. Ich merkte, wie die Haut in meinem Gesicht sich von der Salzluft spannte.

Wir segelten vor dem Wind, bis Gisur und Hauk uns sagten, dass wir umkehren könnten. Sie wüssten jetzt, welche Beitass- und Rakki-Taue noch nicht richtig befestigt seien und was sonst noch korrigiert werden müsse. Damit drehten wir in den Wind, bis er das große gestreifte Segel gegen den Mast drückte. Seufzend nahmen die Männer auf den Ruderbänken Platz und fingen an, zur Küste zurückzurudern.

Wir waren nur leicht besetzt, der Wind blies ablandig, und die *Fjord Elk* tanzte übers Wasser, während die Männer Onund immer wieder begeisterte »Heyas« zuriefen, dafür, dass er ein so feines Schiff gebaut hatte. Er jedoch saß in seinen Pelz gehüllt da und beobachtete kritisch, wie viel Wasser sich zwischen den Füßen der Rudernden angesammelt hatte.

Ich stand am Bug und war froh, dass ich nicht rudern musste. Ich starrte über die graugrüne Wasserfläche zur Küste, die im bläulichen Dunst lag, einen Fuß auf der Ducht, die Hand an einer Brassenleine.

»Es ist meist die stille, ruhige See, in der man ertrinkt«, sagte eine Stimme dicht hinter mir, es klang wie die Bedrohung durch ein verborgenes Riff. Erschrocken fuhr ich zusammen, drehte mich um und starrte in das verlegene Gesicht des roten Njal, der seinen Platz an den Riemen verlassen hatte, um zu pinkeln.

»Wie meine Großmutter immer sagte«, fügte er hinzu, indem er den warmen Strahl über Bord schickte.

»Ziel gefälligst in die andere Richtung, du nichtsnutziger Sohn einer Sklavin«, brüllte Finnlaith hinter ihm, »denn wenn du mich nass machst, dann bist du es, der in der stillen, ruhigen See ertrinkt!«

»Sohn einer Thrall!« Der rote Njal spuckte verächtlich aus und drehte sich halb zu Finnlaith um; aber als die Männer anfingen zu fluchen, drehte er sich schnell wieder zurück und zielte aufs Wasser, indem er sich entschuldigte und Finn wegen seiner Beleidigung beschimpfte.

»Verachtet mir die Sklaven nicht«, knurrte Onund den roten Njal an. »Der beste Mensch, den ich je kannte, war ein Sklave. Er war auch der Grund, weshalb ich von Island wegging.« Die keuchenden Männer hoben die Köpfe wie Hunde, die eine Spur entdeckt haben, denn Onund sprach selten, und niemals darüber, warum er Island verlassen hatte. Doch auch jetzt hielten sie die Augen auf den Vordermann gerichtet, um beim Rudern im Rhythmus zu bleiben.

Onund fuhr fort. »Ich war mit Gisli zusammen, den sie Sauertopf nennen, aus Geirthiofsfirth in Thornes, den man dort einige Jahre zuvor als vogelfrei erklärt hatte. Der hatte einen Thrall namens Thord Hasenherz, denn er war nicht der Mutigste, dafür aber ein schneller Läufer.«

Unter dem Schnaufen der Ruderer ertönte hier und da ein leises Lachen, ein guter Spitzname war fast so viel wert wie ein guter Vers. Finn ging durch die Reihen und bot den Männern den Wasserschlauch, aus dem sie gierig tranken.

»Vogelfrei oder nicht, Gisli war jedenfalls nicht bereit, Thorsnes zu verlassen«, erzählte Onund weiter. »Also wurde er gejagt. Er nahm seinen Speer, der aus einem Zauberschwert gemacht war, das Graustahl hieß und das er gestohlen und nicht wieder zurückgegeben hatte, was sich auch für ihn rächte – aber das ist eine andere Geschichte.«

Die rudernden Männer grinsten, sie sahen sich im kommenden Winter offenbar schon bei einigen guten isländischen Geschichten am Feuer sitzen. Finn legte den Wasserschlauch hin und trat näher, um nichts zu verpassen.

Onund gab einen grunzenden Laut von sich und fuhr fort. »Er nahm Thord auch mit, und als sie sich im Dunkeln vorsichtig dem Gehöft näherten, gab er Thord plötzlich seinen liebsten blauen Umhang. Aus Freundschaft, sagte er, und wegen der Kälte. Als sie von drei Männern angegriffen wurden, fing Thord an zu rennen wie immer, aber die Verfolger sahen den Umhang und dachten, es sei Gisli. Sie schleuderten ihre Speere, und einer traf Thord in den Rücken und kam vorn wieder raus. Gisli hatte von einem Versteck aus gesehen, dass die Männer ihm auflauerten. Jetzt kam er heraus, und da die Männer nur noch ihre Sax-Schwerter hatten, brachte er sie alle um.«

»Klingt nach einem gerechten Kampf«, brummte Finn, und Onund zuckte die Schultern, ein Anblick zum Fürchten.

»Das sagt man so«, erwiderte er, »aber ich finde, dass es ein übler Streich ist, den man einem Neiding da gespielt hat und der Gisli auch keine Ehre einbrachte – davon hatte er aus anderen Gründen ohnehin nicht viel, nicht zuletzt, weil er so bereitwillig diesen Christusglauben übernahm. Deshalb ließ ich sein Schiff halbfertig liegen und kam hierher.«

»Andere haben sich auch dem weißen Christus angeschlossen«, gab Finn zu bedenken, und Onund, der wusste, dass auch Finn einst dazugehört hatte, nickte nachdenklich.

»Ich weiß. Die Angelsachsen und die anderen Völker westlich von Jütland sind jetzt auch fast alle Christusanhänger und treiben mit denen, die es nicht sind, keinen Handel mehr«, knurrte er. »Trotzdem ist es nicht sehr ehrenhaft, sich nur wegen des Silbers von seinen Göttern abzuwenden, auch wenn man es für kurze Zeit tut.«

»Lieber kein Silber als keine Ehre«, pflichtete der rote Njal bei, der gerade wieder seine Hose hochzog und zu seinem Platz zurückging. Finn, der merkte, dass er in diesem Wortwechsel den Kürzeren gezogen hatte, funkelte ihn böse an.

»Und ehe du wieder mit deiner Großmutter ankommst«, zischte er, »möchte ich dich an die älteste Weisheit von allen erinnern – nämlich dass eine abgeschnittene Zunge keinen Klatsch verbreitet.«

Der rote Njal spitzte traurig die Lippen und schüttelte den Kopf. »Echte Kameradschaft kann nur gedeihen, wenn man völlig ehrlich miteinander umgeht«, entgegnete er. »Und für diese Weisheit kannst du auch meiner Großmutter danken.«

»Trau nie dem Wort der Frauen«, rezitierte Finn, »denn ihre Herzen wurden auf der Töpferscheibe gemacht.«

»Mit den Ohren hören, mit den Augen sehen – so findet der kluge Mann seinen Weg«, konterte der rote Njal.

»Ach, hört doch endlich auf, ihr zwei«, rief Kvasir und erntete ein paar Lacher.

Ich sonnte mich in dem Gefühl, auf diesem wunderbaren neuen Schiff mit der einzigen Familie, die ich kannte, dahinzusegeln. Und gerade als mir bewusst wurde, wie sehr ich es genoss, spürte ich Odins Atem. Mich überlief es kalt, ich erschauerte und drehte mich unwillkürlich zum Bug um.

Die graugrüne See sah aus wie vorher, der düster-blaue Küstenstreifen ebenfalls – aber über einem Teil der Küste breitete sich ein dunkler Fleck aus, und ein rotes Auge zwinkerte bösartig.

Ich starrte hinüber und versuchte zu verstehen, was ich da sah, da erschien Finns feuchter Bart dicht neben meinem Gesicht, und er nahm mir die Erklärung ab.

»Rauch und Feuer«, sagte er. »Hestreng.«

Während ich noch bemüht war, einen klaren Gedanken zu fassen, hatte er sich schon zu den rudernden Männern umgedreht.

»Rudert, ihr Hundesöhne!«, brüllte er. »Unsere Halle brennt!«

Wir ruderten mit aller Kraft und trieben die *Fjord Elk* über die Wellen und auf die Küste zu, während die, die nicht ruderten, ihre Helme aufsetzten, die Gurte festzogen und die Schärfe ihrer Klingen prüften.

In meiner Panik lief ich ruhelos zwischen Mast und Bug hin und her, bis Kvasir mir mit dem Ruderblatt eins auf den Helm gab, was mich wieder zur Vernunft brachte.

Er brauchte gar nichts zu sagen, wir sahen uns nur an, und ich nickte ihm dankbar zu. Er grinste, doch seine Augen waren hart, und mich durchfuhr ein Schreck, als ich an Thorgunna, seine Frau, dachte, sowie an Botolf, Ingrid, Aoife und alle anderen. Wie ein Wirbelsturm kreisten meine Gedanken um die eine Frage. Wer war gekommen? Wer hatte es gewagt?

Die Antwort kannte ich nicht. Wie alle Seeräuber hatten wir mehr Feinde als Freunde, und der Fluch war, dass ich uns verletzlich gemacht hatte, indem ich für uns einen Ort geschaffen hatte, den sie angreifen konnten. Einen Ort, wo sie sicher sein konnten, uns zu finden.

Gisur feuerte die Ruderer an, die bis zum letzten Moment keuchten und schwitzten und schließlich krachend die Riemen einzogen, während der Kiel über den Kies knirschte und alle über Bord sprangen.

Ich kletterte auf die Ducht, warf mich auf die Steine und stolperte ein paar Schritte vorwärts. Ich sah die Männer vor mir, die, angefeuert von der Angst um das, was sie zu verlieren drohten, auf Hestreng zurannten, dass Sand und Kies nur so spritzten.

»Finn!«, schrie ich, und er sah es und brüllte wie ein brünstiger Stier, worauf die meisten Männer stehen blieben.

»Wartet doch, ihr Dummköpfe«, schrie auch Kvasir, so laut er konnte in die Menge. »Wir gehen zusammen. Die Eingeschworenen, als Mannschaft.«

Sie brüllten und schlugen mit den Schwertern auf die Schilde, aber in Wahrheit hatten ja die meisten von ihnen den Eid noch gar nicht abgelegt. Selbst jetzt, da sie keuchend hinter mir hertrabten, konnte ich nur hoffen, dass sie kämpfen würden – selbst wenn es nur darum ging, ihre wenigen Besitztümer zu verteidigen, die sie in meiner Halle untergebracht hatten.

Als wir über den Hügel kamen, der Hestreng vor dem Meer schützte, wurde uns klar, dass es nicht meine Halle war, die brannte, auch keines der Außengebäude, und mich schwindelte fast vor Erleichterung. Doch sofort empfand ich ein tiefes Schuldgefühl gegenüber denen, die es erwischt hatte.

»Gunnarsgard«, sagte Kvasir und sah mit zusammengekniffenem Auge auf den Rauch und den Feuerschein. »Tors Hof brennt.«

Er war nicht gerade unser Freund, aber er war doch ein Nachbar. Ich wollte gerade in Richtung des brennenden Hofes losrennen, als ich sah, dass Kvasir den Weg nach Hestreng eingeschlagen hatte, gefolgt von Finnlaith und den anderen. Natürlich, er wollte zu seiner Frau. Beschämt folgte ich ihnen.

Ich hörte das Krachen von Eisen auf Holz und das metallische Klirren von Stahl auf Stahl. Als ich Kvasir und die Gruppe der Eingeschworenen eingeholt hatte, drang lautes Keuchen und Brüllen an mein Ohr.

Ich rannte in den Hof und sah Finnlaith und Ospak, die »Ui Neill« brüllten und auf einen Haufen Männer losrannten, die von dem riesigen Botolf in Schach gehalten wurden, der schwitzend, das Holzbein in den Misthaufen gestemmt, eine große Langaxt über ihren Köpfen kreisen ließ. Kvasir ignorierte sie und rannte auf die Halle zu.

Ein Kerl im dreckigen Schafspelz und mit bösartigem

Grinsen hielt mir seinen Speer entgegen, was mich so überraschte, dass ich nur mit knapper Not meinen Schild heben konnte, der mir vom Aufprall jedoch aus der Hand rutschte, da ich ihn nicht fest genug hielt.

In mir stieg eiskalte Wut hoch. Ich hatte noch nicht einmal mein Schwert aus der Scheide gezogen, sondern setzte meinen schweren Stiefel auf den Schild und zog den Speer aus dem Holz. Damit ging ich auf den Kerl zu, der einen Sax hatte und aussah, als wüsste er ihn zu gebrauchen.

Ich weiß nur noch, dass ich mit dem Ende des Speers einen Halbkreis beschrieb und die kurze Klinge seines Sax traf und ich ihn zur Seite schleuderte. Dann hieb ich mit der Klinge des Speers zu, sodass er sein Gesicht zur Seite drehte. Es riss ihm seinen Schafspelz herunter, und er heulte auf, aber es war zu spät.

Ich stieß ihm die Spitze in den Bauch, knapp unter dem Brustbein, und drückte fester zu, sodass er wie ein aufgespießter Fisch zappelte und schrie und seine Beine hilflos auf dem Boden scharrten, während ich ihn immer weiter zurückdrängte, bis er gegen die Wand des Brauhauses stieß, wo ich ihn im durchhängenden Flechtwerk aufspießte.

Schließlich zog Finn mich von ihm fort. Später sagte er, ich hätte den Mann so fest gegen die Wand gedrückt, dass ich beinahe das ganze Brauhaus eingerissen hätte, wobei ich ihn immer wieder angeschrien hatte, er solle mir sagen, wer er sei, und wer es gewagt habe, die Eingeschworenen anzugreifen.

Jetzt traf auch der Rest der Mannschaft keuchend ein, und weil sie zu spät kamen, ließen sie ihre Enttäuschung mit Fußtritten an den Toten aus. Denn sie waren alle tot, alle sechs.

Schnaufend und mit rotem Gesicht kam Botolf auf mich zugehumpelt. Er grinste.

»Elende Hurensöhne«, sagte er und spuckte auf den, der ihm an nächsten lag. »Ein Strandhogg, dachte ich mir. Die sind hinter unseren Hühnern oder Pferden her. Und als Thorgunna sah, wie sie auf der Weide ziemlich ungeschickt versuchten, Stuten einzufangen, wusste sie sofort, mit wem wir es zu tun hatten.«

Thorgunna ... Ich hob den Kopf, beschämt und schuldbewusst, weil ich sie vergessen hatte, aber Botolfs Grinsen wurde noch breiter.

»Das ist ein Weib«, sagte er bewundernd, und in dem Moment tauchte Kvasir auf, an seiner Seite Thorgunna, hinter ihr Ingrid, gefolgt von Aoife mit Cormac auf der Hüfte und den Leibeigenen Drumba und Heg.

»Sie haben die Tür der Halle verrammelt«, sagte Kvasir.

»Das war sehr klug«, lobte Finn, aber Thorgunna schnaubte nur und verschränkte die Arme vor den mächtigen Brüsten.

»Nichts weiter als gesunder Menschenverstand«, sagte sie barsch, »wenn diese Sorte Freunde zu Besuch kommt.«

»Meine Freunde sind das nicht«, erwiderte Finn grimmig, indem er mit der Fußspitze eine Leiche umdrehte. »Aber trotzdem, irgendwie kommt mir dieser hier bekannt vor.«

»Wahrscheinlich seit eurer Geburt getrennt«, sagte Ingrid trocken.

»Meine Schwester ...«, sagte Thorgunna in diesem Moment fast tonlos und sah in Richtung Gunnarsgard. Ich schluckte, denn für einen Moment hatte ich nicht daran gedacht. Thordis, ihre Schwester, sie lebte als Tors Frau auf dem Hof.

»Finn – nimm dir ein paar gute Männer«, sagte ich schnell. Zum ersten Mal, seit der Rauch mir den Kopf vernebelt hatte, sah ich jetzt deutlich, was zu tun war. »Botolf – bleib hier bei den Frauen. Kvasir – bleib auch du bei deiner Frau und befehlige die Männer, die ich zurücklasse.«

»Bleib bei den Frauen«, murmelte Botolf schlecht gelaunt. »Bleib bei den Frauen …«

»Und halt deine Zunge im Zaum«, fuhr Ingrid ihn mit auflodernder Wut an. Thorgunna nahm sie beim Arm.

»Deinetwegen sind sie gekommen. Sie hatten es auf *dich* abgesehen«, sagte sie und wandte sich bereits zum Gehen. »Sie haben deinen Namen gerufen, als ob sie dich kennen würden.«

»Trotzdem haben sie Hrafn mit Pfeilen beschossen«, sagte Botolf grimmig, »als er auf sie zulief, weil sie seine Stuten mitnehmen wollten. Das arme Tier kann kaum noch gehen, falls es überhaupt noch auf den Beinen ist.«

Finn und ich sahen uns an, dann sah er hinunter auf den schlaffen Körper des Mannes, den er zu kennen glaubte.

»Alte Freunde«, brummte er.

KAPITEL 3

Es war ein Schock, ihn da so ganz gemütlich an Tors Herdfeuer sitzen zu sehen, die Füße auf der Bank, während er sich die Reste der Mahlzeit, die wahrscheinlich aus einer meiner Stuten bestanden hatte, mit einer Knochennadel aus den Zähnen stocherte. Er grinste, denn er wusste, sein Anblick traf mich, als hätte ich auf dem Grund meiner Suppenschüssel eine fette Spinne entdeckt.

Klerkon. Irgendwo hatte er auch noch einen anständigen Svearen-Namen, aber der wurde von den Zwergen so sorgfältig bewacht wie das Geräusch der Katzenpfoten, der Atem der Fische und alle anderen Dinge, die die Welt vergessen hat. Sie nannten ihn Klerkon nach seinem Vater, der ein *klerkr* gewesen war. In der Sprache der Svearen bedeutete das lediglich, dass jemand Latein konnte, obwohl Nordmänner auch häufig diesen Namen trugen, wenn sie Christenpriester waren.

»Eine kleine Überraschung für dich«, sagte er. Sein grinsendes Gesicht mit der Knopfnase und den hellen Augen war von einem grauen, wolligen Haarkranz umrahmt und erinnerte mich an den Kopf einer Büste, die ich einst in der Großen Stadt gesehen hatte und die schon vor langer Zeit zerbrochen war. Sie hatte listige Augen, kleine Bockshörner und dicht gelocktes Haar, und Bruder Johannes, der damals bei mir war, sagte, es sei der griechische Gott Pan. Dieser Pan habe lange Ziegenbeine gehabt und Flöte gespielt, außerdem bumste er alles, was sich nur bewegte.

Dieser Pan hätte der Vater Klerkons sein können, der mir jetzt einen Hocker zuschob und bedeutete, ich solle mich setzen, ganz so, als gehöre die Halle ihm. Im Dunkel hinter ihm, wo ich nach Tor und Thordis Ausschau hielt, sah ich Gestalten, deren grinsende Gesichter kurz im Feuerschein aufleuchteten und wieder verschwanden, ab und zu blitzte Metall auf. Ich hörte den schweren Atem von Männern, und in der Halle hing der Duft von gebratenem Fleisch. Stutenfleisch.

Ich war so wütend, dass mir fast übel war, als ich mich zusammen mit einem Dutzend Männer zu Tors rauchendem Hof aufgemacht hatte. Zuerst sahen wir, dass nur die Außengebäude brannten – ein Stall und das Backhaus. Kurz darauf fanden wir die Leiche von Flann, Tors Sklaven, die von einem Fremden in einem rostigen Kettenhemd nach Beute durchsucht wurde. Der Mann sah selbst aus wie jemand, der seit Langem tot und wieder aus dem Grab auferstanden war. Als er uns erblickte, richtete er sich langsam auf und wischte sich die Hände an der Hose ab.

»Bist du Jarl Orm?«, fragte er mit dickem finnischen Akzent.

»Wer will das wissen?«, fragte ich zurück, und er zuckte die Schultern.

»Ich heiße Stoor und diene jemandem, der es gut mit dir meint«, erwiderte er mit lauter Stimme, als sei er ein Herold. »Er sagt dir Sicherheit zu und lädt dich ein, in die Halle zu kommen. Ich soll dich begleiten.«

»Leck mich …«, knurrte Finn, und er hätte noch mehr gesagt, wenn ich ihm nicht mit einer Handbewegung zu schweigen geboten hätte. Wir sahen uns an. Dann folgte ich Stoor, allein.

Tors gemütliche Halle war zu einer Raubtierhöhle geworden; und bei diesem Gedanken hatte ich das Gefühl, als fahre mir ein Speer in den Hals, und mein Magen zog sich zusammen.

»Es ist doch immer ein Vergnügen, eine alte Freundschaft zu erneuern«, sagte Klerkon aufgeräumt. »Tut mir leid wegen des Missverständnisses vorhin, aber so was passiert schon mal bei einem Strandhogg. Die Männer packt beim Hühnerfangen das Jagdfieber, du kennst das ja. Aber es war keine böse Absicht, und es ist ja auch weiter nichts passiert.«

Er gab mir deutlich zu verstehen, dass das, was ich an Tieren verloren hatte, durch den Tod seiner sechs Männer mehr als ausgeglichen war. Dann rief er nach Bier, und Thordis brachte es. Doch sie sah mich nicht an, sie wirkte fremd und verstört, als sie mir den Holzbecher hinstellte. Eine Strähne ihres dunklen Haars hatte sich aus ihrem Zopf gelöst, aber sie schien es gar nicht zu bemerken. Normalerweise hätte sie so etwas nie geduldet.

»Tor«, sagte ich zu ihr, und sie reagierte nervös. Klerkon lachte kurz auf, und aus dem Halbdunkel wurde eine Bank ins Licht gerückt. Darauf lag Tor, die Lippen geschwollen und aufgeplatzt, das Gesicht eine blutige, verschwollene Masse. Seine Füße hingen ganz unnatürlich zur Seite. Man hatte ihm die Sehnen durchtrennt, und er würde nie wieder laufen können.

»Ich dachte mir, du würdest nichts dagegen haben, wenn wir einen unbequemen Nachbarn ein bisschen ärgern«, sagte Klerkon. »Wir brauchten Brot und Käse, und die Männer hatten Durst, also kam uns dieser Hof hier gerade recht.«

»Es tut mir leid ...«, sagte ich mit gepresster Stimme an Tor gewandt, und er öffnete sein unverletztes Auge.

»Deine Schuld«, brachte er mit seinen geschwollenen

Lippen heraus. »Das ist dein Leben. Das sind deine Freunde. Das alles hast du hierhergebracht.«

Die Männer lachten. Ich starrte auf den kahlen Fleck auf seinem Kopf, den er hängen ließ, und mir war übel. Es waren nicht meine Freunde, aber er hatte recht – es war meine Schuld. Weil ich mich mit einer Horde unerschrockener Männer, die es gewohnt waren, auf Raubzug zu gehen, in der Nachbarschaft eines friedlichen Bauern niedergelassen hatte. Und gedacht hatte, dass alles gut gehen würde.

Allerdings jetzt nicht mehr. Denn Jarl Brand würde es auch erfahren. Und wenn die ganze Sache erst mal bereinigt war, würde er seufzend zugeben, dass er uns nicht länger brauchte, jetzt, wo das Kämpfen aufgehört hatte. Es würde ihm sehr leidtun, aber er würde uns erklären, dass er Krieger wie uns auf seinem Land nicht länger dulden könne, wo sie friedlichen Leuten Angst einjagten und ihnen Unannehmlichkeiten bereiteten.

Eine dieser Unannehmlichkeiten saß mir jetzt gegenüber, grinste sein Pan-Grinsen und schob mir seinen Teller zu, auf dem das Fett geronnen war. Ich beachtete ihn nicht.

»Kein Hunger?«, fragte er, und die Männer kicherten. »Schade, das Pferd hat gut geschmeckt.«

»Hoffentlich hast du von deinen anderen Raubzügen noch etwas Silber übrig«, brachte ich heraus. »Das Fleisch, das dir hier so gut schmeckt, wird dich teuer zu stehen kommen. Jarl Brand wird jede Welle nach dir absuchen, und ich auch. Es wird dich einen hohen Blutpreis kosten, bis du von uns in Ruhe gelassen wirst.«

Er lehnte sich zurück und winkte müde ab.

»Das ist ein geringes Risiko«, erwiderte er und kniff die Augen zusammen. »Ich wette, du kannst das eine Pferd gut verkraften, und noch einiges mehr. Ich höre, du verfügst über einen Berg Silber.«

Da war es wieder. Das Gerücht war auch bis zu ihm gedrungen und hatte ihn hierhergeführt. Ich kannte Klerkon von früher und war mit ihm gesegelt. Als wir noch für Jarl Brand kämpften, hatten wir gemeinsam so manchen Strandhogg unternommen, um unsere Vorräte aufzufüllen. Doch selbst harte und grausame Männer mieden Klerkon, denn Klerkons Grausamkeit überschritt jedes gesunde Maß.

»Ich muss mich wundern«, antwortete ich. »Ich hatte dich nicht für jemanden gehalten, der Ammenmärchen glaubt.«

»Tu ich auch nicht«, sagte Klerkon, der mich beobachtete wie eine Katze, die mit einer Maus spielt und nur darauf wartet, dass sie eine falsche Bewegung macht. »Aber ist es nicht ein Zufall: Ein Priester hat uns damals auseinandergebracht, und jetzt führt uns ein Priester wieder zusammen. Als Partner.«

Mein linkes Knie zuckte, und ich konnte nichts dagegen tun. Die Luft war verbraucht, ein Gemisch aus stinkendem Atem, Essensdunst und dem scharfen Gestank nach dem Angstschweiß der Männer, und in meinem Inneren kämpften Verwirrung und Neugier, die seine Worte hervorgerufen hatten. Er spielte auf eine üble Geschichte an. Damals ging es um zwei Christenpriester, die er gefangen genommen hatte, und mich hatten seine grausamen Versuche angekotzt, ihren Glauben dadurch zu erschüttern, dass er sie rot glühendes Eisen in den Händen halten ließ und dergleichen mehr. Klerkon war völlig unzurechnungsfähig, wenn es um Christenpriester ging, und der Grund dafür war, wie es hieß, dass sein Vater einer von ihnen gewesen war und ihn als Kind verlassen hatte.

»Priester?«, brachte ich heraus.

»Ja. Du erinnerst dich? An den zahmen Christenhund von Brondolf Lambisson, der in Birka regierte?«

»Birka existiert nicht mehr«, erwiderte ich. »Und ebenso wenig Lambisson und der Priester.«

Klerkon nickte, auf seinem Gesicht lag noch immer dieses falsche Lächeln, das nie bis zu seinen Schlitzaugen reichte.

»Richtig, wir haben Birka bei unserem letzten Besuch erledigt. Kaum etwas, was noch zu holen war, und die Burg war niedergebrannt. Aber wir haben trotzdem alles noch einmal angezündet.«

Er nahm die Beine vom Hocker und lehnte sich vor.

»Lambisson lebt noch, wenn es ihm auch nicht gut geht. Der Priester auch, aber ihm geht es eher noch schlechter.«

Er lehnte sich zurück, während diese Nachricht wie eine Welle über mir zusammenschlug. Sein Grinsen war unerträglich.

»Das weiß ich, weil Lambisson mich dafür bezahlt hat, dass ich ihm den Priester bringe«, sagte er. »Letztes Jahr, in Aldeigjuborg. Ich schnappte mir den Priester – Martin heißt er. Auf Gotland, wo er nicht schwer zu finden war, denn er fragte nach Jarl Orm und den Eingeschworenen. Kannst du dir vielleicht denken, warum?«

Ich spürte, wie mir übel wurde bei dem Gedanken, was er mir womöglich noch weiter mitteilen würde. Lambisson und der Priester Martin hatten uns vor Jahren auf diese verfluchte Suche nach Attilas Grabhügel geschickt, als ich unter Einar dem Schwarzen den Eingeschworenen beigetreten war.

Der Priester hatte Lambissons Mittel dazu missbraucht, seine eigenen Interessen zu verfolgen, nämlich den Verbleib der heiligen Lanze der Christusanhänger in Erfahrung zu bringen, und er hatte die Eingeschworenen dazu benutzt, in ihren Besitz zu kommen. Jetzt hatte ich sie, sicher verstaut in meiner Seekiste, zusammen mit dem Krummschwert, das aus der Spitze geschmiedet worden war, und ich wusste, Martin würde selbst durch die Flammen von Muspell gehen, um mich zu finden und diese heilige Lanze wieder in seinen Besitz zu bringen. Was Lambisson jedoch von Martin wollte, war mir weniger klar – vielleicht wollte er sich einfach nur rächen.

Klerkon ahnte, welche Gedanken mir durch den Kopf schossen, und sein Grinsen wurde noch breiter.

»Nun ja«, fuhr er mit öliger Stimme fort, »vielleicht wollte der Priester ja seinen Anteil an dem Silber und suchte dich deshalb. Es heißt ja auch, du habest es gefunden, Bärentöter.«

»Und selbst wenn es so wäre, dann wüsste nur ich, wo es zu finden ist«, sagte ich. Ich hoffte, wenn ich ihn rechtzeitig daran erinnerte, würde er sich Mühe geben, seine Wut zu beherrschen.

Doch diesmal zeigte sich nicht einmal der Anschein eines Lächelns auf seinen verzerrten Lippen.

»Du bist nicht der Einzige«, sagte er. »Denn ehe es um den Priester ging, gab Lambisson mir eine weitere Aufgabe – zwei Männer aus Hedeby zu finden. Ich wusste, dass sie Eingeschworene waren. Ich erfuhr erst später, dass sie den Weg zu Attilas Grab kannten, aber da hatte ich sie Lambisson schon übergeben.«

Der kleine Eldgrim und Dorschbeißer. Die Namen trafen mich wie ein Schlag, und ehe ich wusste, was ich tat, war ich aufgesprungen, und die Bank fiel krachend um.

Auch Klerkon sprang auf, doch streckte er mir beschwichtigend die Hände entgegen.

»Langsam, langsam! Lambisson wollte sie gesund und lebend haben«, sagte er. »Ich habe erst vor Kurzem erfahren, dass die Sache mehr sein könnte als ein Ammenmärchen. Wie es scheint, habe ich recht, aber dennoch ist Brondolf Lambisson uns ein Stück voraus.«

»*Uns?*«, brachte ich mit heiserer Stimme mühsam heraus.

»Zusammen können wir es mit ihm aufnehmen«, sagte Klerkon, und es klang, als wolle er einen wütenden Hofhund besänftigen. »Er hat eine große Schar von Männern um sich versammelt – zu viele für mich und zu viele für dich. Aber zusammen …«

»Zusammen ist kein Wort, das zu uns passt«, sagte ich, und mir war ganz elend bei dem Gedanken, was man dem kleinen Eldgrim und Dorschbeißer angetan haben könnte. Keiner von beiden wusste genug – allenfalls vielleicht noch Eldgrim, der mir geholfen hatte, die Runen in den Griff meines Schwerts zu ritzen, aber in seinem Kopf sah es aus wie im Nähkasten einer Frau.

»Du tätest gut daran, diese Einladung nicht auszuschlagen«, erwiderte Klerkon, und ich sah, dass er große Mühe hatte, seine Miene zu beherrschen.

»Lieber würde ich mit tollwütigen Hunden losziehen«, sagte ich. Es war die Wahrheit, doch es war weder die richtige Zeit noch der richtige Ort dafür. Stahl klirrte, irgendwo ertönte ein abscheuliches Lachen. Klerkon brach den Blickkontakt mit mir ab, reckte sich ein wenig und seufzte.

»Vielleicht war die Handelspartnerschaft eine zu große Hoffnung«, sagte er leise, als wäre er von mir enttäuscht. »Wenn wir es nicht zusammen machen werden, dann wirst du mir wohl erzählen müssen, was du weißt, damit ich die verschone, die dir lieb sind.«

»Dazu seid ihr wohl kaum genügend Mann«, sagte ich. Das glaubte ich wirklich, denn sonst hätte er mir nicht erst die Zusammenarbeit angeboten. »Ich denke nicht, dass ich dir etwas zu erzählen habe.«

»So, denkst du das«, sagte Klerkon blass vor Wut. »Dann warte ab, bis ich mit dir fertig bin …«

Ich riss meine Klinge aus der Scheide, und der Klang der seinen hallte daran wider. Ich hörte das leise Geräusch weiterer Klingen, die in der Dunkelheit gezogen wurden, wie das Zischen von Schlangen. Ein ganzes Schlangennest.

Da flog krachend die Tür auf, Tageslicht drang herein, und wir fuhren erschreckt auseinander wie zwei Liebende, die man ertappt hatte.

»Eure Wächter taugen nichts«, brummte eine vertraute Stimme, und Finn erschien im Türrahmen. »Ihr solltet euch lieber andere suchen.«

Ein kugelrundes Etwas flog durch die Luft und traf mit schmatzendem Geräusch auf die Tischplatte, wo es gegen den Teller stieß, sodass Pferdefleisch und geronnenes Fett nach allen Seiten spritzte. Die Kugel hüpfte noch einmal, rollte weiter und landete zu Klerkons Füßen.

Er fuhr zurück. Die Augen waren das Einzige, was man in dem verwüsteten, blutigen Gesicht noch erkennen konnte. Stoor, der Finne. Wässriges Blut drang aus dem Hals, wo man seinen Kopf vom Rumpf getrennt hatte. Irgendwo schrie eine Frau auf, natürlich war es Thordis, eine Hand vor dem Mund, das Haar in Auflösung begriffen.

»Thordis«, rief ich und streckte die Hand aus. Sie sah mich an, dann Tor, und ich wusste, sie würde ihren Mann nicht zurücklassen – und wir konnten keinen Mann tragen, der nicht laufen konnte.

Einen Augenblick überlegte ich, ob es mir gelingen könnte, sie zu packen und fortzutragen. Aber in diesem Moment legte Finn eine Hand auf meinen Arm, sie ließ blutige Spuren zurück.

»Wir sollten uns aus dem Staub machen, Jarl Orm«, zischte er und wandte sich zur Tür, durch die das Licht auf seine blitzende Klinge fiel, die er Godi – Priester – nannte. Warnend hielt er die Spitze auf Klerkon und die knurrenden Männer hinter ihm gerichtet, während wir rückwärts die Halle verließen und schließlich rennend unsere bewaffneten Freunde erreichten.

Doch selbst als wir in fieberhaftem Hochgefühl durch den aufspritzenden Matsch rannten und uns vor Erleichterung zubrüllten, wie gerissen wir uns herausgeblufft hatten, war mir ein bitterer Geschmack in der Kehle geblieben, zäh und metallisch.

Die Wolfsrudel sammelten sich zum Festgelage um Attilas Grabhügel. Der kleine Eldgrim und Dorschbeißer waren Gefangene des einen Rudels, Thordis die des anderen.

Ich teilte Wachen ein, und während Thorgunna das Abendessen austeilte, hielten wir am Herdfeuer ein Thing ab. Niemand hatte großen Appetit, und unsere Waffen lagen griffbereit.

Botolf war für einen Überfall nach Einbruch der Dunkelheit, zu dem wir alle neuen Eingeschworenen mitnehmen würden, um die Sache ein für alle Mal zu beenden. Kvasir war dafür, mit Klerkon zu reden und Jarl Brand um Hilfe zu bitten. Thorgunna wollte wissen, was wir tun würden, um ihre Schwester zu retten. Ingrid weinte.

Finn schwieg, bis alle vom Reden erschöpft waren. Er ging einmal hinaus – um die Wachen zu kontrollieren, wie ich vermutete, was vernünftig war. Als er wieder hereinkam, setzte er sich in eine dunkle Ecke und schwieg wieder.

Schließlich kam er und hockte sich ans Feuer, während ich mich in meinem mit Schnitzereien verzierten Hochsitz zurücklehnte und über einen Ausweg nachdachte.

Ein Angriff war keine Lösung – es würde ein fürchterliches Gemetzel geben, und sie würden als Erstes ihre

Gefangenen umbringen, die nur an Händen gefesselt waren und, wenn sie nicht bewacht wurden, rennen konnten.

Zu Jarl Brand zu laufen mochte eine Hilfe sein, aber auch wenn ich ihm unser Problem mit honigsüßen Worten schilderte, es lief immer darauf hinaus, dass zu viele Seeräuber in seinem Land herumliefen, die mit ihren Schwertern der Bevölkerung Angst und Schrecken einjagten. Ich glaubte nicht, dass er es gnädig aufnehmen würde, dass ich ihm jahrelang das Geheimnis um Attilas Grab vorenthalten hatte. Ja, noch schlimmer, ich hatte ihm eine glatte Lüge aufgetischt, als ich ihm sagte, die Geschichte sei nicht wahr.

Ich hatte das dumpfe Gefühl, dass es schließlich wohl doch darauf hinauslaufen würde, mit Klerkon zusammenzuarbeiten.

»Wir müssen heute Nacht sehr wachsam sein«, ermahnte Botolf. »Klerkon ist ein schlauer Fuchs, und er hat diesen Kveldulf bei sich.«

Von Kveldulf hieß es, dass er bei Mondschein seine Menschengestalt ablegte, daher sein Name: Nachtwolf. Finn brummte etwas und pickte sich ein paar leckere Brocken aus dem Topf, und Botolf sah ihn fragend an. Ingrid ermahnte ihn, gefälligst sein Holzbein vom Feuer fernzuhalten, weil es schon angesengt roch.

»Bist du anderer Ansicht, Finn Rosskopf?«, fragte Botolf gereizt und begutachtete sein Holzbein.

Finn wischte sich die Soße aus dem Bart, kaute fertig und schüttelte den Kopf.

»Ihr habt wohl alle vergessen, wer wir eigentlich sind«, sagte er barsch, das Gesicht rot vom Feuerschein. »Was würden wir denn machen, wenn wir in Klerkons Seestiefeln steckten?«

Niemand sprach. Botolf sah Kvasir an, der wiederum mich ansah, den Kopf zur Seite geneigt wie ein Vogel. Die Antwort wurde uns allen sofort klar, sodass wir fast gleichzeitig aufsprangen. Leibeigene schrien auf, und Thorgunna wollte augenblicklich wissen, was los sei, und griff nach dem Bratspieß.

»Zu spät«, verkündete Finn, als wir zur Tür rannten. »Ich war draußen. Wir können nichts mehr tun.«

»Warum bist du allein gegangen?«, schrie ich ihn an. Doch obwohl mir vor Schreck fast übel war, wusste ich, dass wir sowieso nichts hätten tun können. Kvasir huschte zur Tür hinaus, und Thorgunna beruhigte die heulenden Sklaven und wollte immer noch wissen, was eigentlich los sei. Auch Klein Cormac fing an zu brüllen mit hochrotem Kopf.

Kvasir kam zurück und brachte die regenfeuchte Luft mit ins Haus, die nach Holzrauch roch. Er nickte mir zu.

»Was ist los?«, schrie Thorgunna uns ungeduldig an. »Werden wir überfallen?«

Wir wurden nicht überfallen, noch würden wir zu einem späteren Zeitpunkt überfallen werden. Klerkon hatte das getan, was jeder Seeräuber getan hätte, dessen Plan nicht ganz zu seiner Zufriedenheit aufgegangen ist. Er hatte das Beste daraus gemacht.

Kvasir erklärte es Thorgunna, er streichelte sie und sprach leise und geduldig auf sie ein. Ich ging hinaus, es roch nach Regen und feuchter Erde, und der Wind trieb große Wolken am Mond vorbei. Aber auch das konnte den scharfen Brandgeruch nicht vertreiben, und in der Ferne leuchtete es rot, wo Tors Hof in Flammen aufging.

In der silbergrauen Morgendämmerung ritt ich mit Kvasir, Finn und Thorgunna dorthin, wo der Rauch noch immer in den Himmel stieg, aber von Gunnarsgard war nichts mehr übrig als verkohlte Balken. Flanns Leiche war noch dort, wo sie gelegen hatte, und die Krähen erhoben sich mit schwerem Flügelschlag, als wir uns näherten, aber von Stoors Leiche war nicht mehr viel übrig. Es gab nur noch eine weitere Leiche. Klein und verkohlt lag sie auf einer Bank in der schwarzen Ruine der Halle.

Thorgunna rutschte von ihrem Pony herunter. Sie hatte den Saum ihres Kleides zwischen die Beine genommen und zum Reiten in ihren Gürtel gesteckt, sodass es aussah wie eine weite Hose. Mit ihren drallen Waden marschierte sie auf die rauchende Ruine zu und blieb stehen. Sie wiegte sich vor und zurück und starrte auf das grauenvolle Bild, das sich ihr bot.

»Tor«, sagte sie schließlich, und ich nickte. Es gab keinen Zweifel. Für Klerkon zählte allein Geld. Er hatte den nutzlosen Krüppel Tor umgebracht, dann hatte er seine Sklaven, die Frauen und alles andere mitgenommen, einschließlich der Hühner. Thorgunna bückte sich und hob etwas auf, dann drehte sie sich um und kam herüber, wo ich auf meinem Pony saß.

Sie legte eine Hand auf mein Knie, und ich merkte, dass sie zitterte wie ein gefangener Vogel. In ihrer schwieligen, schmutzigen Hand lag ein zerrissener Lederriemen, auf den eine Scheibe aus Knochen gefädelt war. »Ich gehöre Tor« stand in Runen darauf. Es war einer der Riemen, mit denen Tor seine Thrall kennzeichnete, falls sie Lust bekommen sollten, wegzulaufen. Klerkon hatte sie zu seinem Schiff, der *Drachenschwinge,* getrieben, um sie zu verkaufen – und nicht nur die Sklaven.

Er hatte sich genommen, was er bekommen konnte, und war abgezogen, um jetzt nägelkauend darüber zu brüten, was er als Nächstes tun könnte, um mir das Geheimnis des Schatzes zu entreißen. Wenn ihm klar war, dass Thordis die Schwester von Kvasirs Frau war, würde er sie gewiss dazu benutzen, mich zu erpressen. *Wenn.*

»Wir müssen meine Schwester retten«, sagte Thorgunna. Ich sah zu Kvasir hinüber, der mich von der Seite anblickte und nickte. Ich sah Thorgunna an, und mir war klar, dass uns gar nichts anderes übrig blieb.

Also nickte ich.

»Heya«, sagte Finn, und ich hätte schwören können, dass es fröhlich klang.

KAPITEL 4

Das Meer hatte die Farbe von nassem Schiefer, und die Gischt auf den Wellenkämmen flog dahin wie weiße Pferdemähnen. Irgendwo in der Ferne, dort, wo an einem unsichtbaren Punkt der grauschwarze Himmel und das Meer ineinander übergingen, lag das Land der Voden und Esten.

Zwei Tage. Drei Tage. Wer konnte es sagen? Für einen Steuermann bedeutete eine »Tagesreise«, die Strecke, die ein gutes Schiff bei gutem Wind an einem Tag zurücklegte, etwa dreißig Meilen. Bei ungünstigen Bedingungen konnten eine »Tagesreise« daher auch *zwei* Tage dauern. Gisur meinte, wir seien drei Tage von der Küste der Voden entfernt, und hielt Ausschau nach einer Bergkette, die aussah wie Hundezähne, aber sie wollte sich einfach nicht zeigen.

Wir alle hockten eng aufeinander, wie immer bei schlechtem Wetter. Man zieht sich in sich selbst zurück, wie ein Bär im Winterschlaf. Man duckt sich und versucht, nur irgendwie durchzuhalten.

Das Segel war nur zur Hälfte gesetzt, wir fuhren nach Osten und leicht südlich und hatten guten Wind. Die Riemen waren innenbords, und die meisten von uns hatten nichts weiter zu tun und konnten sich in ihre Schlafsäcke aus Seehundsfell verkriechen. Jeder versuchte stillschweigend, so warm und trocken wie möglich zu bleiben, während der Wind in den Tauen pfiff und der Regen peitschte.

Thorgunna kauerte zusammen mit den Sklavinnen und Jagdhunden bei mir unter dem kleinen Zeltdach, das mir als Jarl zustand. Es war eher ein symbolischer Schutz, aber die dicht aneinandergedrängten Körper sorgten für etwas Wärme, die ich umso mehr genoss, da sie von Frauen stammte.

Es hatte bei Botolf keine besondere Freude ausgelöst, dass ich ihn während meiner Abwesenheit zum Verwalter ernannte. Ingrid aber hatte stolz gelächelt, als Thorgunna ihr die Schlüssel aushändigte, was Kvasirs Frau mit gerunzelter Stirn zur Kenntnis nahm. Es war ohnehin schlimm genug für Thorgunna, dass sie ihre Schätze zurücklassen musste – die schwere Eichentruhe mit dem mächtigen Eisenschloss, voll fein gesponnener Wolle und dem Bettzeug, das noch von ihrer Großmutter genäht worden war. Nun musste sie auch noch ihre Position in der Halle an eine andere Frau übergeben, die nicht meine Hauptfrau war – ja, mit der ich nicht einmal verheiratet war. Ich musste ihr versprechen, dass sie die Schlüssel nach unserer Rückkehr zurückbekommen würde.

»Verhalte dich nur ruhig, du brauchst gar nichts zu machen«, riet ich Botolf, der unglücklich war, dass er zurückgelassen wurde, und sein fehlendes Bein einmal mehr verfluchte. Ich brauchte hier einen klaren Kopf und ein tapferes Herz, denn Tor hatte Freunde in der Gegend, und man konnte nie wissen, wem sie die Schuld an dem Überfall geben oder auf welche Ideen sie noch kommen würden. Ingrid war für das Erstere verantwortlich, Botolf für das Zweite.

»Ich werde mir Klerkon vorknöpfen und Thorgunnas Schwester zurückholen«, erklärte ich. »Dann fahren wir ins Gardarike und suchen den kleinen Eldgrim und Dorschbeißer.« Er nickte verständnisvoll, aber im Grunde war in Botolfs Kopf nicht viel mehr Verstand als im Hinterteil eines Ochsen. Ab und zu war er allerdings auch für eine Überraschung gut.

»Jarl Brand wird einiges zu dem Vorfall hier zu sagen haben, und das wird nichts Gutes sein«, bemerkte er. »Du solltest ihm das selbst beibringen, ehe er dich für vogelfrei erklärt.«

Er grinste, als er mein Erstaunen sah.

»Du solltest mir Hestreng verkaufen, für den Preis einer Eichel oder für ein Huhn«, fügte er hinzu. »Dann kann ich es dir nach deiner Rückkehr wieder verkaufen. Dann würde …«

»Dann würde Jarl Brand Gift und Galle spucken«, beendete ich den Satz für ihn, »dafür, dass ich etwas verkauft habe, was er mir zum Lehen gegeben hat.«

Einen Augenblick starrte er mich an, dann überraschte er mich noch mehr.

»Wenn du weder Hestreng noch Jarl Brands guten Willen verlieren möchtest«, sagte er, »dann wirst du schon etwas Gewichtiges in die Waagschale werfen müssen, um dein Ansehen bei ihm wiederherzustellen. Denn nicht nur hast du ihn wegen Attilas Schatz belogen, sondern jetzt ziehst du auch noch umher und erschreckst friedliche Bauern mit deiner Seeräuberei.«

Er sah mich an, seine Augen waren wie das Meer, wenn der Wind sich gelegt hat.

»Für mich sieht es ganz danach aus, als müsstest du noch einmal zu Attilas Grabhügel ziehen und so viel Silber mitnehmen, wie du nur tragen kannst«, fügte er mit trauriger Stimme hinzu, denn er wusste, er würde an diesem Raubzug nicht teilnehmen können. Dann zwang er sich zu einem Lächeln und streckte mir die Hand hin.

»Auf jeden Fall erwarte ich dann meinen Anteil«, schloss er. Völlig verblüfft ergriff ich sein Handgelenk, und wir drückten zu, Arm an Arm, wobei ich jetzt ganz sicher wusste, dass er Hestreng wie seinen Augapfel hüten würde.

Doch dann verging ihm das Lachen, denn ich erklärte ihm, dass wir Drumba und Heg und drei Sklavinnen mitnehmen würden und dass Thorgunna ebenfalls mitkam. Das war hart für Botolf; zwei Sklaven waren ihm im letzten Winter weggestorben, und jetzt hatten wir fünf weitere verloren, das war schlimm genug, ohne dass er sich auch noch von Thorgunna verabschieden musste, denn sie war die treibende Kraft in Hestreng. Ich hätte sie am liebsten auch zurückgelassen, aber Kvasir drängte darauf, sie mitzunehmen, und Thorgunna war entschlossen, ihre Schwester wiederzufinden, also hatte ich keine Wahl. Geduldig machte ich das Botolf klar, der mit gerunzelter Stirn zuhörte.

»Wir haben nicht genug Ruderer auf der *Elk*«, sagte ich, »deshalb müssen alle diese Dickwanste mitkommen. Und dann brauchst du sie wenigstens nicht auch noch mit durchzufüttern.«

Wir hatten zwanzig Krieger, das war wenig für ein Langschiff wie die *Fjord Elk,* die eigentlich zwei Wachen zu je dreißig Mann gebraucht hätte. Es waren kaum genug Männer da, um überhaupt in See zu stechen, wie Gisur schon bei der Eideszeremonie bemerkte.

Hrafn, der Hengst, hatte dazu das Blut geliefert. Ein teureres und beklagenswerteres Opfer würde Odin kaum jemals gebracht werden. Als wir ihn fanden, zitterten seine Flanken, und er atmete schwer; von Blut und Schweiß überströmt und von Pfeilen getroffen, lag er auf der Weide, genau wie Botolf es beschrieben hatte. Jetzt steckte sein Kopf anklagend auf einem Schandpfahl voller Runen und schickte böse Kräfte in die Richtung von Klerkons Anwesen auf Svartey, der Schwarzen Insel, die viele Meilen von hier im grauen Nebel lag. Im Gegensatz zu uns hatte Klerkon keine dauerhafte Halle, aber hier überwinterte er, und wahrscheinlich hatte er sich in diese Richtung aufgemacht.

»Wir werden noch mehr Männer anheuern«, versicherte ich Gisur und den neu Dazugekommenen. Ich versuchte, so überzeugend zu klingen wie möglich, doch so sicher war ich mir keineswegs. Höchstwahrscheinlich würden nach und nach neue Leute zu uns stoßen, aber sicher weder Voden noch Esten, und aus Livland erwartete ich auch niemanden. Ich erwartete nicht, dass wir vernünftige Seeleute bekommen würden, ehe wir Aldeigjuborg erreichten, die Stadt, die bei den Slawen Staraja Ladoga hieß. Also würden wir Klerkons Winterlager mit nur halb so vielen Männern überfallen können, als er besaß.

Darauf hatte mich auch Finn aufmerksam gemacht, als alle aus der Kälte draußen in die Halle zurückgekehrt waren und kochend heiße Fleischbrocken von Hrafn aus dem Topf klaubten, wobei sie sich auf die Finger bliesen und versuchten, nicht mehr an den heiligen Schwur zu denken, den sie soeben abgelegt hatten.

»Ja, schon«, sagte ich beklommen und etwas ungehalten zu ihm, denn er hatte ja recht, »aber schließlich warst du es doch, der unbedingt wieder auf Raubzug gehen wollte. Du hast nie aufgehört, von Attilas Silberschatz zu reden, und jetzt sind die Leute hierhergekommen, und ich bin fast gezwungen, wieder zu diesem Grabhügel zu ziehen. Aber leider hattest du nicht daran gedacht, dass Leute wie Klerkon dich auch hören würden.«

Das war nicht ganz fair gegen ihn, denn er hatte mir auf Tors Hof das Leben gerettet; aber jetzt war auch alles zunichtegeworden, was mich an ein Leben auf dem Land gebunden hatte, und es ärgerte mich, dass ich das Finn zu verdanken hatte. Er war mit einer Schlauheit vorgegangen, die ich nie an ihm gekannt hatte, und ich fragte mich, ob er womöglich etwas im Schilde führte … Aber jetzt, wo die Männer dabei waren, meinen besten Zuchthengst zu verspeisen, hatte ich keine Lust mehr, mich damit zu beschäftigen. Finn merkte es und war so klug, sich zurückzuziehen.

Es gab das übliche Trinkgelage, das der Eideszeremonie folgte, und während die Männer lärmten und sich übermütige Ringkämpfe lieferten, setzte Kvasir sich zu mir. Geduckt saß er da, wie eine große schwarze Spinne, und sah dem Treiben in der Halle zu. Es dauerte lange, ehe er sprach, als müsse er jedes Wort mit Hacksilber aufwiegen, von dem er nicht mehr viel hatte.

»Ich höre, du warst etwas hart gegen Finn«, sagte er schließlich, ohne mich anzusehen.

»Ist er beleidigt?«, fragte ich mürrisch.

»Ach wo«, sagte Kvasir beruhigend, »er weiß, dass du jetzt andere Sorgen hast. Er weiß genauso gut wie ich, dass du in der Seeluft schon wieder einen klaren Kopf bekommst.«

Na ja, wenigstens damit sollte Finn recht behalten. Als es schließlich so weit war, kam Finn zu mir an den Bug, während uns der Wind unsere Zöpfe ins Gesicht peitschte und uns mit Schaum besprühte. Die Gischt spritzte hoch, und die *Elk* schnitt durch die riesigen Wellen, wobei sie ächzte und stöhnte wie das große Tier, nach dem sie benannt war. Diese Wellen, über die wir so mühelos glitten, wurden durch nichts aufgehalten, bis sie an der Küste auf die Schären und Klippen trafen. Nur die Wale und wir konnten es wagen, es mit diesen Wellen aufzunehmen. Doch die Wale kannten keine Furcht.

Ich genoss die scharfe Kälte und den Sturm. Ich warf den Kopf zurück, hielt das Gesicht in den salzigen Sprühnebel und ließ vor lauter Lebensfreude einen lauten Schrei los. Als ich mich umdrehte, sah ich den strahlenden Finn, der ebenfalls schrie, während Thorgunna und die Sklaven missbilligende Blicke auf uns warfen. Zusammen mit den Jagdhunden hockten sie unter dem tropfenden Zeltdach, das im Wind flatterte wie eine Vogelschwinge.

»Ein Anblick für die Götter!«, sagte Finn und blies sich die Regentropfen von der Nase. Dabei sah er selbst auch nicht viel besser aus, denn der Regen hatte die breite Krempe seines Hutes aufgeweicht, sodass sie schlapp herunterhing. Der Hut selbst wurde von einem Stück Webband festgehalten, das er unter dem Kinn verknotet hatte.

Ich machte ihn darauf aufmerksam, und er nahm das durchweichte Ding vom Kopf und sah es nachdenklich an.

»Ivars Wetterhut«, sagte er traurig. »Es muss doch noch irgendein anderer Zauber dazugehören, denn bei mir klappt es nicht.«

»Du darfst nicht aufgeben«, sagte Klepp Spaki, der mit unglücklichem Gesicht unter seinem Umhang hervorsah, »denn wenn du das Meer dazu bringen könntest, mich etwas weniger durchzuschütteln, wäre ich dir sehr dankbar.«

Die Männer in seiner Nähe lachten, und ich fragte mich zum wiederholten Male, ob es klug gewesen war, Klepp mitzunehmen. Er war mit einem Haufen anderer vor der Halle aufgetaucht, und ich hatte gedacht, er sei noch einer von denen, die sich um einen Ruderplatz auf der *Elk* bewarben, obwohl er nicht wie ein erfahrener Seefahrer aussah. Doch als er sagte, er heiße Klepp Spaki, seufzte ich erst mal, denn ich hatte ganz vergessen, dass ich ursprünglich auch einen Runenschneider gesucht hatte, allerdings hatte ich jetzt weder Zeit noch Silber, um ihn zu beschäftigen.

Er jedoch schien begeistert von der Tatsache, dass wir auf Raubzug gehen wollten, und versprach, wenn er den Schwur ablegen und mit uns ziehen dürfe, würde er unseren nächsten Stein umsonst beschriften. Denn bisher fühle er sich einfach nicht wie ein echter Mann der Wik.

Jetzt saß er da, in seinen durchnässten Umhang gehüllt, und kotzte sich die Seele aus dem Leib. Hoffentlich fühlte er sich endlich wie ein echter Mann der Wik. Bestimmt wünschte er sich nichts sehnlicher, als wieder an seinem angestammten Platz am Feuer zu sitzen, der ihm als bekanntem Runenmeister zustand.

Später – ich musste eingenickt sein – fuhr ich aus einem Traum auf, der wie ein Nebel zerstob, als ich die Augen öffnete. Die Decksplanken waren nass, obwohl es nicht regnete, aber die Luft war nasskalt und grau vom Seenebel, der in den Bärten und Haaren der Männer zu silbrigen Perlen wurde. Ihr Atem bildete kleine Dampfwolken.

Thorgunna hockte auf dem Eimer, der allerdings unter ihren Röcken nur zu erahnen war, und die Sklavinnen verteilten Trockenfisch und feuchtes Brot an die Ruderer, die sich schwitzend und dampfend in die Riemen legten, stets den Blick auf den Vordermann gerichtet. Hier gab keine Trommel den Rhythmus an wie auf den Schiffen der Römer; wir waren Seeräuber und durften keinen Lärm machen.

Gisur kam grinsend angeschlingert, an seinen Wimpern hingen kleine Wasserperlen, und dicht hinter ihm folgte, wie ein zahmer Tanzbär, die plumpe Gestalt des verkrüppelten Onund.

»Regen, Wind, Hagel, Nebel, Flaute – in den letzten Stunden haben wir so ziemlich alle Jahreszeiten durchgemacht«, sagte er. »Aber die *Elk* ist dicht. Kaum ein Bechervoll ist durch die Planken gedrungen.«

»Was ich von meiner Hose nicht sagen kann«, murrte Hauk, der sich gerade den Weg zum anderen Ende des Decks bahnte. Gisur lachte und schlug Onund auf seine gesunde Schulter, dass das Wasser nur so aus der Wolle spritzte. Onund brummte und machte sich schwankend auf, um Bilgen und Ballaststeine zu prüfen.

Gisur blickte übers Wasser. Er konnte es lesen, wie ein guter Jäger eine Fährte liest, und ich sah zu, wie er einen Holzspan über die Seite warf und, indem er ihn beobachtete, unsere Geschwindigkeit schätzte. Zwei Stunden später hatte sich der Seenebel aufgelöst, und Lambi Ketilsson, der wegen seiner Eitelkeit auch »der Schöne« genannt wurde, stand im Bug und deutete laut rufend in die Ferne.

Schwarze Berggipfel wie Hundezähne. Gisur strahlte, alle jubelten.

»Jetzt kommt der schwierige Teil«, erinnerte Finn die Männer, und das Lachen erstarb.

Kurz darauf fing es an zu schneien.

Die Dämmerung hing wie ein silberner Schleier über Svartey, der Schwarzen Insel. Wir lagen etwas oberhalb von Klerkons Lager, wo bereits der Rauch aufstieg und sich ein paar Gestalten zeigten. Ihre Bewegungen waren langsam und träge, als seien sie gerade aufgewacht.

Ich sah zwei Sklaven, die zum Waldrand stolperten und sich hinhockten, ein anderer holte Holz. Die Menschen im Lager furzten und reckten sich einem neuen Tag entgegen, und wir waren schon mindestens eine Stunde hier und hatten bisher noch niemanden gesehen, den man als Mann hätte bezeichnen können, lediglich Frauen und Sklaven. Klerkon hatte sich ein Haus aus Weidengeflecht gebaut, um das sich kleinere windschiefe Hütten scharten, die man ohne große Umstände im Frühling verlassen konnte.

Ich sah zu Finn hinüber, der grinsend auf seinem großen römischen Nagel herumkaute, den er stets bei sich trug, um nicht aufzuheulen wie ein Wolf, was er normalerweise vor einem Angriff tat. Speichel tropfte ihm vom Mund, und seine Augen blickten wild.

Wir hatten darüber gesprochen, als die *Fjord Elk* noch durch den grauen, mit Schnee durchsetzten Nebel fuhr und das schwarze Wasser dick und zäh wie Haferschleim aussah.

»Das Wasser will gefrieren«, brummte Onund, und Gisur gebot ihm zu schweigen, denn er horchte mit geneigtem Kopf nach Untiefen, da es hier Schären gab. Hin und wieder ließ er einen schrillen Pfiff los und wartete auf das Echo, das die Klippen zurückwarfen. Die Männer ruderten langsam und vorsichtig.

»Wir sollten mit Klerkon sprechen«, sagte ich zu Finn. »Es wäre besser, wenn wir Thordis ohne Blutvergießen zurückholen könnten.«

Finn knurrte. »Wir sollten ihn und seine Männer möglichst schnell erledigen, denn sie sind in der Überzahl. Wenn wir erst anfangen zu verhandeln, verlieren wir unseren Vorteil und sind ihnen auf Gedeih und Verderb ausgeliefert.«

»Klerkon könnte Thordis trotzdem umbringen, auch wenn wir wie sie sofort angreifen«, gab Kvasir zu bedenken, und ich gab ihm ein Zeichen, leiser zu sprechen, denn wir hatten die Köpfe zwar dicht zusammengesteckt, aber es war kein großes Schiff, und Thorgunna war in der Nähe.

»Nein«, sagte Finn, »Ich glaube, er wird sie als Geisel behalten, wenn es für ihn eng wird. Er will unbedingt das Geheimnis um Attilas Grab erfahren, und lebendig ist sie wertvoller für ihn.«

Es war allerdings wahrscheinlicher, dass es für *uns* eng werden würde, denn wenn Klerkon leicht zu überwältigen gewesen wäre, hätte ich es bereits in Gunnarsgard getan. Dort hatte keiner von uns beiden genügend Männer für einen sicheren Sieg gehabt. Doch hier, in seinem eigenen Lager, hatte er wahrscheinlich sehr viel mehr. Ich sagte es nicht laut, denn das wäre keine Hilfe gewesen, und wir waren ja nicht gekommen, um an Klerkons Strand Muscheln zu suchen.

Es dauerte nicht lange, bis Bewegung in die Mannschaft kam. Ein paar leise gezischte Kommandos, dann knirschte der eichene Kiel der *Elk* auf den Kiesstrand von Svartey.

Sklaven und Frauen blieben zurück, sie waren im Kampf nutzlos. Auch Gisur und Onund blieben da, denn sie waren zu wichtig für das Schiff, als dass ihr Leben riskiert werden durfte. Wir anderen nahmen unsere Waffen, prüften die Riemen der Schilde und zogen unsere Kettenhemden an, soweit wir darüber verfügten.

Im dunklen Morgengrauen sahen sie grimmig aus, wie sie glitzernd vom Reif dastanden, bärtig, die Helme auf dem wirren Haar und grinsend wie Wölfe vor dem entscheidenden Angriff. Hauk Schnellsegler zog Pfeil und Bogen allen anderen Waffen vor, ebenso wie Finnlaith, der, wie ich bemerkt hatte, ein geschickter Jäger war. Die anderen hatten gute Klingen, Äxte oder Speere, ein paar Schwerter. Alle Klingen waren mit Schaffett gegen Rost geschützt.

Es waren unerschrockene Männer, tapfere Männer, viele in schlechten Kleidern oder gar in Fetzen, aber sie pflegten ihre Waffen mit derselben Sorgfalt, wie Mütter ihre Kinder pflegen, und was immer sie auch vorher getan haben mochten, jetzt hatten sie den Eid abgelegt, der sie aneinander band. Rudergefährten der Eingeschworenen.

Daran erinnerte ich sie, und gleichzeitig sagte ich ihnen, dass sie sich das Plündern und die Frauen bis zum Schluss aufheben sollten, wenn sie sicher waren, dass alle Männer, die kämpfen konnten, tot waren. Sie brummten und knurrten, und in der Dunkelheit sah man ihre Zähne und Augen leuchten.

Dann trat Finn vor, ein Anführer, genau wie Kvasir. Aber

Kvasir sagte in solchen Momenten in aller Regel nicht viel, und diesmal schien er noch tiefer in Gedanken versunken als sonst. Ich vermutete, weil Thorgunna dabei war. Eine Frau ist immer ein Grund zur Sorge.

»Es ist, wie Jarl Orm gesagt hat«, sagte Finn. »Gehorcht ihm. Gehorcht auch mir und Kvasir dem Sabberer hier, denn wir sind seine rechte und seine linke Hand. Kämpfen und Blutvergießen ist euch nichts Neues, also kann ich mir die übliche Rede ersparen.«

Er schwieg einen Moment, zog seinen langen römischen Nagel hervor und grinste.

»Denkt einfach daran: Dies ist Jarl Orm, der den weißen Bären getötet hat. Jarl Orm, der in der Grabkammer von Attila dem Hunnenkönig war und mehr Silber gesehen hat, als ihr in tausend Jahren sehen werdet. Jarl Orm, der mit den Römern gegen die Serkländer gekämpft hat. Jarl Orm, der den Kaiser der Großen Stadt seinen Freund nennt.«

Mir war das ein bisschen unangenehm, denn nicht alles davon entsprach der Wahrheit. Aber Finns Zuhörer hätten am liebsten ein Freudengeheul angestimmt und auf ihre Schilde geschlagen, wenn es uns nicht darum gegangen wäre, unbemerkt zu bleiben.

Als wir loszogen, grinste Thorkel mich an und hob grüßend die Axt, und mir wurde bewusst, dass ich tatsächlich eine ganze Menge dieser Taten vollbracht hatte. Ich war jetzt einundzwanzig Jahre auf der Welt und nicht mehr der Junge, für den Thorkel seinen Platz unter den Eingeschworenen aufgegeben hatte, vor sechs Jahren an einem Kiesstrand wie diesem und in einer Nacht wie dieser. Ich griff nach dem Silberring mit dem Drachenkopf an meinem Hals, dem Drachen, der sich in den Schwanz beißt und der mich als einen Mann auswies, der andere anführte.

Niemand stellte sich uns in den Weg, als wir uns etwas oberhalb von Klerkons Lager versammelten, um zu prüfen, wie viele Krieger hier waren. Doch es kamen keine. Es tropfte von den Bäumen, ein Vogel fuhr erschrocken auf und flog laut krächzend davon, was mir nicht gefiel.

»Wir sollten uns beeilen«, sagte Kvasir, sein Fischatem dicht neben meinem Gesicht. »Früher oder später verraten wir uns, und je heller es wird ...«

Der Himmel war silbern und ging hinter den Hütten aus Weidengeflecht in ein mattes Bleigrau über. Ich richtete mich halb auf und zog mein Schwert, nicht den Runensäbel diesmal, sondern eine gute, zuverlässige Waffe, die mir König Eirik selbst gegeben hatte. Die Parierstange war mit Silber eingelegt, und der Griff endete in einem massiven Ring. Ich hatte auch einen Schild, aber den trug ich nur der Vollständigkeit halber, denn da mir an der linken Hand zwei Finger fehlten, konnte er mir beim ersten heftigen Schlag aus der Hand gerissen werden.

Auf seinem Nagel kauend, knurrend und mit rotem Gesicht schob Finn sich durch die Bäume, wir anderen folgten ihm. In der Hand trug er den Godi, sein großes Schwert, jedoch keinen Schild. Seine freie Hand brauchte er für diesen Nagel.

Dann, gerade als die beiden Sklaven, die sich am Waldrand hingehockt hatten, ihn sahen, nahm er den Nagel aus dem Mund, warf den Kopf zurück und stieß ein Heulen aus, dass sich die Haare auf meinen Armen aufstellten.

Die Eingeschworenen stürmten auf das Lager zu, geschickt und grausam und so dicht aneinander wie die Planken eines Schiffs. Die ersten Sklaven, die entsetzt und mit flatterndem Kjafal stehen geblieben waren, wurden in einem Gewitter aus blutigen Klingen niedergemetzelt, und uns wurde schnell klar, dass es hier keine Krieger gab.

Bis auf einen, aber der schüchterte uns nicht ein. Er kam aus einer Tür gerannt, mit nichts weiter als einer Hose bekleidet, ein bärtiges Gesicht mit weit offenem Mund, und schwang einen großen Schildbrecher.

Wie zwei Wölfe kreisten Finn und Kvasir ihn von beiden Seiten ein, und während der Bärtige seinen zottigen Kopf drehte, um zu entscheiden, welchen von beiden er sich zuerst vornehmen sollte, schoss Finn mit seinem römischen Nagel vor, und Kvasir kam von der anderen Seite mit der Axt, obwohl sein erster Hieb um einen Fuß zu kurz war. Doch es spielte keine Rolle, denn sie waren zu zweit gegen einen.

Als sie sich keuchend trennten, sah ich, dass der Mann, den sie in Stücke gehackt hatten, Amundi war, den wir Raufbold nannten. Noch vor drei Jahren hatten wir mit ihm zusammen am Feuer gelacht und Bier getrunken.

»Damit wäre der auch erledigt!«, sagte Finn und stieß ihn mit der Fußspitze an. Dann sah er Kvasir an und sagte ernst: »Du brauchst mehr Übung mit der Axt.«

Ich hatte in dem Kampf nichts weiter getan, als zwei Sklaven anzufauchen und sie mit meinem Schwert einzuschüchtern, als sie Holzäxte aufheben wollten, doch dann überlegten sie es sich und ließen sie wimmernd wieder fallen. Jetzt sah ich den neuen Eingeschworenen zu, wie sie das machten, was sie am besten konnten. Ich beobachtete sie aus einiger Entfernung und versuchte, sie einzuschätzen, denn diese Mannschaft bestand zum größten Teil aus neuen Männern. Aber irgendwie wirkten sie auch wie eine alte Mannschaft, denn sie benahmen sich wie eine Meute von Jagdhunden, die zu lange eingesperrt gewesen war und jetzt losgelassen wurde.

Hleni Brimill, der rote Njal und Hauk Schnellsegler waren alte Eingeschworene, und doch rasten sie durch das Lager, trunken vor Mordlust, und die verängstigten Gesichter stachelten sie noch mehr an. Auch die anderen bewiesen, dass Raubzüge ihnen nichts Neues waren, und obwohl ich das alles schon oft mitgemacht hatte, dieses Mal schien es mir besonders grausam und blutrünstig. Ein rachsüchtiges Gemetzel unter schreienden Weibern und sterbenden Kindern.

Ich sah, wie Klepp Spaki beim Anblick dessen, was von Amundi Raufbold noch übrig war, sich vorbeugte und, die Hände auf die Oberschenkel gestützt, kotzen musste. Jetzt sah er die harte Wahrheit hinter seinen ruhmreichen Inschriften für die tapferen Krieger, die nie wieder nach Hause zurückkehrten.

Ich sah auch, wie Thorkel und Finn im Matsch lachend hinter zwei Schweinen herjagten, was ziemlich dumm war. Auf dieser Reise brauchten wir kein Vieh, wir hatten genug Verpflegung für das, was wir vorhatten.

Die anderen hatten Tod und Verderben hierhergebracht. Es starben Frauen und Sklaven, entweder sofort oder nachdem sie missbraucht worden waren, und selbst vor kleinen Kindern machten sie nicht Halt.

In der dunklen, verräucherten Halle warfen die Männer Bänke um, rissen die Behänge herunter und verfluchten und schlugen die Sklaven, während sie nach Beute suchten. Als sie mich sahen, wurden sie still und hielten inne. Ospak, Tjorvir und Thorst Silfra hörten auf herumzustöbern, wie drei Jungen, die man beim Äpfelklauen erwischt hatte. Sie hatten sich eine halb nackte, schreiende Sklavin vorgenommen und ließen jetzt nur von ihr ab, weil ich gesagt hatte, sie sollten die Frauen in Ruhe lassen, bis wir sicher sein konnten, dass alle Männer tot seien.

Finn vergaß sich völlig – ausgerechnet er. Wie ein Betrunkener, dem man das Bier verweigert, tauchte er mit dem Kopf in ein Fass und wäre wohl darin ertrunken, als ich ihn vor dem Jungen rettete, der versuchte, seine Mutter zu rächen. Da Finn sie schon umgebracht hatte, ehe er sie draußen im Hof auf einen toten Ochsen geworfen und gebumst hatte, war es eigentlich sinnlos, aber ich musste den Jungen töten, denn er stand mit dem Sax hinter Finn, der keine Rückendeckung hatte.

Einige behielten einen klareren Kopf. Runolf Hasenscharte kam in das Chaos der Halle gerannt und zerrte einen sich wehrenden Sklavenjungen mit, dem er eine solche Ohrfeige versetzte, dass er mir vor die Füße fiel und fast im offenen Feuer gelandet wäre. Ich sah den Jungen an, er sah mich an, und mich durchfuhr es wie ein Blitz.

Jeder vernünftige Mensch schneidet seinen Sklaven das Haar ab – es beugt Läusen vor und erinnert sie daran, wer sie sind –, aber diesem Jungen war der Kopf rasiert worden, und zwar sehr schlecht, denn zwischen dem Grind auf seinem Kopf standen noch Haarbüschel ab, die wie dreckiges Stroh aussahen. Er trug einen eisernen Halsring, und ich wusste, es würden Runen darauf sein, die ihn als Klerkons Eigentum auswiesen.

Keiner der anderen Sklaven trug auch nur einen Riemen mit einem Knochenring, denn Klerkons Lager befand sich auf einer Insel, von der kein Sklave flüchten konnte – aber dieser Junge hatte es offenbar versucht. Und zwar mehr als nur einmal, weshalb Klerkon sich genötigt gesehen hatte, ihm einen Eisenring anzulegen. Das war auch Hasenscharte aufgefallen, deshalb hielt er es für angebracht, mir den Jungen zu bringen, statt ihn zu töten.

»Vor dem Scheißhaus angekettet«, brummte er und bestätigte meine Vermutung. Angebunden wie ein toller Hund und zur Strafe am dreckigsten Ort des Lagers.

Der Junge starrte mich unverwandt an. Irgendetwas war

ungewöhnlich an diesem Blick. Ich sah genauer hin. Dann erkannte ich es: Eins seiner Augen war blaugrün, das andere hingegen goldbraun.

»Klerkon ist nicht hier«, sagte Ospak und wandte sich von der weinenden Frau ab, wenn auch nicht ohne einen bedauernden Blick. Durch die schlecht verputzten Wände fiel jetzt das Morgenlicht auf den gestampften Boden.

»Zu dem Schluss bin ich auch schon gekommen«, sagte ich, froh, den Blick von dem Jungen abwenden zu können. Ich ging in den Teil der Halle, der Klerkon vorbehalten war, und zog den Vorhang zurück.

Reinweiße Fuchspelze. Ein Umhang mit grünem Besatz. Ein solider Bettkasten, dick mit Fellen gepolstert. Doch keine Truhe. Kein Geld. Keine Thordis.

»Ich bin ein Nordmann«, sagte der Junge. Er sprach mit westnordischem Akzent, der ungeübt klang und sich nur schwer gegen die slavische Sprache behauptete, die man ihn zu sprechen gezwungen hatte.

Ich sah wieder in diese Augen. Er stand da, mit trotzig erhobenem Kopf und erinnerte mich einen Augenblick lang an den Ziegenjungen, der auf Zypern zu uns gekommen war. Er war etwa im gleichen Alter wie der Ziegenhirt damals, schätzte ich. Natürlich hatten wir aufgehört, ihn den Ziegenjungen zu nennen, nachdem er alt genug war – Jon Asanes hieß er und war jetzt bei einem mir bekannten Händler in der Lehre, in Holmgard, das die Slawen Nowgorod nennen.

»Ich komme aus Norwegen und bin ein Prinz«, fügte der Junge hinzu. Throst Silfra lachte laut auf, und der Junge sah ihn mit seinen merkwürdigen Augen scharf an. Throst zuckte kurz zusammen, doch fasste er sich schnell wieder. Er ging mit drohend erhobener Hand auf ihn zu.

»Lass ihn«, warnte ich ihn, und er warf mir einen finsteren Blick zu, doch er ließ von dem Jungen ab.

»Ich bin wirklich ein Prinz«, beharrte der Junge.

»Na klar doch«, polterte Finn, der hereinplatzte. »Wasch einem Sklaven den Dreck ab, und sofort wird er behaupten, in seiner Heimat sonst wer gewesen zu sein.«

»Ein Prinz von wo?«, fragte ich.

Der Junge machte eine unsichere Bewegung. »Ich weiß nicht genau«, sagte er zögernd, und sehr viel sicherer fügte er hinzu: »Aber meine Mutter war eine Prinzessin. Sie ist gestorben. Und mein Pflegevater ebenfalls. Klerkon hat sie beide getötet.«

»Hier gibt es absolut nichts, was man mitnehmen könnte«, brummte Finn, der den Jungen ignorierte. »Klerkon ist mit seiner Beute also nicht hierher zurückgekehrt, er muss sich direkt nach Aldeigjuborg aufgemacht haben.«

»Die Vorratskammern sind aber voll«, bemerkte Kvasir, der gerade hereinkam. »Winterverpflegung. Töpfe mit Honig, Seehundsfelle, Hirschfelle, Fuchspelze, Federn für Kopfkissen, Säcke voll Eicheln …«

»Federn«, sagte Finn verächtlich, »und verdammte Eicheln …«

»Nehmt es mit, ladet es ein«, sagte ich, und Kvasir nickte. »Wenn ihr alles habt, brennt die Häuser nieder. Lasst die Sklaven hier. Die nehmen zu viel Platz weg, und ihretwegen sind wir nicht gekommen.«

Kvasir rannte aus der Halle und rief nach Leuten, die ihm helfen sollten. Der rote Njal kam herein, sah mich kurz an und wandte sich dann ab. Seine Hände und Knie waren voll Blut und Dreck, weil er sich in den Schlamm gekniet hatte, um eine Frau und ihre Kinder auszurauben, die er umgebracht hatte. Als ich dazugekommen war, hatte er sich geschämt und von den Leichen der Kinder abgelassen.

»Ist es klug, alles niederzubrennen?«, fragte Finn.

»Klug?«

»Na ja, du kennst Klerkon«, sagte Finn. »Wenn wir ihn nicht erledigen, wird er sich rächen. Er hat bereits Gunnarsgard angezündet, was zur Hälfte mir gehörte – jetzt könnte er aus Rache alle Sklaven und Thordis umbringen.«

Er hatte recht, und das war wieder mal ein guter Grund, nicht mehr zu besitzen, als man in einer Seekiste unterbringen konnte, wie Finn uns oft in Erinnerung rief. Und dennoch hörte ich aus den Schreien und dem rauen Gelächter von draußen, was wir hier angerichtet hatten. Eine tote Frau auf der Flanke eines toten Ochsen zu bumsen war noch das Wenigste. Ich sprach es aus, und wir funkelten uns böse an.

»Fürchte die Rache derer, denen du Schaden zugefügt hast«, sagte der rote Njal düster, und ich bedachte ihn mit einem langen, ernsten Blick, denn in dem Fall hätte gerade er einiges zu fürchten. Ich hatte nämlich den Verdacht, dass die Kinder, deren Blut er an den Händen hatte, Klerkons eigene waren.

Unter meinem Blick erstarrte er einen Moment, dann zuckte er die Schultern.

»Die Schande, die man nicht aufheben kann, lässt man am besten liegen, wie meine Großmutter immer zu sagen pflegte«, murmelte er.

»Hatte die Frau ein Glück, dass sie nie sehen musste, wie du im Blut von Kindern nach Sachen zum Stehlen gesucht hast«, schnauzte ich ihn an, und er zuckte zurück. Das war unrecht von mir, denn die anderen hatten noch Schlimmeres getan, und keiner von uns war weiß wie Schnee.

»Ich weiß, wo Klerkons Gold ist«, sagte der Junge. »Ich sage es euch, wenn ihr das Lager nicht niederbrennt.«

»Wenn ich dich mit meiner heißen Klinge kitzle, wirst du es uns sowieso sagen«, knurrte Throst Silfra, doch der

Junge wandte seine verschiedenfarbigen Augen nicht von mir ab.

»Ich hätte gedacht, du würdest dich über so ein Feuer freuen«, sagte ich und zog ihn an seinem eisernen Halsring. Er zuckte.

»Die Sklaven, die ihr zurücklasst, würden ohne Schutz in der Kälte sterben«, erwiderte er. »Es reicht doch, wenn du ihre Vorräte mitnimmst. Sie können nicht rennen, sie haben auch keine Schuld, und einige von ihnen sind meine Freunde.«

»Noch weitere Prinzen?«, lachte Finn höhnisch.

Der Junge grinste. »Nein. Aber einige von ihnen waren edler als Könige. Die Freien hier sind eine andere Sache, über die habe ich mir mein eigenes Urteil gebildet.«

War er so jung, wie er aussah? Ich hatte ihn auf neun Jahre geschätzt – aber er sprach wie jemand, der schon sehr viel erlebt hatte.

»Also abgemacht«, sagte ich. »Zeig uns Klerkons Geheimversteck.«

»Gib mir deine Axt«, sagte der Junge, und nach einem Moment des Zögerns gab Kvasir sie ihm. Der Junge wog sie mit seinem dünnen Arm, dann ging er zum Bettkasten und versetzte ihm einen kräftigen Hieb. Der Kasten splitterte. Er schwang sie abermals, und ein Teil des Rahmens gab nach. Eine Münze flog heraus und fiel klingend auf den Boden. Kvasir hob sie auf, sah sie an und biss darauf. »Gold, bei Odins Arsch«, verkündete er. »Nicht weniger als ein serkländischer Dinar.«

Der Junge hackte weiter, dass die Späne flogen.

»Komm, gib her, deine Muskeln müssen erst noch stärker werden«, sagte Runolf Hasenscharte grinsend. Der Junge gab ihm die Axt und trat zurück. Hasenscharte zerlegte das Bett mit zwei Hieben, und Kvasir, Tjorvir, Throst und die anderen krabbelten auf dem Boden herum, um die Münzen aufzusammeln, die aus dem hohlen Bettrahmen fielen.

Schließlich hatten sie einen Sack gefüllt, der so groß wie der Kopf des Jungen war. Alles Goldmünzen. Die meisten waren serkländische Dinare mit ihren fremdländischen Zeichen, jede davon im Werte von ungefähr – ich überschlug es schnell im Kopf – zwanzig Silber-Dirham. Ein großer Verlust für Klerkon, ein schöner Gewinn für uns.

Der Junge stand da, ernst und aufrecht. Ich sah, dass der eiserne Ring seinen Hals aufgescheuert hatte, und Kvasir hatte es auch bemerkt.

»Ref Steinsson hat Werkzeug«, sagte er, »damit bekommt man das Ding ab.«

»Richtig«, sagte ich. Dann wandte ich mich dem Jungen zu. Der Anblick der verschiedenfarbigen Augen war nach wie vor gewöhnungsbedürftig. »Hast du einen Namen, oder sollen wir dich einfach Prinz nennen?«

»Olaf«, sagte der Junge mit gerunzelter Stirn. »Aber Klerkon nannte mich *Craccoben.*«

Niemand sagte etwas. Der Name hatte sich in der Halle niedergelassen wie ein Rabe auf einem Baum. Es war ein Name, den man einem klugen Menschen gab. Einem Menschen, der in Odins Runenzauber bewandert war und der, wie er, zu Füßen eines Erhängten sitzen und die geflüsterten Geheimnisse der Toten hören konnte.

Kein Name, den man leichtfertig vergab oder sich zulegte, und ich fragte mich, was Klerkon veranlasst hatte, ihn diesem Sklavenjungen zu geben.

Krähenbein.

KAPITEL 5

Wir fuhren bei eisigem Wind die Küste entlang, bis wir die Flussmündung fanden, die wir gesucht hatten. Hier mussten wir wegen der Gefahr, auf Grund zu laufen, das Segel einholen.

Alle stöhnten, denn jetzt mussten wir flussaufwärts rudern, und das mit dieser kleinen Mannschaft. Die *Elk* war ein schweres Schiff, und statt zwei Mann auf jeder Ruderbank hatten wir nicht einmal alle Ruderbänke mit einem Mann besetzt.

Ich schwitzte mit den anderen, aber wenigstens lenkte mich das von dem Jungen ab, den Thorgunna sofort unter ihre Fittiche genommen hatte. Ref hatte ihm ohne große Schwierigkeiten den eisernen Ring abgenommen, und Thorgunna machte sich daran, die wunden Stellen an seinem Hals zu waschen und mit Salbe zu behandeln, ebenso wie die Wunden auf seinem Kopf, der so grob und stümperhaft rasiert worden war. Die alten weißen Narben deuteten darauf hin, dass es mehrmals geschehen war. Thorgunna hatte reichlich mit ihm zu tun.

Finn, der jetzt glücklich grinste, weil er endlich wieder auf Raubzug war und Geld erbeutet hatte – und nicht nur Bettfedern und Eicheln –, stieß Kvasir an, der vor ihm saß und mit aller Kraft ruderte.

»Du wirst da nicht mehr gebraucht, Sabberer«, kicherte er und deutete mit dem Kopf zu Thorgunna hinüber, die den Jungen gerade in einen warmen Umhang wickelte und ihm liebevoll auf den Rücken klopfte. Ich fragte mich, ob sie weiterhin so liebevoll mit ihm umgehen würde, wenn sie erfuhr, was er getan hatte, wozu er die Männer dort in Svartey angestiftet hatte.

Der Wind pfiff, die Wasseroberfläche kräuselte sich, und die Sklavinnen drängten sich aneinander und bliesen in die rauen, aufgesprungenen Hände. Aber selbst diese Kälte war nicht so kalt wie die Toten, die wir zurückgelassen hatten.

»Mir scheint«, keuchte Kvasir mühsam zwischen den Ruderschlägen, »dass ich ihr einen Schatz mitgebracht habe, der ihr mehr bedeutet als mein Anteil an dem Geld. Vielleicht, wenn ich ihr daraus eine Halskette mache …«

»Sie ist die reinste Glucke. Du solltest ihr so bald wie möglich ein Kind machen«, sagte Finn, worauf er einen mürrischen Seitenblick von Kvasir erntete.

Vor meinen Augen sah ich wieder die plumpen Ärmchen und den runden kleinen Bauch, weiß wie ein Fisch und so klein, dass Thorkels blutige Hand dagegen riesig wirkte. Der rote Mund und die angstvoll aufgerissenen blauen Augen, das hochrote, brüllende Gesicht, die Schreie der gefesselten Mutter.

Krähenbein hatte sie mit wildem Triumph angefunkelt, dann hatte er Thorkel zugenickt, der das Kind gegen einen Stein schleuderte. Das Schreien verstummte, man hörte nur ein Klatschen und das noch lautere Schreien der Mutter. Und ich sah tatenlos zu und sagte nichts.

Was hatte sie Krähenbein angetan? Das wollte er nicht sagen, außer dass sie eine von Randr Sterkis Frauen war, also war das Kind von ihm. Wahrscheinlich war sie gemein zu ihm gewesen, vielleicht war sie es, die ihm den Schädel rasiert hatte. Es hatte keinen Sinn, das begonnene Blutbad aufhalten zu wollen, denn für die Mutter war der Tod kurz darauf nur noch Erlösung.

Ja, er war schon sonderbar, dieser Junge. Denn obwohl Überfälle und grausame Kämpfe den Männern nichts Neues waren, konnten sie sich hinterher kaum in die Augen sehen. Diese Tat, zu der er sie aufgefordert hatte, war etwas so Schreckliches, dass selbst diese hartgesottenen Männer sich dafür schämten.

Falls es kein Seidr-Zauber war, was er da entfesselt hatte, so war es doch etwas Ähnliches. Und auch später erlebten wir, dass eine gewisse Macht von ihm auszugehen schien: Als wir in die Flussmündung fuhren und uns durch das graugrüne Wasser kämpften, legte Gisur die aufgesprungenen, kalten Hände seitlich an die Augen und spähte nach allen Seiten im Dunst nach einem Hinweis auf die Küste. Plötzlich war der Junge aufgestanden und hatte mit dem Finger in eine Richtung gezeigt. »Dorthin«, sagte er. Man hörte die Männer kichern, und Gisur musste sich einigen Spott gefallen lassen. Dann verkündete der schöne Lambi, der Ausguck, dass er Rauch sehe.

»Nein«, sagte der Junge bestimmt. »Das ist kein Rauch. Das sind Vögel.«

Und so war es, ein großer Schwarm. Seeschwalben, sagte der Junge, noch ehe Lambis Adlerauge feststellen konnte, ob es sich um Seeschwalben oder Tölpel handelte.

»Woher weißt du das?«, wollte Hauk Schnellsegler wissen.

»Man hört es«, sagte der Junge. »Sie rufen sich gegenseitig zum Festmahl und jubeln vor Freude. Dort gibt es Hering. Vielleicht wollt ihr ja auch fischen.«

Er hatte recht, die Seeschwalben tauchten und fraßen um die Wette, und es war leicht, ihnen zu folgen, bis Gisur die Markierungen zur Mündung der Newa und zum Ladogasee fand, von wo aus wir uns schließlich auf dem Wolchow nach Süden wandten.

Inzwischen waren die Männer ernst und still geworden –

in Gegenwart eines Jungen, der Vögel hören konnte und verstand, was sie sagten und der Krähenbein hieß. Er erinnerte mich an Sighvat – und Finn und Kvasir stimmten mir zu.

»Vielleicht ist er Sighvats Sohn«, schlug Finn vor, und wir schwiegen nachdenklich. Wir dachten an unseren alten Rudergefährten und an seine Erzählungen darüber, was Vögel und Bienen wussten. Und wir erinnerten uns, wie er auf der staubigen Straße dieses verlotterten serkländischen Dorfes gelegen hatte, und wie die Fliegen um seine durchgeschnittene Kehle summten.

Als es an diesem ersten Tag, an dem wir flussaufwärts nach Aldeigjuborg fuhren, dunkel wurde, waren wir noch immer zu weit von der Stadt entfernt, um eine Weiterfahrt zu riskieren, also legten wir am Ufer an. Wir machten Feuer und spannten auf Deck das Zeltdach auf, sodass wir an Land essen, aber an Bord schlafen konnten.

Kvasir, Finn und ich saßen wie üblich beisammen und sprachen mit Verwunderung über den Jungen. Kvasir meinte, Thorgunna habe doch ein großes Talent, wenn es darum ginge, jemanden zum Reden zu bringen, also würde er versuchen zu lauschen, wenn die beiden sich unterhielten.

Wir alle waren uns einig – obwohl wir zugleich unsere Scherze darüber machten –, dass der kleine Prinz Olaf ein besonderes Kind war. Finn sagte, es sei vielleicht ganz gut gewesen, dass wir uns an die Abmachung gehalten und die Sklaven nicht getötet hatten, denn er sei vielleicht kein Kind, das man verärgern sollte.

Mir gefielen solche Reden nicht, denn wir hatten alle Freien dort getötet, Weiber und Kinder von Klerkon und seiner Mannschaft, sogar die Hunde. Dieser kleine Neunjährige hatte sich an allen gerächt, die ihm ein Leid angetan hatten, sodass er bis zum Ellbogen mit Blut besudelt war, selbst wenn andere das Töten für ihn erledigt hatten.

Es dauerte nicht lange, da kam Thorgunna angelaufen und suchte dieses merkwürdige Kind und machte sich Sorgen, weil er hier allein an einem unbekannten Ort in der Dunkelheit herumstreifte, also mussten wir alle mitkommen und ihn suchen.

Nach einer Stunde tauchte er auf, so leise, dass Thorkel vor Schreck zusammenfuhr und sich mit seiner Fackel fast das Haar in Brand gesetzt hätte.

»Wo warst du?«, wollte Thorgunna wissen, und mit seinen verschiedenfarbigen Augen, die im Fackelschein funkelten, sah er sie an.

»Ich habe zugehört, wie die Eulen sich über ihre Jagd unterhalten haben«, sagte er.

»Und, war die Jagd erfolgreich?«, lachte Finn. Der Junge schüttelte todernst den Kopf.

»Es war zu kalt«, sagte er und ging zum Feuer. Wir folgten ihm, erschrocken und nachdenklich.

»Hier«, sagte Thorgunna streng und drückte ihm etwas in die Hand. »Spiel jetzt damit und bleib beim Feuer. Damit wirst du dich nicht langweilen.«

Es war ein Taflbrett und ein Säckchen mit glatt polierten Spielsteinen. Die Männer lachten, aber der Junge nahm brav das Holzbrett und legte es neben sich.

»Es ist zu dunkel zum Spielen«, sagte er, »aber ich kann euch eine Geschichte von einem Taflbrett erzählen.«

Die Männer strichen sich überrascht die Bärte. Das war mal etwas ganz Neues: ein Neunjähriger, der den Alten eine Geschichte erzählen wollte! Kvasir lachte amüsiert.

Der Junge räusperte sich und fing mit seiner hohen, klaren Stimme zu erzählen an. Und die rauen Gesellen beugten sich vor, um kein Wort zu verpassen.

»Auf einem Hof in Vestfold lebte einst ein Mann, der seinem Sohn ein schönes Taflbrett schnitzte«, fing der Junge an. »Es war aus Eiche, und das ist Thors Holz. Als es fertig war, zeigte er seinem Sohn, wie man darauf spielt. Der Junge war sehr stolz auf dieses schöne Spielbrett, und jeden Morgen, wenn er mit den Schafen auf die Weide zog, nahm er sein Taflbrett mit, denn er fand ja überall Steine zum Spielen.«

Der Junge unterbrach sich, und die Männer kamen noch dichter heran. Er hatte jetzt ihre ganze Aufmerksamkeit. Ich staunte über den Seidr, den er auf alle ausübte. Woher kannte er diese Geschichte? Klerkon hatte ihm bestimmt keine Gutenachtgeschichten erzählt, und sein Pflegevater war gestorben, als er noch sehr klein war. Vielleicht hatte seine Mutter sie ihm erzählt, ehe sie starb.

»Überall, wo er hinging, nahm er das Brett mit«, fuhr der Junge fort. »Und eines Tages traf er ein paar Männer aus dem nächsten Dorf, die bei einem kleinen Feuer wachten und Holzkohle machten. ›Wo kann man hierzulande noch Holz herkriegen?‹, fragten die Köhler. ›Hier ist Holz für euch‹, sagte der Junge und gab ihnen sein schönes Taflbrett, das sie verbrannten. Doch als es in Flammen aufging, fing der Junge an zu weinen. ›Nimm es dir nicht so zu Herzen‹, sagten die Köhler und gaben ihm einen schönen neuen Sax für sein Spielbrett.«

»Das war ein guter Tausch«, brummte der rote Njal. »Für einen Jungen ist ein guter Sax auch nützlicher als ein Taflbrett. Das und der Wald sind die besten Lehrmeister für einen Jungen, wie meine Großmutter immer sagte.«

Sie sagten ihm, er solle den Mund halten, und Olaf setzte sich bequemer hin.

»Der Junge nahm die Klinge und zog mit seinen Schafen weiter«, fuhr er fort. »Wie er dahinwanderte, traf er einen Mann, der auf seinem Feld einen großen Stein ausgrub, damit er pflügen konnte. ›Der Boden ist hart‹, sagte der Mann. ›Leihe mir deinen Sax zum Graben.‹ Der Junge gab dem Mann den Sax, aber der grub so unvorsichtig damit, dass die Klinge zerbrach. ›Ach, was hast du mit meiner Klinge gemacht?‹, weinte der Junge. ›Sei nur ruhig‹, sagte der Mann, ›nimm diesen Speer dafür.‹ Und er gab dem Jungen einen schönen, mit Silber und Kupfer verzierten Speer.«

Einige der Männer lachten, denn sie ahnten, wohin die Geschichte führen würde. Andere aber fragten, woher ein Bauer, der sich nicht einmal eine vernünftige Schaufel leisten konnte, einen mit Silber verzieren Speer hatte – doch sie alle verstummten sofort, als der Junge fortfuhr.

»Der Junge zog mit seinen Schafen und seinem Speer weiter. Er traf auf eine Gruppe von Jägern. Als sie ihn sahen, sagte einer von ihnen: »›Leihe mir deinen Speer, damit wir den Hirsch erlegen können, den wir verfolgen.‹ Der Junge tat es.«

»Was für dämliche Jäger«, murmelte Kvasir, »wenn sie gemeinsam nicht mal einen Speer besitzen.«

Thorgunna funkelte ihn vorwurfsvoll an.

»Oho«, lachte Finn, »dieser Blick könnte ein Schiff versenken. Siehst du, darum solltest du nie eine Frau mitnehmen.«

Kvasir sah düster drein. Olaf wartete geduldig, bis sie sich wieder beruhigt hatten, dann räusperte er sich erneut. Im Feuerschein glänzte sein helleres Auge wie eine Perle.

»Der Junge gab ihnen den Speer, und die Jäger zogen los und töteten den Hirsch. Aber dabei war der Schaft des Speeres gesplittert. ›Jetzt seht euch an, was ihr mit meinem Speer gemacht habt!‹, rief der Junge. ›Reg dich nicht auf‹, sagten die Jäger, ›hier hast du ein Pferd als Ersatz für deinen Speer.‹ Der Jäger gab ihm ein Pferd mit schönem Zaumzeug aus Leder, und der Junge machte sich auf den Weg zurück zu seinem Dorf. Unterwegs traf er auf ein paar Bauern, die versuchten, die Krähen aus ihrem Korn zu verscheuchen, sie rannten umher und wedelten mit Tüchern. Davon wurde das Pferd scheu, und es galoppierte davon.«

»Könnte mir auch passieren«, sagte Thorkel, der gegenüber am Feuer saß, und alles lachte, denn er war als Pechvogel bekannt.

Finn rief ungehalten, sie sollten doch still sein und zuhören. »Ich will das hören. Dieser Schafhirte klingt ganz wie ein gewisser Händler, den ich kenne.«

Es gab ein paar Lacher auf meine Kosten, dann ging die Geschichte weiter.

»Das Pferd war auf Nimmerwiedersehen verschwunden«, sagte Olaf. »Aber die Bauern trösteten den Jungen und gaben ihm eine alte Holzaxt, die nahm er und ging damit nach Hause. Er traf einen Holzfäller, der sagte: ›Leih mir deine Axt, damit ich diesen Baum fällen kann.‹ Der Junge tat es, und der Holzfäller legte den Baum um, aber dabei zerbrach die Axt.«

»Er hätte mit dem Pferd gleich nach Hause gehen sollen«, rief jemand.

Olaf lächelte. »Vielleicht, denn der Holzfäller schenkte ihm einen Ast des Baumes, den der Junge sich auf den Rücken lud und nach Hause trug. Als er in die Nähe des Dorfes kam, fragte eine Frau: ›Woher hast du das Holz? Das könnte ich für mein Feuer gebrauchen.‹

Der Junge gab es ihr, und sie legte es ins Feuer. Als es in Flammen aufging, fragte er: ›Und wo ist jetzt mein Holz?‹ Die Frau sah sich um, dann gab sie ihm dafür ein schönes Taflbrett, das er samt seinen Schafen nach Hause brachte. Als er das Haus betrat, empfing ihn seine Mutter mit zufriedenem Lächeln und sagte: ›Na also, was kann man einem kleinen Jungen Besseres geben als ein Taflbrett, damit er nicht auf dumme Gedanken kommt?‹«

Das brüllende Gelächter und das Schenkelklatschen wollten kein Ende nehmen, besonders als Olaf mit einer höflichen kleinen Verbeugung Thorgunna das Taflbrett und den Beutel mit den Steinen wiedergab. Sie nahm beides so freudestrahlend entgegen wie eine stolze Mutter.

Doch in dem Lärm spürte ich plötzlich Kvasir dicht neben mir, sein Atem dampfte und roch nach Haferbrei und Fisch, als er mir ins Ohr zischte: »Dieser Junge ist nicht erst neun Jahre alt.«

Ich stieg aus der Strug, einem dieser eckigen Flussboote, die die Slawen so lieben, auf den hölzernen Kai von Nowgorod, das bei uns Holmgard heißt. Ich kannte die Stadt bereits und war mit ihr vertraut.

Wir hatten die Strug in Aldeigjuborg übernommen, da es schon schwer genug gewesen war, die *Elk* bis hierher zu bringen; bis Nowgorod wäre es unmöglich gewesen. Meine Schultern fühlten sich noch tagelang an, als ob jemand sie mit einem rot glühenden Eisen durchbohrt hätte. Beschämt musste ich mir eingestehen, dass ich das Rudern nicht mehr gewohnt war.

Das Wetter tat ein Übriges, um uns das Leben schwer zu machen. Als wir die *Elk* endlich langsam in die Mündung bugsiert hatten, an der Aldeigjuborg lag, ließ Gisur den Eimer über Bord und zog ihn herauf. Er sah ihn kurz an, dann schob er ihn mir zu. Es war Eis darin.

»Das hätte ich nicht gebraucht, um zu wissen, wie kalt es ist«, sagte ich und hauchte in meine Hände. Er nickte und leerte den Eimer aus, dann stellte er ihn mit seinen blauroten Händen, die voller Frostbeulen waren, wieder an seinen Platz. Alle hatten Frostbeulen, und die Hände waren von der Kälte und vom Rudern aufgesprungen. Die Nasen waren rot, der Atem dampfte, und jeder Atemzug verursachte einen schneidenden Schmerz.

»Es ist zu früh für Eis«, brummte Gisur. »Mindestens einen Monat zu früh. Der Fluss gefriert, und dazu noch so nahe am Meer. Du wirst sehen, auch das Meer wird diesen Winter bis weit hinaus zufrieren.«

Dieser Gedanke hatte uns auf dem ganzen Weg bis zum Anleger verfolgt, es waren keine sehr schönen Aussichten. Und kaum hatten wir unser Schiff vertäut, als Finn und Kvasir auch schon erschienen, die, in Umhänge gehüllt, mit warmen Mützen und bis an die Ohren in Vadmaltuch gewickelt, mit einer Kopfbewegung in die Richtung eines weiteren Langschiffs deuteten. Es lag am Ufer, der Mast war abgebaut und das Segel auf Deck als Zelt aufgeschlagen, was auf Überwinterung schließen ließ. Es war Klerkons Schiff, die *Drachenschwinge,* auf dessen Ballaststeinen mittschiffs zwei Männer mit wildem Haar und silbernen Armreifen ein Kohlenbecken bewachten.

»Nur eine kleine Mannschaft«, berichtete Kvasir nach einem kurzen Erkundungsgang. Sie hatten uns schon gesehen, und waren nach dem Vorfall in Gunnarsgard auf der Hut, obwohl es unvernünftig gewesen wäre, in fremdem Hoheitsgebiet die Schwerter zu schwingen. Was passieren würde, wenn sie erst erfuhren, was wir auf Svartey angerichtet hatten, war eine andere Sache.

»Klerkon ist weiter im Süden, in Känugard«, fügte er hinzu und legte den Kopf zur Seite.

»Er wird seine Gefangenen mitgenommen haben«, sagte Finn aufgeräumt. »Dort kann er sie besser verkaufen.«

Ich sah ihn unwillig an, Kvasir schwieg. Ich wusste, warum Finn so zufrieden war. Er war auf Raubzug und hoffte, wir würden in Nowgorod überwintern, um uns dann im Frühling zu dem Silberschatz aufzumachen, den wir seiner Meinung nach schon viel zu lange vernachlässigt hatten.

Ich hoffte, es würde ein langer Winter werden und dass, wenn er zu Ende war, Swjatoslaw, der Großfürst der Rus, seinen unsinnigen Krieg gegen die Große Stadt fortführen würde und dass eine Reise nach Känugard – das bei den Einheimischen Kiew hieß – dann zu gefährlich wäre. Ich hoffte, diese Umstände würden auch Lambisson zusammen mit dem kleinen Eldgrim und Dorschbeißer hier festhalten.

Ich wusste aber auch, dass mit diesem Berg von Silber Odins Fluch auf mir lag. Ich kam mir vor wie in einer Dornenhecke – je mehr man gegen sie ankämpfte, desto stärker verfing man sich in ihr. Ich dachte jeden Tag daran, dass ich früher oder später zu Attilas Grabhügel würde zurückkehren müssen, und jedes Mal, wenn ich daran dachte, war mir, als müsse ich einen Stein schlucken.

Aber erst einmal mussten wir Thordis zurückholen und den kleinen Eldgrim und Dorschbeißer befreien.

Wir erfuhren schon bald, dass Lambisson nicht mehr in Aldeigjuborg war, wenn er denn überhaupt je da gewesen war. Wir nutzten die Zeit unseres Aufenthalts, um den Gedenkstein der Eingeschworenen aufzusuchen, den Einar für die Gefährten hatte errichten lassen, die schon bei der ersten Suche nach Attilas Grab nicht bis hierher gekommen waren.

Das war vor sechs Jahren gewesen, und jetzt standen die Überlebenden um den Stein, etwas mehr als eine Handvoll Männer – Hauk, Gisur, Finn, Kvasir, Hlenni Brimill, Runolf Hasenscharte, der Rote Njal und ich. Thorkel war auch dabei, denn er hatte Storchenbein und Skapti Halbtroll und die anderen gekannt, auch wenn er damals nicht mehr bei uns war. Der verkrüppelte Dorschbeißer und der kleine Eldgrim, der jetzt wirr im Kopf war, waren zwei weitere Männer, derer wir hier gedachten.

»Hier ist jemand gewesen«, bemerkte Kvasir und deutete auf die Girlande aus Eichenblättern, die auf dem Stein lag.

Das musste schon vor langer Zeit gewesen sein, das Eichenlaub war fast schon zu Staub zerfallen. Doch ihre Namen waren erhalten, und obwohl die Farbe verblasst war, waren sie tief in den Stein gemeißelt, und die Geschichte war nicht vergessen. Wir sprachen unsere Gebete, legten unsere Opfergaben nieder und gingen wieder.

Finn meinte, die Eichengirlande könne von Storchenbeins Frau stammen, die mit Sohn und Tochter in dieser Stadt gewohnt hatte. Doch als wir sie aufsuchen wollten, erzählten uns die Nachbarn, dass sie schon vor Jahren weiter nach Süden gezogen war. Mir fiel ein, dass Storchenbeins Frau eine Slawin war, dadurch waren seine Kinder halb Nordisch, halb Rus.

Jetzt gab es nur noch den Stein, und der Wind strich über ihre Namen.

Die *Elk* blieb mit allen Männern in Aldeigjuborg, bis auf Finn, Kvasir, Thorgunna und mich – und den jungen Olaf, der zitterte und ängstlich zur *Drachenschwinge* und ihrer Besatzung hinübersah. Ich machte mir Sorgen, dass er uns womöglich in Schwierigkeiten bringen könnte, und hoffte, dass Gisur genug Männer hatte, um die *Elk* zu schützen. Dennoch hatten wir ein riskantes Unternehmen vor uns, selbst wenn wir so weit entfernt wie nur irgend möglich von der *Drachenschwinge* lagen und beide Seiten die Strafe kannten, die darauf stand, wenn man anfing, sich in Swjatoslaws Reich gegenseitig die Schädel einzuschlagen.

Ich hatte erst vorgehabt, die *Elk* bis nach Nowgorod mitzunehmen, doch ich war froh, dass ich es nicht getan hatte. Langsam stakten wir auf dem kalten Fluss dahin, durch tropfende Tannen- und Kiefernwälder, wo die Menschen Lichtungen geschaffen hatten, auf denen sie sich mit ihren kleinen dreizinkigen Pflügen abmühten. Der Wolchow schien noch weitaus mehr gefährliche Stromschnellen zu haben, als ich es von meiner ersten Reise mit Einar in Erinnerung hatte.

Diesmal schien hier alles aus Marsch und Sumpf zu bestehen, eine hässliche Landschaft, besonders wenn die Bäume kahl waren. Erst weiter im Süden fing die fruchtbare schwarze Erde der Steppe an, die die Slawen *chernoziom* nannten und die so locker war, dass man sie nur einmal zu pflügen brauchte, und man konnte noch Jahre später Weizen in ihr säen.

»Ja, das Land hier ist schlecht«, sagte der rote Njal. »Aber was machen die denn da, warum kochen sie Wasser in diesen großen Pfannen?«

»Salz«, sagte Kvasir. »Hier gibt es Quellen, die so salzig sind wie das Meer.«

»Keine schlechte Idee«, bemerkte Ospak, »den Leuten gekochtes Seewasser zu verkaufen.«

Er war zum ersten Mal hier, und alles war neu für ihn.

»Richtig«, sagte Finn. »Also musst du zugeben, dass wir an Bord der *Elk* sogar noch reicher sind als Kvasir der Sabberer, denn wir schwimmen in dem Zeug.«

Alles lachte, nur Kvasir verzog keine Miene und ließ sich nicht von der Arbeit abbringen. Er war dabei, mit großer Sorgfalt Löcher in seinen Anteil der Golddinare zu bohren, um daraus eine Halskette für Thorgunna zu machen. Die hatte nach wie vor nur Augen für den kleinen Olaf Krähenbein, auf dessen Kopf der Grind abheilte und sich bereits ein weicher Haarflaum zeigte. Es war ganz klar, dass wir ihn nicht wie einen Sklaven behandeln konnten, egal was er sein mochte, also setzte ich mich auf der Strug neben ihn.

»Du magst ein Prinz sein oder auch nicht«, sagte ich, während Thorgunna strahlend daneben stand, »aber auf jeden Fall bist du jetzt frei.«

Ich streckte ihm meine Hand hin. Er sah mich mit seinen verwirrenden Augen an, dann grinste er und ergriff mein Handgelenk mit seiner kleinen Hand.

Später, als wir von singenden Kriwitschen den Fluss hinuntergestakt wurden, erzählte Kvasir mir, was er und Thorgunna dem jungen Prinzen entlockt hatten.

»Er sagt«, erzählte Kvasir leise, »dass er mit seiner Mutter bei seinem Großvater und dem Pflegevater gelebt hat, den er den alten Thorolf nannte. Er weiß noch, dass er von Männern verfolgt wurde, davor hatte seine Mutter ihn immer gewarnt. Sie hatten sich irgendwo versteckt, den Namen des Ortes weiß er nicht mehr, denn er war erst drei Jahre alt, als sie von dort flohen und eigentlich nach Nowgorod wollten. Dort hat er einen Onkel, das hatte seine Mutter ihm erzählt, aber wie der heißt, weiß er nicht. Jedenfalls waren sie zu diesem Onkel unterwegs, als es passierte.«

Ich dachte nach, begutachtete und prüfte die Geschichte wie eine unbekannte Münze, während Kvasir mich mit seinem einen Auge ansah.

»Hat Klerkon ihn gefangen genommen, oder hat er ihn irgendwo gekauft?«

Kvasir runzelte die Stirn. »Er nahm ihn fest und brachte sofort den Pflegevater um. Daran erinnert er sich; er sagt, Thorolf war zu alt und wurde ins Meer geworfen, wo er ertrank.«

»Und die Mutter?«

Kvasir zuckte die Schultern. »Ich glaube, die starb später. Er will oder kann nicht darüber sprechen. Sie starb auf Svartey.«

Wahrscheinlich unter Klerkons Mitwirkung, dachte ich düster.

»Gibt es sonst noch etwas?«

Kvasir zuckte wieder die Schultern. »Er weiß die Namen seiner Mutter, seines Vaters und seines Großvaters, will sie aber nicht sagen. Das überrascht mich nicht, vielleicht hat er es seiner Mutter schwören müssen. Wenn man verfolgt wird, ist Schweigen der beste Schutz.«

Hier war etwas halb Verschüttetes. Ich kam mir vor wie jemand, der einen Ring in der Erde findet und weiß, wenn er fest genug daran zieht, kommt das ganze herrliche Schwert zutage, an dessen Heft dieser Ring befestigt ist.

Wir schwiegen, dann schüttelte Kvasir nachdenklich den Kopf.

»Es ist wie eine Sage«, bemerkte er. »Ein verfolgter Prinz, von Räubern gefangen genommen. Als Sklave verkauft und vom Bärentöter der Eingeschworenen gerettet … Wenn aus diesem Jungen nicht etwas ganz Großes wird, dann verstehe ich das Gewebe der Nornen nicht mehr.«

»Lies nicht so viel in dem Gewebe seines Lebens, sondern konzentriere dich lieber auf das unsere«, erwiderte ich. »Hoffen wir, dass in dem seinen kein Faden ist, der uns zum Verhängnis wird.«

Dieser Gedanke beschäftigte uns, bis die *Strug* am Kai von Nowgorod festmachte. Hier zeigten uns die Nornen, was sie bisher gewebt hatten, und Odin lachte noch lauter als sonst.

KAPITEL 6

Die große Festung von Nowgorod mit ihrem Wohnturm – von den Slawen Kreml genannt – war schon früher eine mächtige Anlage gewesen, ehe sie in Stein neu erbaut wurde. Die Erdwälle und die spitzen Palisaden wachten über die Stadt wie ein gestrenger Vater.

Im Innern der Festung war es so behaglich wie in einer mit Grassoden gedeckten Halle in Island, mit schönen Wandbehängen und allerlei kostbaren Fellen, aber es gibt dort auch ein stinkendes Loch von einem Gefängnis, das nur aus Dreck und schwitzendem Felsgestein besteht und für Leute wie die zerlumpten Kriwitschen, die Goliaden und Slowenen gedacht ist, jedoch nicht für anständige Nordmänner, wie wir es waren.

Doch die Wächter der Druschina sahen das anders, als sie uns spöttisch lachend hineinwarfen und uns darauf aufmerksam machten, dass hier niemand wieder herauskomme, es sei denn, um kopfunter angenagelt oder gepfählt zu werden.

Hier waren wir nun – ich, Kvasir, Jon Asanes, Thorgunna, Thordis, zwei Sklavinnen, die sich in einer fremden Sprache unterhielten, und der kleine Olaf, der zwar den Kopf trotzig erhoben hatte, aber dennoch zitterte, teils vor Angst, was jetzt passieren würde, teils aber auch, weil er zum ersten Mal einen Menschen getötet hatte.

In der Dunkelheit und der Grabeskälte verriet allein das mühsame Atmen der anderen, dass noch weitere Menschen hier waren, obwohl man glaubte, auch Schatten zu sehen, schwärzer noch als die Dunkelheit. Ich spürte sie, genau wie ich sie in der Nacht des Feuers in Hestreng gespürt hatte – die ruhelosen Toten, die zum Gaffen gekommen waren und um denen, die ihnen bald folgen würden, das letzte bisschen Wärme zu nehmen.

Der Tag hatte ganz gut angefangen, als wir uns auf den breiten Bohlenwegen, die glatt von Alter und Raureif waren, zum Viertel der Gotländer aufmachten, wo auch die Nordmänner ihre Geschäfte abwickelten. Ich suchte Jon Asanes, den wir als unseren Ziegenjungen kannten.

Schließlich fanden wir Tvorimir, dem wir den Ziegenjungen damals anvertraut hatten, damit er ihm beibrachte, wie man Handel betrieb, mit gerissenen Geschäftsleuten umging und seine Konten auf Birkenrinde führte. Wir waren uns alle einig, dass Tvorimir als Lehrmeister bestens geeignet war, denn sein Spitzname war Soroka – Elster –, da er keinem auch nur halbwegs blanken Gegenstand widerstehen konnte.

Sein Haus war eins von der besseren Sorte, die man Isba nannte – fast wie eine Halle, nur dass es mitten in der Stadt lag. Es war zu drei Seiten um einen Innenhof gebaut, mit Ställen, Heu- und Kornspeichern und einem dieser Badehäuser, die hier so beliebt waren. Statt einer offenen Feuerstelle gab es einen Lehmofen in der Ecke – eine wunderbare Einrichtung.

Er ähnelte weniger einer Elster als einem dicken, aufgeregten Huhn. Der Mann bestand, wie Kvasir feststellte, aus lauter Kugeln: auf den beiden dicken, runden Beinchen saß sein kugelrunder Bauch und darauf eine kleine rote Kugel mit weißer Wolle darauf, das war sein Kopf.

Nachdem er uns alle umarmt und auf den Rücken geklopft hatte, wurden wir mit Brot, Salz und Bier aus dem

Keller bewirtet, dann watschelte er schnaufend zu einer Theke am großen Lehmofen. Als ich Jon Asanes erwähnte, schüttelte er den Kopf.

»Das ist ein kluger Bursche, der schnell lernt«, erzählte er. »Arbeitet auch gut – wenn man ihn lange genug festhalten kann. Er hat auch angefangen zu schreiben, aber leider hat das nichts mit guter Kontenführung zu tun.«

Er sah uns an und legte einen Finger an die Nase. »Liebesgedichte«, sagte er dann und lachte, dass alles an ihm bebte und er beängstigend nach Luft japste. Er rollte mit den Augen und rezitierte: ›*Welch Feuer in meinem Herzen, in meinem Körper und in meiner Seele, für dich, deinen Körper und deine Person; lass es dein Herz, deinen Körper und deine Seele entzünden, für mich und für meinen Körper und meine Seele.*‹«

»Bei Tyrs Knochen«, flüsterte Finn halb bewundernd, halb entsetzt.

»Wir sind anscheinend gerade noch rechtzeitig gekommen«, meinte Kvasir.

»So was könntest du für mich auch mal schreiben«, sagte Thorgunna und stieß Kvasir an, der ein schockiertes Gesicht machte, dann aber zu grinsen anfing.

»Zum Glück kann ich weder lesen noch schreiben, bis auf ein paar Runen hier und da. Und jetzt, wo ich nur noch ein Auge habe, will ich es nicht mit solchen Sachen überanstrengen.«

»Du musst es nicht aufschreiben, du kannst es mir einfach ins Ohr flüstern«, entgegnete Thorgunna, während Tvorimir ein Auge zukniff und schwieg. Er war weit gereist, dieser Soroka, war aber eher Slawe als Schwede, und wie alle Slawen wusste er, wo Frauen ihren Platz hatten. Wie alle war auch er der Meinung, dass eine Frau kein richtiger Mensch ist, genau wie ein Huhn kein richtiger Vogel ist – nur wagte er nicht, das in Gegenwart einer Frau der Wik laut zu sagen, besonders wenn sie wie ein Kriegsschiff gebaut war.

»Wo ist Jon Asanes?«, fragte ich, und Tvorimir lächelte mit seinen schwarzen Zähnen.

»Im Kloster von Juriew«, sagte er, und seine Fettmassen fingen wieder an zu schwabbeln vor lauter Lachen.

»Es war früher der Hof eines Salzsieders«, fügte er hinzu, »bis ein paar bulgarische Mönche aus einer Stadt namens Ohrid hier ankamen und ihren weißen Christus und griechische Sitten mitbrachten. Der junge Prinz Wladimir interessiert sich sehr für diese Dinge. Und für mich ist das nützlich, denn sie schulden mir Geld, und der Junge soll bei ihnen dafür Latein und Griechisch lernen.«

Das klang vernünftig, denn Jon Asanes war ein Christusanhänger, genauso wie die Griechen aus Zypern, wo seine Mutter noch immer lebte – wenn sie noch lebte. Er hatte uns auf Zypern gute Dienste geleistet, und wir hatten ihn mitgenommen, aber obwohl wir zu seiner Familie geworden waren, hatte er mit den Göttern von Asgard nichts anfangen können.

»Er verbringt seine gesamte Zeit bei den Griechen dort – es sind hauptsächlich Priester und Laienbrüder, aber auch ein paar Händler aus der Großen Stadt«, fuhr Tvorimir fort. »Er lernt viel, aber ich habe leider festgestellt, dass er ihre Sitten den unseren vorzieht. Er liegt mir in den Ohren, ich solle ihn in die Große Stadt schicken, von der er behauptet, dass sie Konstantinopel heißt. Er findet, ich sei ein Barbar, weil ich sie Miklagard nenne oder einfach die Große Stadt.«

»Ach, unser schöner Lambi ist genauso«, warf Thorgunna ein. »Wenn Jungen zu Männern werden, glauben sie immer, alles besser zu wissen.«

Das war richtig, und damit schien die Sache erledigt. Ich wusste schon, dass ich mich mehr drum hätte kümmern müssen, aber ich war mit zu vielen anderen Dingen beschäftigt gewesen. Wir saßen gemütlich da, und es mangelte uns nicht an Gesprächsstoff. Wir fragten nach Jons Gesundheit. Sie sei gut, hörten wir, natürlich immer mit der Einschränkung, dass er ein Serkländer mit olivfarbener Haut war, eine Rasse, die Eis und Schnee nicht gewohnt ist. Wir sprachen auch über den Handel, der durch Swjatoslaws sinnlose Dauerfehde mit der Großen Stadt äußerst schwierig geworden war.

Tvorimir fragte, ob wir sein Badehaus benutzen wollten, worauf Kvasir sich fast an seinem Bier verschluckte und Finn den Slawen mit einem Blick bedachte, der die Vergoldung an den Schnitzereien des Giebels hätte abblättern lassen. Wir waren echte Nordmänner, und im Gegensatz zu den dreckigen Franken, Sachsen, Esten und Livländern hatten wir eigentlich nichts gegen ein wöchentliches Bad – aber im Winter sollte man doch mit diesen Dingen lieber vorsichtig sein.

Das Baden der Rus war allerdings eine etwas andere Sache. Ich habe diese Leute in ihren Badehäusern gesehen, die vorher stark geheizt werden. Dann gehen sie nackt hinein und begießen sich mit einem Öl, worauf sie sich mit jungen Zweigen peitschen, bis sie halbtot wieder herausgewankt kommen.

Dann schütten sie kaltes Wasser über sich. Das machen sie jeden Tag, und zwar ganz freiwillig, nicht als eine Form von körperlicher Züchtigung, sondern einfach um sich zu reinigen. Selbst die griechischen Römer in der Großen Stadt haben keine derart grausamen Sitten, nur um sich zu waschen.

Wir machten es uns stattdessen um den Lehmofen herum bequem, bedienten uns mit Salz aus dem geschnitzten kleinen Salzfässchen, das wie ein Thron aussah, streuten es auf das wohlschmeckende Brot und tranken Bier dazu. Wir unterhielten uns über Leute, die wir kannten, und darüber, welche Sorte Fisch es im Ilmensee gab, und stritten darüber – weil es ein naheliegendes Thema war –, wie viele Flüsse in den See fließen. Schließlich kamen wir auf zweiundfünfzig, wobei nur einer – der Wolchow – auch wieder herauskommt und bis nach Kiew fließt.

Die Unterhaltung plätscherte so vor sich hin und wandte sich irgendwann auch dem Sklavenhandel zu. Wir wollten wissen, ob es neue Sklaven gab.

Tvorimir runzelte die Stirn und sagte: »Dafür ist es zu spät im Jahr. Der Ilmen friert bald zu, und dann kommt kein Schiff mehr von der Mündung des Wolchow und nach Süden. Der einzige Händler, den es noch in Nowgorod gibt und der nach Süden will, ist Takub.«

Finn knurrte, und wir anderen sahen uns an. Takub kannten wir gut. Vor einigen Jahren hatte er unsere Rudergefährten als Sklaven gekauft, als wir sie sicher in Nowgorod vermuteten. Sie waren zurückgeblieben, als Einar den Rest von uns anführte und wir auf der Suche nach Attilas Grab waren.

Mit diesem eigenmächtigen Vorgehen hatten wir Fürst Swjatoslaw verärgert, und deshalb hatte er unsere Männer festgenommen und an Takub verkauft, der sie an einen Emir in Serkland weiterverkaufte. Die wenigen von uns, die nach Einars Tod noch übrig waren, hatten danach die schwere Aufgabe, auf den Spuren unserer Rudergefährten nach Serkland zu ziehen, um sie wieder zu befreien. Auf dieser Reise war der Ziegenjunge zu uns gekommen.

Wir hingen noch unseren Erinnerungen nach, als der Junge selbst endlich auftauchte. Er brachte von draußen einen Schwall kalter Luft mit, aber seine gute Laune wärmte uns alle. Freudestrahlend wurde er gleichzeitig von Kvasir umarmt wie von einem Bären und von Finn mit seinem Bart zugedeckt, bis alle drei auseinanderfuhren und angeekelt die Gesichter verzogen.

»Puh, du stinkst!«

»Junge, ist das Parfüm?«

Sie sahen sich an, und wir alle platzten los vor Lachen. Natürlich war Jon Asanes sauber gewaschen und parfümiert, denn er war ja Grieche und seit drei Jahren von uns getrennt, und natürlich auch von unserem rechtschaffenen nordischen Geruch nach verschwitzter Wolle und Fisch. Nach dieser langen Zeit rümpfte er jetzt die Nase, genau wie Finn die seine über den lieblichen Duft des Jungen rümpfte.

Trotzdem hielten wir wie alte Freunde unsere Unterarme umklammert, und ich merkte, dass mein Herz dabei einen Freudensprung tat – und das seine auch, wie ich aus seinem Blick schloss. Der magere Junge von kaum zwölf Jahren war erwachsen geworden, seine wirren Locken waren gekämmt und geölt und fielen auf die Schultern seines weißen Hemdes, das er über einer grünen Hose trug.

»Soll das etwa ein Bart sein?«, wollte Finn wissen, und errötend schlug Jon Asanes auf die schmutzige, raue Hand, die ihm übers Kinn fuhr. Der kleine Olaf sah interessiert zu, sagte aber nichts.

»Entweder ihr seid geflogen«, sagte Jon, indem er rittlings auf einer Bank Platz nahm und sich Bier einschenkte, »oder meine Nachricht an euch ist noch nicht angekommen.«

»Was für eine Nachricht?«, wollte Kvasir wissen, wurde jedoch von Thorgunna angestoßen, die bekannt gemacht werden wollte. Thorgunna hatte viel von dem Jungen gehört, und man sah ihr an, dass er ihr mächtig gefiel. Es war auch schwer, nicht von ihm beeindruckt zu sein, denn trotz seiner Jugend hatte der Ziegenjunge jetzt eine breite Brust, aber immer noch schmale Hüften und dazu ein fröhliches, offenes Lächeln, das sich in seinen Augen widerspiegelte.

Jetzt trat Olaf hervor. Er musste zu Jon Asanes aufsehen, der viel größer war als er. Ich betrachtete die beiden, und es wurde mir klar, dass Jon damals etwa im gleichen Alter war wie Olaf, als wir ihn auf Zypern trafen und ihn den Ziegenjungen nannten. Und trotzdem, obwohl weniger als eine Handvoll Jahre Altersunterschied zwischen uns lag, fühlte ich mich so alt, dass ich sein Großvater hätte sein können.

»Du riechst gut«, sagte Olaf. »Aber nicht wie ein Mann. Eher wie eine Blume.«

Jon Asanes Reaktion überraschte mich, und ich merkte, wie viel er beim Umgang mit fremden Händlern gelernt hatte. Er zeigte keinen Ärger, wie man es von jemandem in seinem Alter erwartet hätte. Stattdessen grinste er.

»Und du riechst nach Fischdünger«, gab er zurück. »Und deine Augen können sich nicht entscheiden, welche Farbe sie haben wollen.«

Einen Moment starrten sich die beiden an, dann fing Olaf an zu lachen. Seine Freude war echt, und man sah, dass die beiden sich sympathisch waren.

»Die Nachricht?«, fragte ich, und Jon Asanes sah den kleinen Olaf noch einmal fröhlich an, ehe er sich zu mir wandte. Sein Gesicht verdüsterte sich.

»Ich schickte sie schon vor einiger Zeit, mit einem Händler aus Gotland«, sagte er und sah mich von der Seite an. »Ein alter Freund von dir ist angekommen«, fügte er hinzu. »Er wohnt bei Christusanhängern im Sachsenviertel. Ich sage Freund, aber ich bezweifle, dass das stimmt.«

Er schwieg und sah erst mich an, dann die anderen.

»Ich habe es Tvorimir nicht gesagt«, erklärte er, »da ich es für besser hielt, wenn so wenige wie möglich davon wussten.«

Mich überlief es kalt, und das lag nicht daran, dass es durch die Tür zog. Soroka sah mich an und verzog sein Mondgesicht zu einem Grinsen.

»Ich kann gehen, wenn du willst«, sagte er, aber ich schüttelte den Kopf; ich vertraute Tvorimir – na ja, soweit wie man einem Händler, der Soroka, Elster, genannt wurde, vertrauen konnte – und außerdem hatten wir in dieser Gegend wenige Freunde. Ich wandte mich wieder an Jon Asanes und fragte, obwohl ich die Antwort schon wusste: »Wer?«

»Martin, der Mönch. Er sagt, er hat eine Nachricht für dich.«

»Bei Odins Auge«, knurrte Finn. »Schon wieder dieser Name, wie ein fremder Scheißhaufen im eigenen Scheißhaus. Und ich dachte, der ist tot.«

»Noch nicht«, erwiderte Jon grinsend, »obwohl er fast wie eine Leiche aussieht.«

»Ich hatte auch gehofft, dass ich ihn in Serkland zum letzten Mal gesehen hätte«, gab Kvasir zu. Thorgunna, die einen Teil der Unterhaltung mitbekommen hatte, schwieg, und Sovkok, der das alles verwundert angehört hatte, sah von einem zum anderen und verlangte nach einer Erklärung.

»Was will er denn?«, fragte ich, und wieder wusste ich die Antwort. Den Schaft seiner heiligen Lanze natürlich, der sicher in ein Seehundsfell gewickelt in meiner Seekiste schlummerte. Jon Asanes bestätigte es.

»Dafür will er dir etwas erzählen, was ebenso wertvoll für dich ist, wie er behauptet.«

»Das bezweifle ich«, murmelte Finn, »der war doch schon immer schlüpfrig wie ein frisch gefangener Hering.«

Sie erzählten Soroka die Geschichte – wie Martin, der Mönch aus Hammaburg, zufällig das Geheimnis um Attilas Grabschatz entdeckt hatte und von Einar gezwungen worden war, es ihm zu verraten. Damit hatte er alle Eingeschworenen auf den mühevollen Weg nach diesem verfluchten Silber geschickt.

Doch Martin hatte sich nur immer das eine gewünscht – die heilige Lanze, von der er schwor, dass mit ihr die Römer seinem Christus in die Seite gestochen hatten, und aus deren eiserner Spitze zwei Schwerter für Attila geschmiedet worden waren. Sie waren zusammen mit ihm begraben worden – und eins davon hatte ich aus dem Grabhügel mitgebracht.

Ich saß da und hörte zu, wie die anderen erzählten, und wusste bereits, dass mir ein erneutes Treffen mit Martin nicht erspart bleiben würde. Ich hatte keine Verwendung für seine Reliquie und hatte sie lediglich dem Mann abgenommen, der sie gestohlen hatte. Aber meine Pflegemutter Halldis hatte mir eingebläut, dass man nie etwas wegwerfen soll, was man vielleicht noch einmal gebrauchen kann.

»Weißt du, wo Martin ist?«, unterbrach ich das Gespräch. Jon Asanes nickte.

»Wo trifft man sich am besten mit ihm?«, fragte ich. Das erste Treffen sollte besser an einem öffentlichen Ort sein, denn Martin war ein Mann, den man nicht gut ertragen konnte, er brachte es irgendwie immer fertig, dass ich schnell wütend wurde. Ich hätte ihn einmal fast umgebracht und hatte mir danach schon so manches Mal gewünscht, dass ich es getan hätte.

Jon nickte, er wusste das. »Bei Peruns Statue«, sagte er. »Die steht auf dem Marktplatz, und jeder kennt sie.«

Ich kannte sie gut – man konnte die große Eichensäule auf dem Sockel aus übereinandergelegten Holzscheiben nicht übersehen, hoch oben drauf stand ein geschnitzter Krieger mit einer Axt, der Kopf war aus Silber, der Schnurrbart aus Gold. Perun, der slawische Donnergott, der gewisserweise Thors Bruder war. Ich nickte.

Wir erzählten, was wir bisher erlebt hatten, und Jon nahm es auf, ohne die Miene zu verziehen, er nickte nur schweigend. Schließlich seufzte er, stopfte sich Brot in den Mund und stand auf.

»Dann fangen wir am besten mit Martin an«, sagte er sachlich, schnappte sich seinen warmen Umhang und eilte hinaus.

»Der Kerl hat es immer schrecklich eilig«, sagte Soroka missbilligend.

»Das legt sich schon noch, wenn er erst so alt ist wie wir«, sagte Kvasir. »Das ist die Weisheit des alten Bullen.«

Wir lachten, aber Thorgunna runzelte die Stirn. Soroko war zu sehr Slawe, um diese Geschichte zu kennen, und Finn erzählte sie mit Wonne, weil sich Thorgunna darüber immer schrecklich empörte.

»Nicht rennen und nur eine Färse bumsen«, schloss Finn in der Rolle des alten Bullen, der seinem übereifrigen Sohn diesen Rat gibt. »Sondern schön langsam und alle bumsen.«

Mit Lachen und lautem Palaver verging der restliche Vormittag in Sorokas warmer Isba, bis Jon Asanes zurückkam und nur ein Wort sagte: »Nones.«

Ich erklärte den anderen, dass das Lateinisch war und eine der Bezeichnungen, mit der die Christenpriester aus dem Westen den Tag einteilten – der Spätnachmittag, wenn es dunkel wurde.

»Dann werden wir noch vorsichtiger sein müssen«, sagte Finn, »falls er ein paar Dumme gefunden hat, die versuchen könnten, sich das, was er haben will, mit Gewalt zu nehmen.«

Das hielt ich für unwahrscheinlich, denn er rechnete bestimmt nicht damit, dass ich die heilige Lanze mit mir herumschleppen würde. Es war besser, wenn Finn mit Kvasir und Thorgunna einkaufen ginge, um Olaf ein paar anständige Kleider zu besorgen.

»Aber vielleicht brauchst du jemanden, der dir hilft, Martin aufzuhängen«, brummte Finn mürrisch, »falls du ihm mit dem Messer der Wahrheit seine Nachricht entlocken willst.«

Ich schüttelte den Kopf, doch in meiner Erinnerung stand mir das Bild wieder deutlich vor Augen – Martin, der verkehrt herum, wie eine zusammengebundene Gans, am Mast von Einars *Fjord Elk* hängt und Rotz und Wasser heult, während Einar ihm den kleinen Finger abschneidet und ungerührt über Bord wirft. Mit dem Messer der Wahrheit, von dem er seinen Opfern erzählte, dass es immer wisse, wenn jemand lügt, und das bei jeder Lüge ein Stück Finger abschneidet. Jetzt steckte es sicher hinten in meinem Gürtel, und auch ich hatte es schon ein- oder zweimal gebraucht. Die meisten geben ihre Geheimnisse spätestens nach dem zweiten Finger preis.

Finn zuckte über meine Unvorsichtigkeit die Schultern und folgte Thorgunna, Kvasir und Olaf. Ich blieb mit Jon Asanes hinter den anderen zurück, der den Kopf schüttelte.

»Ich habe Finn ein paar Jahre nicht mehr gesehen«, sagte er. »Er kommt mir jetzt noch wilder vor als früher.«

»Es ist richtig«, entgegnete ich, »du hast ihn jahrelang nicht gesehen. Du hast nur vergessen, wie er ist.«

Doch ich wusste auch, dass das nicht die ganze Wahrheit war.

Wortlos drängten wir uns durch das Gewühl auf den hölzernen Gehwegen, während der Himmel immer dunkler wurde und der Regen in Graupel überging.

»Du kommst mir … älter vor«, sagte Jon Asanes schließlich, als wir stehen blieben, um einem Trupp von Fuhrleuten zuzusehen, die eine riesige Messingglocke transportierten. Sie war fast so groß wie ein kleines Haus und für den Kreml auf der anderen Seite des Wolchow bestimmt. Die Slawen in Nowgorod und Kiew lieben ihre Glocken über alles und läuten sie bei jeder nur denkbaren Gelegenheit.

Ich antwortete nicht. Wir überquerten den Platz hinter den schwitzenden Männern und gingen zu der großen Statue von Perun, die den Marktplatz beherrschte und an deren Sockel Opfergaben lagen.

»Ich weiß, woran das liegt«, sagte Jon plötzlich, indem er mich festhielt und ansah.

»Was?«

»Dass du älter aussiehst«, sagte er grinsend. »Du lachst nicht mehr«, fügte er hinzu.

Ich lachte ihn an, um ihn Lügen zu strafen, doch er schüttelte den Kopf und zeigte auf seine Augen.

»Mit dem Mund schon«, sagte er, »aber hier nicht.«

Er hatte recht, und ich ärgerte mich ein bisschen, doch gleichzeitig war ich stolz auf ihn. Ich kam aber nicht mehr dazu, etwas dazu zu sagen, denn ich sah eine Gestalt, bei deren Anblick sich mir der Magen zusammenzog.

Er ging an einem Stab, trug eine zerfetzte braune Kutte, die ihm bis zum Knie reichte. Darunter trug er eine dicke wollene Hose, die einst blau gewesen sein mochte. Er hatte neue, schwere Schuhe an, vielleicht ein Geschenk seiner sächsischen Christusanhänger, dazu trug er Beinwickel, die so dreckig waren, als stammten sie aus einem Grab.

An seinen Augen erkannte ich, wer es war, und sie waren auch alles, was ich in dem Gestrüpp sehen konnte, mit dem sein Gesicht bedeckt war. Sein Bart war lang und verfilzt und ging in sein Kopfhaar über, das ihm bis über die Schultern reichte – aber seine Augen zu beiden Seiten der Nase, die gebogen war wie ein Krummdolch, die waren genauso dunkel wie früher, nur der berechnende Ausdruck war verschwunden, vielleicht war seine Besessenheit der Grund dafür. Jetzt waren es eher die Augen eines Pfahlsitzers, eines dieser verrückten Einsiedler, die in die Wildnis ziehen und sich dort auf einen aufgerichteten Baumstamm hocken.

Martin, der Mönch.

Als ich den kleinen Mönch das erste Mal sah, vor vielen Jahren, in Birka, hatte er eine ähnliche braune Kutte getragen, aber sie war sauber und neu gewesen, mit einer hellen Kordel. In weichen Pantoffeln war er über den polierten Fußboden auf mich zugekommen, aber wegen der Kälte trug er zusätzlich warme Wollsocken. Sein Gesicht war damals hellwach und so glatt rasiert, dass sich das Laternenlicht darin widerspiegelte, sein braunes Haar war ringsherum gleichmäßig kurz geschnitten, mit einer sauberen Tonsur in der Mitte.

Sein Gott hatte ihn nicht besonders gut behandelt.

»Orm«, sagte er mit der bekannten heiseren Stimme, bei der mir fast übel wurde. Er lehnte sich auf seinen Stab, den er mit beiden Händen festhielt. Seine Fingernägel waren abgebrochen und schmutzig, und ich sah den verkürzten kleinen Finger. Er versuchte ein Lächeln, aber ich wünschte, er hätte das lieber nicht getan, denn seine schwarzen, verfaulten Zähne sahen aus, als seien sie ihm irgendwann eingeschlagen worden.

»Martin«, antwortete ich.

»Du bist gewachsen, und offenbar geht es dir gut«, sagte er.

»Was man von dir nicht sagen kann.«

»Ich bin reich, denn ich habe Gott.«

»Wenn das alles ist, was du als Tausch für dein heiliges Stück Holz anzubieten hast, dann können wir das Gespräch gleich beenden.«

Er beugte sich vor und schien äußerst angespannt. Alles an ihm zitterte. »Hast du es?«

»Ich habe es. Ich habe es in Serkland Sigurd Heppni abgenommen. Der brauchte es nicht mehr, denn die Finnen hatten ihn getötet. Ein schlechter Scherz für Sigurd, ausgerechnet Heppni zu heißen.«

Er schien nicht sehr amüsiert, doch ich wusste, er konnte genug Nordisch, um zu wissen, dass *heppni* »der Glückliche« hieß.

»Ich muss es haben«, sagte er nur, und seine dunklen Augen glitzerten.

Jon wurde unruhig, er brannte darauf, sich mit ein paar passenden Beleidigungen an dem Gespräch zu beteiligen, wusste aber, dass es mich ärgern würde. Um uns herum herrschte das rege Treiben des Marktes von Nowgorod, hier wurde gekauft und verkauft, Felle, grüne Tontöpfe und Bernstein wechselten den Besitzer, und immer wieder legten Menschen Opfergaben zu Peruns Füßen ab – doch es schien, als habe sich um uns drei herum ein Kreis gebildet, in dem wir unsichtbar und unerreichbar waren.

Als ich nicht antwortete, sah Martin mich mit seinen Eidechsenäuglein an und grinste mit seinen verfaulten Zähnen. »Ich sehe, du trägst noch immer dein heidnisches Amulett. Das Zeichen Odins. Schwöre darauf, dass du mir das gibst, was ich suche, wenn ich dir dafür erzähle, was ich weiß.«

»Das ist kein lohnendes Geschäft für mich. Ich will gar nicht wissen, wie man mit einem Brot und einem Hering eine Menschenmenge satt macht, selbst wenn ich glaubte, dass du den Trick beherrschst. Allerdings, wenn du weißt, wie man Wasser in Wein verwandelt …«

Seine scharfe Stimme unterbrach mich. »Entscheide du selbst. Mein Geheimnis betrifft einen alten Feind und ein Grab, vollgestopft mit Silber.« Und nach einigem Zögern sagte er: »Der alte Feind ist Brondolf Lambisson.«

Als selbst das mich nicht so zu beeindrucken schien, wie er gehofft hatte, kniff er die Augen zusammen.

»Brondolf ist nach Birka zurückgegangen«, sagte ich so beiläufig wie möglich, als interessiere mich der Mann nicht weiter.

Martin nickte. Dann sagte er: »Ja, richtig, nach Birka. Wo sollte er auch sonst hingehen? Dort saß er und musste mit ansehen, wie die Stadt um ihn herum vor die Hunde ging, und dachte verzweifelt darüber nach, wie er sie retten könnte. Es gelang ihm nicht, Birka ist jetzt eine Stadt mit verfallenen Häusern und verrottenden Palisaden. Also folgte Brondolf dem Handelsweg und ging nach Hedeby. Als er dort zwei Eingeschworene traf, die er kannte, hätte er denken können, dass Gottes Hand im Spiel sei – wenn er nicht auch so ein verdammter Heide gewesen wäre.«

»Ja und? Was hat er sich davon versprochen?«, fragte ich barsch, obwohl ich die Antwort wusste.

»Das Geheimnis um Attilas Grab natürlich.«

»Dorschbeißer kann nicht mal seinen eigenen Arsch finden, und der kleine Eldgrim ist …«

»Eldgrim«, sagte Martin, als müsse er nachdenken. »Das ist der Kleine mit dem Narbengesicht, nicht wahr?«

»Er ist verwirrt«, sagte ich, und Martin nickte.

»Und darum kam Lambisson zu mir«, sagte er. »Er fand, dass ich in seiner Schuld stehe, und dachte, ich wüsste vielleicht, wie man Eldgrim zum Reden bringen kann.

Dorschbeißer hatte ihm wohl angedeutet, dass dieser Eldgrim mehr wusste.«

Jetzt zappelte ich an seinem Haken, und er wusste es. Ja, Eldgrim wusste einiges darüber. Ich, der Latein und Griechisch gelernt hatte, verstand von Runen nicht mehr als ein Kind. Wen also hätte ich sonst bitten können, das Geheimnis in meinen Schwertgriff zu ritzen, als den Mann, der von allen Eingeschworenen dort in der Steppe noch übrig war und sich mit Runen am besten auskannte?

Seit dem Kampf in Serkland, bei dem er einen Schlag auf den Kopf bekommen hatte, war sein Geist verwirrt. Ich wünschte, ich hätte sicher sein können, dass jede Erinnerung an das Geheimnis damit ausgelöscht war, aber in seinem Kopf ging es merkwürdig unberechenbar zu, manchmal erinnerte er sich an uralte Begebenheiten, als wären sie gestern passiert, während er oft nicht mehr wusste, was er vor einer Stunde gemacht hatte.

»Du konntest Lambisson auch nicht weiterhelfen«, sagte ich mit mehr Hoffnung als Überzeugung.

Martin grinste. »Er hat mich überredet, alles zu versuchen. Er schlug mir die Zähne ein und gab mir zähes Fleisch zu essen, das ich nur auslutschen konnte. Es würde kein anderes Essen geben, bis ich etwas aus Eldgrim herausbekommen hätte, sagte er.«

Das war sehr schlau und grausam, aber eigentlich auch nichts anderes als die Methode mit dem Messer der Wahrheit. Als ich ihn daran erinnerte, betrachtete er nachdenklich seinen Finger. Dann sagte er: »Schließlich bin ich noch am Leben. Ich bin nicht verhungert.«

Ich war zunächst sprachlos, doch schließlich brachte ich heraus: »Was ist mit dem kleinen Eldgrim?«

Martins Gesicht verzog sich zu einem hässlichen Grinsen. »Er lebt noch. Wir haben gemeinsam in seinem Gedächtnis gekramt, und zusammen mit dem, was Dorschbeißer wusste, hat es halbwegs ausgereicht. Aber als Lambisson nach Sarkel zog, hat er sie beide mitgenommen.«

Bei dem Namen zuckte ich zusammen, und Martins ekelhaftes Grinsen wurde noch breiter. Nicht zum ersten Mal wünschte ich mir, ich hätte ihn umgebracht, als ich die Chance dazu hatte.

»Und dich hat er laufen lassen?«, brachte ich verächtlich heraus, als sei damit die ganze Geschichte nichts weiter als ein Märchen.

»Nein«, sagte er. »Mich brauchte er natürlich auch, aber ich habe mich bei der erstbesten Gelegenheit davongemacht.«

Ja, das glaubte ich gern. Martin hatte viele Fähigkeiten, aber seine größte war es, spurlos zu verschwinden.

»Er hatte jetzt mehr als einen Monat Zeit«, sagte Martin. »Er hat sich eine Mannschaft zusammengestellt, die genauso gut ist wie die Eingeschworenen – Kriwitschen und Chasaren, wie ich höre. Er ist losgezogen, um Attilas Schatz zu suchen, und er hat deine Freunde mitgenommen. Allerdings ist das, woran Eldgrim sich erinnert, immer noch etwas wirr. Es dürfte Brondolf einige Zeit kosten, vielleicht findet er ja auch gar nichts.«

Plötzlich erstarrte er, und seine Augen zuckten.

»O Christus«, sagte er, und ich drehte mich um. Jon, der mein Handgelenk umklammert hielt, drückte fester zu, und ich dachte, es hinge mit Martins Erzählung zusammen, aber er starrte über den Marktplatz, dorthin, wo Klerkon zu Füßen der Perun-Statue kniete und Münzen und Opfergaben darbrachte.

Martins Augen sprühten geradezu vor Hass, und als ich an ihm vorbei auf Klerkon zuging und mich fragte, was dieser dem Mönch angetan haben mochte, sah ich erst im letzten Moment den kleinen Mann neben ihm, der mir mit einem Grinsen, das überwiegend aus Zahnlücken bestand, sein Gesicht mit den hohen Backenknochen zuwandte – Takub.

Er hielt eine Kette in der Hand, an deren anderem Ende drei gefesselte Frauen standen, eine davon war Thordis. In einiger Entfernung sah ich Finn herbeieilen, hinter ihm Kvasir und Thorgunna.

Klerkon stand auf, verbeugte sich vor dem großen Standbild und drehte sich zu mir um. Er zögerte einen Augenblick, dann sah er Finn an und grinste.

»A fronte praecipitium, a tergo lupi«, sagte er.

»Es wäre in deinem Interesse, wenn das übersetzt hieße: ›Hier habt ihr sie zurück, Jungs, tut mir leid, dass ich sie mitgenommen habe‹, denn sonst hast du meine Klinge im Arsch, Klerkon«, schnauzte Finn ihn an.

»Es heißt: ›Vor mir der Abgrund, hinter mir Wölfe‹«, klärte ich Finn auf.

Klerkon hob eine Augenbraue und streckte die Hände aus – ganz langsam, um zu zeigen, dass sie leer waren und er auch nicht die Absicht hatte, eine Waffe zu ziehen.

»Es wäre nicht sehr klug, glaube ich, hier auf dem Marktplatz von Groß-Nowgorod einen Streit anzufangen«, sagte er lächelnd. »Vor allem, wo Takub diese drei Sklaven gerade von mir gekauft hat, und zwar ganz legal.«

»Das sind keine Sklaven«, knurrte Finn, aber dann rieb er sich verwirrt die Stirn, denn zwei davon waren ja tatsächlich Sklaven von Tors Hof. Nur Thordis war eine Freie. Ihr Gesicht war weiß wie Teig, aber ihr Blick war zuversichtlich, sie wusste, wir würden sie befreien. Mit Erleichterung begriff ich, dass Klerkon ganz offensichtlich nicht wusste, wer Thordis war, denn sonst hätte er sie nicht verkauft.

»Beati possidentes. Glücklich sind die Besitzenden«, lach-

te Klerkon. Finn verzog den Mund, und selbst wenn er die Gesetze um Recht und Eigentum verstanden hätte, es hätte nichts genützt. Ich hob die Hand, und er blieb stehen.

»Griechische Jungen und … na so was, das ist ja der Christenpriester, den ich gesucht hatte«, sagte Klerkon überrascht und sah über meine Schulter auf Martin, der sich duckte wie eine Ratte, die ein Loch sucht.

»Ich dachte mir schon, dass du ihn suchen würdest, um ihn zum Schweigen zu bringen, aber nicht, dass du ihn so schnell finden würdest.«

»Du hättest nicht nach Hestreng kommen sollen«, sagte ich. Er breitete die Hände aus.

»Das war doch nur ein kleiner Strandhogg, nichts Ernstes. Du hast kaum etwas dabei verloren und bist einen Nachbarn und Rivalen losgeworden. *Hodie mihi, cras tibi.*«

Das schien seine Devise zu sein. Ich spürte, wie Finn vor Wut an seiner unsichtbaren Kette zerrte wie ein bissiger Hofhund. Noch ein Wort Latein und es würde Blutvergießen geben, was ich auf keinen Fall wollte. Klerkon hatte recht, diese Stadt wurde von einem Wetsche regiert, was bei den Slawen eine Art Thing war. Meinungsverschiedenheiten wurden mit Massenschlägereien auf der Brücke des Wolchow ausgetragen, aber wer gegen den Frieden der Stadt verstieß, der wurde gepfählt.

Klerkon war hierhergekommen, um Martin zu suchen und um zu sehen, was er aus dem Mönch herauspressen konnte – der bereits auf einen geeigneten Moment wartete, um möglichst unauffällig zu verschwinden.

Heute ich, morgen du, hatte Klerkon gesagt, und er hatte recht. Nur dass mein Morgen schon gekommen war.

»Ich kaufe sie«, sagte ich zu Takub, und Klerkon strahlte, denn er wusste, was für einen Preis dieser habgierige kleine Händler verlangen würde. Er genoss es, als ich mit Gold bezahlte, aber mein Gesicht blieb ausdruckslos, er sollte nicht denken, dass es mir schwerfiel.

Es fiel mir auch nicht schwer, denn das Gold hatte ja Klerkon gehört, und ein absurd großer Teil davon verschwand jetzt in Takubs schmuddeliger Seidenrobe. Dann schloss er die Fesseln auf, und die Frauen waren frei. Thordis kam kurz zu mir und nahm meinen Arm. Ich merkte, wie sie zitterte, aber ihr schmutziges Gesicht zeigte keine Tränen. Sie sah mich nur an und nickte.

Dann hörte ich von der anderen Seite des Platzes Thorgunnas Stimme: »Thordis!« Die Schwestern lagen sich in den Armen, Kvasir stand neben Finn. Die beiden Sklavinnen standen mit trüben Augen und hängendem Kopf da. Klerkon sah von den Schwestern zu mir und wieder zurück, und ganz allmählich dämmerte ihm die Situation.

»Nun ja«, sagte er säuerlich lächelnd. »Es scheint, dass mir ein großer Preis entgangen ist, und so gibt es am Ende des Tages noch ein rührendes Wiedersehen. Das ist doch fast den Preis wert, was, Orm?«

Man musste ihn bewundern. Kein Wutausbruch darüber, dass ihm die Chance entgangen war, mich zu erpressen, nur eine knappe Wende, und schon schlug er eine neue Richtung ein. Ich wusste im Voraus, was er vorhatte. Jetzt ging es um Martin, den Priester. Klerkon lugte angestrengt über meine Schulter, um ihn nicht aus den Augen zu verlieren.

Finn konnte natürlich der Versuchung nicht widerstehen.

»Es hat Orm gar nichts gekostet, du Arschloch«, sagte er hämisch. Mit einem schiefen Lächeln auf seinem Pan-Gesicht drehte Klerkon sich zu ihm um. Finn grinste zurück.

»Du wirst vielleicht ein neues Bett brauchen«, sagte er. Klerkon erstarrte, er sah erst mich an, dann wieder Finn. Das Lächeln wurde zu einem bösartigen Zähnefletschen, als er merkte, worauf Finn anspielte; Takub schreckte zurück – aus Erfahrung, vermutete ich.

Ich verfluchte Finn im Stillen, denn ich wusste, wohin Klerkon jetzt gehen und was er machen würde. Ich hoffte nur, dass es uns gelingen würde, rechtzeitig zur *Elk* und zu Botolf zurückzukommen, ehe Klerkon seine Mannschaft beisammen hatte, um sein halb fertiges Schiff flott zu machen und nach Hause segeln zu können. Dann würde er nach Hestreng ziehen, um sich zu rächen.

Das war Finn ebenfalls klar, fast im selben Moment, als er sprach, und er hatte auch eine Lösung des Problems parat.

»Finn – nein!«

Zu seiner Ehrenrettung muss ich sagen, dass Finn seine Klinge nur halb aus der Scheide zog, und er schaffte es auch, sie wieder einzustecken, selbst als Klerkon ihn noch hämisch angrinste und sich dann verächtlich abwandte. Ich war so erleichtert, dass ich die kleine Gestalt gar nicht bemerkte, die jetzt über den Platz gerannt kam. Vier kurze Schritte, ein, zwei Hüpfer. Beim zweiten Hüpfer tat er einen kleinen Schrei, gerade laut genug, dass Klerkon sich umdrehte, um zu sehen, was los war – und in seinem Gesicht standen in gleichem Maße Hass und Angst, als Olaf Krähenbein, das kleine Ungeheuer, auf ihn zukam, befreit von seinen Ketten und von der Sklaverei auf der Schwarzen Insel, in schönen neuen Kleidern und mit einer nagelneuen kleinen Axt in der Hand.

Wie ein Lachs sprang er auf Klerkons erstauntes Gesicht zu und versenkte diese nagelneue Axt mit einem so geschickten Hieb, wie ich ihn nur selten gesehen habe, im Schädel des verhassten Feindes.

KAPITEL 7

»Dieser elende Wicht«, knurrte Finn, als man uns zur Grube abführte.

Nachdem wir aus dem Chaos auf dem Marktplatz von Nowgorod, wo Klerkons Leiche in einer Blutlache lag, zu diesem Loch, das als Gefängnis diente, gebracht worden waren, hatte Finn nicht mehr aufgehört, auf Olaf zu schimpfen. Die Menschen hinter uns kreischten entsetzt.

»Das kommt davon, wenn man Sklaven eine Waffe in die Hand gibt«, hatte er geknurrt, und im schwachen Licht, das von oben in die Grube fiel, sah sein wutverzerrtes Gesicht noch beängstigender aus.

»Ich bin kein Sklave!«, gab Olaf mit hoher Kinderstimme zurück. »Das hat Jarl Orm selbst gesagt. Im Gegenteil, ich bin ein Prinz.«

»Jarl Orms Großzügigkeit in allen Ehren«, gab Finn zurück, »aber in diesem Fall ist er einem gewaltigen Irrtum unterlegen.«

»Lass den Jungen in Ruhe«, klang Thorgunnas Stimme aus der Dunkelheit, worauf Finn lediglich seinen Rotz hochzog und ausspuckte, ohne darauf zu achten, wo er landete.

»Ich sage, was ich will«, knurrte er patzig.

»Du bist ein Dummkopf, Finn Rosskopf«, ertönte Martins heisere Stimme. Es war das erste Mal, dass der Mönch etwas anderes von sich gab als die weinerlichen Proteste, mit denen er bisher behauptet hatte, mit der ganzen Sache nichts zu tun zu haben. Und ausnahmsweise hatte er diesmal sogar recht, aber die Tatsache, dass er dennoch mit uns gefangen genommen worden war, war für Finn eine so große Genugtuung, dass er sich nicht einmal darüber aufregte, von ihm als Dummkopf bezeichnet zu werden.

»Dein Christengott hat sich wohl im Gewebe der Nornen verheddert«, kicherte Finn, und Martin drehte sich zu ihm um. Das Einzige, was man sah, waren seine Augen.

»Der Herr lässt seiner nicht spotten«, sagte er mit seiner rauen Stimme. Finns Gelächter klang ebenso rau.

»Dein lieber Gott macht sich doch über dich lustig, Priester. Jedes Mal, wenn du auch nur in die Nähe deines heiligen Knüppels kommst, nimmt er ihn dir wieder weg.«

Martin hatte Schaum in den Mundwinkeln, und er gestikulierte wütend mit den Händen, wie um Finns Worte zu verscheuchen.

»Du verstehst eben immer noch nicht, warum es besser ist, Christus zu folgen«, sagte er. »Was kann denn dein Gott mit dem Ziegenwagen jetzt für dich tun? Oder dein einäugiger Allvater, der Kumpan aller Teufel? Nichts geben sie dir, und du wirst ohne Segen sterben. Ich dagegen brauche nur zu beichten und meine Sünden zu bereuen, und Christus gibt mir das ewige Leben. Heutzutage lebt doch niemand mehr so wie ihr, das wird dir Orm sicher bestätigen.«

Es gefiel mir nicht, wie dieser Mönch mich auf seine Seite zu ziehen versuchte, und das sagte ich ihm. Außerdem, dass ich nicht viel von einem Geschäft hielt, bei dem man erst sterben musste, um gerettet zu werden.

»Immer noch besser als das, was eure Götter zu bieten haben«, kläffte Martin zurück. »Die retten euch vorm Tod, nur damit ihr in diese Festhalle kommt – und wozu? Damit ihr am Ende der Welt wieder für sie kämpfen und noch einmal für sie sterben dürft?«

»Jeder Mensch muss einmal sterben«, kam Olafs Stimme

aus der Dunkelheit. »Das ist der Preis, den man fürs Leben zahlt und für das, was die Nornen weben – und zum Schluss kann man nur noch versuchen, es so anständig wie möglich hinter sich zu bringen.«

Das war so gut gesagt, dass selbst der wütende Finn nichts dagegen einwenden konnte.

Martin schnaubte. »Daran sieht man doch nur, wie wertlos dieser alte Aberglaube ist – wenn man keine Wahl hat, ist der Mensch nur ein wertloser Sklave seines Schicksals, was für euch Heiden die Nornen sind. Von all dem hat Christus uns frei gemacht.«

»Ihr wollt frei sein?«, fragte Olaf schlagfertig. »Ihr Christusanhänger erzählt doch allen Leuten dauernd, was sie dürfen und nicht dürfen.«

»Das wäre in deinem Falle auch gar nicht so schlecht gewesen«, brummte Finn. »Vielleicht wäre dir dann nicht die Hand mit der Axt ausgerutscht. Du elender Wicht – was glaubst du eigentlich, wer du bist? Etwa Egil Skallagrimsson?«

Darüber musste Kvasir leise lachen, denn die Geschichte von dem sechsjährigen Egil, der einen älteren Jungen beim Kampf mit der Axt getötet hatte, war in ganz Island bekannt und schließlich auch bis zu uns gedrungen, und so war Egil berühmt geworden.

In der Dunkelheit hörten wir Olafs Kinderstimme:

»Mein Mund hat Mühe
Die Zunge zu bewegen,
Um abzuwägen und auszusenden
Das richtige Wort;
Nicht leicht ist's
Odins Eingebung anzunehmen
In der Tiefe meines Herzens.
Meine Hoffnung ist dahin.«

Wir waren sprachlos, denn die meisten von uns wussten, dass dies eine Strophe aus Egil Skallagrimssons Totenklage für seinen Sohn war. Kvasir murmelte ein beeindrucktes »Heya«, und selbst Finn knurrte anerkennend.

Ich erinnere mich an Kvasirs Fischatem dicht an meinem Ohr, als er sagte: *Dieser Junge ist nicht erst neun Jahre alt.*

»Wenigstens hat es dir einen Moment die Sprache verschlagen, Rosskopf«, krächzte Martin in die Stille. Im schwachen Licht von oben hob sich seine dunkle Gestalt vor dem noch dunkleren Felsen ab.

»Orm hätte dich umbringen sollen, als er die Gelegenheit dazu hatte«, antwortete Finn bitter und schlang die Arme eng um seinen Körper, denn die feuchten Felswände strahlten Kälte aus. »Vielleicht nehme ich mir auch selbst noch das Recht dazu heraus«, schloss er boshaft.

»Es war einmal ein braver Nordmann der Wik«, sagte Olaf plötzlich mit seiner hohen Stimme, »der ging in den Wald, um Holz zu hacken.«

Kvasir lachte laut auf, und Thorgunna, die wusste, dass eine Geschichte alle beruhigen würde, ermunterte ihn, weiterzuerzählen.

»Diesen Nordmann«, fuhr der Junge fort, »wollen wir mal … Finn nennen.«

Fast konnte man hören, wie Finns Gesicht sich unwillig verzog.

»Also ging Finn los, um Feuerholz zu holen. Die Bäume in der Nähe waren alle schon geschlagen, also ging er, bis er zu einer großen Eiche kam, die an einem Fluss stand. Er war sehr froh, denn mit diesem Baum würde er sein Haus lange heizen können. Er kletterte also hinauf und setzte sich auf den Ast, der ihm am bequemsten war, und fing an, ihn abzuhacken. Während er so bei der Arbeit war, kam ein Christenpriester aus einem Nachbardorf vorbei. Er sah zum Baum hoch und sah Finn dort sitzen. Finn war ziemlich misstrauisch, denn er hatte gehört, dass Christenpriester zaubern könnten.«

»Hat dieser Christenpriester zufällig Martin geheißen?«, wollte Kvasir wissen, und Olaf, mit einem Lächeln in der Stimme, nickte bestätigend.

»Also fragte der Priester Finn, was er da mache«, fuhr Olaf fort. »Und Finn sagte ihm, er hacke Holz, was denn sonst? ›Es ist nicht sehr klug, was du da machst‹, sagte Martin. ›Es ist die einzig richtige Art, Holz zu hacken‹, gab Finn zurück. ›Du nimmst die Axt, und du hackst.‹«

»Ganz richtig«, unterbrach Finn brummend, aber die anderen sagten ihm, er solle den Mund halten.

»Also erklärte Martin ihm, dass es besser wäre, den ganzen Baum erst umzulegen, denn wenn er an dem Ast hacke, auf dem er sitze, würde er herunterfallen und dabei zu Tode kommen. Aber Finn herrschte ihn an, er solle abhauen und Ziegen bumsen.«

Thorgunna entfuhr ein Laut der Empörung, während Kvasir und Jon Asanes laut lachten, denn das klang genau wie die Antwort, die Finn gegeben hätte. Selbst seine Stimme wurde von Olaf sehr überzeugend imitiert.

»Martin schüttelte den Kopf über so viel Dummheit und ging weiter«, fuhr Olaf fort. »Finn hackte und hackte und dachte darüber nach, wie dumm dieser Martin doch sei, dabei war er aber doch auch ein wenig unsicher, ob der Priester nicht aus der Ferne einen Fluch über ihn verhängen würde. Plötzlich brach der Ast ab, und Finn fiel auf den Boden. Er lag da mit dem Ast unter sich, und wie er so dalag, erinnerte er sich, was Martin gesagt hatte, und je mehr er darüber nachdachte, desto klarer wurde ihm, dass der Priester ein Hellseher sein musste. ›Er hatte gesagt, der Ast würde brechen und ich würde herunterfallen und tot sein‹, überlegte er. ›Und genau so kam es, der Ast ist abgebrochen. Er ist ein Priester und weiß, wovon er spricht – also heißt das, dass ich jetzt tot sein muss.‹ Also blieb er liegen, als sei er wirklich tot.«

Kvasir klatschte sich auf die Schenkel und schüttelte den Kopf vor Vergnügen. Er und Jon Asanes mussten sich gegenseitig stützen vor Lachen, während Finn in der Dunkelheit murrte und knurrte, was die Sache nur noch komischer machte.

»Und weil er dachte, dass er tot sei, stand Finn nicht auf, sondern lag nur ganz still da«, erzählte Olaf weiter. »Nach einiger Zeit kamen seine Freunde vorbei – nennen wir sie Kvasir den Sabberer und Jon – und fanden ihn. Sie schüttelten ihn, sprachen ihn an, aber er antwortete nicht und bewegte sich nicht, denn er hatte entschieden, dass er tot sei. Sie stellten ihn auf die Füße, aber er fiel wieder um, denn wer hat schon mal von einem Toten gehört, der stehen kann?«

Selbst Finn musste jetzt grinsen, ich erkannte es in dem fahlen Licht, das durch das Gitter über uns fiel.

»Also kamen Kvasir und Jon Asanes ebenfalls zu dem Schluss, er sei tot. Sie hoben ihn auf und trugen ihn zu seinem Hof. ›Lasst aber meine gute Axt nicht zurück‹, sagte Finn, als sie losgingen, deshalb ging einer von ihnen und hob sie auf, und die ganze Zeit unterhielten sie sich darüber, wie traurig es doch sei, dass ihr Freund auf diese Art und Weise sterben musste. Als sie an eine Weggabelung kamen, blieben sie stehen. Kvasir meinte, sie müssten am Fluss entlanggehen, während Jon dachte, sie müssten über den Berg. Sie stritten eine ganze Weile, und immer noch trugen sie ihren Freund wie einen Toten. Schließlich setzte Finn sich ungeduldig auf und deutete auf den Pfad, der den Berg hinaufführte. ›Das ist der beste Weg, von dort bin ich gekommen‹, sagte er. Dann legte er sich wieder hin und machte die Augen zu. Seine Freunde stritten nicht länger und trugen ihn über den Berg, und immer noch beklagten sie den schweren Unfall. Sie kamen zu Finns Hof, genau wie er gesagt hatte. Als sie an der Schmiede vorbeikamen, trat der Schmied heraus, um zu sehen, was da passiert war, und Kvasir und Jon legten Finn auf die Erde, damit er ihn ansehen konnte. ›Wir fanden ihn tot unter einer Eiche‹, erklärte Kvasir. ›Ein Ast ist auf ihn gefallen und hat ihn erschlagen.‹

Finn machte ein Auge auf und sagte: ›Nein, das stimmt nicht. Ich saß auf dem Ast, und er ist abgebrochen.‹ Damit machte er das Auge wieder zu.«

Inzwischen mussten wir alle so lachen, dass die Wächter sich an der vergitterten Öffnung drängten, offenbar waren sie völlig perplex über dieses Gelächter, denn so etwas hatten sie aus diesem Gefängnis noch nie gehört.

»Der Schmied schüttelte traurig den Kopf«, fuhr Olaf fort, »und Kvasir und Jon hoben Finn wieder auf und trugen ihn zu seinem Haus. Doch als sie dort ankamen, war niemand da. Also legten sie ihn auf den Boden und berieten, was sie machen sollten. Es war alles sehr verwirrend. Wie sie noch am Überlegen waren, kam ein Hund herein und leckte Finn das Gesicht. ›Schmeißt ihn raus!‹, schrie Finn, ›gibt es hier keinen Respekt vor den Toten?‹«

Ich dachte, Thorgunna, Kvasir und Jon Asanes würden vor Lachen zusammenbrechen, sie konnten nur noch keuchen, und die Tränen liefen ihnen übers Gesicht.

»Also jagten sie den Hund hinaus und fingen wieder an, sich zu bereden«, erzählte Olaf weiter. »Schließlich, als nichts passierte, setzte Finn sich auf und rief ungehalten: ›Ruft meine Frau! Wahrscheinlich ist sie irgendwo da draußen und tratscht.‹ Dann legte er sich wieder hin und machte die Augen zu, und seine Freunde riefen seine Frau. Es dauerte auch nicht lange, da kam sie weinend angerannt, die anderen Dorfweiber hinter ihr her. Die Dorfbewohner drängten sich ins Haus, bis es voll war, und Kvasir erzählte wieder, wie sie ihn gefunden hatten. ›Ein Ast von einer Eiche fiel auf ihn und hat ihn getötet‹, sagte er. Finn brüllte jetzt vor Wut. ›Ich habe drauf gesessen, und er brach ab!‹, schrie er, ›wie oft muss ich euch das noch sagen?‹ Worauf seine Frau, die viel vernünftiger war, als er es eigentlich verdiente, ihn darauf aufmerksam machte, dass er, wenn er tot wäre, nicht sprechen könnte. ›Das ist richtig – aber wie du siehst, ist er doch tot‹, sagten die anderen. ›Denn er behauptet es ja.‹ Seine vernünftige Frau wandte dagegen ein, dass er eben wahrscheinlich doch nicht tot sei. Finn setzte sich auf und sagte ärgerlich: ›Martin, der Mönch, sagte, ich würde bestimmt runterfallen und dabei umkommen. Und ich fiel. Er hatte recht. Er behauptet, dass er immer die Wahrheit spricht. Und deshalb muss ich tot sein.‹ Seine kluge Frau erinnerte ihn daran, dass der Mönch ihn ja nur vorher gesehen hatte, ihn aber nicht hatte fallen sehen. ›Nichts als Streiterei und Widerrede!‹, rief Finn empört und rappelte sich auf, ›wann hört das endlich mal auf?‹ Und er nahm seine Axt und ging aus dem Haus. ›Wo gehst du hin?‹, fragte seine Frau. ›Feuerholz holen‹, sagte Finn und verschwand über den Berg. Und alle staunten über diesen fürsorglichen Mann, der nur daran dachte, dass seine Frau es warm haben sollte, obwohl er doch tot war.«

Finn schlug Olaf auf die Schulter, während die verwunderten Wächter oben unsere Lachsalven hörten.

»Bei Odins haarigem Arsch, Junge, du kannst Geschichten erzählen«, sagte er. »Ich wünschte nur, du wüsstest ebenso gut, wann man seine Axt gebrauchen sollte und wann nicht.«

Martin sagte gar nichts, er saß da und blickte düster vor sich hin. Aber schließlich half uns dieses Gelächter, dass wir aus dem Loch kamen, denn die Wachen meldeten, die da unten seien alle wahnsinnig geworden und feierten irgendetwas, worauf Krähenbein und ich nach oben gezogen und vor den Prinzen Wladimir geführt wurden.

Der Prinz war fast noch ein Kind, kaum älter als Olaf. Er regierte diese Stadt, seit er vier Jahre alt war. Der Ältestenrat der Stadt, das Wetsche, hatte Wladimirs Vater Swjatoslaw, dem Prinzen von Kiew, ein Ultimatum gestellt: Entweder er schicke einen seiner Söhne, um sie zu regieren, oder sie würden sich selbst jemanden suchen. Also hatte er Prinz Wladimir geschickt, doch das Wetsche hatte beträchtlichen Einfluss, und es entschied, dass der Prinz nicht in Groß-Nowgorod selbst wohnen dürfe, sondern nur außerhalb, in der Festung auf dem Berg.

Wladimirs ständige Berater waren ebenfalls anwesend, zu seiner Rechten sein Onkel Dobrynja und links von ihm Sigurd, der Befehlshaber von Wladimirs Druschina.

Sigurd war von den beiden eindeutig der Eindrucksvollere. Sein Spitzname war »Axtbiss«, und das aus gutem Grund: Eine Axt hatte nämlich seine Nase abgebissen – eine Erinnerung an einen Zweikampf, in dem er seinen Kopf nicht rechtzeitig zurückgezogen hatte. Jetzt hatte er eine Nase aus Silber, die mit einem Seidenband befestigt war, das fast völlig von seinem grauen Bart und Kopfhaar verdeckt war.

Es war aber besser, man erwähnte diese Tatsache niemals, wenn einem die eigene Nase lieb war; denn bei den Nordmännern war das Abschneiden der Nase eigentlich die Strafe für Diebe. Somit war es für einen Mann wie Sigurd, der sehr auf seine Würde bedacht war, ein äußerst peinlicher Verlust.

Doch wichtig war jetzt der kleine Wladimir, obwohl er erst ein Dutzend Jahre alt war. Er trug eine blaue Hose und ein einfaches weißes Hemd mit Gürtel, jedoch keine Kopfbedeckung. Sein Kopf war kahl rasiert bis auf die zwei Schläfenzöpfe, die er, genau wie sein Vater Swjatoslaw, nach Art der Chasaren trug.

»Ich höre, wir sind uns schon einmal begegnet«, sagte er mit seiner Knabenstimme und sah mich an.

Das stimmte. Damals war Einar der Jarl der Eingeschworenen gewesen, und wir waren als Teil von Swjatoslaws Truppe auf dem Weg nach Sarkel, der Chasarenstadt, um sie zu belagern. Der damals sechsjährige Wladimir war auf seinem Pony angeritten gekommen und hatte unserem Aufbruch zugesehen.

Das erzählte ich ihm, und er nickte. »Ich erinnere mich an Einar. Ich habe auch gehört, dass er meinen Bruder Jaropolk verraten hat und in die Steppe ritt, um irgendeinen Schatz zu suchen. Dort soll er gestorben sein.«

»Das ist richtig, großer Prinz«, sagte ich und merkte, wie mir der Schweiß über den Rücken lief. »Die Jahre sind seitdem dahingeflossen wie das Wasser des Dnjepr.«

»Es passiert selten, dass Gelächter aus meinen Gefängnissen dringt«, antwortete er nach kurzer Pause, wahrscheinlich wollte er den Eindruck erwecken, als erwäge er seine Worte sorgfältig. Für einen Zwölfjährigen spielte er den Prinzen sehr gut.

»Es passiert auch selten«, sagte ich schwitzend vor Verzweiflung, denn ich ahnte, dass es jetzt auf jedes unserer Worte ankam, »dass man eine Geschichte hört, die einen so zum Lachen bringt.«

»Die habe ich erzählt«, unterbrach Olaf, und im Stillen verfluchte ich die kleine Ratte. »Möchtest du sie hören?«

Entsetzt schloss ich die Augen, während Wladimir sich

völlig überrumpelt zu seinem Onkel Dobrynja umdrehen wollte, doch dann war er doch Prinz genug, um sich eines Besseren zu besinnen. Seine kindliche Neugier behielt die Oberhand, und er forderte Olaf auf, zu erzählen.

»Es war einmal ein guter Slawe aus Groß-Nowgorod«, fing Olaf an, während sich mir der Magen umdrehte und mein Mund vor Angst so trocken wurde, dass ich nicht mehr schlucken konnte.

»Nennen wir ihn Wladimir.«

Und er erzählte die ganze Geschichte, nur war es jetzt kein Priester, sondern ein Onkel namens Dobrynja, und bei jeder neuen Episode spürte ich den heißen Atem der Walküren näher kommen.

Als die Geschichte zu Ende war und Wladimir versuchte, sein Grinsen hinter der Hand zu verbergen, sah ich Dobrynja durch seinen schwarzen Bart lächeln und wurde etwas zuversichtlicher. Es sah aus, als hätten wir eine Chance. Dann sah ich Sigurd an, der die Stirn über seiner silbernen Nase gerunzelt hatte, und damit sank meine Hoffnung wieder bis auf den Grund der Gefängnisgrube.

»Wie heißt du, Junge?«, fragte Sigurd so barsch, dass sowohl Wladimir als auch Dobrynja ihn überrascht ansahen.

»Ich heiße Olaf, Herr.«

»Und wie ist der Name deines Vaters?«

Ich schloss die Augen, denn den würde Olaf niemals preisgeben. Es entstand eine lange Pause.

»Hieß er zufällig Tryggve?«, brummte Sigurd, und ich sah, wie Olaf zusammenzuckte.

»Und deine Mutter hieß Astrid«, sagte er jetzt leiser, und wieder zuckte Olaf zusammen wie ein harpunierter Wal. Die Wahrheit traf mich wie Thors Hammer. Sigurd – er war Olafs verlorener Onkel.

»Kennst du diesen Jungen, Sigurd Axtbiss?«, fragte Dobrynja, und der Hauptmann der Druschina nickte und konnte sich endlich zu einem Lächeln durchringen, aber mit seiner Silbernase sah er trotzdem nicht viel freundlicher aus.

»Ich glaube, er ist mein Neffe, den man zu mir schicken wollte, nachdem sein Vater gefallen war. Er wurde von Räubern entführt, zusammen mit seiner Mutter und dem Pflegevater – das war vor sechs Jahren, und ich hatte seither nichts mehr von ihm gehört.«

»Wir haben ihn befreit«, unterbrach ich hastig. »Es war Klerkon – der Mann, den Olaf getötet hat. Er wurde von ihm misshandelt, angekettet, geschlagen, und seine Mutter wurde grausam ...«

Ich verstummte. Jetzt wurde mir die ganze Geschichte klar. Ich hatte dem Griff, der aus dem Boden ragte, gerade den letzten, entscheidenden Ruck gegeben und das ganze herrliche Schwert herausgezogen.

Olaf, der Sohn von Tryggve. Ich wusste von einem Tryggve, dessen Sohn ein Prinz war und dessen Mutter eine Prinzessin namens Astrid, die Tochter von Eirik Bjodaskalle aus Obrestad in Rogaland.

König Tryggve Olafsson, von Wiken und Wingulmark, der Enkel Harald Schönhaars von Norwegen. Eigentlich kein echter König, aber ein mächtiger Jarl – ein Rig-Jarl –, der im hohen Norden Norwegens diesen Titel trug, bis er den Söhnen von Eirik Blutaxt zum Opfer gefallen war, angefeuert von ihrer Mutter Gunhild.

War das eine Frau! Gunhild, die schreckliche Hexe, die mit der Galle, die sich in ihrer Brust ansammelte, Nachtwölfe säugte. Die mit ihren Zähnen Schleifsteine zermalmen konnte. Sie hatte in ganz Norwegen nach dem »Balg« gesucht, wie sie ihn nannte, entschlossen, die Dynastie auszurotten, damit ihre Söhne in Sicherheit leben konnten. Man hatte allgemein angenommen, es sei ihr gelungen, da der Junge samt Mutter und Pflegevater spurlos verschwunden blieb und auch langsam aus dem Gedächtnis der Menschen verschwand. Thorolf hatte der Pflegevater geheißen, wie mir jetzt einfiel, genannt Läusebart.

Hier stand er nun leibhaftig, in dieser Halle, die nach Harz duftete, und sah scheu auf zu dem Mann mit der silbernen Nase, der behauptete, sein Onkel zu sein.

Ich betrachtete den Jungen, der mit hoch erhobenem Kopf dastand. Ein Mann, der ihm ein Messer in die Brust gerammt hätte, wäre von Gunhild mit Gold aufgewogen worden, und wohl die Hälfte der Männer, die auf der *Elk* segelten, hätten es, ohne mit der Wimper zu zucken, getan – die andere Hälfte hätte ihn auf ihre Schultern gehoben und ihn zum König ausgerufen.

»Dann können wir ihn nicht töten«, sagte Wladimir schockiert, »wenn er ein norwegischer Prinz und Sigurds Neffe ist.«

Dobrynja schwieg. Er sah Sigurd an, dann mich, dann Olaf. Mir wurde flau im Magen, denn seine Gedanken standen ihm deutlich ins Gesicht geschrieben.

Nein, sie konnten dem kleinen Olaf keinen Pfahl in den Arsch rammen – aber das Wetsche würde dennoch ein Opfer für Klerkons Tod verlangen.

Also fing Wladimir erst einmal mit der Sklavin an, vielleicht würde sich das Wetsche ja damit zufriedengeben.

Wir mussten mit zum Richtplatz gehen, als Zeugen des grausamen Urteils, das an der Sklavin Danica vollstreckt wurde.

Während die dafür zuständigen Männer mit dem Pfählen beschäftigt waren, sah ich hoch zur Tribüne, wo der kleine Prinz Wladimir stand. Heute sah er sehr elegant aus. Er trug eine Hose aus Brokat und ein Seidenhemd, sein dunkelblauer Mantel war rot eingefasst, die Ärmel mit Goldborte verziert. Sein Umhang hatte dieselbe Farbe und war ebenfalls mit Gold bestickt, die Spange, die ihn zusammenhielt, war mit Rubinen besetzt. Eine Zobelkappe mit silberner Spitze vervollständigte seinen Aufzug, dazu trug er eine schwere Goldkette mit einem Adlerkopf um den Hals. Seine beiden Getreuen standen zu beiden Seiten, und Sigurd hatte seine schützende Hand auf Olafs Schulter gelegt, der endlich seinen verlorenen Onkel wiedergefunden hatte.

Nachdem das Urteil vollstreckt war, sahen Dobrynja und Sigurd zur Wetsche hinüber und neigten die Köpfe. Der Wind, in dem Schneeflocken trieben, spielte mit dem Busch aus Pferdehaar auf Dobrynjas Helm. Doch es war klar: Diese eine Sklavin war längst nicht genug. Einmütig schüttelten die Mitglieder des Ältestenrats die Köpfe, sie wollten uns alle säuberlich dort unten aufgereiht sehen, damit auch unser Blut den Schnee rot färbte.

Martin fuhr mit der Hand über die Brust und machte sein Abwehrzeichen gegen das Böse, und selbst Finn und Kvasir hatten ernste Gesichter, als die Wächter uns wieder in die Grube stießen. Die zweite Sklavin heulte Rotz und Wasser und musste von Thordis und Thorgunna gestützt werden.

Finn lachte bitter, das einzige Lachen, das jetzt noch möglich war, nach dem Gelächter, das uns aus der Grube befreit und schließlich wieder hierhergebracht hatte. »Elender Wicht«, murmelte er und warf einen bitteren Blick zurück, dorthin, wo Krähenbein neben seinem neuen Onkel stand.

In der Dunkelheit der Grube hörte ich noch immer Gelächter. Ich wusste auch, wer es war, jedoch nicht, worüber er jetzt noch lachte. Es schien mir, als treibe mich Odin wie eine Knarr vor dem Wind zurück zu Attilas Silberberg – wobei er jedoch immer dafür sorgte, dass wir ihn nie erreichen würden. Das war selbst für seine Verhältnisse ein außergewöhnlich raffinierter Plan.

»Ich werde nicht wie ein Neiding an so einem Pfahl sterben«, knurrte Finn, und Kvasir war derselben Meinung. In der stinkenden Dunkelheit brüteten die beiden über einem Plan, wie sie entkommen und mit ehrlichen Waffen in der Hand bis zum Tod kämpfen wollten. Die Frauen schwiegen, und Martin murmelte Gebete.

»Bist du noch da, Jon Asanes?«, fragte Kvasir, und ich hörte, wie Jon mit zitternder Stimme antwortete.

»Ja – aber ich bin kein großer Kämpfer.«

»Orm?«, brummte Finn. Ich antwortete nicht und wünschte mir, er würde aufhören zu reden, denn ich hörte etwas Merkwürdiges, ein Geräusch …

»Bei Odins Knochen, Junge, du bist unser Jarl. Gehst du voran?«

Noch immer hörte ich das Gelächter aus der Ferne.

Odin …

»Vielleicht hat er sich eingeschissen«, brummte Finn, und Kvasir schnauzte ihn an, er solle gefälligst aufpassen, was er sage. Doch auch er selbst war verunsichert und fügte ganz leise hinzu, es habe mir vielleicht vorübergehend die Sprache verschlagen.

»Glocken«, sagte ich. Jetzt hatte ich den Klang erkannt. »Die Glocken läuten.«

Das war es. Tief und voll klang es, wie Wasser, das über eine Klippe stürzt.

In der Dunkelheit konnte ich ihre Gesichter nicht erkennen, aber ich sah, wie sich ihre Köpfe mir zuwandten. Glockengeläut in Nowgorod, das hatte etwas zu bedeuten. In mir stieg eine Ahnung hoch, und ich bekam eine Gänsehaut, denn ich hatte ein Gefühl, als sei Odin soeben dicht an uns vorbeigegangen.

Als die Dämmerung silbergrau heraufzog und auch in unsere Grube fiel – vielleicht die letzte Morgendämmerung, die wir erleben würden –, rief Finn den Wächtern die Frage zu, ob etwas geschehen sei.

»Der große Herrscher ist tot«, erwiderte ein Wächter mit ernster Stimme.

»Prinz Wladimir?«, fragte Kvasir.

Finn schüttelte ungläubig den Kopf. »Ich habe Odin darum gebeten«, sagte er überwältigt. »Ich habe ihn aus der Dunkelheit angerufen, und er hat geantwortet.«

»Pah!«, stieß Martin verächtlich aus.

»Um was hast du ihn gebeten?«, fragte Kvasir aufgebracht. »Um Rache? Und was hast du ihm dafür versprochen?«

Finn antwortete nicht, aber sein Schweigen sagte genug.

Doch ich war mir sicher, es war etwas anderes. Es wären zu viele Glocken für Wladimir, und jetzt wusste ich, Odin hatte wirklich eingegriffen. Es war sein Vater, Fürst Swjatoslaw, der gestorben war. Später erfuhr ich, dass seine eigenen Petschnegen ihm aufgelauert hatten, bestochen von der Großen Stadt, die er immer wieder herausgefordert, aber nie bezwungen hatte. Der Herrscher aller Rus, getötet von einem lumpigen Steppenkrieger mit Pfeil und Bogen von der Art, wie man für eine Kupfermünze ein ganzes Dutzend kaufen kann. Sein Schädel würde schließlich in Silber gefasst werden und irgendeinem Anführer der Petschnegen als Trinkgefäß dienen.

Doch hier in der Grube wusste ich vorläufig nur, dass Wladimirs Vater tot war. Ich fühlte Odins Macht und beugte mich vor ihm.

Jetzt, wo Swjatoslaw tot war, war Wladimir in einer schwierigen Situation. Er war der jüngste von drei Brüdern und noch dazu der unwichtigste, denn seine Mutter galt allgemein als nicht viel mehr als eine Sklavin. Von den anderen beiden war Oleg zwar dumm, aber stark, während der Älteste, Jaropolk, gerissen, feige und bösartig war.

Sie würden sich um die Nachfolge streiten, diese drei Brüder, und zwar eher früher als später, und die Totenglocke für Swjatoslaw würde womöglich auch zur Totenglocke für seinen jüngsten Sohn werden – es sei denn, dieser verfügte über einen unschlagbaren Trumpf.

Wie zum Beispiel einen Silberschatz.

Jetzt hatte ich keinen Grund mehr, mich um die Rückkehr zu Attilas Grabhügel zu drücken; Odin hatte mich zur Stevenfigur seines Schiffs gemacht und sorgte für einen Wind, den ich nicht ignorieren konnte.

Finn und Kvasir wunderten sich über das laute Gelächter, das plötzlich aus dem Gefängnis drang. Ich wunderte mich auch. Dabei war ich es selbst, der es ausstieß.

KAPITEL 8

Als der Star erfroren vom Dachbalken fiel, stieß Olaf Krähenbein ihn mit der Fußspitze an und sagte, das sei der letzte, den wir in diesem Jahr zu sehen bekämen, denn die anderen hätten sich alle versteckt. Dieser habe offenbar seine Dummheit mit dem Leben bezahlt.

»Versteckt?«, fragte Thorgunna, die bis zur Nasenspitze in Wolle und Pelz gehüllt war. »Vor wem denn?«

»Vor dem weißen Raben«, erklärte Krähenbein, die Wangen rosig vor Kälte. Die Männer, die in der Nähe saßen und es gehört hatten, sahen den Jungen betroffen an, und Thordis machte ein Abwehrzeichen. Sie sah nach allem, was sie mitgemacht hatte, hohläugig und elend aus, und Finn trat näher zu ihr.

»Über solche Dinge solltest du lieber nicht sprechen«, sagte Kvasir und sah von seinem Lederstück auf, aus dem er einen neuen Riemen für seinen Helm zuschnitt. Krähenbein zuckte die Schultern und zog den weißen Pelzumhang enger um sich, denn der Wind hatte den Schnee unter der Tür durchgeblasen, und dieser bedeckte jetzt den Boden der Halle. Etwas verschütteter Met hatte sich mit dem Stroh auf dem Boden vermischt und war zu einem bersteinfarbigen Klumpen gefroren, selbst die Spinnen waren erfroren, und die Netze, in denen sie hingen, zitterten im Wind, der kalt und scharf wie ein Rasiermesser war.

Von Onund Hnufa kam ein kehliges Räuspern, womit er stets ankündigte, dass er etwas sagen wollte.

»Ich brauche keinen dieser Vögel, um zu wissen, dass wir einen schlimmen Winter vor uns haben«, brummte er, »denn der grüne Wein ist einen Monat früher gefroren als sonst.«

Jon Asanes beugte sich vor, sein Atem stand als warmes Dampfwölkchen vor seinem Gesicht. »Der weiße Rabe?«, flüsterte er.

Ich erzählte ihm von dem weißen Raben, den die Zwerge in ihrer Obhut hatten, wie alle anderen Geheimnisse auf Erden: den Laut einer Katzenpfote, die Barthaare einer Jungfrau, die Wurzeln eines Berges, die Träume eines Bären, den Atem eines Fisches, den Speichel eines Vogels. Lauter Dinge, die man weder hören noch sehen konnte und die dennoch irgendwo aufbewahrt werden mussten.

Die Zwerge hielten sie versteckt, und sie kamen nur einmal zum Vorschein, nämlich als sie einige dieser Dinge brauchten, um daraus Gleipnir zu schmieden, die Kette, an die der alles verschlingende Fenriswolf gelegt war. Das hatte man durch einen Trick geschafft. Der Gott Tyr hatte nämlich unter dem Versprechen, dass die Götter den Wolf hinterher wieder freilassen würden, dem Ungeheuer das Maul zugehalten. Das Versprechen wurde natürlich nicht gehalten, aber durch Tyrs List war der Wolf jetzt sicher.

Das Einzige, was die Zwerge zur Anfertigung von Gleipnir nicht benutzt hatten, war eine Feder des weißen Raben, Odins drittem Schoßtier.

Manchmal schickt der Einäugige diesen Vogel in die Welt hinaus, genau wie die beiden anderen, Hugin und Munin – den Gedanken und die Erinnerung –, doch der Weiße kommt nicht zurück, um dem Gott Geheimnisse zuzuflüstern. Er fliegt über die Erde und schüttelt seine Federn, die als Schnee fallen und harte Winter verursachen. Damit erinnert er uns daran, dass eines Tages der Fimbulwinter kommen wird, die große Eiszeit, die Ragnarök einleitet, den Untergang der Welt.

»Will Krähenbein uns damit etwa weismachen, dass das Ende der Welt gekommen sei?«, fragte Jon.

Finn lachte kurz auf. »Der kleine Krähenbein sagt nur, dass die Vögel das denken«, berichtigte er. »Aber Vögel haben ja so kleine Köpfe, dass darin nur Platz für wenige Gedanken ist, deshalb ist es mir auch egal, was sie denken.«

»Nicht alle Vögel denken nur ans Singen«, sagte Krähenbein, und wieder mussten wir an Sighvat denken, der vor Jahren in Serkland umgekommen war. Ich erinnerte mich gut an ihn, wie er geduckt in der Steppe saß und den zerbeulten silbernen Teller betrachtete, den wir bei Attilas Grab ausgebuddelt hatten. Er war der erste Beweis gewesen, dass es hier einen Schatz gab, dieser schwarze Silberteller, auf dessen Rand Bilder eingraviert waren, von denen Sighvat sagte, es seien die Träume der Vögel.

»Ich habe noch nie etwas von einem weißen Raben gehört«, brummte Gyrth, und Finn konterte, das läge daran, dass er ein dummer Ausländer sei, worauf Gyrth ihn nicht eben freundlich ansah. Er hieß Gyrth Albrechtsohn und war so groß wie Boltolf, mit einem noch mächtigeren Bauch als der von Skapti, aber hart wie ein Fass. Als er in Kiew zu uns kam und behauptete, Däne zu sein, hatte Finn nur gelacht.

»Gyrth ist ein angelsächsischer Name«, hatte er gegrinst, »und dein Herr Vater war ein Sachse, das sieht man doch deutlich. Ich sehe in dir keinen Dänen.«

»Meine Mutter war Dänin«, sagte Gyrth mit gerunzelter Stirn.

»Vielleicht hatte sie ein gutes Pferd«, sagte Finn, »oder ein schnelles Faering, damit konnte sie viele Männer haben. Denn wenn auch an dir nicht viel Dänisches dran sein mag, so war doch in ihr ganz bestimmt so mancher Däne drin.«

Die Männer lachten, und Gyrth wurde immer bleicher.

»Du bist Finn«, sagte er, »der sich vor nichts fürchtet. Aber wenn du noch einmal meine Mutter schlecht machst, wirst du lernen, mich zu fürchten, denn dann könnte ich aus Versehen mal auf dich fallen.«

Finn hielt abwehrend die Hände hoch und gab zu, dass das in der Tat ein schreckliches Schicksal wäre. Dann umklammerte er Gyrths Handgelenk.

»Also bist du jetzt Steinnbrodir – willkommen an Bord.«

Und Gyrth quittierte seinen neuen Namen – Felsenbruder – mit einem etwas schiefen Grinsen und gesellte sich zu uns, tapsig und rumpelnd wie ein gutmütiger Bär, den Finn nie zu necken aufhörte, genau wie jetzt.

»Ein dummer Ausländer«, wiederholte Finn. »Dessen weit gereiste Mama natürlich viel zu beschäftigt war, um ihm solche Geschichten zu erzählen.«

»Ich habe mal eine weiße Krähe gesehen«, gab Gyrth stirnrunzelnd zu. »Aber die schwarzen Krähen haben nach ihr gehackt und sie fortgejagt.«

»Niemand ist so gut, dass er nicht auch einen Fehler hätte, oder so schlecht, dass er nicht doch zu etwas gut ist, wie meine Großmutter immer sagte«, bemerkte der rote Njal.

Gyrth blieb stur. »Aber von einem weißen Raben habe ich noch nie gehört«, beharrte er.

»Aber der grüne Wein gefriert«, sagte Jon und holte meine Gedanken wieder zurück aus der Steppe, wo ich noch immer mit Sighvat gehockt hatte – zurück in die Gegenwart. Der gefrorene Wein war ein Zeichen, das man nicht ignorieren konnte.

Grüner Wein wurde aus jungem Weizen gemacht. Das Gebräu wurde durch sieben Schichten Holzkohle gefiltert, danach durch sieben Schichten aus sauberem, feinem Flusssand, dann wurde die Flüssigkeit, die jetzt wasserklar war, in Fässern aus Eiche gelagert, dem Holz Peruns. Es wurde dann den Winter über vor dem Haus gelassen, und die Leute warteten gespannt, bis sich die ersten Eiskristalle bildeten.

Diese wurden sofort herausgefischt, denn Eis war Wasser, und je mehr man davon entfernte, desto stärker und grüner wurde das Gebräu. Und je kälter das Wetter, desto mehr Eis bildete sich auf dem grünen Wein.

Es musste schon kalt sein, damit sich überhaupt Eis darauf bildete, und es war ein schlechtes Zeichen, dass es so früh kam, genau wie der Schnee und die kalte, klare Luft. Wir würden dieses Jahr einen der stärksten grünen Weine überhaupt bekommen, und nur wer zu viel davon getrunken hatte, würde sich jetzt in die Steppe hinauswagen.

Das hatte ich dem kleinen Wladimir klargemacht, nachdem wir am Morgen, nachdem Swjatoslaws Tod in Nowgorod bekannt gegeben wurde, aus der Grube befreit worden waren. Ich hatte ihm von dem Silberschatz erzählt und ihm erklärt, dass die Eingeschworenen ihm jetzt von großem Nutzen sein könnten.

»Wenn das, was du da sagst, wahr ist«, sagte er mit seiner hohen Stimme und sah mich mit seinen großen blauen Augen an, »dann ist dieser Lambisson aus Birka schon draußen in der Steppe und kommt mit jedem Tag, den wir ihn in Ruhe lassen, meinem Silberschatz näher.«

Seinem Silberschatz. Als Dobrynja mein Gesicht sah, fing er an zu lachen. Wir saßen zusammen am Tisch, wo ich gerade eine Stunde lang zu erklären versucht hatte, warum es klüger für ihn sei, uns nicht pfählen zu lassen wie Danica, die Sklavin.

»Bis die Trauerfeierlichkeiten für deinen Vater vorüber

sind«, sagte Dobrynja behutsam zu dem jungen Prinzen, »wird ohnehin noch Zeit vergehen, und die Reise in die Steppe gründlich vorzubereiten geht auch nicht von heute auf morgen, sodass es vielleicht ohnehin das Klügste ist, auf Tauwetter zu warten.«

Wladimir schüttelte unwillig den Kopf. »Onkel, meine Brüder werden nicht so lange warten.«

Damit hatte er recht. Alle diese Dinge waren reine Zeitverschwendung für Wladimir, der ungeduldig wie ein junger Jagdhund war.

Es bedurfte noch zwei Tage zäher Verhandlungen mit den Vertretern der Wetsche, denen wir allerlei Versprechungen machen mussten, bis sie bereit waren, sich mit der Sklavin als einzigem Opfer zufriedenzugeben. Schließlich verdankten wir es Dobrynjas Gerissenheit, der dem Wetsche vorhielt, Wladimir könne das Andenken seines Vaters doch nicht mit dem Blut gemeiner Verbrecher besudeln, und diesem Argument konnten sie sich nicht verschließen.

Also wurden wir freigelassen, mussten aber – angeblich zu unserem eigenen Schutz – die nächsten fünf Tage noch in der Festung bleiben. Am sechsten Tag, als Wladimir sich zusammen mit ganz Nowgorod auf die Trauerfeierlichkeiten für Swjatoslaw vorbereitete, erschienen Jaropolks Spürhunde am Stadttor.

Man kannte sie hier schon, es waren Sveinald und sein Sohn Lyut; der Vater war ein verschrumpelter alter Däne, der Swjatoslaw als General gedient hatte. Nachdem Swjatoslaw getötet worden war, hatte er das, was vom Heer noch übrig war, zurückgebracht und fungierte jetzt als Jaropolks Berater, so wie Dobrynja Wladimir beriet.

Jaropolk war zwar der älteste der drei Rus-Prinzen, doch auch er war noch jung und leicht zu beeinflussen. Sveinald und Lyut waren schon immer widerwärtig arrogant gewesen, und jetzt, wo sie ihren jungen Prinzen in der Hand hatten, benahmen sie sich, als wären sie es, die Kiew regierten und nicht er.

Sie waren als Jaropolks Abgesandte gekommen, um die Trauerfeierlichkeiten mit ihrer Anwesenheit zu beehren – zumindest war das die offizielle Erklärung. In Wirklichkeit waren sie gekommen, um herauszufinden, was Wladimir vorhatte, und hatten vorsorglich auch schon mindestens hundert erprobte Druschina-Krieger mitgebracht, alle bewaffnet und mit ihren großen roten Schilden ausgestattet, die eine gelbe Algis-Rune trugen, das Symbol Ruriks, als er Kiew gründete. Dieses Zeichen bedeutete »Schild«, aber gleichzeitig auch »Wachsamkeit«, aber jetzt nannten es die Slawen von Kiew nur noch »den goldenen Dreizack«, denn es hatte etwa die Form einer dreizinkigen Gabel.

Es dauerte vier Tage, um Swjatoslaw zur Halle seiner Götter zu schicken, vier Tage des Weinens und Klagens und der Opfer und Kniefälle um Peruns Statue herum, wo Pferdeköpfe auf Stangen gesteckt waren und der kleine Wladimir, dem das Opferblut von den Ärmeln tropfte, bis zur Erschöpfung präsent sein musste. Aber alle waren sich einig, dass er sich für einen Zwölfjährigen tapfer gehalten hatte.

Auch an den Abenden hatte er keine Ruhe, denn er hatte den Vorsitz bei den Festgelagen in der Halle des Kreml, wo seine Männer und die Druschina des alten Sveinald sich gegenseitig anpöbelten und sich am liebsten an die Gurgel gegangen wären. Oben am Herrentisch fand praktisch ein permanentes Taflspiel mit Worten statt, bei dem Sveinald herauszufinden versuchte, ob Wladimir Jaropolk als Fürsten aller Rus anerkennen oder ihm Widerstand leisten würde, während Wladimir und sein Onkel nach Kräften versuchten, nur ausweichende Antworten zu geben.

Oleg, der dritte Bruder, wurde offenbar gar nicht in Erwägung gezogen.

Inzwischen waren die restlichen Eingeschworenen ebenfalls aus Aldeigjuborg angekommen und hatten die *Elk* mitgebracht. Gisur hatte darauf bestanden, obwohl es ein hartes Stück Arbeit gewesen war, den Fluss, auf dem sich nachts bereits Eis bildete, heraufzurudern. Er wollte das Schiff jedoch nicht unbewacht in der Nähe der *Drachenschwinge* lassen.

»Klerkons Mannschaft ist gespalten«, berichtete er. »Die *Drachenschwinge* ist zum Überwintern abgetakelt und kann nicht segeln, außerdem ist der Fluss zur Ostsee hinaus auch zugefroren. Die eine Hälfte hat sich geschworen, an uns Rache zu nehmen – ihr Anführer ist Randr Sterki. Die andere Hälfte macht sich langsam davon, immer zu zweit oder zu dritt. Sie hoffen, dass Wladimir sie aufnehmen wird, und kommen hierher. Sie wussten, dass wir nur leicht besetzt sind und wären gern mit uns gefahren, aber ich hielt es für das Beste, sie allein ziehen zu lassen.«

Das war genug, worüber ich nachzudenken hatte. Finn war ziemlich wütend, weil ich, wie er meinte, das Geheimnis von Attilas Grab verraten hatte, ohne Garantie, dass damit auch für uns etwas abfallen würde. Ich erinnerte ihn daran, dass wir schließlich noch am Leben seien, was er widerwillig anerkennen musste, obwohl seine Laune dadurch nicht besser wurde, und es wäre dumm gewesen, ihn jetzt auch noch zu reizen.

Doch ein Dummer findet sich immer, besonders wenn man ihn am wenigsten braucht. Lyut war beim Gelage am vergangenen Abend im Kreis seiner eigenen Druschina sehr laut geworden und hatte schrecklich angegeben. Man sah, dass die Männer das schon gewöhnt waren und ihn gewähren ließen, weil er Sveinalds Sohn war.

An diesem Abend machte er jedoch einen Fehler. Finn war für einen Moment auf eine Bank neben einen Mann gerutscht, den er flüchtig kannte, als Lyut mit rotem Gesicht auf ihn zugetorkelt kam.

»Du sitzt auf meinem Platz«, schnauzte er, und Finn sah ihn überrascht an.

»Mag sein, obwohl dein Name nicht draufsteht. Aber ich bleibe nicht lange, sieh mal, hier ist noch ein Platz, und da drüben ist auch einer.«

»Verschwinde, wenn eine Respektsperson es dir befiehlt«, bellte er.

Finn drehte sich um. Um ihn her war es still geworden, und diese Stille breitete sich im Raum aus wie Wellen, wenn man einen Riemen ins Wasser taucht.

»Respektsperson?«, fragte er und zog eine Augenbraue hoch.

»Du hast richtig gehört«, erwiderte Lyut voller Hass. »Ich stehe so weit über dir, dass du mir die Füße küssen müsstest.«

Damit setzte er seinen Fuß auf die Bank neben Finn. Niemand sprach. Sveinald hatte sein Trinkhorn in der Hand und sah grinsend erst zu Dobrynja, dann zu Wladimir. Dies war eine so glatte Herausforderung, dass sich allen die Nackenhaare sträubten. Ich wagte nicht, etwas zu sagen; niemand wagte es. Die Stille wurde unerträglich.

Da grinste Finn, breit und bösartig. Wie zur Bestätigung neigte er den Kopf, und Lyut lachte hämisch. Finn gab seinem Nachbarn das Trinkhorn, dann umfasste er mit beiden Händen Lyuts Fuß und hob ihn an seine Lippen.

Ich war sprachlos, genau wie alle anderen. Ich sah, wie Kvasir empört aufstehen wollte – doch da stieß Lyut einen Schrei aus, denn Finn war aufgestanden und hob den Fuß weiter an, sodass Lyut wie ein hilfloser Vogel auf einem Bein hüpfte und Mühe hatte, nicht das Gleichgewicht zu verlieren.

Mit einer letzten lässigen Bewegung warf Finn den Fuß so hoch, dass Lyut aufschrie und krachend umfiel.

»Und du, mein Junge, kannst mich am Arsch lecken«, sagte Finn und putzte sich die Hände ab. In der Halle brach ein unbeschreiblicher Lärm aus, die Pfiffe und das Gejohle bewiesen, dass mindestens die Hälfte von Sveinalds Männern betrunken genug war, um hemmungslos ihre Genugtuung darüber zu zeigen, dass Lyut dort in der Bierpfütze lag.

Finn war nicht dumm. Ein dummer Mann hätte sich jetzt mit seinem Trinkhorn wieder auf die Bank gesetzt, sich auf die Schulter klopfen lassen und das beifällige Grölen genossen. Und Lyut wäre so schnell wie möglich aufgestanden, hätte einen Sax aus dem Stiefel gezogen und seinem Feind in den Rücken gerammt.

Stattdessen musste Lyut feststellen, dass seine Rechte bereits von Finns Linker mit eisernem Griff umklammert wurde. Er schwang die andere Faust, aber diese wurde von Finns rechter Hand lahmgelegt. Dann grinste Finn bösartig und versetzte ihm einen Kopfstoß, dass dem hübschen Jungen das Nasenbein brach und das Blut nur so spritzte.

Lyut ging rückwärts zu Boden, er fiel über eine Bierbank und rollte ins Feuer. Es dauerte nur einen Moment, bis klar war, dass er nicht allein aufstehen konnte, aber sein Haar hatte bereits Feuer gefangen. Einige, die in seiner Nähe standen, zogen ihn weg und klopften die Flammen aus.

Jetzt brüllten Sveinalds Männer vor Wut, denn das war etwas anderes. Sveinald selbst blieb sitzen, das goldverzierte Trinkhorn in der Hand, und nur die weißen Knöchel an seinen Händen verrieten seine Anspannung.

Sigurd mit der glänzenden Silbernase rückte etwas näher an seine beiden Schutzbefohlenen heran, den jungen Prinzen und Olaf Krähenbein, der jetzt Wladislaws ständiger Gefährte war. Krähenbeins Gesicht zeigte keine Angst, nur Neugier, als habe er gerade eine neue Vogelart entdeckt.

Finn drehte sich um. Sein Gesicht war rot von Lyuts Blut, in der Hand hielt er den Sax. Zornig blickte er um sich, und der Lärm verebbte.

»Ich bin Finn Bardisson aus Skani, genannt Rosskopf«, sagte er mit eindringlicher Stimme. »Möchte sonst noch jemand seinen Fuß geküsst haben?«

Stille.

»Meldet euch, ihr Hunde!«

Hinter ihm wimmerte Lyut und wurde hinausgetragen, damit die Frauen sein versengtes Gesicht mit Gänsefett behandeln konnten.

»Setz dich schon hin, Finn Bardisson aus Skani, genannt Pferdearsch«, rief Gyrth Steinnbrodir in die Stille. »Du hast dem Jungen beigebracht, wie man auf einem Bein tanzt und dass man nicht zu dicht am Feuer sitzen sollte, aber jetzt möchte ich weitertrinken.«

Es gab ein paar Lacher, und bald war die Halle wieder vom üblichen Lärm erfüllt. Finn hieb Lyuts Sax in die Bierbank, ergriff sein Trinkhorn und prostete Gyrth zu. Ich erhob ebenfalls das Horn, und er erwiderte, während Sveinald uns böse anstarrte, und ich hörte, wie er mit zusammengebissenen Zähnen fragte, wer denn dieser Finn Bardisson und dieser Jarl Orm seien.

Ich war einerseits ziemlich stolz, dass mein Name jetzt hier in aller Munde war, aber gleichzeitig war ich mir bewusst, dass wir weder uns noch dem jungen Wladimir damit einen Gefallen getan hatten.

Dann war der kalte, graue Morgen gekommen, und gerade als alle sich auf ihr Tagwerk vorbereiteten, war der Vogel vom Dachbalken gefallen, und der kleine Krähenbein, Wangen und Nasenspitze rot vor Kälte, hatte angefangen, von weißen Raben zu erzählen.

Er trug eine hübsche Tunika, hellblau wie die Eier eines Rotkehlchens, dazu eine Wollhose, pelzbesetzte slawische Stiefel und einen weißen Umhang aus Wollstoff, dessen Kragen aus Zobel bis an seine Ohren reichte, die von einer Mütze aus lockiger Ziegenwolle gewärmt wurden.

Er betrachtete den toten Star, auch der große Elchhund an seiner Seite schnupperte daran, behielt aber gleichzeitig unsere eigenen Hirschhunde misstrauisch im Auge. Das große weißgraue Tier, das einem Wolf zum Verwechseln ähnlich sah, verstärkte noch das unsichere Gefühl, das man Krähenbein gegenüber empfand, denn wie sein kleiner Herr hatte auch er verschiedenfarbige Augen.

Als er mit dem Hund erschienen war, hatten alle mit den Händen Abwehrzeichen gemacht, und Klepp Spaki war vollauf damit beschäftigt, schützende Runenzeichen in Knochenstücke zu schnitzen. Nur Thorgunna blieb unbeeindruckt, sie glaubte nicht an die ganze Seidr-Magie.

»Du siehst jetzt wirklich wie ein Prinz aus«, strahlte sie – doch dann wandte sie sich unvermittelt um, um der schottischen Sklavin eine Ohrfeige zu geben, weil sie ihre Nadelbüchse hatte fallen lassen, sodass alle Knochennadeln auf dem Boden verstreut waren.

Olafs elegante Kleider und auch der Elchhund waren Geschenke von Prinz Wladimir. Was für ein Glück, bemerkte Kvasir sehr richtig, dass ich nicht versucht hatte, Krähenbein als Sklaven zu verkaufen, denn der Herrscher von Nowgorod war ganz vernarrt in den kleinen Kerl, der auf einen Schlag vom Sklaven zum Prinzen aufgestiegen war. Das hätte schlimm ausgehen können, stellte er fest.

»Ist es nicht schlimm genug, wie es ist?«, knurrte Finn, rotäugig und müde von der durchzechten Nacht. »Die Welt bereitet sich schließlich gerade darauf vor, uns auszurauben.«

»Wenn dir ein Pfahl im Arsch lieber wäre, kann ich vielleicht noch dafür sorgen«, fuhr ich ihn gereizt an.

Einer der Hirschhunde legte seinen großen Kopf auf mein Knie und tat einen schweren Seufzer, der zur allgemeinen Stimmung passte. Der andere knurrte den Elchhund an, der ihm etwas zu nahe gekommen war und dessen Nackenfell jetzt hochstand.

»Bleikr«, schalt Olaf. »Hör auf damit.«

Bleikr – das hieß bei uns »weißblond«, obwohl es in den meisten anderen Sprachen nur das Wort »blass« dafür gab. Was auch immer sein Name sein mochte, er kümmerte sich nicht um Olaf, war aber so klug, sich nicht mit den beiden Hirschhunden gleichzeitig anzulegen. Keiner der Hunde war auf eine ernsthafte Beißerei aus, aber das Nackenfell des Elchhundes stand hoch wie die Stacheln eines Igels, während das gestromte Fell der Hirschhunde glatt blieb. Wir beobachteten sie gespannt, niemand hatte Lust, sie im Ernstfall zu trennen.

Schließlich stieß Thorgunna einen kleinen verächtlichen Laut aus, der unserer Feigheit galt. Sie ging entschlossen auf die Hunde zu und verteilte links und rechts Klapse, worauf die Tiere jaulend das Weite suchten.

»Bleikr«, sagte sie zu Olaf und steckte eine lose Haarsträhne wieder an ihren Platz zurück, während die Männer sich vor Scham nicht ansehen mochten. »Ein schöner Name. Jetzt hast du einen neuen Hund – und auch Verwandte, wie ich höre. Der Vater deiner Mutter ist in Bjodaskalle, und ihre Schwestern auch. Und nicht zu vergessen deinen Onkel Sigurd hier.«

Krähenbein nickte, obwohl man merkte, dass Bleikr seinem Herzen näherstand als diese Leute, die für ihn nur Namen waren. Selbst Sigurd. Mir kam der Gedanke, dass der kleine Krähenbein ein einsames Kind war und dass er nach allem, was er erlebt hatte, wohl auch einsam bleiben würde.

Finn sah den weißen Hund an und knurrte skeptisch. Olaf runzelte die Stirn.

»Gefällt dir der Name nicht?«, fragte er. Dann zeigte er auf den Hirschhund, der sich wieder an Finns Knie gelehnt hatte.

»Wie heißt er denn«, wollte er wissen.

»Hund«, sagte Finn entschieden. Olaf dachte, es sei ein Scherz und zeigte auf den anderen Hirschhund.

»Und der?«

»Der andere Hund«, erwiderte Finn, dann hob er seinen Hintern leicht von der Bank an und furzte.

Kvasir lachte, als er sah, wie Olaf ärgerlich wurde.

»Wir haben da einen ganz klugen Grundsatz«, sagte er und legte dem Jungen die Hand auf die Schulter, »und der heißt: Gib einem Tier, das du vielleicht einmal essen musst, nie einen Namen.«

Olaf erschrak und sah auf den Hund, der sein ganzer Stolz war und sich gerade das Hinterteil leckte. »Bleikr essen?«

»Na ja, seine Zunge vielleicht besser nicht«, sagte Kvasir, und alle lachten.

»Tja«, brummte Gyrth und kroch unter einem Haufen Pelze und Umhänge hervor, wo er versucht hatte, warm zu werden und zu schlafen. »Wenn wir diesen verfluchten Schatz bei diesem Wetter suchen wollen, dann werden wir am Ende noch ganz andere Dinge essen. Ihr werdet sehen, wie gut dann selbst ein Lederriemen schmecken kann.«

»Schadet einem auch nichts«, sagte Finn, und Gyrth rieb sich grinsend den Bauch.

Ich war mir sehr wohl bewusst, dass da draußen die Wintersteppe lag, der große Schnee, und ich musste den ganzen Tag daran denken. Die Männer erschienen, einer nach dem anderen, sie reckten sich, furzten, fröstelten in der Kälte und zerbrachen das Eis auf Schüsseln und Eimern, um laut prustend ihre Gesichter mit kaltem Wasser zu waschen.

Thorgunna und Thordis waren klug genug gewesen, sich aus allem herauszuhalten; zum Teil wohl auch, weil sie nicht das Risiko eingehen wollten, von betrunkenen Männern gebumst zu werden und sich dann die Kommentare der anderen anhören zu müssen. Sie waren jetzt frisch und ausgeruht, und ihre gute Laune ging allen auf die Nerven. Zusammen mit den Sklavinnen gingen sie lautstark ihrer Arbeit nach, fachten das Feuer an, hängten Töpfe auf und lärmten mit den Pfannen.

Die Männer hatten sich inzwischen an den Resten vom Vorabend satt gegessen, sie stocherten in ihren Zähnen und nahmen langsam ihre verschiedenen Arbeiten wieder auf. Sveinalds Männer machten sich auf den Heimweg, und ich hörte, dass Lyut auf einer Trage befördert werden musste. Es war ein Glück für uns, dass er überhaupt noch lebte.

Meine Mannschaft blieb natürlich, wo sie war, und bereitete sich so gründlich wie möglich auf einen Wintermarsch in die offene Steppe vor. Die meisten von ihnen machten sich keine Sorgen um das, was ich getan hatte – sie rechneten immer noch damit, dass sie ihren Teil abbekommen würden wie versprochen, und wenige dachten weiter. Einige von ihnen hielten die Einbindung von Wladimir für einen besonders klugen Taflzug von mir, da das einen besseren Schutz und bessere Ausrüstung für uns bedeutete, und beides konnten wir auf diesem gefährlichen Marsch gut gebrauchen.

Draußen, unmittelbar vor dem Wohnturm, herrschte bald lärmende Geschäftigkeit. Wagen wurden mit Schlittenkufen versehen, die Räder wurden, falls sie gebraucht werden sollten, an den Seiten aufgehängt wie Schilde auf einem Langschiff. Wir hatten stämmige kleine Pferde zum Ziehen und auch Reitpferde, die Wagen wurden mit Vorräten beladen, und die Männer kümmerten sich um ihre Ausrüstung und die Waffen.

Wladimir hatte erwartet, dass ich auf seiner Landkarte aus Pergament die Lage von Attilas verfluchtem Grabhügel markieren würde, aber als er sie entrollte, enthielt sie lediglich einen roten Punkt mit dem Vermerk »Biela Viezha«, dem slawischen Namen Sarkels, ansonsten war es nur eine große, leere Fläche aus grauweißer Tierhaut. Ich war auch nicht so dumm, die genaue Position mit einem X einzuzeichnen, denn sonst hätte er mich ja womöglich überhaupt nicht mehr gebraucht.

Niemand außer mir wusste genau, wo das Grab lag, und der Weg dorthin war auf dem Griff meines Runenschwerts vermerkt. Der kleine Eldgrim hatte eine ungefähre Vorstellung davon, denn er hatte mir geholfen, die Runen einzuritzen, aber selbst er kannte die einzelnen Etappen nicht genau. Und auch ich würde sie nur finden, wenn wir über Sarkel kämen, dem Ausgangspunkt, von dem aus ich mich orientieren musste.

Natürlich merkten sie es, Wladimir und sein mächtiger Onkel Dobrynja. Ich sah verächtlich das Pergament an, und sie wechselten Blicke und verstanden.

»Ich kann euch hinführen«, sagte ich und hoffte, dass man im trüben Licht ihres privaten Gemachs die Schweißperlen auf meiner Stirn nicht sah. »Aber auf dieser Karte gibt es ja keinerlei sonstige Anhaltspunkte.«

Stille, in der ich im Geiste schon hörte, wie man den Pfahl für mich einfettete. Ohne Umstände rollte Dobrynja die Karte wieder zusammen und sagte: »Natürlich wirst du uns hinführen.«

Jetzt war ich mir nicht mehr so sicher. Im Winter war die Steppe eine ebenso leere grauweiße Fläche wie Wladimirs Pergament, und mich fröstelte bei dem Gedanken, wie viel Hoffnung und wie viele Menschenleben jetzt von den wenigen Runen abhingen, die in meinen Schwertgriff eingeritzt waren.

Offiziell stand es den Eingeschworenen frei, zu kommen und zu gehen, wie sie wollten – doch jetzt waren sie alle in Wladimirs Halle versammelt, sogar Martin, der Mönch. Dobrynja hatte darauf bestanden: Jeder, der etwas über die Sache wusste, musste dableiben, wo man ihn im Auge behalten konnte. Martin zappelte wie ein Fisch im Netz.

Gleich am nächsten Morgen kam er eilig angeschlurft. Olaf schnippte mit den Fingern, um seinem teilnahmslosen Elchhund eine Reaktion zu entlocken. Der Hund stand auf und ging hinaus, Olaf folgte ihm.

»Wer von diesen beiden jungen Hunden führt jetzt wen spazieren?«, überlegte Finnlaith, und die anderen lachten. Sie lachten aber nur, wenn Olaf außer Hörweite war, denn sie alle hatten aufrichtigen Respekt vor diesem Neunjährigen.

»Da wir gerade von Hunden sprechen«, brummte Hauk Schnellsegler und deutete mit dem Kopf auf den Mönch. Ich seufzte, der Hirschhund japste ebenfalls resigniert. Wir wollten beide nichts mit ihm zu tun haben.

»Du musst mit dem Prinzen sprechen«, erklärte Martin,

und seine Augen funkelten wild aus dem wirren Haar und dem verfilzten Bart. »Ich mache diese idiotische Irrfahrt auf keinen Fall mit.«

»So, muss ich das?«

»Ich komme nicht mit.«

Ich beugte mich etwas vor und dachte – wieder einmal –, dass ich ihn damals hätte umbringen sollen.

»Wladimir hat es aber beschlossen. Ich möchte auch nicht gehen, aber ich muss«, entgegnete ich müde. »Wenn *ich* aus der Sache nicht herauskann, warum sollte ich ihn dann überreden können, *dich* hier zu lassen?«

»Christus wird es richten«, psalmodierte Finn, womit er die Christenpriester nachäffte. Martin bedachte ihn mit einem wütenden Blick, dann verschränkte er die Arme und hob entschlossen das Kinn.

»Ich komme nicht mit.«

»Dann bleib halt hier und setze dich auf einen angespitzten Pfahl«, sagte Kvasir schulterzuckend und sah von seiner Lederarbeit auf. »Wenn du denkst, wir würden dir nachtrauern, dann irrst du dich.«

»Das Ganze hat mit mir nichts zu tun«, beharrte Martin mit Schaum in den Mundwinkeln. »Mir liegt nichts an diesem Silber.«

»Gut«, brummte Finn unwirsch, »dann nehmen wir auch deinen Anteil gern. Das heißt, wenn überhaupt jemand von uns etwas abbekommt.«

Er sah mich vielsagend an, aber zu meiner Überraschung war es Martin, der ihm den Wind aus den Segeln nahm.

»Was willst du denn überhaupt mit diesem Silber?«, fragte er.

Finn sah ihn an, als verstünde er nicht. Er erwiderte, das sei eine ziemlich blöde Frage, dann fügte er hinzu: »Ein Silberschatz? Warum würde man den nicht wollen?«

»Weil man dafür viel kaufen kann?«, wollte Martin wissen. »Das teuerste Essen, die besten Getränke und die schönsten Frauen? Und wenn du das alles hast – was dann, Finn Rosskopf?«

»Ein herrliches Schwert«, kam Lambis sehnsüchtige Stimme. »Und einen Umhang aus schönen Pelzen.«

»Schiffe«, schlug Jon Asanes begeistert vor.

Martin nickte, aber Finns Gesicht blieb mürrisch.

»Und irgendwann hat man das alles und noch mehr«, sagte der Mönch. »Und dann? Immer noch mehr, bis du kotzen musst und dein Schwanz abfällt? Sag mal, Finn, wozu ist ein herrliches Schwert denn noch gut, wenn man es nicht mehr für Raubzüge braucht? Warum sollte man aber auf Raubzug gehen, wenn man bereits mehr besitzt, als man braucht?«

»Ha«, sagte der rote Njal und machte eine wegwerfende Geste. »Was verstehst du Christenpriester schon von solchen Dingen? Du bist doch auch hinter Kostbarkeiten her – nur ist dein Schatz eben dieser Lanzenschaft. Hinterlist und Habgier sind Bettgefährten, wie meine Großmutter immer sagte.«

Martin machte ein säuerliches Gesicht, dann wandte er sich wieder an Finn. »Ich weiß, dass es für Leute wie dich ein schrecklicher Gedanke ist, dass du deine alten Tage gebeugt und sabbernd damit zubringen könntest, dein Silber zu bewachen, immer in der Sorge, ob es auch gut genug versteckt ist. Besonders vor den Frauen, die sich über dich lustig machen, weil du nichts mehr mit ihnen anfangen kannst. Und vor deinen Söhnen, die es gar nicht erwarten können, dass du endlich stirbst.«

Die Vorstellung brachte tatsächlich alle zum Schweigen, und ich war überrascht, als ich etwas in Finns Gesicht sah, das ich noch nie gesehen hatte.

Angst.

Das lange, beklommene Schweigen wurde von Jon Asanes unterbrochen, der sagte: »Aber ich denke, du wirst trotzdem mitkommen müssen.«

»Ich komme nicht mit«, beharrte Martin.

»Sag das noch einmal, du dämliches Arschloch, und ich sorge dafür, dass es wahr wird – dann wirst du auf immer und ewig hierbleiben«, schnauzte der rote Njal ihn an. »Erhebe das Schwert gegen die, die sich auflehnen, sagte meine Großmutter immer, und damit hatte sie wirklich recht.«

»Einerseits tut es mir leid, andererseits bin ich sehr erleichtert, dass ich deine kluge Oma nie kennengelernt habe«, lachte Gyrth.

Ich sah Martin an. »Du wirst schon mitkommen«, sagte ich, »denn ich habe ein Stück Holz, dem du nachlaufen wirst.«

Er wirkte überrascht, zögerte. Sein Gesicht zuckte, aber jetzt hing er am Haken, und der saß tief. »Du hast mir die heilige Lanze im Gegenzug für das versprochen, was ich dir erzählt habe«, rief er bebend, heiser vor Wut und mit geballten Fäusten.

»Die Situation hat sich geändert. Mir ist es egal, ob sie dich aufspießen, aber Wladimir denkt nun mal, dass du zu uns gehörst, also bin ich für dein Verhalten verantwortlich. Und wegen dir werden wir nichts aufs Spiel setzen. Tu, was ich dir sage, und du wirst schließlich auch noch dein Stück Holz bekommen.«

»Und wenn du es nicht tust«, fügte Runolf Hasenscharte hinzu, »dann wirst du trotzdem ein Stück Holz bekommen, aber das steckt dann in dir drin.«

Martin seufzte tief, und alles lachte.

»Und kann ich denn auch glauben, was du mir jetzt versprichst?«

»Ich schwöre es bei Odin.«

Er sah mich verächtlich an. »Du hast schon mal auf dein heidnisches Amulett geschworen, auf dem Marktplatz von Nowgorod. Du hattest geschworen, du würdest mir die heilige Lanze geben, wenn ich dir meine Neuigkeiten erzähle. Ist dieser neue Schwur jetzt besser als der andere?«

Ich starrte ihn wütend an. Wer war er, dass er es wagte, an einem Schwur des Jarls der Eingeschworenen zu zweifeln? Ich griff nach meiner Seekiste und öffnete sie. Ich holte einen Umhang heraus, dann das Runenschwert und schließlich das Bündel, auf das er es abgesehen hatte. Er starrte unverwandt darauf, und seine Zunge befeuchtete nervös seine Lippen.

»Ich habe dir deine dämliche Lanze versprochen, also wirst du sie auch bekommen. Aber ich habe nicht gesagt, wann.«

Ich ließ das Bündel wieder in die hohe, schmale Seekiste fallen und knallte den Deckel so laut zu, dass er erschrocken zusammenfuhr. In seinem Blick stand blanker Hass geschrieben, aber ich hielt ihm stand, denn mein Hass auf ihn war nicht geringer.

»Wenn du dich verdrückst«, sagte ich, »dann müssen wir alle dafür büßen, und Wladimir und sein Onkel werden dich bis in die letzten Ecken des Reiches verfolgen. Und Oleg und Jaropolk ebenfalls. Denn sie alle wollen wissen, was du weißt, und sie alle werden dich eher pfählen, als zu riskieren, dass du anderen das Geheimnis verrätst.«

»Aber ich weiß doch gar nichts«, protestierte Martin ärgerlich. »Du weißt genau, dass ich mit eurer Gier nach dem Silber nichts zu tun habe. Sag es ihnen.«

»Denkst du, sie würden mir glauben? Und immerhin weißt du, woran Eldgrim und Dorschbeißer sich erinnert haben. Wenn das auch nicht sehr viel ist, so reicht es Wladimir, um dich im Auge zu behalten. Du weißt genug, Priester, dass es auch Lambisson jetzt lieber wäre, wenn du tot wärst. Und der kleine Wladimir lässt dich nur leben, weil du ein heiliger Mann bist und er sich vor deinem weißen Christus fürchtet, wenn er dich umbringen ließe.«

Er dachte einen Moment nach. Dann fiel er förmlich in sich zusammen, als sei das Gewicht dieser Argumente zu viel für ihn. Er war wirklich am sichersten, wenn er bei uns blieb, im Weißen Meer der Wintersteppe. Außerdem würde er natürlich der Lanze folgen und ihr nachlaufen wie ein Rüde einer läufigen Hündin.

»Und überhaupt«, sagte Gyrth, der zum Topf geschlendert war und hoffnungsvoll hineinsah, um sich dann beim Feuer niederzulassen, »für dich könnte es noch schlimmer kommen, Mönch, denn die Anhänger des weißen Christus werden hier nicht gepfählt, sondern …«

Alle sahen ihn überrascht an, was ihm sichtlich unangenehm war.

»Na ja, ich habe es von einem jüdischen Händler gehört«, erklärte er. »Verurteilte Christusanhänger werden verkehrt herum aufgehängt. Wie ihr Gott an diesem Baum, bloß andersherum.«

Martins Auge zuckte, denn für einen Christen war es offenbar eine schreckliche Vorstellung, so kopfunter aufgehängt zu werden – gekreuzigt, wie sie es nannten. Es war ein schrecklicher, langsamer Tod.

»Unser kleiner Christenpriester ist das ja gewohnt«, höhnte Finn. »Er hat schon einmal verkehrt herum gehangen.«

Diejenigen, die sich daran erinnerten, wie wir Martin kennengelernt hatten, kicherten. Er hatte am Mast gehangen, und Tränen und Pisse waren auf die Schiffsplanken getropft.

»Klar, dem macht ein Kopfstand nichts mehr aus«, pflichtete Kvasir bei, und das Gejohle und Schenkelklopfen klang hinter Martin her, der mit wehender Kutte aus der Halle floh.

»Er wird sich aus dem Staub machen«, sagte Kvasir und betrachtete kritisch seinen Lederriemen.

»Nicht ohne die Lanze«, erklärte Finn.

Sie schlossen Wetten ab. Aber ich wusste, er würde erst fliehen, wenn er den Schaft der Lanze in Händen hatte und irgendwohin fliehen konnte, wo er in Sicherheit war; und da draußen in der eiskalten Steppe war er nur sicher, solange er mit uns zusammen war.

Finn und die anderen steckten die Köpfe zusammen und sprachen leise darüber, wie wir, wenn es so weit war, mit Wladimirs Druschina würden kämpfen müssen, um uns den Silberschatz zu sichern. Ich ließ sie reden. Zwar war es genauso unsinnig, wie zu versuchen, ein Seil um den Mond zu schlingen, aber auf diese Weise blieben sie wenigstens einigermaßen bei Laune. Dennoch – wenn es erst so weit war, würde ich tatsächlich mit einem guten Plan aufwarten müssen, wenn ich keinen Aufstand riskieren wollte.

Später saß ich mit Jon Asanes zusammen und diktierte ihm einen sorgfältig formulierten Brief an Jarl Brand, den Jon mit seiner schönsten Schrift niederschrieb. Ich sah aus dem Fenster auf das Treiben im Hof.

»Das ist doch auch komisch«, sagte Jon und sah zu, wie ich meinen Fußknöchel, der mir bei kaltem Wetter immer wehtat, mit einer von Thorgunnas Salben einrieb. »Der alte Sveinald ist doch nicht dumm, und diese Vorbereitungen sind ihm sicher nicht entgangen. Trotzdem reitet er davon, ohne einen Blick auf all diese Wagen, die hier beladen werden, zu werfen. Sollte die Demütigung seines Jungen ihn wirklich so tief getroffen haben, dass es ihn gar nicht zu interessieren scheint, was wir hier machen?«

»In erster Linie wird sich sein Sohn gedemütigt fühlen«, sagte ich, »und das wird auch noch eine ganze Weile vorhalten.«

»Also ein weiteres Risiko für uns, und davon haben wir wahrhaftig schon genug«, erwiderte Jon, und seine Stimme klang so verbittert, dass ich ihn ansah. Aber er hatte sich schon wieder über den Tisch gebeugt und hinter seiner Haarmähne versteckt, die Zunge zwischen den Zähnen, kratzte er sorgfältig seine Zeichen aufs Pergament.

Jon war klug, auch wenn er schnell beleidigt war. Unser erneuter Versuch, an Attilas Silber zu kommen, war inzwischen ein offenes Geheimnis; die Gerüchteküche brodelte, und jeden Tag erschienen weitere Männer, die sich entweder Wladimirs Druschina oder den Eingeschworenen anschließen wollten.

Und trotz seiner vorgetäuschten Teilnahmslosigkeit wusste natürlich auch Sveinald davon. Das bedeutete, dass auch Jaropolk informiert war, den ich zuletzt als pickeligen Jüngling gesehen hatte. Und ebenso würde Oleg davon wissen, Wladimirs zweiter Bruder. Selbst wenn man davon ausging, dass es Steine gab, die über mehr Intelligenz verfügten – die Wichtigkeit der Expedition würde auch ihm bald klar sein, auch wenn ihn erst jemand mit der Nase darauf stoßen müsste.

Es war, als hätte Odin – der selbst ein Wälsung war – diesen Silberschatz so lange erhitzt, geschmiedet und geformt, bis er zu einem riesigen Fluch geworden war, der immer mehr Menschen in seinen Bann zog. Doch mit welchem Ziel?

Die nassen Federn des weißen Raben taumelten kalt und

schwerelos auf mein zum Himmel gewandtes Gesicht und legten sich auf meine Wimpern. Vielleicht hatte Krähenbein ja doch recht, und dies war der Fimbulwinter, der große Frost, der das Ende der Welt einläutete.

Als der Tag gekommen war, hatte der weiße Rabe aber gerade wieder seinen Kopf unter den Flügel gesteckt und schlief, sodass der Himmel blau war und die Sonne schien, als wir Nowgorod verließen und aufs Wolfsmeer hinauszogen.

KAPITEL 9

Die Eingeschworenen standen in Reih und Glied da, wie die Männer der Druschina des Prinzen, die sie mit leichtem Spott imitierten. Sie, die tüchtigen Männer der Wik, waren entschlossen, alles, was diese mürrischen Nowgoroder zustande brachten, noch besser zu machen. Wladimir kam angeritten, um seine Männer zu inspizieren, glänzend in lauter Gold und Silber, mit einem kleinen Säbel hockte er wie ein Zwerg auf seinem viel zu großen schwarzen Pferd – und also musste auch ich mich fein machen und mit dem lästigen Schwert an der Seite meine Eingeschworenen inspizieren. Die Bewohner Nowgorods jubelten, die Karren ächzten, und die Pferde und Ponys stampften vor Kälte und ließen große Haufen dampfender Pferdeäpfel auf die frisch gefegten hölzernen Gehsteige fallen. In diesem Moment hatte ich mehr denn je das stolze Gefühl, ein Jarl zu sein.

Die Eingeschworenen sahen nicht übel aus, wenn man bedachte, dass sie den größten Teil des Geldes aus dem Überfall auf Klerkons Lager versoffen und jede Hure, derer sie habhaft werden konnten, bis zum Umfallen gebumst hatten. Einige von ihnen hatten allerdings auch ihr Geld für anständige warme Kleidung ausgegeben, was ihnen in der kalten Steppe von Nutzen wäre. Zum Beispiel Kvasir, der einen neuen Mantel trug, gesteppt und dick mit Baumwolle gepolstert. Wir nannten diese Art von Kleidung Aketon, denn so klang es, wenn ein Nordmann versuchte, das serkländische *al-qutn* auszusprechen.

Wir wussten um die Vorteile gesteppter Kleidung unter dem Kettenhemd, hatten aber meist drei Wolltuniken übereinander für ausreichend gehalten, bis wir die Soldaten der Großen Stadt kennenlernten, die diese türkischen Kleidungsstücke trugen. Nicht nur boten sie einen besseren Schutz vor Pfeilen, sondern sie federten auch einen harten Aufprall ab, der einem die Rippen brechen konnte. Natürlich waren sie bei diesem Wetter auch angenehm warm.

Andererseits war da der schöne Lambi, der eitle Pfau, kaum alt genug, um sich ein dünnes Bärtchen sprießen zu lassen, der jetzt in seiner neuen weiten, rot-weiß gestreiften Hose bibberte, dazu trug er einen ziemlich albernen Hut mit Fransen aus langem Ziegenhaar. Doch das sah noch längst nicht so albern aus wie das, was Finn auf dem Kopf hatte, nämlich Ivars Wetterhut, über den er einen Streifen aus Vadmaltuch gebunden hatte – aber immerhin würde ihm diese Kopfbedeckung die Ohren warm halten.

Sie grinsten mich an und stampften mit den Füßen, wobei sie Dampfwölkchen vor dem Gesicht hatten und die Hände in den Umhängen verbargen, um sie warm zu halten: Klepp Spaki, Onund Hnufa, Finnlaith, der Ire, Bjaelfi – den wir Laeknir, den Heiler, nannten, denn auf diesem Gebiet hatte er einige Kenntnis – Gyrth, in warme Pelze gehüllt, die ihn aussehen ließen wie einen Tanzbären, und all die anderen. Fast alle grinsten vor Tatendrang, bis auf Jon Asanes, der keine Miene verzog und mich nur ausdruckslos ansah.

Ich sah Gisur und den roten Njal, Hauk Schnellsegler winkte mir zu, und ich nickte zurück. Hinter ihnen waren Thorgunna und Thordis, die so dick eingepackt waren, dass man sie von den Bündeln auf den Wagen kaum unterscheiden konnte, und nur den Hirschhunden schien die Kälte nichts auszumachen an diesem Tag, an dem der Himmel zwar blau war, die Sonne jedoch keine Wärme spendete.

Eigentlich hätte ich ihnen am liebsten gesagt, dass wir im Begriff seien, eine große Dummheit zu begehen, weil schon so viele bei diesem Abenteuer umgekommen waren, aber ich wusste, das hatten sie alles schon von denen gehört, die es beim ersten Mal überlebt hatten. Es war zu spät; der silberne Haken steckte tief in ihrem Fleisch, und Odin zog an der Angelschnur. Knochen, Blut und Stahl – der Schwur, der uns alle in die eisige Steppe führen würde.

Also zogen wir zum Tor hinaus, ein langer, gewundener Zug aus Schlitten und Pferden, Männern und Knaben, Sklaven und Frauen und einem unfreiwillig mitgeschleppten Christenpriester.

Die beiden jungen Prinzen ritten nebeneinander, begleitet von den wuchtigen Gestalten Sigurds und Dobrynjas sowie einigen handverlesenen Männern der Druschina in voller Rüstung, mit Helmen und Lanzen, an denen Wimpel flatterten. Sklaven und Viehtreiber mussten zur Seite springen, wenn sie nicht niedergeritten werden wollten. Es fiel mir auf, dass viele der Viehtreiber Männer aus Klerkons Mannschaft waren, die jetzt als schlecht bezahlte Helfer hier mitzogen, angelockt vom Glanz des fernen Silberschatzes.

Ich nahm mir fest vor, sie im Auge zu behalten, falls der eine oder andere glaubte, Klerkons Tod rächen zu müssen.

Natürlich hatte ich diesen Vorsatz schon eine Woche später wieder vergessen, als die eisige Wintersteppe uns umklammert hielt und wir kaum noch einen vernünftigen Gedanken fassen konnten. Zunächst schneite es Tag und Nacht, dann ließ der Schneefall nach, aber nur, um einem eisigen, stürmischen Wind Platz zu machen. Dann wieder Schnee, kleine trockene Flocken, die sich rings um unser Lager, wo die Feuer brannten, zu hohen Wällen auftürmten.

Der Schnee fiel fein wie Mehl von einem bleigrauen Himmel, er trieb wie riesige Rauchwolken übers Land und stach das Gesicht. Aber vor allem wuchs er höher und höher, sodass man schließlich die Füße nicht mehr anheben konnte, sondern durch den Schnee hindurchpflügen musste. Und dennoch, als ich einmal kurz mein Gesicht aus dem stechenden Wind drehte und mich umsah, war hinter uns alles schon wieder weiß und zugeweht. Der Schnee duldete nicht einmal, dass wir Spuren hinterließen.

Das Weiße Nichts nannte Tien es, und er musste es wissen, er war ein Bulgare vom Itil-Fluss, der bei den Slawen Wolga heißt. Wladimir hatte Tien zusammen mit ein paar Chasaren als Führer mitgenommen, und sein eigener Name, wie er uns grinsend berichtete, bedeutete »Nichts«.Und das war richtig – *tien* war der Name einer kleinen Münze, eines Nichts in der Sprache seines Stammes, der sich Eksel nannte.

»Ich tausche mit dir«, seufzte Lambi, »mein schöner Name gegen deinen Mantel und die Mütze.«

Tien lachte und zeigte seine kräftigen, gesunden Zähne. Er trug eine kegelförmige Pelzmütze mit Ohrenklappen, einen langen Zobelmantel, der mit einer Schärpe gegürtet war, und lange Pelzstiefel, was Bewunderung und Neid hervorrief. In seiner Schärpe steckte jedoch ein Dolch, und Tiens Hand war nie sehr weit davon entfernt – besonders wenn Chasaren in der Nähe waren.

Swjatoslaw hatte, ehe er starb, die Macht der Chasaren gebrochen, und die bulgarischen Stämme, die sie einst dominiert hatten, waren jetzt frei. Tien war der lebende Beweis dafür, denn er hatte die alten Gebräuche der Eksel wieder aufgenommen, sogar bei der Berechnung von Jahren und Jahreszeiten, was in den Augen der chasarischen Juden heidnisch und eine Beleidigung war.

»Jetzt ist die Zeit der Kleinen Fröste, im zweiten Jahr des Igels«, teilte er uns am letzten Abend unserer ersten Woche in der Steppe mit, und der Feuerschein huschte über sein Gesicht. Das Lager war so eingeschneit, dass niemand sich selbst zu privaten Verrichtungen sehr weit davon entfernte, denn man sah keine hundert Schritt weit und erkannte höchstens etwas bläulichen Rauch. Bei Nacht verschwand sogar der rote Feuerschein.

»Kleine Fröste?«, brummte Gyrth. »Wenn die noch größer werden, wird Finns anderes Ohr auch abfallen.«

Finn, der es nicht gern hatte, wenn man auf sein fehlendes Ohr anspielte, warf ihm einen bösen Blick zu, und alles lachte, weil es Gyrth zur Abwechslung mal gelungen war, ihn zu ärgern. Doch die Heiterkeit hielt nicht lange vor. Die Kälte drang allen ins Mark, denn selbst am Feuer, wo Gesicht und Zehen warm wurden, blieb der Rücken eiskalt. Es war einem einfach nicht nach Lachen zumute.

Tien zuckte die Schultern. »Es war schon kälter«, sagte er und sah hinüber zu den Chasaren, die zuhörten, sich aber nicht dazu äußerten.

Dankbar ließ er sich von Kvasir das Horn noch mal füllen. Der grüne Wein war kalt wie das Herz einer Hure, aber er wärmte den Magen, und Tien schmatzte genießerisch. Finn machte eine ärgerliche Bemerkung, weil Kvasir so zitterte, dass er beim Einschenken etwas davon verschüttete, denn er liebte grünen Wein, und wir hatten nur wenig davon mitgenommen.

»Wir haben auch mal gegen die Chasaren gekämpft«, sagte Tien, »sogar als wir noch selbst zur chasarischen Bevölkerung gehörten und sonst niemand den Mut dazu aufbrachte.«

Die Chasaren schwiegen, aber selbst im Feuerschein wirkten ihre Augen eiskalt. Die chasarischen Juden waren rothaarig und blauäugig, während der kleine Ekselbulgare dunkel wie ein Zwerg war – und vielleicht war er auch einer, wie Jon vermutete, denn er wusste mehr über die alten nordischen Götter als sonst die Griechen.

»Aber leider mussten wir fliehen«, sagte Tien, »denn ich war damals erst ein Junge. Wenn ich schon hätte kämpfen können wie ein Mann, hätten wir bestimmt gewonnen. Wir zogen weiter und weiter nach Norden, bis der Winter kam.«

Er nahm einen Schluck, und wir warteten. Er leckte sich genießerisch grinsend die Lippen und sah ins Feuer. »Damals war der grüne Wein dickflüssig wie Honig, so kalt war es«, sagte er verträumt. »Und die Bäume sind vom Frost mit lautem Knall geborsten, und wenn sie umfielen, sah man bläuliche Flammen. Damals habe ich zum ersten Mal die Sterne flüstern sehen.«

»Was?«, fragten wir ungläubig.

»Das Flüstern der Sterne«, wiederholte er und stieß eine lange Atemwolke aus. »Wenn man spricht, lässt der Atem deine Worte zu Eis werden, und sie fallen als Flüstern zu Boden«, erklärte er.

Dazu wusste niemand etwas zu sagen, aber man hörte einen verächtlichen Schnaufer. Er kam von Avraham, einem der Chasaren, ein stattlicher Mann mit finsterem Blick, dem man seine Überheblichkeit schon von ferne ansah.

»Deine Geschichten passen zu deinem Namen, Kleiner«, sagte er. »Aber wie du schon sagtest, ihr seid geflohen, weil wir euch in die Flucht geschlagen haben, also ist deine kindliche Erinnerung wahrscheinlich durch Kummer und Schande etwas getrübt.«

»Und wie ist es euch mit Kiew ergangen?«, fragte Tien schlagfertig. »Wie Dreck haben sie euch behandelt, und ihr wart so arm, dass jedes Haus gerade mal ein Schwert und ein Eichhörnchenfell besaß. Und dann haben sie euch erledigt, und das war eindeutig der Wunsch von Senmerv, der Göttermutter. Meine Erinnerung an das brennende Itil ist jedenfalls völlig ungetrübt.«

Avraham wollte aufstehen, wurde aber von Morut, seinem kleineren Nachbarn, zurückgehalten. »Bulgarien ging es auch nicht besser, wenn ich mich richtig erinnere«, sagte er leise, und Tien musste mit einem angedeuteten Nicken zugeben, dass Swjatoslaw die Hauptstadt seiner Leute auch niedergebrannt hatte.

Avraham machte eine wegwerfende Handbewegung und sagte: »Das kommt davon, wenn man eine Frau anbetet. Der Schöpfer von Himmel und Erde ist natürlich ein Mann. Eine Frau anzubeten ist doch völliger Blödsinn, denn wie alle wissen, ist die Frau dem Mann untertan, und warum sollte es im Himmel anders sein?«

Von der anderen Seite des Feuers kam ein verächtliches Schnauben, und ein paar der Männer, die Thorgunnas typischen Kommentar mitbekommen hatten, lachten.

»*Oior pata*«, sagte Tien, und die beiden chasarischen Juden erstarrten.

»Davon sprechen wir nicht«, sagte Avraham kategorisch.

»Was ist das denn?«, wollte Jon Asanes wissen. »Ist das der Name einer jüdischen Göttin?«

Avraham brummte etwas und sah Jon wütend an. »Wenn ich den Eindruck hätte, dass du dich ernsthaft um die Wahrheit bemühst, würde ich dich aufklären«, erwiderte er. »Aber du würdest dich ja sowieso nicht überzeugen lassen und trotzdem weiterhin diese widerwärtigen heidnischen Götter des Nordens anbeten.«

»Ich bin Christ«, sagte Jon ungehalten.

Avraham verzog den Mund.

»Den Juden allein, als dem auserwählten Volk Gottes, ist die Erkenntnis über die wahre Natur des Schöpfers zuteilgeworden«, sagte er knapp.

»Das hat euch aber gegen Swjatoslaw und die slawischen Götter auch nicht viel geholfen«, bemerkte Finn, und der Chasare bedachte ihn mit einem finsteren Blick.

»Wir sind ein Volk im Exil«, sagte er bitter. »Sobald wir ein Land gefunden haben und uns niederlassen und unabhängig leben wollen, werden wir von anderen Völkern wieder auseinandergetrieben. Man beneidet uns, weil wir von Gott auserwählt sind.«

»Mir scheint eher, dass große Herrscher nur auf ihren eigenen Vorteil aus sind«, gab ich zu bedenken. »Die Römer zum Beispiel, erst helfen sie einem Volk, und dann unterstützen sie wieder die, die gegen dieses Volk kämpfen.«

»Die Römer sind auch Christen«, sagte Avraham und sah Jon feindselig an. »Sie hassen uns.«

»Was meint er damit?«, wollte Finn wissen, und Jon zuckte die Schultern.

»Die Juden haben Jesus getötet«, sagte er. »Das weiß doch jeder.«

»Wirklich?« Begeistert wandte Finn sich an Avraham. »Ihr habt diesen weißen Christus umgebracht? Ihr habt diesen Gott gefoltert?«

»Nein«, erwiderte Avraham trotzig und unfreundlich. »Das waren die Römer, aber jetzt sind sie Anhänger dieses Christus geworden, deshalb geben sie uns die Schuld.«

Etwas ernüchtert lehnte Finn sich zurück und schüttelte nachdenklich den Kopf.

»Selbst jetzt, wo er schon so lange tot ist, schafft es dieser feige Christus immer noch, dass die Menschen sich über ihn streiten«, sagte er, und Jon warf ihm einen unwilligen Blick zu.

»Na ja, auf jeden Fall war es aber kein Christusanhänger, der den Krieg gegen die Chasaren und die Bulgaren geführt hat«, gab ich zu bedenken, und es trat Stille ein, als alle an Swjatoslaw, den großen Prinzen von Kiew, dachten.

»*Idu na vy*«, sagte Tien traurig, und alle schwiegen. »Ich werde euch angreifen« – das war Swjatoslaws letzte Botschaft gewesen, ehe er sie besiegt hatte. Jetzt war auch er gegangen, und die Steppe war frei. Avraham blickte düster drein.

»Ob sie aufeinander losgehen werden?«, fragte Jon leise, und ich zuckte mit den Schultern. Tien schwieg, und wir alle beobachteten ihn mit Spannung – solange sie sich nur anknurrten wie Straßenköter, machte es uns nichts aus.

»Warten wir ab, wie kalt es noch wird«, sagte der kleine Bulgare schließlich mit seinem stockenden Nordisch, das er mit starkem Akzent sprach. »Ich kenne die Anzeichen. Wenn wir im weißen Nichts so weit nördlich bleiben wie jetzt, wird der grüne Wein auch diesmal zu Sirup werden.«

Gyrth sah aus wie ein mottenzerfressener Bär, der zu früh aus dem Winterschlaf geweckt worden ist, aber er wusste sofort die Lösung für diese drohende Gefahr: »Dann sollten wir ihn besser austrinken, ehe es zu einer solchen Tragödie kommt.«

Finn prostete ihm zu, dann hielt er sein Trinkhorn Thordis hin, die ihn erstaunt ansah, es dann aber nahm und trank.

»Rück dichter heran«, forderte Finn sie auf, »dann wird dir wärmer.«

»Das ist ein ziemlich alter Trick«, sagte Thordis trocken.

»Kein Trick«, sagte Finn. »Dir ist kalt, und mir ist auch

kalt. Ich schulde dir zumindest etwas Wärme, sozusagen als Wergeld.«

Sie machte große Augen, denn es war das erste Mal, dass dieses Thema angesprochen wurde. Ihr Mann war umgekommen, als die Männer von Klerkons Raubzugstruppe eigentlich die Eingeschworenen gesucht hatten. Andererseits hatten diese Eingeschworenen aber dann ihr Leben aufs Spiel gesetzt, um Thordis aus der Sklaverei zu befreien. Wegen dieses Problems würden irgendwann bei einem späteren Thing noch die Köpfe rauchen.

Thorgunna stieß ihre Schwester vielsagend an, und diese rückte tatsächlich näher ans Feuer und damit auch an Finn heran, der zufrieden brummte.

»Na also«, sagte Kvasir und sah aufgeräumt in die Runde, »hier sitzen wir nun, warm und satt und mit der Aussicht, reich zu werden. Ich könnte mir Schlimmeres vorstellen.«

»Wie die Schwalbe sagte«, kam eine vertraute Stimme aus der Dunkelheit. Olaf trat näher, auch der Elchhund neben ihm schob sich näher ans Feuer, und alle sahen ihn gespannt an, nur Thorgunna sah ihn mit liebevollem Blick an.

»Was für eine Schwalbe?«, wollte Jon wissen, und Krähenbein, dessen Wangen und Lippen vor Kälte weiß waren, zog seinen weißen, mit Pelz besetzten Umhang enger um sich und setzte sich Thorgunna zu Füßen, die ihm seine weiße Wollmütze abnahm und verträumt anfing, sein nachwachsendes blondes Haar zu kämmen.

»Es war einmal eine Schwalbe, die den Winter völlig missachtete«, sagte Olaf, und alle brummten zufrieden und setzten sich bequemer hin, denn wenn er sie auch verunsicherte, so schätzten sie doch seine Geschichten.

»Nennen wir sie Kvasir«, fügte er hinzu, was mit leisem Gelächter quittiert wurde, worauf Kvasir, der auf der anderen Seite des Feuers saß, dem jungen Prinzen zuprostete.

»Und die Schwalbe Kvasir flitzte und schwirrte den ganzen Sommer über umher, bis in den Herbst hinein, als ihre Brüder und Schwestern und alle Freunde verkündeten, sie würden jetzt in wärmere Länder ziehen, ehe der Schnee kam.

Aber Kvasir hatte viel zu viel Spaß und hörte nicht auf sie, also flogen sie ohne ihn fort. Und er schwirrte weiter umher, obwohl es immer kälter wurde und er jeden Tag weniger zum Fressen fand. Eines Tages war es schließlich so kalt, dass er merkte, er hatte einen Fehler gemacht. ›Ich muss ganz schnell fliegen und die anderen einholen‹, sagte er sich. Und er brach auf, aber es war zu spät. Schneestürme heulten und warfen ihn bald hierhin, bald dorthin und brachten ihn weit vom Kurs ab …«

»Klingt wie unsere Fahrten mit der *Elk*«, knurrte Klepp Spaki, der festgestellt hatte, dass die Seefahrt nichts für ihn war. Die anderen mahnten ihn, still zu sein, und Olaf fuhr fort.

»Halb erfroren flog er weiter, aber die Schneestürme wurden immer heftiger, bis schließlich seine Flügel erfroren waren und er Hals über Kopf vom Himmel fiel.«

Olaf machte eine Pause, denn er wusste, wie man Spannung erzeugte – dieser Junge war nie und nimmer erst neun Jahre alt.

»Und dann?« Jon beugte sich gespannt vor.

»Natürlich ist er umgekommen«, knurrte Finn, was einiges Gelächter hervorrief, denn das war ein bekannter Trick.

Olaf grinste und sagte: »Er wäre umgekommen – wenn er nicht im größten, dicksten und frischesten Kuhfladen gelandet wäre, den eine gut genährte Kuh auf einem Hof direkt unter ihm gerade hatte fallen lassen. Und in der Wärme des Kuhfladens taute er wieder auf. Ihm wurde klar, wie knapp er davongekommen war, und er fing wieder an, herumzuschwirren und zu zwitschern, was für ein Glück er doch gehabt hatte. Das hörte der Hofhund und kam heraus. Er schnupperte kurz, dann schnappte er zu und fraß ihn auf.«

In der erschreckten Stille, die entstanden war, sah Olaf lächelnd in die Runde.

»Und daraus lernen wir«, sagte er langsam, »wenn man in der Scheiße sitzt und warm, sicher und zufrieden ist, dann sollte man seinen Schnabel halten, damit es nicht noch schlimmer kommt.«

Darüber mussten wir lange lachen, denn es war eine gute Geschichte, gut erzählt, und sie hatte uns Kälte und Winter für eine Weile vergessen lassen. Dennoch, wie Kvasir bemerkte, als er zu lachen aufgehört hatte, es war kein gutes Omen, seinen Namen in so einem Zusammenhang zu hören. Doch Olaf lächelte nur geheimnisvoll, als wüsste er mehr, als er zugeben wollte. Später, als wir allein waren, kam er zu mir.

»Es sind Männer unter uns, die man im Auge behalten sollte«, sagte er ernst. »Klerkons alte Mannschaft, besonders der, den sie Kveldulf nennen.«

Ich wusste, dass Krähenbein allen Grund hatte, diesen Kveldulf zu hassen, aber trotzdem schien seine Warnung vernünftig – die Männer von der *Drachenschwinge* saßen an ihren eigenen Feuern, und fast immer saß Martin bei ihnen. Das war mir eigentlich sehr recht, denn ich machte mir nichts aus seiner Gesellschaft, aber Krähenbeins Warnung hatte mich doch beunruhigt.

Trotzdem, dachte ich, was konnten sie schon ausrichten? Hier draußen in der Kälte hing unser Leben oder Sterben davon ab, dass wir zusammenblieben, allein konnte hier niemand lange überleben.

Der Beweis kam am nächsten Morgen, als wir zwei gute

Pferde erfroren vorfanden, hart wie Stein. Ihre Augen waren offen und zu Eis erstarrt und ihr Fell so steif, dass man es nicht hätte abziehen können.

Wir zogen weiter. Wir rutschten und schlitterten über gefrorenes Gras und durch Schneewehen, die außen eine Eiskruste hatten, aber innen weich wie Pulver waren. Tag um Tag kämpften wir uns vorwärts und verloren noch mehr Pferde, alle die, die zu empfindlich für die Steppe waren und hauptsächlich von den Kriegern der Druschina geritten wurden. Dann fing das Leiden unter den Männern an.

Vier der Späher, die Wladimir mitgenommen hatte – alles Klerkons Männer – kamen zu Bjaelfi, dem Heiler, nachdem sie allein draußen in der Steppe gewesen waren, und zeigten ihm ihre schwarzen Zehen, einer auch seine Nasenspitze.

Onund Hnufa wusste sofort, was es war. »In der Kälte verfault das Fleisch. Wenn es schwarz wird, ist es schon tot, und das breitet sich aus. Da gibt es nur eins: abschneiden, und zwar so schnell wie möglich.«

Der große, starke und gefährliche Kveldulf nahm die Nachricht mit großem Gleichmut auf und stimmte zu, sich die vorderen Glieder von dreien seiner Zehen abnehmen zu lassen. Doch zwei der anderen starben am nächsten Tag nach dieser Behandlung, denn Bjaelfi hatte einem den ganzen Fuß abnehmen müssen, dem anderen fast alle Zehen. Dieser erzählte, ehe er starb, dass er im Westen Rauch hatte aufsteigen sehen, nicht mehr als eine Tagereise von hier – für einen Mann mit zwei gesunden Füßen, wie er traurig hinzufügte.

Der vierte, der einen großen Teil seiner Nase und ein Ohrläppchen verloren hatte, sagte gar nichts, er stöhnte und weinte nur.

Onund hatte nicht viel Mitleid mit ihm. »Du hättest etwas mehr Geld für warme Klamotten und weniger für Huren ausgeben sollen«, fuhr er ihn an. »Aber wenigstens hattest du so viel Verstand, dir ein Paar warme Wollsocken anzuschaffen. Die beiden anderen haben ja mit nackten Füßen in ihren Stiefeln gesteckt.«

»Du hättest vernünftiger mit Orms Geld umgehen sollen«, sagte auch Gyrth und stampfte in seinen warmen Stiefeln auf der Stelle.

Ich merkte, wie die anderen aus Klerkons Mannschaft sich grimmig und vielsagend ansahen. Doch am nächsten Tag kamen wir zu einem Dorf, und das war ein solch willkommener Anblick, dass ich alles andere vergaß. Wieder einmal.

Die Rus nannten es *goradischtsche,* und zuerst dachte ich, es sei der Name des Ortes, doch später erfuhr ich, dass es lediglich ihr Begriff für »Dorf« war. Im Sommer musste es hübsch dort sein. Das Dorf schmiegte sich an die Ufer eines Flusses, der ruhig und verträumt zwischen zwei mit Weiden bestandenen Hügelkämmen dahinfloss. Jetzt waren die Bäume kahle Skelette und der Fluss nur ein glitzerndes, starres Band zwischen verschneiten Feldern und Weideland.

Jenseits des Flusses war eine riesige weiße Ebene, in der hier und da spitzblättrige Büschel aufragten, woraus wir entnahmen, dass es sich um Marschland handelte. In der Ferne sah man blassblau die Andeutung von höher gelegenem Gelände.

Es gab keine Zäune, die Grenzen waren lediglich durch Reihen von Kopfweiden gekennzeichnet. Ein weiterer Ring dieser Bäume schützte die Felder der Bewohner, doch jetzt türmten sich ringsum hohe Schneemassen auf. Im Sommer wären dort sicher Obstgärten und Felder mit Hanf, Sonnenblumen und Getreide, und am Rand des Marschlandes würde das Riedgras gedeihen. Jetzt gab es dort nur Büschel von totem braunem Gras, über das der Schnee trieb.

Das Dorf bestand aus einer Ansammlung von Hütten im Schutze eines Erdwalls, niedrig und geduckt, um im Sommer der Hitze und im Winter dem Schnee möglichst wenig Angriffsfläche zu bieten. Zwischen den Häusern standen ebenfalls hohe Weiden, die anscheinend absichtlich gepflanzt worden waren, aber die Chasaren erklärten uns, es seien ursprünglich nur Zaunpfähle gewesen, die in dieser fruchtbaren Erde Wurzeln geschlagen hatten. Jeder Pfahl, den man einschlug, würde wachsen und gedeihen und wieder zu einem Baum werden.

Wir sahen einen hohen Turm, voller Eiszapfen und mit einer Glocke darin, es gab auch ein Brauhaus und zwei Schmieden, denn die Polanen, wie das Volk dort genannt wurde, waren berühmte Waffenschmiede, was ihr Haupterwerbszweig war. Das Dorf war gut gegen die Chasaren befestigt worden, als diese noch eine Bedrohung darstellten, doch nun, da der Großfürst von Kiew tot war, lauerten neue unbekannte Gefahren.

Als wir uns näherten, fing die Glocke an zu läuten, und das Dorf erwachte zum Leben. Frauen jammerten, und Kinder heulten, weil ihre Mütter schrien und ihre Väter herumbrüllten.

Sigurd ritt vor und rief sie an, doch mit seiner silbernen Nase war er vielleicht nicht der beste Abgesandte. Wo das Metall sein Gesicht berührte, war die Haut blaurot verfärbt, und wenn ich ihn so gesehen hätte, hätte ich das Tor sicher nicht aufgemacht.

Aber sie waren Polanen und hatten von Sigurd Axtbiss gehört, also wurde das Tor schließlich geöffnet, und wir ritten hindurch – obwohl das Jammern und Wehklagen nicht aufhörte. Der Dorfälteste stand da, mit unbewegtem Gesicht, die Mütze in der Hand, als ahnte er, dass wir Not und Elend ins Dorf brachten.

Er war alt, hager und hochgewachsen, mit einem blassen, ausgemergelten Gesicht, einem grauen Schnurrbart und einem Blick wie ein geprügelter Hund. Tiefe Furchen zogen sich über Stirn und Wangen, die Haut an seinen Händen war rissig und aufgesprungen, als seien sie verbrannt. Ich hatte Sklaven gesehen, die in weit besserer Verfassung gewesen waren.

Er heiße Kowatsch, sagte er, und das Dorf heiße Malkiew – was wohl »kleine Festung« bedeutete, doch ich war mir nicht sicher – und er hatte jeden Grund, besorgt auszusehen, denn jetzt war ein Prinz angekommen, mit viel zu großem Gefolge und noch mehr Tieren, und das war schlimmer als ein Raubüberfall aus der Steppe. Gegen den hätte man zumindest kämpfen können, ehe einem die Wintervorräte abgenommen wurden.

Unsere Männer wurden auf die Häuser verteilt, wo sie sich auf dem Boden mit den Tieren um den Schlafplatz balgten und froh waren, wieder in der Wärme zu sein. Die Eingeschworenen waren in zwei Scheunen untergekommen – merkwürdigerweise waren beide leer – und drängten sich hinein, warfen ihr Gepäck ab und zündeten Feuer an, während die Dorfbewohner mit mürrischen Gesichtern ihre Hilfe anboten.

Ich ging über den Dorfplatz zur Hütte des Dorfältesten, wo sich natürlich der Prinz einquartiert hatte, zusammen mit den wichtigsten Männern aus seinem Gefolge.

»Wir befinden uns vier Tagesmärsche von Kiew«, sagte Dobrynja leise und zeigte auf die Karte, während er zusammen mit Wladimir, Sigurd und mir an einem Ende der Hütte saß, wo wir berieten, wie es weitergehen sollte. Nach

Wladimirs Ansicht war es ganz einfach, und er erklärte es uns, indem er mit seinem kleinen Dolch auf die Karte zeigte. »Wir ziehen weiter, so bald wie möglich.«

»Wir sollten hierbleiben«, entgegnete Sigurd, und das war vernünftig. Bis hierher hatten wir dreimal so lange gebraucht, wie es im Sommer gedauert hätte, wo wir uns einfach den Fluss hinab nach Kiew hätten tragen lassen. Aber natürlich konnten wir jetzt nicht nach Kiew gehen; selbst vier Tagesreisen östlich davon waren wir Wladimirs unberechenbarem Bruder Jaropolk schon zu nahe, sowie den beiden Männern, denen ich am allerwenigsten begegnen wollte – Sveinald und seinem Sohn mit dem eingedrückten Gesicht.

»Wir werden von hier so viel an Vorräten und Futter mitnehmen, wie wir können«, sagte der junge Prinz mit seiner hohen Knabenstimme, »und ziehen dann in Richtung Don. Morgen, spätestens übermorgen, aber keinen Tag später.«

»Und was wird aus den Dorfbewohnern, mein Prinz?«, fragte Dobrynja. Wladimir runzelte die Stirn, er wusste, wenn wir ihnen alles wegnahmen, war ihr Schicksal besiegelt.

»Wir bezahlen sie dafür«, sagte Olaf. Die beiden Prinzen sahen sich an und nickten. Jeder wusste genau, was das bedeutete, denn die Dorfbewohner konnten sich nicht von Hacksilber ernähren.

Das wusste auch Kowatsch, der Dorfälteste. Er trat vor den jungen Prinzen, die speckige Pelzmütze in der Hand und den Kopf gesenkt, wie es sich gehörte. Aber trotz all seiner Unterwürfigkeit war er wie eine Weide, er beugte sich im Wind, blieb aber standhaft. Es gab Vorräte, aber sie waren versteckt, und er hatte nicht die Absicht, uns zu erzählen, wo sie waren. Danach zu suchen hätte auch keinen Sinn gehabt, nicht in dieser unwirtlichen Schneelandschaft.

»Weißt du überhaupt, wen du vor dir hast, Alter?«, fragte Dobrynja streng und deutete auf den blassgesichtigen Wladimir, der mit zusammengekniffenen Lippen dasaß. Doch Kowatsch hatte klirrende Winter, glutheiße Sommer und blutige Kriege überlebt, er ließ sich von jemandem wie Dobrynja oder einem schmollenden Knaben nicht einschüchtern. Selbst Sigurds silberne Nase nötigte ihm kaum mehr als einen zweiten Blick ab.

»Ich dachte, es sei mein Prinz«, erwiderte er ruhig, »der junge Jaropolk, der auf mein Bitten hergekommen ist, aber jetzt sehe ich, dieser Knabe ist zu klein.«

»Dies ist sein Bruder Wladimir, der Prinz von Nowgorod«, sagte Sigurd barsch. Der Dorfälteste nickte, und die Furchen auf seiner Stirn wurden noch tiefer.

»Ist das so? Nun ja … Aber wenn ihr nicht auf mein Bitten hergekommen seid, dann frage ich mich, warum ihr zu dieser Jahreszeit hier in der Steppe seid.«

»Das geht dich nichts an«, fuhr Dobrynja ihn an. »Es muss dir genügen, dass wir hier sind, und du musst uns sagen, was wir wissen wollen.«

»Nun gut«, antwortete Kowatsch, »aber wenn das so ist, dann denke ich, dass der Prinz von Nowgorod, der gewiss ein guter Junge ist, etwas verlangt, was eigentlich seinem Bruder gehört. Und ich frage mich, ob sein Bruder davon etwas weiß.«

Ich musste leise lachen, denn seine Augen waren schlau wie die eines Fuchses, als er mich jetzt ansah. Wladimir wurde rot und presste die Lippen noch fester zusammen.

»Du hast überhaupt nicht zu denken«, schnauzte er den Mann an, obwohl seine Stimme dabei kiekste, was die Wirkung etwas beeinträchtigte.

Es war ganz sinnlos. Kowatsch würde nicht nachgeben, selbst wenn ich ihn, seine Tochter und seine ganze Familie verkehrt herum aufhängen und mit dem Messer der Wahrheit behandeln würde, das hinten in meinem Gürtel steckte. Er war ein Fels von einem Mann, wie die meisten seines Volkes, und man konnte seinen Mut nur bewundern.

Außerdem waren dies tatsächlich nicht Wladimirs Ländereien, und er konnte hier nicht machen, was er wollte, ohne den Zorn seines Bruders auf sich zu laden.

»Worum genau habt ihr gebeten?«, fragte ich, und alle sahen mich an. Kowatsch zog fragend die Brauen hoch, sein Gesicht war freundlich. Oh, er hätte gut in die Halle der Hinterlist von Miklagard gepasst und die Leute dort das Fürchten gelehrt.

»Orm«, stellte ich mich so verbindlich wie möglich vor, denn es schadet nichts, zumindest am Anfang höflich zu sein.

»Ein Nordmann«, sagte Kowatsch und rieb seinen Stoppelbart. »Ich verstehe ein bisschen eure Sprache. Dein Name bedeutet … Schlange?«

»Wurm«, sagte ich leichthin, dann beugte ich mich vor zu ihm. »Es wäre besser, du würdest sprechen, Alter. Denn wir sind hungrig wie Schlangen, und du weißt ja, wie hungrige Schlangen sind.«

Er nickte, dann lächelte er ein zahnloses Lächeln.

»Worum wir gebeten haben …«, sagte er, und ich erinnerte mich an meine Frage und nickte. Dobrynja räusperte sich vielsagend, aber wir ignorierten ihn.

»*Wodjanoi*«, sagte er, und Dobrynja und Sigurd hielten erschrocken die Luft an. Der kleine Wladimir wurde blass. Ich hatte keine Ahnung, wovon er redete.

»Diese Geschöpfe«, murmelte Dobrynja. »Sie ernähren sich von den Seelen der Ertrunkenen.«

»Ammenmärchen«, sagte Sigurd, aber es klang keineswegs überzeugt.

»Sie leben auf der Anhöhe, in den Sümpfen«, fuhr Kowatsch mit leiser, eintöniger Stimme fort, die bitter klang. »Hier im Dorf gibt es achtundvierzig Familien, und alle sind betroffen.«

»Wovon betroffen?«, wollte Dobrynja wissen.

»Sie kommen, diese Wodjanoi-Geister, und entführen unsere Frauen und verwandeln sie in *russalki.* Seit langer Zeit schon, ein- bis zweimal im Jahr. Dieses Jahr im Herbst haben sie wieder jemanden geholt. Meine Enkelin.«

Er verstummte, und trotz der Wärme in der gut geheizten Hütte fröstelte ich.

»Und ihr habt anscheinend nichts dagegen getan«, sagte Wladimir. Kowatsch sah ihn an und hob die Augenbrauen.

»Erst haben wir Männer zu den Sümpfen geschickt«, sagte er. »Sechs sind beim ersten Mal umgekommen, dann schickten wir wieder welche und verloren vier weitere, alles gute Waffenschmiede. Wir haben keine weiteren geschickt, denn wir brauchen die Männer, um Klingen zu schmieden und die Felder zu bestellen. Wir können gegen fast alles kämpfen, aber dagegen nicht. Also haben wir unsere Verteidigung verstärkt, außerdem bitten wir jedes Jahr Kiew um Hilfe, aber es kommt keine.«

»Eure Verteidigung kann nicht sehr gut sein, Alter, wenn sie euch weiterhin bestehlen«, sagte ich.

»Zauber vermutlich«, sagte Kowatsch sachlich, aber seine Augen waren listig zusammengekniffen. »Sie kommen nachts aus dem Marschland. Einmal habe ich so ein Geschöpf gesehen – schuppig wie eine Schlange, es rannte im Mondschein durch die Straßen und gab keinen Laut von sich. Jetzt seid ihr hier. Vielleicht hat Perun uns ja einen Krieger namens Wyrm geschickt, um diese Geschuppten zu erledigen, die ganz bestimmt aus Schlangeneiern ausgebrütet werden. Der Gott hat schließlich diese Kälte geschickt, damit das unzugängliche Marschland gefriert; ich kann mich nicht erinnern, dass das jemals vorher passiert ist.«

Am Gesichtsausdruck derer, die Kowatsch kannten, sah ich, dass er wahrscheinlich noch nie eine so lange Rede gehalten hatte, folglich trat jetzt erst mal Stille ein, die nur unterbrochen wurde vom Knall eines berstenden Holzklotzes im Feuer.

»Wenn wir also diese Bedrohung für euch beseitigen, dann teilt ihr eure versteckten Vorräte mit uns, verstehe ich dich richtig, du alter Schlaukopf?«, brummte Sigurd schließlich. Er quittierte Kowatschs zustimmendes Nicken mit einem verächtlichen Schnauben.

»Wenn wir dich an deinen mageren Daumen aufhängen, wirst du es uns auch so ganz schnell verraten«, sagte er.

»Wir müssen auch nicht dich nehmen«, fügte Dobrynja sogleich an. »Ich könnte zum Beispiel mit der Mutter deiner Enkelin anfangen.«

Kowatsch zuckte unwillkürlich zusammen und senkte den Kopf; denn schließlich war er nichts weiter als ein bedauernswerter alter Mann, der keine Macht hatte über das Schicksal, das über ihn hereingebrochen war. Doch hatte er in seinem Leben schon so viele Stürme ausgestanden, dass er ein dickes Fell bekommen hatte. Ich war mir sicher, dass er weniger ängstlich war als Finn.

Dennoch sahen Dobrynja und ich uns an. Das Privileg, Gewalt gegen diese armen Bauern und Schmiede anzuwenden, überließen wir gern Wladimirs Bruder; ein offener Angriff dieser Dorfbewohner könnte nämlich genau den Konflikt heraufbeschwören, den Nowgorod vermeiden wollte.

»Ein kleiner Erkundungsgang über die gefrorene Marsch also«, sagte Dobrynja schließlich schulterzuckend und sah mich an. »Was ist schon dabei?«

»Dann macht es doch«, knurrte Finn ungeduldig, als ich in der Scheune, die die Eingeschworenen hier stolz ihre Halle nannten, den anderen davon erzählte. »Was zum Henker soll denn so ein Woidedoi sein oder dieses andere Ding?«

»Wodjanoi«, sagte Krähenbein. »Der Wassermann. Man sagt, er entführt junge Mädchen und verwandelt sie in Russalken, Wassergeister, die in der Marsch und am Flussufer leben. Diese Russalken sind wunderschön, mit weißer Haut und langem grünem Haar, das immer feucht ist, denn wenn ihr Haar trocknet, dann sterben sie. Deshalb haben sie immer Kämme dabei, und wenn sie sie durch ihr Haar ziehen, können sie das Land überfluten. Man sagt, sie können sich auch in Wasservögel verwandeln und haben Schwimmhäute zwischen den Zehen …«

Er verstummte, weil er merkte, dass wir ihn alle anstarrten.

»Ich kenne da eine Geschichte über sie«, sagte er trotzig.

»Dann behalte sie für dich«, fuhr Finn ihn wütend an. »Diesem Dorfältesten ist wohl der Hirnkasten eingefroren. Glaubt der diesen ganzen Quatsch wirklich?«

»Nun, wenn er verrückt sein sollte«, meinte Thorgunna, »dann sind die anderen in diesem Dorf es auch – denn auch hier in diesem Haus trauern eine Frau und ihr Mann um eine Tochter.«

Es war Kowatschs eigene Tochter, die mit einem Holzlöffel in jeder Hand Bier rührte und uns schluchzend erzählte, wie sie draußen einen Schatten gesehen hatten, und gleich darauf hatten sie einen unterdrückten Schrei gehört. Ihre Wangen waren rau vom Weinen und von der Kälte, ihre traurigen braunen Augen rot geändert. Ich sagte ihr nicht, dass es noch viel schlimmer hätte kommen können – wenn sie von Sigurd und Dobrynja an den Daumen aufgehängt und verhört worden wäre. Sie klang schon jetzt völlig verängstigt, und ihre Tränen waren echt.

Ihr Mann behauptete, er hätte das Geschöpf mit einer Sichel angegriffen, und ich beobachtete ihn genau, wie er die Geschichte – mit vielen Ausschmückungen – erzählte. Sein Gesicht war so breit und flach, dass Wangen und Nase wie Galläpfel an einer Eiche wirkten, deren Rinde vom Wind stark verwittert war. Er trug sein Haar, das offenbar noch nie geschnitten worden war, zu Zöpfen geflochten, deren Enden versengt und stark gekräuselt waren.

Er sah nicht aus wie jemand, dem man leicht Furcht einjagen konnte. Seine Arme waren hart und muskulös und mit Bildern von Pferden verziert.

»Schuppig wie ein Hühnerbein«, fügte er bestätigend hinzu, aber dabei wanderte sein Blick unruhig hin und her, und ich fragte mich, warum.

Der Wodjanoi hatte seine Tochter entführt, die vierzehn Jahre alt war. Wie ich von ihrer Mutter und den anderen erfuhr, war sie eine kleine Schönheit mit weizenblondem Haar. Es gab noch weitere Geschichten, von entführten Töchtern und verschwundenen Tieren, und weil diese Menschen waren, wie sie waren, trauerten sie zwar um ihre Verluste, doch sie akzeptierten sie. Und doch war an dieser Geschichte irgendetwas faul, ich wusste nur noch nicht, was.

Ich saß da und dachte nach, umgeben von Gemurmel und dem Gelächter von Menschen, die satt waren und warme Füße hatten; es roch nach Bier und ungewaschenen Körpern. Ein kleines Mädchen, das auf einem Auge blind war, sodass man nur das Weiße sah, spielte »Fuchs und

Hühner« mit den Männern, und sie lachten, als die Kleine mit großem Geschick gewann.

Im Schein des Feuers saß ich mit Finn, Kvasir und einigen anderen zusammen, und mit gedämpften Stimmen, so leise wie der aufsteigende Rauch, sprachen wir über die Aufgabe, die zu erledigen man jetzt offenbar von uns erwartete.

Keinem von uns war sonderlich wohl bei der Vorstellung, schuppigen Wassermännern nachzustellen, die lautlos über das tückische Marschland huschten, einen Fluss durchquerten, Palisaden überwanden und Wächtern entwischten, während sie blökende Kälber und um sich schlagende Jungfrauen mit sich führten.

Wir redeten uns die Köpfe heiß und kamen immer wieder zum selben Ergebnis: Es blieb uns keine andere Wahl, als zu diesem Ort in der Marsch zu ziehen und herauszufinden, was es mit der Sache auf sich hatte.

»Höchstwahrscheinlich werden wir dort nichts weiter finden als ein paar zerlumpte Geächtete«, meinte Kvasir. »Ihr werdet schon sehen. Ausgestoßene, die sich alles, was sie zum Leben brauchen, zusammenklauen müssen, sogar jemanden zum Bumsen.«

»Geisterhafte Geächtete fehlen mir gerade noch«, brummte ich, und stumm rätselten wir weiter darüber, ob Kowatsch und die Dorfbewohner uns nicht vielleicht nur einen riesigen Bären aufgebunden hatten.

Schließlich beendete der rote Njal unser Debatte. Schwerfällig erhob er sich und seufzte.

»Es bleibt uns wohl nichts anderes übrig, als zu tun, was man von uns erwartet«, sagte er. »Aber langsam und mit Bedacht. Die Sonne bewegt sich auch, ohne dass man es merkt, und doch überquert sie an einem Tag die ganze Welt, wie meine Großmutter immer sagte.«

»Ich wünschte, deine Oma würde jetzt auch für mich losziehen«, knurrte Finn zurück.

Wir hatten entschieden, dass Kvasir, Finn und ich uns aufmachen sollten, dazu Sigurd und etwa ein Dutzend seiner Männer, alle bewaffnet und mit Rüstung, außerdem sollten Morut und Avraham mitkommen. Jon Asanes schmollte wieder einmal, weil ich ihn nicht mitnehmen wollte, aber er hatte ja selbst zugegeben, dass er kein großer Kämpfer sei.

»Aber Olaf darf mit«, sagte er mürrisch. Krähenbein durfte mit, weil sein Onkel Sigurd ebenfalls mitkam und ich über ihn nicht bestimmen konnte, aber das wollte Jon nicht einsehen. Krähenbein spöttelte, dass es ihm ja nur um Wladimirs wohlwollendes Lächeln gehe, worauf Jon rot vor Zorn hinausstürmte.

In die Hände blasend und stampfend traten wir hinaus zu unseren Pferden. Wir alle wollten reiten, nur Finn machte ein skeptisches Gesicht, er ritt höchst ungern, und da half es auch nichts, dass ich mich leicht und locker in den Sattel schwang und lachend auf ihn hinunterblickte.

»Pass auf dich auf«, sagte Thorgunna zu Kvasir und zog ihm den Umhang dichter um den Hals. »In dem Sack am Sattelknopf ist Gebäck und Käse und der Rest vom Fleisch. Ach ja, und auch ein Schlauch mit Bier. Ihr werdet wohl nicht vor Einbruch der Dunkelheit zurückkommen, also pack dich heute Abend gut ein.«

»Ist ja schon gut, Frau«, wehrte er sich gegen ihre Fürsorge, doch es klang nicht grob. Missmutig kletterte Finn in den Sattel, dann warf er Krähenbein einen wütenden Blick zu und sagte streng: »Dein dämlicher Köter bleibt aber hier.«

Krähenbein nickte, denn ich hatte ihm bereits klargemacht, dass der Elchhund zurückbleiben musste. Er wurde angebunden und jaulte hinter uns her, als wir durch das Haupttor ritten und uns in einem Halbkreis dem Fluss näherten, von besorgten Blicken begleitet. Einer der Dorfhunde lief ein Stück mit, bis er einen erfrorenen Vogel fand, der auf dem Weg lag.

Der Fluss war zugefroren, und der Schnee trieb über das Eis. Wir überquerten ihn dort, wo sonst eine flache Furt war, ohne auch nur einen Riss im Eis zu hinterlassen. Dann ritten wir hinaus in das unebene verschneite Marschland, und bald waren die Palisaden des Dorfes hinter uns nur noch eine undeutliche dunkle Linie in der Ferne.

Die Marsch glitzerte, bei Tauwetter wäre sie ein unberechenbares Terrain aus Sumpf und Gräben gewesen – unpassierbar, wie Krähenbein bemerkte, wenn man nicht, wie diese Wassermänner, geheime Wege kannte.

»Geächtete«, korrigierte Kvasir und rieb sein tränendes Auge. An diesen Gedanken klammerten wir uns, als wir durch das scharfe Riedgras ritten und auf einen Felsen zuhielten, der immer dunkler wurde, je näher wir kamen.

Die Sonne schwebte wie ein riesiger Blutstropfen über dem Rand der Welt, und unsere Schatten wurden lang. Mit jeder Meile, die wir zurücklegten, kam uns der schwarze Fels bedrohlicher vor. Von ihm ging etwas Unheimliches aus, dass es uns kalt über den Rücken lief.

In seiner Nähe standen Gruppen kahler Bäume, die ihre nackten Krallen in den Himmel reckten. Im Sommer wäre hier alles grün, und der Fels wäre sanft gerundet – doch jetzt sah es aus, als hätte Jormundgand, der Weltendrache, einen Teil seines Panzers durch die Erdkruste gedrückt und dabei eine Schuppe verloren.

»Ein idealer Schlupfwinkel für Geächtete«, bemerkte Kvasir, der ein dickes Stück Brot kaute und kleine Steinchen ausspuckte.

Beim Näherkommen hörten wir merkwürdige Töne, es klang wie Glocken, die unter Wasser läuteten. Meine Nackenhaare stellten sich auf, wir griffen alle nach unseren Waffen und ritten langsamer, wobei wir uns immer wieder vorsichtig nach allen Seiten umsahen. Finn stieg vom Pferd; er wollte nicht vom Sattel aus kämpfen, außerdem hatte er schon so lange über seinen wunden Hintern geklagt, dass ich besser darüber Bescheid wusste als seine eigene Hose.

Bald hatte Morut die Quelle der Geräusche entdeckt. In einem der kahlen Bäume hing der gebleichte Schädel einer Kuh, und an ihm baumelten weitere Knochen, die mit Pferdehaar angebunden waren. Im Wind bewegten sie sich und stießen gegeneinander, aber die starken, mutigen Männer der Druschina rutschten unruhig in ihren Sätteln herum und machten Abwehrzeichen, bis Sigurd sie anschnauzte, sie sollten aufhören, sich wie Weiber zu benehmen.

»Die Zeichen der Geächteten«, brummte Finn spöttisch. Kvasir sagte nichts, er sah sich nur nach hinten um, wo die Sonne zitternd am Rand der Welt stand. Sein Gesichtsausdruck reichte mir völlig, und schon der bloße Gedanke, die Nacht hier verbringen zu müssen, ließ meine Gedärme revoltieren.

Trotz allem, wir hatten keine Wahl, immerhin war genug Holz da. Es lag aber nicht nur an der Kälte, dass wir unser Feuer so groß wie möglich machten und ständig wachsam um uns blickten. Der Mond war groß und rund wie ein Mühlstein, und am Himmel waren so viele Sterne, dass man sich unwillkürlich duckte wie unter einem Torbogen.

»Oben in der Finnmark gab es einmal eine Gruppe von Männern«, sagte Krähenbein und starrte ins Feuer, »die wollten nach den Schätzen der Trolle suchen.«

Ich hatte jetzt keine Lust auf eine seiner Geschichten, denn die hatten meist eine unangenehme Spitze, deshalb bat ich ihn, damit aufzuhören. Doch er sah mich nur mit seinen merkwürdigen zweifarbigen Augen an und zog seinen schmutzig weißen Umhang fester.

»Lass doch den Jungen erzählen«, brummte einer der Slawen, ein großer Kerl mit einem platten Gesicht, der Gesilo hieß. Seine Kameraden in der Druschina nannten ihn Bezdrug, was so viel wie »Ohne Freund« heißt, und man spürte auch, warum.

»Es wird dir nicht gefallen«, sagte Avraham, aber Gesilo knurrte nur. Krähenbein räusperte sich.

»Es waren also drei Männer, die wussten, dass die Felsentrolle in der Gegend immer hinter Gold und Silber her waren und es horteten, und sie dachten, es wäre doch eine gute Sache, wenn sie auch etwas davon hätten. Einer von ihnen – nennen wir ihn Gesilo – sagte, das sei leicht, denn Felsentrolle würden sich am Tage in Stein verwandeln und nur bei Nacht zum Leben erwachen. Es sei also ganz leicht, man könne sie ausrauben, wenn sie versteinert waren, und gegen Abend wäre man schon über alle Berge.«

»Ein kluger Plan«, stimmte Gesilo zu. »Der Mann hat den richtigen Namen, denn diesen Plan hätte ich mir auch ausgedacht.«

Er stieß seinen Nachbarn an, der aber nicht lachte.

»Die drei Freunde zogen weit nach Norden zum Dovrefjell«, fuhr Krähenbein fort. »Sie sahen viele Felsbrocken, die wie versteinerte Trolle aussahen, aber bei keinem von ihnen zeigte sich auch nur die Spur eines Schatzes, und es wurde immer schwerer, irgendwo eine Stelle für ein Nachtlager zu finden, an der keine solchen Felsbrocken lagen.

Nachdem sie ein paar Nächte so verbracht hatten, wollten die beiden anderen umdrehen, aber Gesilo deutete auf einen großen, kahlen Hügel. Dort oben ragte ein Fels auf, der ganz von kahlen Bäumen umstanden war. Er war sicher, dass sie dort Trollschätze finden würden.«

Alle, die zuhörten, rutschten unruhig auf ihren Plätzen herum, und es war nicht schwer, den Grund zu erraten: Krähenbein hatte genau den Ort beschrieben, an dem wir uns jetzt befanden. Ich wollte dem kleinen Wicht sagen, er solle endlich seine vorlaute Klappe halten, aber ich brachte es nicht fertig. Wie ein Mann in einem Langschiff, das auf den Rand der Welt zusteuert, konnte ich das Ruder weder in die eine noch in die andere Richtung lenken, weil ich sehen wollte, was jenseits des abfallenden Wassers lag.

»Die drei Freunde brauchten den ganzen Tag, um zu diesem Berg zu kommen«, fuhr Krähenbein mit seiner hellen Kinderstimme fort. »Es wurde schon dunkel, als sie ihn erreichten, es war ein großer schwarzer Felsbrocken, voll kahler Bäume und umgeben von weiteren großen Steinen und Felsen, von denen viele verzauberte Trolle sein konnten. Die beiden anderen meinten, es könne gefährlich werden, denn es gab nirgendwo ein Versteck, und sobald es dunkel sei, würden die Trolle wütend angestampft kommen. Aber Gesilo kletterte an der steilen Seite des Felsens hoch und rief den anderen zu, auf halber Höhe sei eine Höhle, und wenn einige dieser Felsen vielleicht Trolle seien und zum Leben erwachten, dann würden sie auf keinen Fall in diese Höhle passen. Damit war es entschieden. Die beiden anderen folgten ihm und hatten auch bald die Höhle erreicht, die genau so war, wie Gesilo sie beschrieben hatte. Sie war zu dunkel, um sehen zu können, wie tief sie war, aber sie wurde immer enger, konnte also keine Bärenhöhle sein. Sie war gerade hoch genug, dass sie darin sitzen und ein Feuer anzünden konnten. Es wurde dunkel, aber sie waren ganz guter Dinge, denn sie glaubten sich in Sicherheit, und sie hatten ein großes Feuer.«

Kvasir warf ein Stück Holz in das unsere, worauf Funken stoben und Flammen aufflackerten, sodass einige der Männer zurückwichen. Verlegen grinsend setzten sie sich wieder zurecht, als Krähenbein weitererzählte.

»Schließlich ging ihnen das Holz aus, und sie zogen Lose, um zu bestimmen, wer im Dunkeln hinausgehen und neues Holz holen sollte. Einer – wir wollen ihn Orm nennen – zog den kürzesten Halm. Widerwillig verließ er das Feuer und machte sich auf in die Dunkelheit.«

»Also, das ist eine Lüge«, brummte Kvasir. »Ich kann mich nicht erinnern, dass Orm jemals Holz geholt hat oder Wasser oder sonst etwas ...«

»Ich bin schließlich der Jarl, du Hundearsch«, gab ich zurück. Ich wollte mich ein bisschen streiten, damit Olaf endlich mit seiner Geschichte aufhörte – aber Krähenbeins Erzählungen waren wie die verzauberte Salzmühle, die das Meerwasser salzt – wenn er einmal angefangen hatte, war er nicht mehr aufzuhalten.

»Orm ging los«, fuhr Krähenbein fort. »Die Bäume schienen nach ihm zu greifen wie Krallen, also beschloss er, so schnell wie möglich so viel Holz aufzusammeln, wie er konnte, und in die Höhle zurückzukehren, die er hoch über sich leuchten sah. Dann hörte er ein schreckliches, mahlendes Geräusch. Als er sich umdrehte, sah er einen Felsentroll, groß wie ein Haus. Ein Mensch, ganz aus Steinen gemacht. Als er sprach, klang es wie eine Steinmühle, und er wollte wissen, was Orm hier machte und warum er seinen alten Großvater verärgert hatte. Orm war verwirrt, entschied aber, dass es nicht klug wäre, Schätze zu erwähnen, also sagte er, er sammle Feuerholz, was ja wohl nicht weiter schlimm sei, und wie könne das seinen Großvater verärgern? Der große

Felsentroll hob die Faust, und es war klar, dass er Orm in den Erdboden rammen wollte. Orm, der nicht weglaufen konnte und sich verloren glaubte, fragte abermals, warum das Sammeln von Feuerholz den Großvater des Trolls verärgern könne. Dann hörte man einen Schrei, der Feuerschein oben in der Höhle erlosch, und das Schreien seiner Freunde verstummte. Wieder gingen die großen Steinfäuste hoch, um Orm zu zerschmettern, und das Steingesicht grinste wie eine Felsspalte. Ihr hättet das Feuer nicht in seinem Mund anzünden sollen, antwortete der Troll.«

Es war still geworden, und diejenigen, die den großen dunklen Felsen im Rücken hatten, duckten sich unwillkürlich, als fühlten sie den Atem im Nacken. Jetzt erinnerten sich alle wieder, dass er tatsächlich wie ein Kopf ausgesehen hatte, wie er sich da aus dem glitzernden Marschland erhob, mit der schütteren Baumgruppe, wie der Schädel eines Sklaven.

Avraham lachte über Gesilos betroffenes Gesicht. »Ich hab dir ja gesagt, dass es dir nicht gefallen würde.«

Noch weniger gefiel es Gesilo und den anderen am nächsten Morgen, als es langsam hell wurde und die Bäume im gespenstischen Morgenlicht aussahen wie dürre Hände. Keinem von uns war besonders wohl zumute.

Der Fels war nicht höher als ein paar hundert Schritte, aber in der flachen, weiten Ebene kam er uns vor wie ein Berg mit tiefen Rissen und Spalten, als hätte einer von Krähenbeins Trollen ihn mit einer Steinaxt bearbeitet. Wir alle bewegten uns vorsichtig und sprachen im Flüsterton.

Krähenbein stand da, wie immer in seinen weißen Pelzumhang gewickelt, den Kopf auf die Seite gelegt, als lausche er, während die Männer sich wie Schatten bewegten und zusammenzuckten, wenn die Pferde stampften oder zu laut schnaubten.

Natürlich musste ihn jemand fragen.

»Was hörst du?«

Krähenbein sah den Sprecher an, einen bärtigen Riesen namens Rulaw, der sein großes Pferd am Zaum hielt.

»Nichts«, sagte er. »Keinen Ton.«

Das war richtig, doch nachdem er es gesagt hatte, merkten wir alle plötzlich, wie unnatürlich still es hier war. Kein Windhauch, kein Flügelschlag eines Vogels. Die Männer murmelten etwas und machten Abwehrzeichen.

»So ein feiger Haufen«, sagte Sigurd düster, aber er warf auch seinem Neffen einen strafenden Blick zu. Morut lachte nur und stieg auf sein zotteliges Steppenpony. Er ritt in den Morgendunst und verschwand, und die Männer mit ihren wirren Bärten und den langen ledergefütterten Kettenhemden sahen ihm nach und wünschten sich seinen Mut.

Ich legte Krähenbein die Hand auf die Schulter.

»Es ist Zeit für dich zu lernen, dass auch eine Stille wie diese ihren Wert haben kann«, sagte ich zu ihm, und er nickte. Jetzt war er nur noch ein blasser, ängstlicher Neunjähriger.

Die Männer der Druschina waren ziemlich unglücklich, als sie erfuhren, dass sie jetzt ihre Pferde zurücklassen und sich diesem dunklen Fels zu Fuß nähern mussten. Finn, Kvasir und ich dagegen waren erleichtert, und als wir unsere einfachen Kettenhemden überstreiften, bedachten uns die Slawen, die schwer an ihrer Rüstung trugen, mit neidischen Blicken. Ihre Schutzkleidung war zum Reiten an den Beinen geteilt und reichte bis an die Knöchel hinunter.

Wir warteten, bis Morut wieder erschien. Er wischte sich die Nässe vom Gesicht.

»Da vorn ist ein Teich mit frisch aufgehacktem Eis«, sagte er. »Es ist gar nicht weit von hier, gerade dort, wo es steil den Berg hinaufgeht. Dort holen sie sich bestimmt ihr Wasser – und das muss erst vor Kurzem passiert sein. Zu den Felsen führt ein Pfad hinauf.«

»Und wie steht's mit den grünhaarigen Jungfrauen?«, fragte Finn verächtlich. »Kämmen sie schon ihr Haar?«

Morut lachte, und die schwerfälligen Slawen verdauten erst mal seine Bemerkung über die Felsen und den Aufstieg. Das war nicht gerade das, was diese großen, bärtigen Krieger hören wollten, aber Sigurd rückte nur seine Silbernase gerade, durch die ein verächtlicher leiser Pfeifton drang. Sie luden sich die Schilde auf den Rücken, hielten ihre Schwerter umklammert und stolperten los, wobei ihnen die schweren Mäntel gegen die Füße schlugen. Die Männer, die zurückgeblieben waren, um die Pferde zu bewachen, waren nicht viel glücklicher, sie waren nur wenige und blickten ängstlich um sich.

Der Teich war genau so, wie Morut ihn beschrieben hatte, weißes, undurchsichtiges Eis mit einem schwarzen Loch in der Mitte, wo es aufgehackt worden war. Wenn es eine Spur zu dem Wasserloch gab, so sah ich sie nicht, aber das war auch nicht notwendig, denn wir sahen einen Jungen mit einem Ledereimer davonrennen; er war flink wie ein Hase, doch genauer hätte er uns den Weg auf den Berg nicht zeigen können.

Mit Triumphgeschrei trampelte die gesamte Druschina hinter ihm her, auch wenn Sigurd die Männer brüllend aufzuhalten versuchte. Finn blieb stehen, blies ein paar Tropfen vom Schnauzbart und schüttelte den Kopf.

»Können Ochsen einen Hasen fangen? Ich setze auf den Jungen.«

Er gewann, allerdings nur knapp. Im Rennen drehte der Junge sich nach den lärmenden Männern um, die hinter ihm herpolterten – und lief gegen einen Baum. Er fiel rückwärts auf seinen Hintern, und der Eimer hüpfte den Abhang hinab, wo ihm einer der Slawen mit Freudengeheul einen Fußtritt versetzte.

Natürlich wurde der Junge gefangen. Er war torkelnd wieder aufgestanden und schnappte mühsam nach Luft. Ich sah dunkles wirres Haar, Felle und wollene Lumpen. Er war barfuß, also in dieser Kälte so gut wie verloren.

Als Erster war Gesilo bei ihm. Er streckte die Hand aus, um ihn zu packen, die schwere, scharfe Klinge in der anderen.

»Ich will ihn lebend«, brüllte Sigurd, aber wer weiß, was der Slawe vorhatte. Er kam nicht mehr dazu, denn kaum hatten seine harten, schwieligen Finger den Jungen berührt, als mit gellendem Schrei eine Gestalt zwischen den schneebedeckten Felsen hervorbrach und ein Speer Gesilo mitten ins Gesicht traf.

Er heulte auf und fiel nach hinten, sein Unterkiefer hing lose herab, und das Blut spritzte. Eine Hand griff nach dem Jungen und schob ihn weiter den Berg hinauf. Ich nenne es eine Hand, aber eigentlich war es eine Klaue. Das Geschöpf, das sich vor den Jungen gestellt hatte, breitbeinig, mit warnendem Fauchen und mit dem Speer bewaffnet, ließ alle Slawen wie festgewurzelt stehen bleiben.

Es hatte die Gestalt eines Mannes, doch das Gesicht war aus der Form geraten, als hätte man die Knochen zusammengequetscht und die Haut fest darüber gespannt, sodass es wie ein Frosch mit breitem Maul aussah. Die Augen quollen hervor, dazu hatte es einen schütteren Bart und dünnes strähniges Haar. Das Etwas war nackt bis auf ein Fell, das es um die Lenden geschlungen hatte.

Und es war schuppig. Jeder sichtbare Teil seines Körpers. Schuppig wie ein Hühnerbein, genau wie man es uns geschildert hatte, von den Füßen mit den dicken Nägeln bis zu dem spärlich bewachsenen Kopf. Die Hände, mit denen es den Speer hielt – eine gut gearbeitete Waffe, wie ich feststellte –, waren gelb und hornig, mit Fingernägeln so lang wie Krallen.

Es herrschte vollkommene Stille, bis auf das Geräusch, das der Junge machte, als er bergauf zwischen den Felsen verschwand, und das rasselnde Atmen des schuppigen Trolls, der seinen Rückzug deckte. Dann stieß Finn ein tiefes Knurren aus, griff den Godi, und mit Odins Namen auf den Lippen stürmte er los, wobei er die noch immer wie angewurzelt dastehenden Slawen einfach zur Seite stieß.

Ich verfluchte das Valknut-Symbol, das er trug, und rannte hinter ihm her, gefolgt von Kvasir, der knapp hinter mir an meiner ungeschützten Seite lief.

Als Finn ihn erreichte, sammelte der schuppige Troll seine Kräfte, trat zurück, drehte den Speer um und senkte ihn fast auf Bodenhöhe, wobei er gleichzeitig eine halbe Drehung vollführte. Einen anderen hätte es an den Fußgelenken erwischt, und er wäre gestürzt, aber Finn sprang darüber, und der Troll stand ungeschützt da für einen Hieb von oben, doch Finn rutschte auf dem vereisten Felsen aus und fiel aufs Gesicht.

Aufheulend trat der Schuppige zurück, wirbelte den Speer herum, sodass die Spitze wieder nach vorn zeigte, und stach zu. Ich brachte meinen Schild gerade noch in letzter Sekunde dazwischen, doch der Speer traf mit voller Wucht darauf und riss ihn mir aus der Hand, sodass der Schild wie ein Rad den Berg hinunterrollte.

Nur einen Wimpernschlag später brachte Kvasir sein Wellenschwert auf den Hals des Trolls nieder, dort, wo er in die linke Schulter überging. Der Hieb ging so tief, dass zusammen mit dem Blut auch sein Schlüsselbein durch die Luft flog. Er starb mit so grausigen Klagetönen, dass man eine Gänsehaut bekam, während sein Blut über die Felsen floss. Finn und ich halfen uns gegenseitig auf, Handgelenk an Handgelenk.

»Guter Treffer«, brummte Finn und blies das Blut von seiner Nase, die er sich auf dem felsigen Boden aufgeschlagen hatte. Dann verzog er das Gesicht zu einem Grinsen und sah Kvasir an. »Geächtete?«, sagte er. »Nie und nimmer.«

Kvasir grinste nicht. Er stand da und starrte auf das, was er getötet hatte, während die schuppigen Fersen noch ein paarmal auf den Boden schlugen und ein Arm zuckte. Die Slawen der Druschina kamen näher, vorsichtig wie Katzen. Sie griffen nach ihren Amuletten und den kleinen Säckchen mit Abwehrzauber.

Als alle wieder Mut gefasst hatten, sahen wir uns den schuppigen Troll näher an und merkten, dass er doch ein Mann war, aber kaum alt genug für diese Bezeichnung. Die Schuppen bedeckten seinen ganzen Körper, sie gingen ineinander über und waren hart wie Fingernägel, nur hier und da hatte er rote, wunde Hautfalten.

»Vielleicht eine Krankheit«, sagte Sigurd und zerrte mit seinem Schwert das Lendentuch weg. »Seht mal, er hat einen Schwanz wie ein Mann, und dort hat er auch keine Schuppen.«

»Noch nicht«, sagte Finn unbeeindruckt. »Er war ja noch jung.«

Unter kleinen Pfeifgeräuschen durch seine Silbernase stieß Sigurd sein Schwert in den Schnee, um es zu säubern, aber selbst danach starrte er noch angewidert darauf, als überlegte er, ob er es behalten solle oder nicht.

Es gab noch andere Stellen am Körper des toten Jungen, die keine Schuppen aufwiesen – die Hüfte, die Kniekehlen und der größte Teil seiner Arschbacken waren so normal wie bei anderen Menschen.

»Der andere Junge war nicht wie dieser«, bemerkte Morut und sah den Berghang hinauf, wo der kleine Junge mit den wilden Haaren verschwunden war.

»Das sah man deutlich«, stimmte Kvasir zu.

»Dieser hier hat ihn beschützt und ist für ihn gestorben«, sagte Avraham. »So benimmt sich eigentlich kein Ungeheuer.«

Finn spuckte aus. »Wölfe kämpfen auch, wenn es ums Rudel geht«, erwiderte er. »Sind sie damit schon Menschen?«

Für die Slawen jedenfalls waren diese Geschöpfe Ungeheuer, Schlangenmenschen oder schuppige Trolle oder etwas noch Schlimmeres. Deswegen, und auch wegen der möglichen Gefahr einer furchtbaren Krankheit, murrten und schimpften sie untereinander, bis schließlich Sigurd zu mir kam und wütend und beschämt zugleich zugab, sie seien überzeugt, dass diese schuppigen Geschöpfe die Nachkommen von Tschernobog seien, dem schwarzen Todesgott. Deshalb würde es schwer sein, meinte er, seine Männer zum Weiterziehen zu bewegen.

»Wie schwer?«, wollte ich wissen. Ich war ebenfalls wütend und wollte ihm diese peinliche Situation nicht ersparen. Sein Blick, bei dem die Haut um seine silberne Nase ganz weiß wurde, sagte genug.

»Dann gehen wir ohne euch weiter«, sagte ich. Ich hoffte, das klang mutig genug für einen Nordmann, wünschte aber gleichzeitig insgeheim, ich wäre auch einer von den Slawen. Finn stieß ein unternehmungslustiges »Heya« aus. Er ärgerte sich noch immer, dass er im ungünstigsten Moment gestürzt war, und er wollte sich und Odin unbedingt beweisen, dass diese schuppigen Geschöpfe für ihn und den Godi kein Problem darstellten.

»Ich komme mit, wenn du willst«, sagte Morut, und ich

nickte, denn seine Fähigkeiten im Spurenlesen würden nützlich sein.

»Ich auch«, sagte Avraham, »denn so was habe ich noch nie in meiner Steppe gesehen, und ich möchte gern Näheres darüber wissen.«

»In *deiner* Steppe …«, spottete Morut.

»Meine so gut wie deine«, sagte Avraham trotzig. Sofort fingen sie wieder eines ihrer Streitgespräche an, die sie zu ihrem Wohlbefinden genauso brauchten wie ein Nordmann sein warmes Feuer und ein Haus mit guten, dicken Wänden.

Krähenbein wollte auch mitkommen, was mutig von ihm war, aber Sigurd sagte ihm – und zwar energischer, als er bisher mit ihm umgegangen war –, er solle jetzt seinen Mund halten und bleiben, wo er war. Krähenbein gehorchte ausnahmsweise einmal ohne Widerspruch.

Wir ließen sie am Teich zurück, wo sie Holz für ein Feuer sammelten, aber nicht besonders erbaut davon waren, dass sie ausgerechnet hier warten sollten. Sie wagten sich nicht in die Nähe des Toten, doch immerhin brachten sie Gesilo fort, um ihn zu beerdigen.

»Ich habe ihm ja gesagt, dass ihm Krähenbeins Geschichte nicht gefallen wird«, sagte Avraham mit grimmigem Lächeln, das jedoch schnell erstarb, als er die Gesichter der Männer sah. Er beeilte sich, Morut einzuholen, der sich bereits auf den Weg gemacht hatte.

Eine Stunde später war die Sonne über den Rand der Welt gestiegen, aber immer noch nicht über diesen Berg. In seinem Schatten blieb der kalte Nebel hängen und waberte, stellenweise dick wie ein Federbett, zwischen den kahlen Bäumen.

Und aus einem dieser Federbetten kam der Angriff. Morut ging voraus und richtete sich nach Zeichen, die nur er lesen konnte – ein umgedrehter Stein oder ein frisch abgebrochener Zweig, alles Dinge, die andere kaum wahrnahmen. An einer Wegbiegung zwischen den Felsen kniete er sich hin, um sich den Boden genauer anzusehen, als ein Speer über seine Schulter hinwegpfiff, über den gefrorenen Boden schlitterte und beinahe meine Zehen mitgenommen hätte.

»Formieren!«, schrie ich aus reiner Gewohnheit, und wie von selbst glitten Finn und Kvasir mit erhobenen Schilden an meine Seite. Drei Gestalten sprangen von den Felsen. Sie waren der ersten ähnlich, doch einer hatte einen Schild, und ein anderer war bekleidet, er trug eine Pelzmütze, und man sah keine Spur von Schuppen.

Morut, der am Knie getroffen war, ließ sich zur Seite rollen und robbte aus dem Weg. Mit einem Schrei sprang Avraham vor und wurde von einem Schaufelstiel getroffen, ein Schlag, der eigentlich für den Spurenleser gedacht war. Der Schlag traf Avrahams geschützten Unterarm mit einer Wucht, dass er einen Schmerzenslaut ausstieß, doch sein Hieb traf das schuppige Wesen unterhalb der Rippen, und es schrie laut auf.

Der Mann mit der Pelzmütze kam auf mich zu, er schwang eine große Spitzhacke und hoffte offenbar, durch Geschwindigkeit und die Wucht des Aufpralls meinen Schild zu zerschmettern. Er hatte einen roten Bart und wilde Augen, der Mund war weit aufgerissen.

Doch in dem Moment, als er mich erreicht hatte und mit der Spitzhacke zuschlagen wollte, trat ich zur Seite, und der Mann rannte zwischen Kvasir und mir hindurch. Es war nicht genau auszumachen, welches unserer Schwerter ihn tötete, denn wir brachten ihm beide schwere Verwundungen bei, und er stürzte und schlitterte mit dem Gesicht über die Felsen.

Der Letzte, der kräftiger war als die anderen, hatte seinen Speer schon geschleudert, eine andere Waffe hatte er nicht. Er stürmte vorwärts und warf sich brüllend und fauchend auf Finn, der den Aufprall mit seinem Schild auffing und hintenüberfiel. Der Mann krallte sich fest und biss wütend in den Rand, er hatte Schaum vor dem Froschmaul, und seine schuppige Fratze war dicht vor Finns Gesicht.

Sie kämpften und rollten am Boden, und es klang, als hämmere jemand auf einen Amboss. Geschickt wie eine Katze und fauchend vor Wut richtete der Mann sich auf, Finn in seinem Kettenhemd war etwas langsamer und wurde von zwei wuchtigen Faustschlägen getroffen, der eine landete auf seinem Schild, der andere unter seinen Rippen, sodass er aufstöhnte. Ich sah, wie die Metallringe flogen, und wollte ihm zur Hilfe kommen, aber Kvasir streckte den Arm aus und hielt mich zurück. Dies sei Finns Kampf, wollte er mir andeuten. Ein Valknut-Kampf.

In dem Moment warf sich eine Gestalt von der Spitze eines mannshohen Felsens auf Kvasir, der krachend und mit einem Schrei zu Boden ging. Ich fuhr herum und schlug blitzschnell zu. Im selben Moment war mir klar, dass dies ein Fehler war.

Es war zu spät. Das Schwert drang durch die Wollfetzen und das magere, knochige Rückgrat des Jungen mit dem wirren Haar, dessen Wut- und Angstschreie in ein Wimmern übergingen, bis er stumm am Boden lag.

Das schuppige Geschöpf, das noch immer mit Finn kämpfte, sah den sterbenden Jungen in seinem Blut liegen und stieß einen hohen, schmerzlichen Klagelaut aus. Finn, knurrend und außer Atem, schleuderte seinen Schild, aber der Troll schlug ihn zur Seite. Doch Finn war schon nahe genug, dass er den Godi schwingen konnte, erst in die eine, dann blitzschnell in die andere Richtung, wobei er den Mann genau dort traf, wo er sich hingeduckt hatte, um der Finte auszuweichen.

Die Klinge drang etwas oberhalb der Hüfte fast bis zur Hälfte in den Körper ein, und er fiel laut brüllend und sich windend zu Boden. Finn erledigte ihn mit zwei weiteren Hieben, dann lehnte er sich auf sein Schwert und hielt sich keuchend die Seite.

Wir sammelten uns und scharten uns um Finn. Sein Kettenhemd war tatsächlich aufgerissen – und das hatte das Ding, das jetzt zuckend in seinem Blut lag, mit nichts anderem als seinen harten Krallen fertiggebracht. Aus Finns gestepptem Aketon-Hemd drang zudem die Füllung, und die leinene Tunika war vollkommen zerfetzt, sodass man genau sehen konnte, dass Finn zwar einen heftigen Bluterguss, aber zum Glück keine offene Wunde hatte. Der Rand seines Schilds war in Fetzen, und das Valknut-Symbol war von drei tiefen Kratzern durchzogen.

Wir betrachteten das, was er da getötet hatte: stark, kräftig, mit Haar so wirr und gelb wie das Moos, das von alten Bäumen hing – aber dennoch ein menschliches Wesen. Er war groß und eindeutig der Anführer, vielleicht sogar der Vater des Jungen, seiner Reaktion nach zu urteilen. Er hätte ein stattlicher, großer Mann sein können, außer dass er schuppig und froschgesichtig war, mit einem Maul so feucht wie eine Nacktschnecke. Und wie bei den anderen waren auch seine Hautfalten rot und wund.

Der Schuppige, den Avraham getötet hatte, war schon steif, und der, den Kvasir und ich erledigt hatten, war auch schon kalt, doch er sah normal aus, ein dunkler, junger Slawe ohne sichtbare Anzeichen von Hautschuppen. Keiner wollte ihn anrühren, deshalb wussten wir nicht, was sich unter seinen Kleidern verbarg.

Dann war da noch der Junge mit dem wirren Haar, ein netter kleiner schwarzhaariger Kerl, kaum älter als Krähenbein. Sein Gesicht war schmutzig und aufgeschürft, die Zähne eingeschlagen, weil er auf den Fels gefallen war. Davon jedoch hatte er nichts mehr gemerkt, nachdem mein Hieb ihm das Rückgrat durchschlagen hatte. Jetzt lag er da, formlos und schlaff wie ein leerer Weinschlauch.

Ich fühlte, wie es mir bitter in der Kehle hochstieg, ich musste ausspucken. Bis auf den, den Finn getötet hatte, waren dies keine Krieger. Und unsichtbar waren sie ganz bestimmt auch nicht. Es war auch ebenso unwahrscheinlich, dass sie die Marsch durchqueren, über Palisaden klettern, Wächter austricksen und alles das konnten, was man ihnen nachsagte, ohne irgendeinen Zauber zu benutzen – und wenn sie über den verfügt hätten, dann hätten sie ihn sicher auch gegen uns angewandt. Das alles musste gesagt werden, und als ich es jetzt tat, klang es bitter.

»Richtig«, sagte Kvasir und rieb Eis aus seinem Bart. »Irgendwas an der Sache stinkt wie ein schlechter Fisch.«

Morut ergriff Avrahams Handgelenk und ließ sich von ihm wieder auf die Beine ziehen. Die Blicke der beiden sagten alles, und sie grinsten sich an.

»Mispah«, sagte Morut, und erst später erfuhr ich, dass das ein Gebet war mit der Bitte, dass ihr Gott sich um jeden von ihnen kümmere, auch wenn sie von den anderen getrennt waren.

»Und wenn wir schon mal dabei sind«, erwiderte Avraham und wischte das Blut von seinem Säbel, »ich danke dir, Gott Israels, dass ich kein Slawe, kein Heide und keine Frau bin – und keines von diesen Geschöpfen hier. *Hakadosch baruch hu.*«

Noch immer grinsend ging Morut los, und wir folgten ihm, so vorsichtig, als könne sich jederzeit der Boden unter uns öffnen. Wir waren nicht mehr als ein paar hundert Schritt gegangen, als Morut sagte: »Dort ist ein Hof.«

Es war ein ganz normaler kleiner Hof. Er lag auf einer freien Fläche zwischen den Felsen, war gut gebaut und so ähnlich wie das, was die Finnen eine *gamme* nennen, obwohl die mit Grassoden gebaut ist. Dieses Haus hier war etwa dreißig Fuß lang, und die Enden des Daches waren vom eigenen Gewicht niedergedrückt, sodass es abgerundet war wie bei einem Boot. Die Zwischenräume waren mit Moos und Lehm abgedichtet, und das Ganze war nur etwas schulterhoch. Es gab nur eine Holztür, und die war verriegelt.

Finn stieß mit dem Griff des Godi dagegen. Im Innern schrie jemand auf.

»Na, zumindest ist jemand zu Hause«, grinste er. Er sah aus wie ein Wolf auf der Jagd. »Obwohl sie ruhig etwas gastfreundlicher sein könnten.«

Er stemmte sich mit der Schulter gegen die Tür und drückte ein paarmal, wie um sie zu prüfen. Dann trat er einen Schritt zurück, holte tief Luft und rannte dagegen. Die Tür krachte, und er trat sie vollends ein.

Das Jammern und Heulen wurde lauter.

Er duckte sich, um hineinzugehen, aber ich versperrte mit meinem Schwert die Türöffnung, obwohl ich das eigentlich ungern tat.

»Aus demselben Grund, warum ich kein Feuerholz sammle«, sagte ich, und er grinste und verbeugte sich, um mir den Vortritt zu lassen. Schließlich war ich sein Jarl.

Ich trat gebückt durch die niedrige Tür, das Schwert gezogen, den Schild vor mir. Drinnen war der Boden bis auf den Fels ausgehoben, und man konnte aufrecht stehen. Der Boden bestand aus nacktem Fels, im Gegensatz zu dem hart gestampften Lehm in den Häusern der Wik, das

Licht war dämmrig und voller Holzrauch, und man hatte Mühe, etwas zu erkennen. Ich war auf alles gefasst.

Nur nicht auf die leise, bittende Stimme, die sagte: »Verschone uns.«

Ich erkannte vier Personen, alles Frauen. Eine war alt und verhärmt, ihre abgearbeiteten Hände nestelten nervös an den Fetzen herum, die sie am Leib trug. In einer Nische stand ein Bettkasten, in dem eine jüngere Frau auf Kissen gestützt lag und leise weinte. Ich sah eine weitere junge Frau, blond, mit wachen Augen und bei allem Schmutz noch immer hübsch. Ihre Arme, die so muskulös wie meine eigenen waren, hatte sie schützend um ihren Bauch gelegt.

Die vierte war ein jüngeres Mädchen, das nackt neben der fast erloschenen Glut des Feuers kauerte. Es war mit Schuppen bedeckt und hatte ein Froschgesicht mit vorstehenden Augen, in denen die blanke Angst stand. »Verschone uns«, sagte sie mit starkem ostnordischem Akzent.

Die ältere Frau fing an zu weinen, und die Blonde trat mit ausgestreckten Händen auf uns zu. Vielleicht waren das die Frauen, die man aus dem Dorf entführt hatte. Einen Moment lang geriet ich in Panik, ich erinnerte mich an das Märchen von den Russalken – aber dies waren keine wunderschönen grünhaarigen Verführerinnen mit Zauberkämmen, wie Krähenbein sie beschrieben hatte.

»Seid ihr aus dem Dorf?«, fragte ich, und die Frau, die auf mich zukam, blieb stehen, aber wahrscheinlich verstand sie meine Frage nicht, denn sie sah mich nur fragend an.

»Malkiew?«, fragte ich, nachdem mir der Name ihres Dorfes wieder eingefallen war. Die Frau nickte und ließ den blonden Kopf hängen. Sie seufzte.

»Verschone uns«, sagte das schuppige Mädchen, das

noch immer neben der Feuerstelle kauerte. Ich sah eine ihrer winzig kleinen Brüste, ganz weiß, mit einer rosa Brustwarze. Das war offenbar das Einzige, was sie in der nordischen Sprache sagen konnte, und ich fragte mich, wo sie es gelernt hatte.

Jetzt drängten sich auch die anderen Männer ins Haus, worauf die Frauen in lautes Gejammer ausbrachen. Ich befahl Avraham und Morut, mit den beiden Älteren nach draußen zu gehen; das nackte schuppige Mädchen huschte in eine dunkle Ecke. Die junge Frau im Bettkasten blieb, wo sie war, aber sie weinte, als wolle ihr das Herz brechen.

»Komm«, sagte ich so sanft wie zu einem nervösen Fohlen und streckte meine Hand aus.

»Kind«, sagte sie – ich verstand zunächst nicht, was sie gesagt hatte, aber ihre Bewegung und ihr Schmerz sagten alles. Neben ihr stand ein kleiner Bettkasten, in dem sich etwas bewegte und leise wimmerte, ein Laut wie von einer Katze. Ich sah hinein.

Es war ein neugeborenes Ungeheuer. Knallrot, mit einem Gesicht, das genau wie bei den anderen bereits zu einer Froschmaske verzogen war, und mit Augen, die blind und rot wie rohe Leber aus dem kleinen Kopf herausragten. Die Lippen waren wulstig und wund und die Haut hart, hornig und von roten Rissen durchzogen, sodass der ganze kleine Körper ein einziges Bündel von Schmerz war. Es wimmerte.

Ich trat zurück, und die Frau im Bett – die Mutter, wie mir jetzt klar wurde – heulte und schlug verzweifelt mit dem Kopf gegen das Holz. Sie wollte das Kind hochnehmen und es beruhigen, aber es war klar, dass jede Berührung für das Kind eine Qual sein musste.

Finn und Kvasir warfen einen Blick darauf und schraken zurück.

»Nimm die Frau«, sagte ich zu Kvasir, und meine Stimme war hart und hallte unter dem Helm wider. Er zögerte, dann hob er sie aus dem Bett und trug sie hinaus, wobei sie sich zu wehren versuchte und nach ihrem Kind schrie. Die anderen liefen hinterher, bis auf das schuppige Mädchen, das offenbar versuchte, sich in einer Ecke unsichtbar zu machen.

Finn und ich sahen uns an.

»Verschone uns«, sagte das Mädchen.

Wir erwähnten es später nie, Finn und ich, weder untereinander noch gegenüber anderen, wenn sie die Geschichte hören wollten, wie Orm und seine beiden Gefährten es mit einem Nest voll Ungeheuern aufgenommen und sie erledigt hatten.

Auch auf dem Weg zurück zu den Männern der Druschina, während der Rauch von dem brennenden Hof über dem Felsen hinter uns aufstieg, die Frauen wehklagten und jammerten und wir mit Fragen überschüttet wurden, sagten wir nichts weiter, als dass wir die Aufgabe erledigt hätten.

Sigurd rieb sich frustriert seine Silbernase und zerrte an seinem Bart. Krähenbein starrte interessiert die geretteten Frauen an, doch wie alle anderen verstand auch er nicht, warum sie jammerten, schließlich hatten wir sie doch von den Ungeheuern befreit. Ich wusste es. Ich sah ihre Trauer um die Männer, um das Neugeborene und das schuppige Mädchen, das um Gnade gebettelt hatte.

Schließlich gaben es Sigurd und die anderen auf, weiter zu fragen, und alles, was man auf dem Weg zurück zum Dorf jetzt noch hören konnte, war unser schweres Atmen, das Weinen der Frauen und das Trappeln der Hufe auf dem gefrorenen Boden.

Ich wusste weder, was für Geschöpfe diese Schuppigen

waren, noch, wer sie geschaffen hatte – aber schließlich beschützen auch Schlangen ihre Jungen, also hielt ich es für besser, sie gleich zu töten, statt zu warten, bis sie uns angriffen.

Und doch hatten sie wie eine Familie gekämpft, sowohl die Schuppigen als auch die anderen, und sie waren mutig wie Baldur gewesen. Mir stieg es jedes Mal bitter hoch, wenn ich an den Jungen mit dem wirren Haar und an das rotäugige Neugeborene dachte – und besonders an das flehende Mädchen.

Wir kamen ins Dorf zurück, wo die Begeisterung der Bewohner darüber, dass sie jetzt von diesen unheimlichen Geschöpfen befreit waren, wie eine Welle über uns hereinbrach. Die geretteten Frauen, denen die Tränen versiegt waren und die stumm blieben, saßen reglos wie Statuen inmitten des Freudentaumels und sagten kein Wort.

Auch ich sagte nichts zu Kowatsch, ich fixierte ihn lediglich mit einem vielsagenden Blick und hielt ihm etwas hin, was ich gefunden hatte. Für jeden anderen wäre es nichts weiter als ein Stein gewesen. Aber er wusste, was es war. Er nahm es, und als ich ging, spürte ich seinen Blick wie einen Pfeil im Rücken.

Schaufeln und Spitzhacken und versteckte Schätze – das nämlich hatte ich gefunden. Hinter dem Hof der Schuppigen, in einem engen Schacht, der ausgehoben und oberflächlich wieder verschlossen worden war. In seiner Nähe lagen beträchtliche Mengen von gutem Eisenerz, mit dem diese … Geschöpfe … mit den Waffenschmieden von Malkiew Handel getrieben hatten.

Wahrscheinlich war der Preis allmählich gestiegen – anfänglich hatten sie gewiss nur Haustiere bekommen, bis sie schließlich auch Frauen verlangt hatten, um die kleine Gemeinschaft in der Marsch am Leben zu erhalten, trotz ihrer Fischhaut, mit der irgendein unbekannter Gott sie gestraft hatte.

Und dann war da die Enkelin, mit Armen, die vom Schmieden muskulös geworden waren. Im Norden hatten wir keine Frauen in der Schmiede, aber wir wussten, dass es anderswo nichts Ungewöhnliches war, und es gab einige sehr gute Klingen, die von Frauen geschmiedet worden waren.

Als Kowatsch sich von seiner geschickten Enkelin hatte trennen müssen, um an das kostbare Eisenerz zu kommen, war das Schicksal der Bergwerksleute in der Marsch besiegelt gewesen. Kowatsch hatte auch tatsächlich Männer hinausgeschickt, aber nur, um die Gemeinde in der Marsch auszulöschen und das Erz selbst zu fördern. Aber es überraschte mich nicht weiter, dass sie alle umgekommen waren.

Nun war die kleine Sippe in der Marsch durch uns umgekommen, und wir hatten Kowatschs blonde Enkelin mitgebracht, weinend zwar, aber der durchtriebene Alte dankte den Göttern. Dann ordnete er ein Festmahl an und forderte die Dorfbewohner auf, ihre versteckten Schätze hervorzuholen.

Jetzt hatten sie, was sie brauchten, Kowatsch und sein Dorf. Die geretteten Frauen würden sie zu dem Ort hinführen, und sie konnten selbst das Erz fördern, das ihnen ohne neue Verluste zugefallen war.

Ich wünschte ihnen Glück, obwohl ich vermutete, dass sie sich nie ganz frei fühlen könnten von dem, was sie getan hatten, genau wie ich. Es würde mich wohl mein Leben lang in meinen Träumen verfolgen, und Kowatsch, der das blonde Köpfchen seiner Enkelin tätschelte, würde gewiss noch den Tag verfluchen, an dem er mit den Schuppigen seinen teuflischen Handel abgeschlossen hatte. Denn ich hatte gesehen, wie seine Enkelin mit ihren starken Armen ihren Bauch geschützt hatte, als ich mit meinem Schwert in den Hof gestolpert kam.

Ich wusste nicht, was sie gebären würde – und ebenso wenig wusste sie es –, doch ich vermutete, dass Kowatsch sie nächstes Jahr um diese Zeit nicht mehr so liebevoll tätscheln würde, auch wenn sie noch so gute Klingen schmiedete.

Leise erzählte ich Wladimir und Dobrynja von unserem Abenteuer, und Sigurd und Krähenbein hörten zu. Ich erzählte nichts davon, was in dem Feuer mit verbrannt war, ebenso wenig davon, was im nächsten Frühling passieren würde.

Als ich fertig war, nickte der junge Wladimir, lächelnd und huldvoll, wie es sich für einen Prinzen gehörte. »Gute Arbeit, Orm Bärentöter. Die Skalden werden noch lange davon singen, und die Sage wird in späteren Zeiten am Feuer erzählt werden. Hab ich recht, Olaf?«

»Ich selbst werde sie erzählen«, stimmte Krähenbein zu, »vor allem, weil ich auch darin vorkomme.«

Sie strahlten wie zwei kleine Sonnen. Wladimir und Olaf waren die Männer der Zukunft, und bereits jetzt deutete sich an, dass man ihnen, wenn sie erst einmal in der Blüte ihrer Jahre standen, nicht zu nahe kommen sollte.

Ich ging; die laute Ausgelassenheit des Dorfes war jetzt nicht nach meinem Geschmack. Die Nacht war mondhell, das Land lag unter einer blauweiß glitzernden Schneedecke, und ich wollte so viel saubere, frische Luft wie möglich atmen, um das ungute Gefühl loszuwerden, das ich noch immer verspürte. Krähenbein ging ebenfalls hinaus und pfiff vergeblich nach Bleikr.

Kochdüfte lagen in der Luft, der Geruch nach Fleisch machte einem den Mund wässrig. Irgendwo würde Thorgunna auch für uns einen guten Eintopf würzen und umrühren, die anderen würden mit Schalen und Trinkhörnern dasitzen und lärmen, grinsend und mit fettigen Gesichtern, und sie würden Verse schmieden und die Tapferkeit von Orm Bärentöter, Finn Rosskopf und Kvasir dem Sabberer besingen. Die Anzahl der getöteten Geschöpfe würde beim Erzählen zunehmen, die Heldentaten ins Unermessliche wachsen, und alles wäre gelogen – genau wie die Sache mit dem Bären, dem ich meinen Namen verdankte.

Ich wusste aber auch, dass Finn und Kvasir irgendwo in einer Ecke sitzen und sich nicht daran beteiligen würden. Genau wie ich würden sie an den ansehnlichen Hof denken, der jetzt in Schutt und Asche lag, und an das, was wir darin verbrannt hatten, und sich wundern über die Grausamkeit der Menschen, die das alles zu verantworten hatten.

Ich hörte einen Hund bellen und kurz darauf aufheulen, ein Laut, der mir gar nicht gefiel. Jemand rief nach mir, und ich ging in die Richtung, aus der es zu kommen schien, in der Nähe des zugefrorenen Flusses. Ich dachte, einer meiner Männer hätte vielleicht Wölfe entdeckt und wollte verhindern, dass das hungrige Rudel unsere Pferde anfiel. Ich war jetzt dankbar für einfache Aufgaben, die mich ablenkten.

Hinter mir, irgendwo in der Ferne, ertönte Musik, und ich drehte mich um.

Ich stolperte, fiel auf ein Knie nieder und stand fluchend und nass wieder auf. Das Hindernis war im Schneetreiben kaum zu sehen, aber es war ein Hund. Ein weißer Elchhund. Und die Feuchtigkeit an Händen und Knien war nicht kalt wie Schnee, sondern warm.

Im selben Moment entdeckte ich Gestalten und wollte umkehren, doch da spürte ich einen so heftigen Schlag auf den Kopf, dass ich Sterne sah, aber zum Glück nicht das Bewusstsein verlor. Trotzdem konnte ich mich im Moment nur auf den Schmerz konzentrieren und auf die Übelkeit, die in mir hochstieg, und ich hörte jemanden fluchen, weil ich auf seine Schuhe kotzte.

Mir fiel der kleine Eldgrim ein, und ich geriet in Panik bei dem Gedanken, dass auch ich aufwachen könnte wie er, mit einem Gedächtnis wie das Meer nach einem Sturm, blau, glatt und leer.

»Wenn du Widerstand leistest, kriegst du noch eins drauf«, zischte eine Stimme, die ich nicht kannte.

»Es reicht«, sagte eine andere. »Steck ihn in den Sack und bring ihn zusammen mit dem Jungen her. Mach schnell.«

Diese Stimme kannte ich, selbst jetzt, da mein Kopf vor Schmerz dröhnte und es dunkel um mich wurde. Man hatte mir einen Sack über das Gesicht gebunden, damit ich nicht um Hilfe schreien konnte.

Martin.

KAPITEL 10

Als es hell wurde, nahm jemand den Sack von meinem Kopf, vermutlich dachten sie, sie seien jetzt weit genug entfernt. Ich blinzelte in das gleißende Sonnenlicht, das meine Augen tränen ließ. Schließlich erkannte ich Olaf, der neben mir auf dem Schlitten saß, wie immer in seinen weißen Pelzmantel gewickelt, auf dem ich Blutflecke sah.

Kleine glitzernde Eiskristalle wirbelten durch die Luft, obwohl der Himmel strahlend blau war. Der Schnee knirschte unter den Kufen, und der Atem der Pferde gefror, als wir in panikartiger Hast über dieses weite Meer aus Schnee glitten.

»Wie geht es dir, Jarl Orm?«, fragte Olaf und neigte seinen Kopf mit der Pelzmütze bald auf die eine, bald auf die andere Seite, um mich zu mustern. Sein Gesicht wirkte spitz und weiß vor Kälte. »Du hast einen schlimmen Schlag auf den Kopf bekommen.«

Das merkte ich. Wenn jemand behauptet, er sei nach einem Schlag auf den Kopf, bei dem er Sterne sah, sofort wieder aufgesprungen und habe sich auf seinen Gegner gestürzt, dann ist er ein aufgeblasener Lügner. Ich hätte, nachdem ich aufgewacht war, meinen Kopf am liebsten gar nicht bewegt, denn davon wurde mir hundsübel. Das Rumpeln und Schlingern des Schlittens war kaum auszuhalten.

Das Licht tat ebenfalls weh, und ich machte die Augen zu, aber ich hörte alles, was um mich her vorging: Stimmen, die ich nicht kannte, aber dem Akzent nach zu urteilen, waren es Svearen oder Goten. Martin, dieser verfluchte Mönch mit dem harten Akzent der Sachsen, trieb zur Eile an. Und dann war da noch eine slawische Stimme, die mir irgendwie bekannt vorkam, aber ich konnte sie nicht einordnen.

Schließlich gelang es mir, die Augen wieder zu öffnen, die Tränen hatten meine Lider zusammenfrieren lassen, und einen Augenblick lang dachte ich, ich sei blind geworden. Bis an die Nasenspitze in seinen pelzbesetzten Umhang und die Mütze aus Ziegenwolle eingepackt, saß Olaf im Windschatten verschiedener Bündel und Säcke mit Pferdefutter und anderen Vorräten und sah mich an. An den Pelzsträhnen seiner Mütze hingen kleine Eiszapfen, ein weiterer hing an seiner Nase, den er aber nicht abmachte, weil er dazu seine Hand aus der Umhüllung hätte ziehen müssen.

Ich beugte mich vor und wischte ihn weg, und er lächelte, doch ich merkte, dass er vor Kälte zitterte.

»Ich dachte, du würdest sterben«, sagte er, und jetzt klang er wie ein Neunjähriger. Ich brachte ein Grinsen zustande, obwohl es sich anfühlte, als sei mein Gesicht eine Maske, die in der Kälte Sprünge bekam. Ich merkte, dass ich Eisklümpchen im Bart hatte.

»Ich sehe immer noch besser aus als du – ist das dein Blut?«

Er schüttelte den Kopf. »Bleikr«, sagte er unglücklich.

Es war bitterkalt, aber bis ich mich endlich weit genug aufgerichtet hatte, um die Umgebung sehen zu können, war mir warm geworden. Wir rutschten und schlitterten durch blassgelbes Gras, das brusthoch war, sodass die erschöpften Ponys im Schnee nur noch vor sich hin stolpern konnten. Ganz vorn lief ein Mann, der durch seine dicke

Kleidung so unförmig war, dass ich ihn von hinten nicht erkannte. Er führte die kleinen Pferde, die den Wagen zogen. Ich drehte mich vorsichtig um, und ohne nachzudenken, zählte ich die Männer um uns herum. Im Ganzen sieben.

»Ha – jetzt, wo du wach bist, kannst du auch aussteigen und laufen«, schrie jemand. Ich drehte mich um und sah in ein Gesicht, dessen schwarzer Bart von Eiskristallen überzogen war. Er war in einen Umhang gewickelt, einen zweiten hatte er um den Kopf geschlungen, aber sein Gesicht war rot, und er schwitzte von der Anstrengung, mit dem Schlitten Schritt zu halten. Und Schwitzen war nicht gut für ihn, dachte ich mit Befriedigung.

»Lass ihn, wo er ist«, kam die bekannte heisere Stimme von Martin, der ihn gerade überholte. »Dort können wir ihn besser im Auge behalten, Tyrfing.«

Noch ehe ich passende Worte gefunden hatte, um ihn zu verfluchen, war er schon wieder verschwunden.

Jetzt erinnerte ich mich auch an den Schwarzbärtigen; Tyrfing, ein Sachse, der zu Klerkons Männern gehört hatte. Ich erkannte zwei weitere aus dieser Gefolgschaft – doch dann war meine Überraschung komplett, als zwei Männer, die ich sehr gut kannte, näher kamen, um sich mit den Schultern gegen den Schlitten zu stemmen und die stolpernden Pferde zu entlasten. Sie hielten die Köpfe gesenkt, um mich nicht ansehen zu müssen.

Drumba und Heg, meine eigenen Sklaven. Sie trugen warme Pelze und Umhänge, die offenbar gestohlen waren, dazu hatten sie Äxte und Messer im Gürtel stecken. Die slawische Stimme, die ich nicht erkannt hatte, war die von Drumba gewesen.

Slawen – ich verwünschte meine Dummheit. Ich hatte diese in ihre Heimat mitgenommen, ohne daran zu denken, dass sie bei der ersten sich bietenden Gelegenheit fliehen würden. Bei Odins Arsch, vielleicht waren sie nicht mehr als eine Nasenlänge von ihrem Heimatort entfernt, den sie mehr als zehn Jahre nicht gesehen hatten. Aber wen kümmert es auch, was Sklaven denken?

»Wladimir wird euch finden«, sagte ich zu den geduckten Köpfen mit den Wollmützen. »Aber so weit habt ihr natürlich nicht gedacht.«

Heg hob den Kopf und reckte trotzig das Kinn vor. »Das hier ist immer noch besser als bei irgendeiner verrückten Jagd nach einem Silberschatz umzukommen«, sagte er. »Was hätten wir denn davon?«

Da sie Sklaven waren, gar nichts. Und was hatte man ihnen hierfür versprochen? Ich fragte, und Drumba gab dem Schlitten einen letzten starken Stoß, dann blieb er stehen und hauchte in seine aufgesprungenen Hände.

»Genug«, sagte er, während der Abstand zwischen uns größer wurde. »Eine Beteiligung und die Möglichkeit, freizukommen.«

»Ihr werdet nie frei sein«, rief ich ihm zu, und es klang überzeugter, als ich selbst es war. »Was ihr höchstens noch zu erwarten habt, ist ein Pfahl im Arsch.«

Der Reiter vor uns machte kehrt und kam in leichtem Trab an den Rand des Schlittens. Er zog den Umhang beiseite, mit dem er sein Gesicht bis auf die Augen verhüllt hatte, um die er sich mit Holzkohle große schwarze Ringe gemalt hatte – ein Mittel in der Steppe gegen den blendenden Schnee.

»Schrei, so laut du willst, junger Orm«, sagte er leise lachend. »Hier ist niemand, den das interessiert.«

Thorkel. Er grinste mich an, und ich hätte mich am liebsten vom Schlitten auf ihn gestürzt – aber schon bei der kleinsten Bewegung tat mir der Kopf weh, und ich schluckte meinen Zorn hinunter.

»Du forderst das größte Unglück deines Lebens herauf«, sagte ich zu ihm. »Und das will bei dir was heißen. Die Nornen müssen dich wirklich hassen, Thorkel, denn sie sind gerade dabei, das Gewebe deines Lebens aufzutrennen.«

Er runzelte die Stirn, dann zuckte er die Schultern. »Im Gegenteil. Ich denke, jetzt wird sich das Blatt für mich wenden. Wir verkaufen dich und den Jungen an Jaropolk, damit kommen wir sicherer und zuverlässiger an Geld, als wenn wir hinter diesem Silberschatz in der Steppe herjagen.«

Das war es also, und ganz eindeutig war es Martins Idee. Aber was hatte er davon?

Auf meine Frage zuckte Thorkel die Schultern. »Er kann mit seinem heiligen Stück Holz verschwinden und braucht deine Unternehmung nicht mitzumachen«, sagte er und sah zu Martin, der mit fliegendem Haar und zwei Bündeln auf dem Rücken hinterhermarschierte. In seiner zerschlissenen Robe und den viel zu großen Schuhen musste er halb erfroren sein, er ließ sich jedoch nichts anmerken, aber seine Hand, mit der er seinen Stab umklammert hielt, war bläulich weiß vor Kälte.

»Und das glaubst du? Nach allem, was du über diesen Mönch weißt?«

Thorkel runzelte die Stirn, doch dann hellte sich sein Gesicht auf. »Das werden wir wissen, sobald wir Kiew erreicht haben.«

»Ihr werdet Kiew nie erreichen.«

Er lachte nur und drehte sein müdes Pony herum. »Na ja, wir werden uns beeilen müssen, das stimmt schon«, gab er zu. »Denn Wladimir wird dich zurückhaben wollen, weil du den Weg zu Attilas Schatz kennst. Und Sigurd Axtbiss wird es auch nicht egal sein, was mit Krähenbein passiert. Aber wir werden schneller sein, und was können sie noch machen, wenn Sveinald euch erst mal hat?«

Zu gern hätte ich ihm eine passende Antwort hingespuckt, schnell und giftig wie von einer Schlange, aber nach allem, was er gesagt hatte, klebte mir die Zunge am Gaumen fest.

Er hatte recht. Sie hatten einen guten Vorsprung, und selbst wenn der kleine Wladimir in seiner Gier nach Silber die Pferde zu Tode prügelte, würde er uns nicht rechtzeitig einholen. Olaf erriet meine Gedanken und duckte sich tiefer in seinen Mantel, während der Wind pfiff und das gefrorene Gras raschelte.

Doch die Eingeschworenen würden kommen – unausweichlich, entschlossen und grausam. Daran erinnerte ich Thorkel, gleichzeitig machte ich ihn darauf aufmerksam, dass er seinen Schwur gebrochen hatte. Er blickte finster, denn jetzt erinnerte er sich wieder an die Worte, und ich drehte das Messer in der Wunde noch um.

»… möge er uns bis in die neun Reiche und darüber hinaus verfluchen, wenn wir diesen Schwur gegeneinander brechen.«

Er zuckte zusammen und sah hinüber zu Martin. Ich ahnte, dass der Mönch ihn beschwatzt hatte, dass er, wenn er dem weißen Christus folgte, vor Odin sicher sei. Jetzt dachte er vielleicht daran, dass Christus schon sehr große Kräfte haben müsse, wenn er ihn auch vor dem Zorn der Eingeschworenen retten sollte.

Und plötzlich wurde mir klar, dass die Macht dieses Schwurs ja auch mir galt. Bisher war ich immer die treibende Kraft gewesen – ich war es immer gewesen, der sein Leben riskiert hatte, um die Dummköpfe zu retten, an die ich mich gebunden hatte. Und ich hatte akzeptiert, dass es nun einmal so sein musste. Jetzt aber war ich derjenige, der sich auf den Schwur verlassen musste, und zum ersten

Mal in meinem Leben spürte ich mit unumstößlicher Sicherheit, dass ich nicht allein war, und mir wurde warm ums Herz.

Er sah mich durch meinen vereisten Bart hindurch lächeln, und mit finsterem Gesicht trieb er sein Pony wieder an die Spitze des Zuges.

Danach wurde es still. Der kurze Tag neigte sich seinem Ende entgegen, und vor uns dehnte sich die Steppe, endlos, gesichtslos, bis auf ein paar Wolfsspuren, die alle neugierig machten. Aber man konnte meilenweit sehen, und in der kalten blauen Luft bewegte sich nichts.

Als die Sonne unterging, sah es aus, als werde sie von der Kälte zu einem breiten orangeroten Pfeiler zusammengedrückt, der vom Rand der Welt aus den Himmel zu stürzen schien. Wir machten in einem Birkenwäldchen halt, das rot im Abendlicht dalag.

Hier gab es Feuerholz, obwohl es so hartgefroren war, dass man es kaum schlagen konnte. Thorkel hatte seine Tunika mit Gras ausgestopft, das ihn beim Marschieren warm gehalten hatte und jetzt trocken genug war, um ein Feuer damit anzuzünden.

Es gab also etwas Wärme und auch etwas zu essen, aber die Kälte drang durch alles hindurch, und die Pferde wimmerten und scharrten hungrig im Schnee, denn man hatte zu wenig Futter für sie mitgenommen.

»Die machen 's nicht mehr lange«, murmelte Heg, und Drumba sagte, er solle schweigen.

»Bis Kiew schaffen wir es«, krächzte Martin, der dicht am Feuer hockte. Thorkel und die anderen löffelten Haferbrei oder starrten wortlos ergeben in die Flammen.

»Es war einmal ein reicher Mann«, sagte Krähenbein leise, »der lebte vor langer Zeit in Kiew, aber fragt mich nicht, wann ...«

»Das reicht«, warnte Martin und bekreuzigte sich. »Deine Geschichten hat dir der Teufel eingegeben, denn wie könnte ein Bengel wie du sonst so viele kennen und sie so gut erzählen?«

»Mir gefallen sie«, widersprach Heg, und Thorkel brummte.

»Wen interessiert, was dir gefällt?«, sagte er. »Du scheinst dich für einen Menschen zu halten.«

»Er ist ein Mensch, genau wie ich«, knurrte Drumba. »Du hältst uns wohl immer noch für Sklaven, doch das ist jetzt vorbei.«

»So kämpfen alle Hunde«, sagte Krähenbein seufzend und schüttelte den Kopf. »Es gab mal eine Zeit, da war das anders.«

»Nennst du mich einen Hund, du Balg?«, donnerte Tyrfing.

»Wenn es kläfft, ist es ein Hund«, sagte Krähenbein, und ich wünschte mir, er würde endlich still sein, denn mein Kopf würde weitere Schläge nicht aushalten.

»Ich werde dich gleich ankläffen, du Rotzlöffel«, knurrte Tyrfing und wollte aufstehen.

»Jetzt reicht's«, fauchte Martin. »Lasst den Jungen in Ruhe. Habt ihr denn nichts kapiert? Wir müssen ihn und Orm lebend abliefern.«

»Natürlich sind alle Christenpriester wie Katzen«, sagte Olaf, und die Männer sahen ihn gespannt an.

»Warum wie Katzen?«, fragte Thorkel, der Holz ans Feuer schob, damit es auftaute und besser brannte.

»Es war einmal ein reicher Mann«, sagte Krähenbein, »der lebte vor langer Zeit in Kiew, aber fragt mich nicht, wann.«

Keiner sprach. Olaf sah vom Feuer auf und blickte in die Runde.

»Dieser Mann«, fuhr er fort, »wohnte in einer schönen Isba. Außen herum war eine hohe Mauer, damit niemand hineinsehen konnte. Er hatte keine Familie. Nur eine Katze und eine Meute von Hunden leisteten ihm Gesellschaft. Er arbeitete nicht. Er ging nicht einmal hinaus, um Nahrungsmittel einzukaufen. Niemand besuchte ihn. Und natürlich machte das alle sehr neugierig, besonders die Diebe. Eines Nachts schlich sich ein Dieb in den Hof des Nachbarn und spähte über die Mauer. Er sah ein wunderschönes Anwesen mit Badehäusern, Kornspeichern und einer Schmiede. In der Mitte stand ein Haus, das war so schön, dass der Kaiser der Großen Stadt darin hätte leben können. Der neugierige Dieb kletterte über die Mauer und schlich sich in das Haus, das voll war mit schönem Hausrat und kostbaren Wandbehängen – ein richtiger Hof für einen Jarl. Auf einem Hochsitz aus Holz, der mit Gold verziert war, saß der alte Mann in reichen Gewändern, er trug Goldreifen um Arme und Hals. Es waren Bänke da und eine große, glänzende Festtafel, die aus einem einzigen Holzstamm gefertigt war, aber der alte Mann saß auf seinem Hochsitz und ihm gegenüber die Katze und alle seine Hunde, als seien die seine Gäste. Doch auf dem Tisch waren keine Teller mit Essen, es gab auch keine Sklaven oder Köche, um ein Festmahl zu kochen.«

»Das Gefühl kenne ich«, brummte jemand, der hinter Thorkel saß.

»Und ich weiß jetzt, wie es sich anfühlt, wenn man der fehlende Sklave ist«, lachte Heg.

»Haltet doch den Mund«, rief Tyrfing. »Das lenkt uns wenigstens von der Kälte ab.« Er sah Martin unwirsch an, und der war klug genug, nichts zu sagen.

Krähenbein lächelte und fuhr mit seiner Geschichte fort, und ich fragte mich, warum, denn es gab absolut keinen

Grund, warum er die Stimmung dieser Leute hätte verbessern sollen.

»Der alte Mann lächelte die Hunde an und fragte: ›Was wollt ihr heute Abend essen?‹ Die Hunde bellten, und der alte Mann zog ein Christenamulett aus einer kleinen Schachtel, es war eins dieser dicken Kreuze, an das der tote Gott genagelt ist, und sagte: ›Dein Wunsch, mein Wunsch, ich wünsche uns ein gutes, nahrhaftes Essen.‹ Im nächsten Moment schwebte eine goldene Schüssel mit köstlichem Lammeintopf über der Tafel und landete scheppernd vor den Hunden. Es roch köstlich, und sie fielen vergnügt darüber her.«

»Du Lump«, knurrte Thorkel, »jetzt merke ich, was du vorhast – du willst uns umbringen, wir sollen Hunger bekommen auf Sachen, die wir nicht haben.«

»Heidenbalg«, sagte Martin wütend. »Das heilige Kreuz ist kein Zauberwerkzeug des Teufels.«

»Dann fragte der alte Mann seine Katze – nennen wir sie Martin«, fuhr Olaf unbeirrt fort und ignorierte beide. Martin blickte finster drein, sagte aber nichts.

»Die Katze leckte nur ihre Pfoten, und der alte Mann teilte dem Amulett wieder seine Wünsche mit, und es erschien ein großer, dampfender Karpfen. Die Katze sah die Hunde verächtlich an und fing sehr manierlich an zu essen. Dann wünschte der alte Mann auch für sich Essen herbei, und es erschien, auf goldenen Tellern, mit Edelsteinen verziert, dazu ein großes, mit Silber beschlagenes Trinkhorn mit bestem Wein.«

»Lästerlicher Bengel«, fauchte Martin. »Genug jetzt – Gott lässt seiner nicht spotten.«

»Halt dein Maul«, bellte Tyrfing, der jetzt zitterte, denn seine Kleider waren innen schweißnass gewesen, und sie gefroren jetzt langsam. »Mir gefällt die Sache mit dem

Trinkhorn, und ich stelle mir gerade vor, was darin sein könnte.«

»Als das Festmahl beendet war«, fuhr Olaf fort, »gähnte der alte Mann und wünschte das schmutzige Geschirr hinweg, dann gingen er und seine Tiere schlafen. Natürlich landete die Katze im Bett des reichen Mannes, wo sie zwischen Pelzen und feinstem Leinen schlief. Die Hunde versuchten auch, sich hineinzudrängen, aber die Katze Martin fauchte, bis der reiche Mann die Hunde vertrieb, sodass er allein mit der Katze in dem großen, bequemen Bett schlief. Der Dieb wartete geduldig, bis der alte Mann und seine Tiere anfingen zu schnarchen. Dann schlich er sich hinein und stahl das Amulett. Am nächsten Morgen wachte der alte Mann auf und merkte, dass das Amulett weg war. Er barg das Gewicht in den Händen und weinte. ›Ich bin ruiniert. Ruiniert! Und ich bin zu alt, um den Dieb zu verfolgen.‹«

»Klingt wie Thorkel«, sagte ich, und er warf mir einen wütenden Blick zu. Olaf legte eine Hand auf meinen Arm, und ich war still.

»Da fühlte der reiche Mann etwas Nasses auf seinen Handrücken, und er sah, dass seine Katze und seine Hunde ihn leckten. Er legte einem nach dem anderen die Hand auf den Kopf. ›Werdet ihr meine starken Beine sein und hinter ihm herlaufen?‹ Sie bellten zustimmend. Der alte Mann sah Martin, die Katze, an. ›Wirst du mein kluger Kopf sein und das Amulett suchen?‹ Und die Katze miaute ergeben. Also gingen die treuen Tiere los. Sie suchten im ganzen Land, von Aldeigjuborg bis zur Großen Stadt, vom Land der Liven und Esten bis in die wilde Steppe der chasarischen Juden und noch weiter, selbst dort, wo die Seide herkommt. Mit Klugheit und Geschick schlugen sie sich durch. Die Hunde schnüffelten überall nach Dingen, die

die Menschen hinausgeworfen hatten. Manchmal mussten sie mit den anderen Bettlern darum kämpfen, aber die Meute war stark und gewann immer – und sie teilten alles mit der Katze. Die Katze lernte, durch Fenster zu springen und Essen zu stehlen. Und oft aß Martin das meiste davon gleich im Haus und brachte den Hunden nur die Reste. Schließlich hörten die Tiere von einem reichen Mann, der plötzlich aus dem Nichts aufgetaucht war und auf der anderen Seite des Dnjepr-Stroms lebte. ›Ihr Hunde seid stark genug, um mich zu tragen‹, sagte die Katze. ›Einer muss mich auf den Rücken nehmen.‹ Der stärkste von ihnen war dazu bereit. ›Aber grabe deine Krallen nicht zu tief ein‹, warnte er und duckte sich. Die Katze sprang auf seinen Rücken, der Hund schlüpfte ins Wasser, und der Rest der Meute folgte ihnen. Doch der Fluss war so kalt und reißend, dass der Hund bald müde wurde. ›Ich schaffe es nicht‹, stöhnte der Hund, der blutete, denn die Katze hatte ihre Krallen nicht eingezogen. ›Dann muss ein anderer weitermachen‹, sagte die Katze. ›Denkt an zu Hause. Denkt an unser köstliches Essen und an die weichen Pelze.‹ Also nahm der nächste Hund die Katze auf den Rücken, bis auch er zu müde war, und danach der nächste. Auf diese Weise erreichten sie schließlich das andere Ufer, und die Hunde kletterten erschöpft an Land. ›Jetzt das Amulett‹, sagte die Katze, die überhaupt nicht müde war. Sie rannte den Hang hinauf, ohne auf die müden, nassen Hunde zu warten. Inzwischen war Martin, die Katze, sehr geschickt darin geworden, sich in Häuser zu schleichen. Lautlos kroch sie in dieses vornehme Haus und versteckte sich hinter einem prachtvollen Sessel. Der Dieb kam herein, in einer seidenen goldbestickten Robe. Um den Hals trug er das Amulett an einer Goldkette – aber er war nicht so unvorsichtig wie der alte Mann, er hatte immer zwei Leibwächter dabei. Als die Katze das Haus verließ, konnte sie gerade noch rechtzeitig die Hunde stoppen, die angekommen waren und hineinstürmen wollten. ›Wir werden eure Kraft und meine Klugheit brauchen, um das Amulett zurückzubekommen‹, erklärte sie. ›Wir tun alles für den alten Mann‹, sagten die treuen Hunde. Sie warteten, bis der Dieb im Garten einen Spaziergang machte, da sprangen die Hunde aus dem Gebüsch, warfen die erschrockenen Leibwächter zu Boden und stürzten sich auf den Dieb. ›Haltet sie!‹, rief der Dieb verzweifelt. Die Leibwächter konnten ihre Schwerter nicht gebrauchen, weil sie ihren Herrn damit verletzt hätten. Stattdessen versuchten sie, die Hunde von ihm wegzuzerren. Es gab einen erbitterten Kampf. Mitten in diese Rauferei hinein schoss eine Katze, schnell wie ein Pfeil. Sie setzte sich auf die Brust des Mannes und stemmte die Pfoten auf das Kreuz. Als der Mann danach griff, biss sie seine Hand, sodass er sie zurückzog. Im Stillen sprach die Katze ihren Wunsch: ›Dein Wunsch, mein Wunsch, ich möchte jetzt mit dem Amulett zu Hause sein.‹ Als die Katze anfing, unsichtbar zu werden, fingen die Hunde an zu bellen. ›Warte – warte auf uns‹, heulten sie, aber die Katze war schon weg. Im nächsten Moment tauchte sie im Hof des alten Mannes auf. Der alte Mann lag in seiner zerschlissenen Robe auf einem Lager aus Stroh. Er hatte alles verkaufen müssen, um seine Schulden zu bezahlen. Durchs Fenster sah die Katze, dass auch der Garten ganz verwildert war. ›Ich danke dem weißen Christus, dass du zurückgekommen bist‹, sagte der alte Mann. ›Ich war dem Tode nahe. Nun gib mir mein Kreuz.‹ Stattdessen nahm die Katze das Amulett ins Maul und rannte damit fort, und der alte Mann sah ihr fluchend nach. Er sah Martin, die Katze, nie wieder. Ein paar Monate später, als er im Sterben lag, hörte er Hundegebell vor seiner Tür, und eine Meute hinkender Hunde kam hereingeplatzt, müde, durstig, schmutzig und mit zerrissenen Ohren. ›Zu spät‹, sagte der alte Mann. ›Die Katze ist mit dem Amulett fortgelaufen.‹ Dann drehte er das Gesicht zur Wand und starb. Die Hunde schlichen hinaus, sie heulten und stritten miteinander und fingen an, die Katze zu suchen, aber Martin war längst über alle Berge. Und seit dem Tag kämpfen alle Hunde miteinander, und sie hören nur auf, wenn sie eine Katze sehen, die sie jagen können, denn noch immer hoffen sie, es sei Martin mit dem Amulett. Sie trauen seitdem keiner Katze mehr – und wenn der Mensch klug ist, tut er es ebenfalls nicht, denn nicht alle, die ein Kreuz umhängen haben, sind gute Christen.«

Der Wind heulte in der Stille, die jetzt entstanden war, und ich war der Einzige, der leise lachte. Plötzlich erschraken einige, weil es schien, als sei etwas über uns hinweggeflogen.

»Nur eine Eule auf der Jagd«, sagte Martin kurz, dann schalt er Thorkel, Tyrfing und die anderen wegen ihrer Schreckhaftigkeit.

»Das kommt davon, wenn man diesem verwünschten Jungen zuhört«, rief er, und sie duckten sich noch tiefer in ihre Mäntel, weil sie nicht nur ihn, sondern auch die Kälte und die lange Nacht auszuhalten hatten. Dann sah er Olaf von der Seite an und bekreuzigte sich.

»Wenn du solch ein Christenamulett hast«, brummte Tyrfing, der vor Kälte zitterte, »dann wäre das jetzt eine gute Gelegenheit, es zu benutzen, Priester.«

Martin schüttelte nur den Kopf ob solcher Dummheit. Die Stille war unheimlich.

»Eine gute Geschichte«, flüsterte ich Krähenbein zu. »Ich glaube, sie hat ins Schwarze getroffen.«

Er sah mich mit großen, ernsten Augen an. »Die Eule

hat mir gesagt, wir sollen morgen auf der Hut sein«, sagte er. »Es wird etwas passieren, und wir sollten darauf vorbereitet sein.«

Er starrte wieder in die Flammen, und ich spürte die Gänsehaut, die ich immer bekam, wenn das Andere uns nahe war – es war, als werde die Haut zwischen den beiden Welten durchlässiger.

Am Tag mochte er neun Jahre alt gewesen sein, dieser kleine Krähenbein, aber jetzt bei Nacht war er es eindeutig nicht.

Am nächsten Morgen war Tyrfing tot. Er saß an der erkalteten Feuerstelle, in seinen Umhang gewickelt und weiß vor Raureif. Sein Gesicht war ein blasses Blau und seine Augen mit den bereiften Wimpern wie von Silberdraht verschlossen.

»Er hat Glück«, sagte Olafs helle Stimme, und die anderen Männer blickten ihn düster an; Heg holte sogar aus, als wolle er ihm eine Ohrfeige geben, aber seine Freiheit war ihm noch zu ungewohnt, als dass er es gewagt hätte.

Martin, der in dieser Wildnis aus Schnee und gefrorenen weißen Birken wie eine dunkle Narbe wirkte, versetzte den Männern Schläge, und allmählich kamen sie in Bewegung, langsam, wie unter Wasser. Thorkel trug mit seinen Flüchen und Ohrfeigen ebenfalls dazu bei, und sie stolperten in eine Welt, die aussah wie das Innere des Schädels von Ymir, dem Frostriesen. Ein riesiger Bogen aus frostigem Himmel und verschneiter Ebene, der keinen Anfang und kein Ende hatte und von Minute zu Minute grauer wurde.

Das letzte Pony, das zitternd vor Kälte und Hunger mit hängendem Kopf dastand, wurde geholt, und Martin befahl uns, wieder auf den Schlitten zu steigen.

»Die beiden sollten auch was tun«, wandte Drumba

mürrisch ein. »Das eine Pony kann ja nicht alles ziehen. Lass sie aussteigen und schieben helfen.«

Martin gab nach, und wir stiegen aus, steif vor Kälte, außerdem tat mein Kopf noch immer weh, und jeder Schritt verursachte mir einen stechenden Schmerz. Der Wind trieb Schnee in mein Gesicht, und der Himmel wurde immer unheilvoller.

»Was auch passiert«, sagte Olaf und sah mich an, »mach dir keine Sorgen. Gestern habe ich eine Elster auf einem Baum dort drüben gesehen, dann kam ein Rabe dazu, und sie saßen eine Weile zusammen da und haben uns beobachtet. Dann hat der Rabe die Elster weggejagt.«

Rabe – Elster? Ich hörte es wie aus weiter Ferne. Der Junge redete wirres Zeug. Oder war ich nur einfach verwirrt?

Er sah meinen Blick und lachte, seine Lippen waren blau in dem vor Kälte weißen Gesicht. »Die Elster ist Hels Vogel, sie ist wie ihr Gesicht, halb hässlich, halb schön. Der Rabe gehört Odin, und seine Botschaft ist unmissverständlich … Odin wird nicht zulassen, dass Hel uns heute etwas anhaben kann.«

»Wenigstens kein unwürdiger Tod«, brachte ich mit klappernden Zähnen heraus.

»Wenn die Nornen es weben«, sagte Olaf, »gar kein Tod.«

Thorkel versuchte gerade, das Pony rückwärts in die Deichsel zu führen, und wollte es anschirren, als ein Schrei ertönte, schrill und hoch, wie von einer Frau.

Drumba drehte sich halb um, und der Pfeil traf ihn hoch oben in der Schulter. Thorkel, der immer noch das Pony festhielt, wurde besser getroffen, direkt zwischen den Schulterblättern. Doch er zuckte kaum zusammen, blieb nur stehen und sah sich wütend um.

Die Reiter tauchten auf wie Gespenster, die weißen Laken, mit denen sie sich und die Pferde verhüllt hatten, fielen jetzt von ihnen ab wie Leichentücher. Diese Tücher hatten sie vor uns verborgen, der Schnee hatte ihre Geräusche geschluckt, und jetzt brachen sie aus dem kleinen Birkenwäldchen hervor und galoppierten mit einem Schwarm von Pfeilen auf uns zu.

Heg floh laut schreiend und verschwand im Schneegestöber. Ein weiterer Pfeil traf auf Thorkels Brust, der Aufprall ließ ihn zurücktaumeln, und er ließ das Pony los, das sich vor Angst aufbäumte und am Zaumzeug riss.

Sie waren völlig lautlos, diese Reiter. Lautlos und gewandt wie Katzen duckten sie sich, richteten sich wieder auf und wirbelten herum, um den Ansturm der Pfeile nicht zu unterbrechen, während sie uns umkreisten und ihre Pferde im lockeren Schnee antrieben.

Thorkel knurrte wie ein wildes Tier und zog sein Schwert – der steif gefrorene Pelz, den er anhatte, schützte ihn so gut wie ein Kettenhemd gegen die Pfeile, und er wirbelte bald in die eine, bald in die andere Richtung, von Pfeilen gespickt wie ein riesenhafter Igel. Drumba tat einen letzten erstickten Schrei, als ein weiterer Pfeil seine Brust durchbohrte und die Spitze am Rücken wieder heraustrat. Stöhnend brach er im blutig roten Schnee zusammen.

Der Wind heulte, wie ich erst jetzt merkte. Krähenbein zog an meinem Umhang, und ich sah, dass er zu meinen Füßen kauerte, aber das angstvoll wiehernde Pony, der Wind und das Gebrüll der Männer übertönten jeden anderen Laut, und ich sah nur, dass er seinen Mund bewegte.

Jemand warf sich gegen mich, fuhr wieder zurück und wollte wieder fortrennen, wobei er sich im letzten Moment umdrehte, um mich aus einem Mund mit schwarzen, verfaulten Zähnen zu verfluchen.

Ich griff nach ihm, bekam auch etwas zu fassen und

hörte ihn aufschreien. Dann spürte ich einen scharfen Schmerz am Schienbein, der mich aufheulen ließ, und etwas Dunkles flog in hohem Bogen und landete neben mir im Schnee – ein großer Lederschuh mit harter Sohle. Dann riss etwas, und ich fiel rückwärts hin, wobei ich das Stück Stoff noch immer festhielt, aber ich wusste, Martin war mir entkommen.

Das Pony war jetzt fast irrsinnig vor Angst, es bäumte sich auf und schlug aus. Der Schlitten fiel auf die Seite, wurde nochmals umgedreht und blieb schließlich, die Kufen nach oben herum, liegen. Das Zaumzeug war gerissen, und das Pony trottete davon.

Krähenbein lag auf den Knien und fing an, im Schnee zu graben, während ich mit dröhnendem Kopf und völlig benommen dalag und der Schmerz von dem Tritt gegen das Schienbein mir Wellen von Übelkeit verursachte.

Jetzt sah ich erst, wie dunkel es geworden war. Das Geheul kam inzwischen nur noch vom Wind, die berittenen Krieger waren undeutliche Gestalten im Schneetreiben, die sich kaum zu bewegen schienen. Ich war gerade aufgestanden und kniete im Schnee, als einer der Krieger aus dem Schneegestöber auftauchte, den Bogen verhüllt, aber mit einem Krummschwert in der Hand.

Ich hörte ein paar schrille Schreie, als er das Schwert hob und es niedersausen ließ, ich riss das Bündel hoch, das in meiner Nähe lag, und hörte, wie die Klinge mit Wucht darauf prallte, sodass es mir fast aus der Hand gerissen wurde und ich wieder im Schnee landete. Der Reiter stimmte ein Triumphgeheul an, drehte sein Pferd um und beugte sich herunter, um mir den Todesstoß zu versetzen.

Da kam Thorkel aus dem Schneetreiben, er schwang sein Schwert, und mit einem mächtigen Hieb holte er den Reiter aus dem Sattel. Brüllend und wild um sich hackend, versetzte Thorkel dem gefallenen Reiter eine Reihe weiterer Hiebe, von denen eine ganze Anzahl abprallten weil er in seiner wilden Wut sowohl mit der flachen Klinge wie mit der Schneide zuschlug.

»Hier rein, Jarl Orm«, rief Olaf und zog mich am Bein. »Hier rein!«

Er hatte den Schnee unter dem Schlitten ausgegraben, wie die versenkte Tür eines isländischen Toft, und während ich mich in Bewegung setzte, hatte Thorkel es gesehen und kam auf mich zu, von Pfeilen gespickt, die ihm bisher anscheinend nichts hatten anhaben können.

Doch dann war Thorkels Glück zu Ende, wie immer. Er war drei Schritte von mir entfernt, als der letzte Pfeil aus dem Schneesturm gepfiffen kam, offenbar aufs Geratewohl von den bereits abziehenden Reitern geschossen. Er traf ihn im linken Auge und trat über seinem rechten Ohr wieder heraus, zusammen mit Knochensplittern und schwarzem Blut. Die Wucht riss ihn herum, und er fiel, mit einem letzten verzweifelten Schrei, der das Unglück verfluchte, das ihn sein Leben lang verfolgt hatte.

Ich robbte verzweifelt durch den Schnee, während die Dämmerung in schwarze Mitternacht überging, und wurde von Olaf förmlich in den Schutz unter dem Schlitten gezerrt. Hier lag ich lange Zeit im Dunkeln, keuchend und vor Schmerz jammernd, während der Sturm mit einer Macht durch die Ritzen pfiff, die den Schlitten erzittern ließ.

Eine ganze Weile sagten wir nichts. Ich schlief ein, oder vielleicht verlor ich auch das Bewusstsein, denn als ich wieder aufwachte, merkte ich, dass Krähenbein nicht untätig gewesen war, nachdem sich seine Augen an die Dunkelheit hier unten gewöhnt hatten. Der Wind heulte noch immer, und der Schnee drang durch die Ritzen, doch nicht mehr so stark wie vorher, denn jetzt hatte er sich draußen angehäuft.

Krähenbein hatte drei Bündel vor die Öffnung gelegt, die er ausgeschaufelt hatte, damit wurde der Wind etwas abgehalten. Als sich meine Augen an das Dunkel gewöhnt hatten, sah ich, dass einer der Säcke geplatzt war und Roggen herauslief.

»Na also«, sagte ich mühsam, »wir haben Korn, und mit dem Schnee haben wir auch Wasser. Wenn wir ein Feuer hätten, könnten wir Fladenbrot backen.«

»Wenn wir Fleisch und Soße hätten, könnten wir ein Festmahl halten«, erwiderte er. Dann grinste er. »Aber wir haben noch etwas altes Brot und sogar noch ein paar Streifen getrocknetes Fleisch, also werden wir nicht verhungern. Dauern diese Stürme lange, Jarl Orm?«

Ich machte eine vage Geste. Ich wusste es nicht, doch hielt ich es für besser, es nicht zuzugeben – denn trotz seiner erstaunlichen Talente war Olaf doch erst neun Jahre alt, und seine Stimme hatte sehr zaghaft geklungen.

Ich kaute Brot und aß Schnee dazu, dann legte ich etwas Schnee auf mein schmerzendes Schienbein und wünschte mir, ich könnte sehen, wie schlimm es war. Martin, dieser elende Schuft, hatte mich getreten – aber er hatte dabei seinen Schuh verloren. Er war irgendwo dort draußen und höchstwahrscheinlich schon tot. Ich hoffte, dass er langsam erfroren war, angefangen mit seinem nackten Fuß, mit dem er die Haut von meinem Schienbein abgeschürft hatte.

Jetzt erinnerte ich mich wieder an mein Bündel und zog es herüber. Der Schwerthieb, den ich damit abgewehrt hatte, hatte die Riemen durchschlagen und das Vadmaltuch zerfetzt, also wickelte ich es aus. Fast erwartete ich, Martins heilige Lanze darin zu finden, aber es war mein Runenschwert, und mir wurde klar, dass der Mönch es ebenfalls gestohlen hatte. Es stellte einen Teil des Pakets für Sveinald dar – ich und das Runenschwert, das Geheimnis des Silberschatzes.

Ich staunte über das Odin-Wunder, dass ich es zurückbekommen hatte.

»Das ist das Schwert, das du aus Attilas Grabhügel mitgebracht hast«, sagte Krähenbein und sah es neugierig an. Ich drehte es in der Hand, betrachtete den wunderschön gearbeiteten Griff mit den eingeritzten Runen und staunte, wie die Klinge selbst in diesem schwachen Licht glänzte, es sah aus wie ein Regenbogen, wie geölt mit der Runenschlange, die sich die Klinge entlangzog.

»Hat es Zauberkräfte?«, fragte er und streckte die Hand aus. Doch auf halbem Weg hielt er inne, dann zog er seine Hand zurück. Er sah mich an. Ich wickelte die Waffe wieder ein, und jetzt schien es noch dunkler um uns.

Wir saßen noch lange so da, während der Sturm tobte und heulte und uns durch die Astlöcher anblies und den umgedrehten Schlitten beben ließ. Schnee trieb herein. Mein Kopf tat weh, und Olafs Zähne klapperten.

»Komm näher, ich wärme dich«, sagte ich. Er war still, doch er rührte sich nicht. Dann räusperte er sich.

»Ich habe mich nass gemacht«, bibberte er, und seine Kinderstimme klang beschämt, weil es offenbar aus Angst passiert war.

»Macht nichts«, sagte ich. »Aber wenn du nicht näher kommst und dich wärmst, wird es das letzte Mal sein, dass du gepinkelt hast, denn du wirst bis ins Mark erfrieren.«

Ich merkte, wie er näher gekrochen kam und sich in meinen Arm schmiegte, während wir versuchten, uns gegenseitig etwas zu wärmen, und doch vor Kälte zitterten – doch in dem engen Raum unter dem Schlitten, der jetzt in

Schnee eingehüllt war, wurde es warm genug, um den Reif am Holz schmelzen zu lassen, nur um ihn erneut und zu noch seltsameren Formen gefrieren zu lassen.

Er roch nach Pisse, und ich merkte, dass Olaf vor Scham am liebsten unsichtbar geworden wäre. Ich beobachtete die neuen Eiszapfen, die sich über uns bildeten, und glitt in einen leichten Schlaf, gegen den ich allerdings ankämpfte. Es gibt keinen Nordmann, der nicht weiß, dass, wenn die Kälte einem erst die Augen schließt, man sie nie wieder öffnen wird.

Ich stand im Bug der Elk, *die geschmeidig und mit sprühender Gischt über die Wellen des kalten Meeres glitt. Ich drehte mich um und sah alte Gesichter – mir am nächsten war Kalf, den wir bei meiner ersten Reise nach Birka verloren hatten, er war in einem unvorsichtigen Moment von einem nassen Segel über Bord gefegt worden und einen Augenblick später verschwunden. Er grinste mich an und winkte, und ich wusste, ich musste tot sein und mich auf dem Weg nach Ägirs Reich befinden – doch wie ich in diese Halle unter Wasser gekommen war, wo ich doch an Land gestorben war, war mir ein Rätsel.*

Ich drehte mich um und wollte am Bug vorbei nach einem Hinweis suchen, aber die Gischt stach mich wie ein wütender Bienenschwarm, dann flog mir etwas ins Gesicht, ein Tintenfisch, eine Qualle, direkt in mein Gesicht, schmatzend und sabbernd …

»Lass ihn jetzt. Braver Hund, gut gemacht – lass ihn endlich, du dummer Köter.«

Ich wurde von Licht geblendet, weiß und flackernd – Gestalten. Irgendetwas hechelte und keuchte und fuhr mir warm und nass übers Gesicht.

»Hau ab.«

Der Hirschhund jaulte, als Finn ihm einen Klaps versetzte, dann erschien sein breites grinsendes Gesicht über mir. Er lachte.

»Er verdient aber auch ein paar Küsse, Bärentöter, denn seine Nase hat euch gefunden, wo euch sonst niemand gefunden hätte. Ein guter Einfall übrigens, das hier mit dem Schlitten.«

KAPITEL 11

Ich hätte Glück gehabt, erklärte mir Bjaelfi, als wir wieder sicher im Dorf waren und er vorsichtig meinen Hinterkopf betastete. Über Hals und Schulter erstreckte sich ein Bluterguss, der in allen Farben schillerte, wie die Regenbogenbrücke nach Walhall. Die Haut an meinem Schienbein war zwar abgeschürft, aber es war nichts gebrochen.

Kvasir sah mich an und schüttelte amüsiert den Kopf. Er wusste, dass ich davon überzeugt war, dass mein Schwert seinen Besitzer schützte. Doch er wies mich immer wieder darauf hin, dass die Tatsache, dass mir bisher nichts Ernstes passiert war, vielleicht auch nur an meiner Jugend, meiner Widerstandsfähigkeit und an Odins Glück lag.

Ich sah ihn an, nickte und sagte: »*Knochen, Blut und Stahl.*«

Den Dank für meine Rettung tat er mit einem verächtlichen Schulterzucken ab, dann warf er mir etwas zu, das ich mit Mühe auffangen konnte. Es war Martins Schuh mit der dicken Sohle.

»Den haben wir vor eurer Höhle aus dem Schnee ausgegraben«, sagte er. »Ganz in der Nähe von Thorkel.«

Ich wog den Schuh aus Ochsenleder in der Hand, und da wurde mir klar, was für ein Glück ich gehabt hatte, denn der Tritt damit hätte mir das Bein brechen können wie einen trockenen Ast. Kvasir rieb sein gutes Auge und zuckte mit den Schultern.

»Vielleicht hatte der rechtmäßige Eigentümer etwas mit

deinem Glück zu tun – oder sein Fuß«, meinte er mit grimmigem Lachen und deutete mit dem Kopf auf den Schuh. Ich verstand nicht.

»Ein Helschuh«, sagte er, und ich wurde blass und setzte das Ding vorsichtig ab, denn erst jetzt sah ich, was es war. Ein Helschuh, angefertigt, um einmal – ein einziges Mal – getragen zu werden; von einem Menschen, dessen böser Charakter ihn direkt ins Totenreich der Hel führen würde, auf einer Straße voller Dornen und über einen Fluss aus scharfen Eisenklingen. Diese dicken Schuhsohlen würden ihm die schmerzhaften Verletzungen ersparen, was eine unverdiente letzte Barmherzigkeit derer war, die ihn begraben hatten.

»Ja«, sagte Finn, der hinzugetreten war, »irgendwo wird jetzt ein hartherziger Mensch auf seinem Weg zu Hel diesen Mönch verfluchen, weil er ihn im Grabe beraubt hat.«

Das hätte Martin nicht viel ausgemacht, denn seiner Auffassung nach handelte es sich ja um Heiden, denen er im Tode das stahl, was er gerade brauchte. Doch es zeigte auch, wie tief Martin gesunken war und wie weit er sich von dem untadeligen, gottesfürchtigen Christenpriester entfernt hatte, der einst in der prächtigen Halle von Birkas Festung mit Illugi Godi über den rechten Glauben gestritten hatte.

»Was macht der Junge?«, fragte ich. Finn grinste.

»Nass gepisst und ziemlich durchgefroren. Du hast ihm das Leben gerettet.«

»Er hat das meine gerettet«, erwiderte ich. »Die Höhle unter dem Schlitten war seine Idee.«

Finn zog die Brauen hoch und sah mich an. Sein Blick sagte alles, denn er wusste, wie mir zumute sein musste, weil ich diesem Jungen Wergeld für mein Leben schuldete.

Ja, was empfand ich eigentlich? Mir war, als sei ich in einen Sumpf geraten. Früher oder später würde der kleine Krähenbein seinen Lohn von mir fordern, und es würde weder billig noch einfach für mich sein. Allerdings hatte ich im Moment andere Sorgen.

»Und die andere ... Leiche?«, fragte ich und hoffte entgegen aller Wahrscheinlichkeit, dass es sich doch noch als etwas anderes herausgestellt hatte, dieses Bündel, das man neben Thorkels Leiche aus dem Schnee gegraben hatte.

»Eine Frau ... wenn es das ist, was du befürchtet hast, Händler«, brummte Finnlaith, und wir drehten uns um und starrten auf das kalte, starre, in Lumpen gehüllte Etwas, das wir von dort mitgebracht hatten, wo Thorkel es tot liegen gelassen hatte. Ich hatte ihren kurzen Aufschrei gehört, der Schnee war aufgestoben, und dann hörte ich Thorkels Flüche, als er außer sich vor Hass mit dem Schwert auf sie einhieb, ehe er selbst starb.

»Oior pata«, hatte Tien geflüstert, als Ospak das Gesicht der Frau vom Schnee befreit hatte. Dann war der kleine Bulgare ganz in sich zusammengesunken und hatte nichts mehr gesagt. Avraham, der große rothaarige Chasare, hatte mir erklärt, dass das ein altes skythisches Wort war, was so viel wie »Männerhasser« bedeutete.

Thorkels unbändige Wut hatte sie schrecklich zugerichtet, aber man erkannte noch die schön verzierte Kleidung, und die Tätowierungen auf dem Gesicht traten durch die Leichenblässe noch stärker hervor. Auf ihren blauweißen Wangen waren alte Narben, und ihr Haar war zu Zöpfen geflochten und hinten zusammengebunden, wie es bei Kriegern üblich ist.

Sie war jung – aber sie war keine Thrall und auch kein Mädchen, bei dem man Lust bekommen hätte zu schäkern, wie Jon Asanes bemerkte, als er und Silfra sie auf den Wagen luden. An einem Lederband trug sie einen Eberzahn um den Hals, und ich zweifelte nicht daran, dass sie das Tier selbst erlegt hatte. Sie hatte Schwielen an den Handflächen und kräftige Daumen, auf einem steckte noch der Zugring für die Bogensehne.

»Ihre Waffen sind Schwert und Steppenbogen«, bemerkte Finn. Außerdem hat sie O-Beine – seht her. Sie hat mehr Zeit auf dem Pferd als auf ihren eigenen Beinen zugebracht, und diese Hände hat sie nicht vom Suppekochen und Kindergroßziehen bekommen.«

Aber es war ihr Kopf, der uns die meisten Rätsel aufgab. Der Schädel war merkwürdig geformt, lang gezogen und vorn abgeschrägt, wodurch die Narben auf den Wangen nur noch stärker hervortraten, die ebenfalls zu regelmäßig waren, als dass sie durch zufällige Verletzungen entstanden sein konnten. Die Männer machten Abwehrzeichen gegen den bösen Blick und fingen an, von Niflheim zu flüstern.

»Zwerge?«, sagte Gyrth abfällig. »Unterirdische Schmiede? Und wann sollten die sich in langköpfige Weiber verwandelt haben, die wie Männer in der Schneewüste umherreiten und kämpfen?«

Jon Asanes hatte die Erklärung. Zwar hörte Avraham, der Chasare, nicht auf, die heiligen Schriften der Juden zu zitieren, nach denen es verboten war, von solch unreinen Dingen überhaupt zu sprechen, doch Jon wusste Bescheid.

»Herodot«, sagte er strahlend vor Freude darüber, dass er sich an etwas erinnerte, was er gelernt hatte.

»Wer?«, murmelte Finn, der gerade das Ersatzpferd zwischen die Deichseln bugsierte. Er richtete sich auf.

»Ein Grieche. Er beschrieb Frauen wie diese, die es früher, zur Zeit der griechischen Helden gab. *Amazonoi* hießen sie – Kriegerinnen der skythischen Stämme. Herakles, der stärkste Mann der Welt, hat einst mit ihnen gekämpft.

Ich habe im Kloster von Nowgorod davon in einem Buch gelesen.«

Die Tatsache, dass er ein Buch gesehen und sogar darin gelesen hatte, beeindruckte die meisten der Männer derart, dass sie einen Moment schwiegen und diesen griechischen Jüngling anstarrten, als sähen sie ihn in einem ganz neuen Licht.

»Es gibt sie immer noch«, sagte Morut, der kleine dunkle Chasare. »Sie gehören zu einem Stamm der Jassen ...«

»Schon allein die Erwähnung dieses Wortes ist mit *cherem* belegt«, schrie Avraham ihn an, aber Morut zuckte nur die Schultern, wenn er auch etwas rot wurde.

»Mit deinem *cherem* habe ich nichts zu tun«, sagte er, und Avraham stürmte aufgebracht davon.

»Was ist das denn, ein *cherem?*«, fragte Gyrth.

»So eine Art Gesetz oder Bann«, erklärte Morut, »der besagt, dass man kein Anhänger der Tora mehr ist.«

Die Tora war der Name für ihre heiligen Sagen. Und wenn Morut gegen dieses Gesetz verstoßen hatte, bedeutete das, dass er nicht länger zu den Juden gehörte. Ich hatte in Birka genug solcher Leute kennengelernt – Chasaren und auch Radaniten – und wusste, dass dies die schlimmste Strafe für sie war, die es nur gab.

Der dunkle kleine Chasare zuckte nur wieder die Schultern. »Ich bin Jäger und Fallensteller«, sagte er. »Avraham gehört zur Kaste der Krieger, also muss er Jude sein und sich an die Gesetze halten. Aber die Hälfte meiner Familie ist längst im Süden, sie sind inzwischen vielleicht sogar schon Muselmänner geworden. Vielleicht gehe ich auch dorthin und werde selbst einer, obwohl es mir gar nicht gefallen will, dass einem dann Bier und grüner Wein nicht mehr erlaubt sind.«

Finn ließ sich laut und verächtlich aus über die Dämlichkeit einer Religion, die einem das Trinken verbot, ganz zu schweigen davon, dass er nichts davon hielt, dass eine scharfe Klinge auch nur irgendwo in die Nähe seines Schwanzes käme. Für mich war lediglich die Information wichtig, dass nicht alle Chasaren Juden waren. Krieger und sonstige Hochgeborene waren es, aber später erfuhr ich, dass selbst von denen nicht alle dazugehörten. In der Garde der Großen Stadt gab es Chasaren, die getaufte Christen waren.

Doch noch viel wichtiger war mir etwas, worüber ich immer wieder nachdenken musste und was ich einfach nicht verstand. Wie konnte man den Glauben an Götter annehmen und nach Belieben wieder ablegen, als sei es nichts weiter als ein Umhang?

Aber hier im Dorf hatte ich andere Sorgen. Nachdem Bjaelfi sich meinen Kopf angesehen hatte, traf ich mich an einem ruhigen Ort mit Wladimir, Sigurd und Dobrynja; Krähenbein kam ebenfalls dazu. Er und Wladimir zogen sich sofort in eine Ecke zurück, Letzterer natürlich sehr erleichtert, dass sein Freund in Sicherheit war.

»Knochen, Blut und Stahl«, sagte ich trocken, als die anderen mir zu meiner glücklichen Heimkehr gratulierten. »Unser alter Schwur hat sogar mein Schwert mit einbezogen.«

Sigurd blieb wie angewurzelt stehen, denn er hatte sehr wohl meine Andeutung verstanden, dass er sich lediglich um Krähenbein Sorgen gemacht habe, während es Wladimir nur um das Schwert ging, von dem ich den Weg zu »seinem Schatz« ablesen konnte. Nur die Eingeschworenen waren allein meinetwegen ausgezogen, dem Schwur verpflichtet, und diese Erkenntnis ließ mich erschauern. Hier war eine große Kraft am Werk – eine Kraft, gegen die ich mich mein Leben lang gesträubt und die ich gründlich unterschätzt hatte.

Krähenbein dagegen lachte, als hätte er verstanden, was ich meinte.

»Richtig«, sagte er trocken, was alles heißen konnte. Sigurd sah aus, als wolle er noch etwas zu dem Thema sagen, doch dann schluckte er und schwieg. Er konnte nicht abstreiten, dass meine Vermutung richtig war, und vermied es, mich anzusehen.

Dann packte Wladimir Krähenbein an beiden Handgelenken, und sie sahen sich an wie zwei Brüder, die sich verloren und wiedergefunden hatten, und mir kamen Zweifel, ob es Wladimir wirklich nur um den Silberschatz und um das Schwert ging, das uns den Weg zeigen sollte.

Plötzlich kam mir der unheimliche Gedanke, ob der Junge nicht vielleicht einen unbekannten Zauber auf den jungen Prinzen ausübte. Selbst wenn ich mir immer wieder sagte: »Er ist erst neun«, konnte ich diesen Verdacht nicht loswerden. Und ausgerechnet ihm verdankte ich jetzt mein Leben.

»Fast wären sie zu spät gekommen«, fuhr Dobrynja mit seiner tiefen Stimme fort. »Tien sagt, der *buran* kam blitzschnell und tobte stärker, als er es jemals erlebt hatte.«

Der *buran*, hatte ich gelernt, war der Name für diese Winterstürme. Kvasir meinte, der Rettungstrupp habe ihn nur überlebt, weil Tien darauf bestanden hatte, seine Jurte mitzunehmen, dieses kleine runde Steppenzelt, das nur aus Stämmen und dicken Lagen von Filz besteht. Finn gab ihm recht, voller Bewunderung bestätigte er, dass die Jurte ebenso wetterfest sei wie eine isländische Hütte.

»Und der *buran* war nicht die einzige Gefahr«, sagte Sigurd.

»Ja«, stimmte ich zu. »Da ist auch noch diese Frau.«

Dobrynja zog an seinem Bart und teilte ihn wie eine Gabel. »Tien hält es für nicht unwahrscheinlich, dass es alles

Frauen waren, jedenfalls die, die euch angegriffen haben. Er sagt, sie leben noch immer wie die alten Hunnen, und dazu gehört auch, dass sie die Köpfe von Kindern, die sie ausgewählt haben, auf diese Art verformen.«

Wir schwiegen, teils aus Verwunderung, teils vor Entsetzen über diese Tatsache. Krähenbein und Wladimir wurden immer lauter in ihrer Ecke und lachten über Krähenbeins Schilderung unseres Abenteuers. Ich wäre jede Wette eingegangen, dass in seiner Erzählung kein Wort davon fiel, dass er sich nass gemacht hatte.

»Diese Kriegerinnen gehören jetzt zum Stamm der Jassen«, sagte Dobrynja, »doch der Stamm hat nur wenig Einfluss auf sie. Als die Chasaren die Jassen-Stämme noch regierten, haben sie diesen Kriegerinnen verboten zu reiten, aber jetzt, wo wir die Macht der Chasaren gebrochen haben, haben wir in der Steppe offenbar etwas Schlimmes entfesselt.«

»Was wollen sie denn eigentlich?«, wollte Sigurd wissen.

»Uns aufhalten«, sagte ich, ehe Dobrynja etwas sagen konnte. Ich war mir ganz sicher, so sicher, als hätte es jemand in Runen für mich aufgeschrieben. »Sie wollen uns daran hindern, zu Attilas Grab zu gelangen.«

Dobrynja sah mich durch seine buschigen Augenbrauen an und brummte zustimmend.

»Das meint Tien auch. Er sagt, die Vorfahren dieser Weiber seien Attilas ganz besonderer Stolz gewesen, als er noch der große Herrscher über alle Steppenvölker war. Er bevorzugte sie, meint Tien, weil er ihre Kühnheit bewunderte. Dafür waren sie seine zuverlässigsten Krieger, denn das hob sie über den Status normaler Frauen hinaus.«

»Wie kommt es, dass du nichts davon wusstest?«, wollte Sigurd von mir wissen. »Haben sie euch nicht auch beim ersten Mal vom Grab abzuhalten versucht?«

Das hatten sie nicht, und der Grund war, dass sie nicht zu reiten wagten, solange die Chasaren regierten. Diese Kriegerinnen waren schließlich nur ein kleiner Teil eines großen Stammes der Jassen, und die Chasaren waren damals ein mächtiges Reich.

Das erklärte ich ihm, aber den Rest behielt ich für mich. Zum Beispiel, dass auch sie wussten, wo der Grabhügel war. Tien sagte mir später, er halte es für möglich, dass dieses Wissen nur jeweils an einige Auserwählte weitergegeben wurde. Ich sagte nichts, ich hatte meine eigene Meinung darüber, wer sie zu diesem Ort geführt hatte, und mein letzter Eindruck von Hild stieg in meiner Erinnerung auf, wie sie mit Augen, die schwarz waren vor Hass, in Attilas Grab auf mich einhieb.

»Die Steppenvölker sind auseinandergebrochen, und jetzt, wo auch Swjatoslaw tot ist, fehlt die starke Hand, um diesen verrückten Weibern Einhalt zu gebieten«, sagte Dobrynja.

Sigurd rückte wieder einmal an seiner Silbernase, denn wenn er ein finsteres Gesicht machte, drückte sie ihn, und er machte jetzt sehr oft ein finsteres Gesicht.

»Also haben wir es außer mit diesem Lambisson, der vorausgezogen ist, zusätzlich noch mit ein paar berittenen Weibern zu tun, die mit uns kämpfen wollen«, brummte er. »Aber meine Männer werden mit all dem schon fertig werden.«

»Tien geht freiwillig nirgendwo mehr hin, solange er kein Schwert im Rücken spürt«, sagte Dobrynja, und Sigurd pfiff leise durch seine Nase, was seine Version eines verächtlichen Schnaubens war.

»Wir sollten den kleinen Dreckskerl dafür pfählen – aber wozu? Wir haben ja andere Führer.«

Doch Tiens Furcht sollte ernst genommen werden, und

das sagte ich auch, als Dobrynja zustimmend nickte. Diese Männerhasser mochten nicht mehr als eine Handvoll guter Reiterinnen sein, aber es war das Fremdartige an ihnen, dieses Unvorstellbare, dass Frauen einen mit Bogen und Schwert angriffen, was einem Schauer einjagte. Besonders da sie auch noch diese verformten Köpfe und tätowierten Gesichter hatten.

Die Skjaldmeyjar – die Schildmaiden – waren uns nichts Neues, doch sie waren Geschöpfe aus der Alten Zeit, als Thor und Odin noch auf Erden wandelten. Visma war eine von ihnen und Vebjorg eine andere, und es gab noch mehr. Den Sagen nach hatten sie zur Zeit des alten Königs Bjarni eine große Anzahl von Helden angeführt, also mussten sie mutige Frauen gewesen sein.

Aber das war damals, und dies war jetzt. Zwar bewunderten wir eine starke Frau, die es verstand, mit der Waffe in der Hand ihr Eigentum zu verteidigen, doch keinem Mann gefiel der Gedanke, dass eine Frau Heim und Herd aufgab, um in einem Schildwall zu stehen.

Also würden die Gerüchte sich ausbreiten, zusammen mit Tiens Befürchtungen. Die Männer würden sich vor Angst in die Hosen machen, und das Unheimliche an diesen Frauen würde mit jeder Erzählung am Feuer noch zunehmen.

»Wir können doch jetzt nicht umdrehen, wegen ein paar … Weibern!«, brach es aus Sigurd heraus, und Dobrynja beschwichtigte ihn, er solle leiser sein. Er sah mich an, düster und voller Besorgnis.

»Damit wäre der Prinz ganz bestimmt nicht einverstanden«, sagte er bitter. »Du kennst die Macht dieses Silberschatzes, nicht wahr, Jarl Orm? Du hast erlebt, wie der Gedanke daran die Menschen beherrscht.«

Ich nickte, und mehr erwartete er nicht. Die Wirkung des

Giftes hatte schon eingesetzt und löste bei dem kleinen Wladimir Träume von Ruhm und Macht aus.

»Dann ziehen wir weiter«, knurrte Dobrynja. »Denn wir haben gar keine andere Wahl, und von den Göttern scheint auch keiner meine Bitten zu erhören.«

Das wussten wir alle. Wir hatten die verkohlten Überreste seiner Opfer gesehen, der Opfer an Perun, den Donnergott, an Swarog, den Himmelsläufer, an Stribog, den Gott der Winde und selbst an Jarilo, den Strahlenden, der eigentlich nichts weiter war als ein großer Schwanz auf Beinen. Keiner dieser falschen Slawengötter konnte es mit Allvater Odin aufnehmen, der der Welt die Geheimnisse der Zauberei zuflüsterte, und keiner von ihnen erhörte Dobrynjas Flehen, der kleine Wladimir möge zur Vernunft kommen.

»Eine Bachstelze ist klein«, murmelte Sigurd, »aber sie ist trotzdem ein Vogel, wie man in Nowgorod sagt.«

»Hast du zufällig auch eine Großmutter?«, fragte ich. »Wenn ja, dann ist der rote Njal vielleicht ein lang verschollener Verwandter von dir.«

Die Jungen hatten ihr Gespräch unterbrochen, sie sahen kurz zu uns herüber und mussten dann über Sigurds finsteres Gesicht laut lachen.

Auch in der Scheune, die wir Eingeschworenen als unseren Hof bewohnten, war es finster. Die Luft war voll Rauch vom frisch angefachten Feuer, doch die Gesichter der Männer, die darum saßen, waren ernst. Sie waren zwar bemüht, ihre Freude über meine Rückkehr zu zeigen, und Onund Hnufa brachte sogar ein Lächeln zustande. Aber der schöne Lambi war krank, und die Gewissheit, dass er sterben würde, bedrückte sie alle.

Lambi lag in einer dunklen Ecke, und niemand konnte sein mühsames, rasselndes Atmen überhören. Bjaelfi war in seiner Nähe, und Jon Asanes saß am Kopfende des Lagers und kühlte seine Stirn mit nassen Umschlägen.

Nackt und vor Schweiß glänzend lag Lambi da. Thordis versuchte vergeblich, ihn zuzudecken, denn so weit vom Feuer entfernt war es kalt, aber Lambi warf die Decken immer wieder ab. Ich sah Thordis an, ihr Blick sagte alles. Bjaelfi ging zum Feuer hinüber, wo er in einem Topf etwas kochte.

»Wie geht es dem Jungen?«, wollte Gisur wissen, und Bjaelfi hockte sich hin und rührte im Topf.

»Nicht gut«, musste er zugeben.

»Er hat zu viel Gallensaft«, sagte Jon mit Überzeugung. »Das habe ich bei den Mönchen in Kiew in einem Buch gelesen. Fieberkranke haben immer zu viel davon.«

»Richtig«, murmelte Bjaelfi. »Du wirst es schon am besten wissen, Jon Asanes.«

Jon, der sich getroffen fühlte, warf ihm einen kritischen Blick zu. »Was für eine Medizin gibst *du* ihm denn? Das würden hier bestimmt alle gern wissen.«

Bjaelfi schöpfte etwas von der Flüssigkeit aus dem Topf in eine hölzerne Schale und stand mühsam auf. Er strich sich über den Bart und sah Jon an.

»Diese Weisheit mit dir zu teilen wäre so, wie Met in ein bereits volles Horn zu gießen, mein Junge«, sagte er schließlich. »Denn es wäre die reine Verschwendung.«

Die Männer grinsten, und Jon wurde rot. Müde drehte Bjaelfi sich um und stieß fast mit mir zusammen.

»Jarl Orm …«

»Bjaelfi. Wie steht es um ihn?«

Der Heilkundige schüttelte traurig den Kopf mit dem wirren Haar. »Er wird sterben. Die Kälte ist in seine Lunge eingedrungen. Das habe ich schon oft gesehen, und ich habe ihm gegeben, was ich ihm in diesem Fall geben kann – Honig, Lindenblüten, Birkensaft, dazu ein gutes

Gebet an Freya, das ich noch kenne. Manche erholen sich damit, und ich hatte gedacht, dass er es auch schafft, denn er ist jung. Aber Lambi hat eine schwache Brust, er hat schon lange gehustet.«

Der kleine Mann trat wieder an Lambis Lager, und Kvasir tauchte neben mir auf. Sein Gesicht wirkte unheimlich in der Dunkelheit, das eine Auge von der Augenklappe verdeckt, das andere noch mit Holzkohle bemalt, zum Schutz gegen den Schnee, wie eine weitere Augenklappe.

»Von den Männern der Druschina werden heute Abend auch noch zwei sterben«, sagte er leise. »Einer hat dasselbe wie Lambi, der andere blutet aus dem Arsch. Er hat so lange zum Scheißen draußen gehockt, dass sein Scheißloch gefroren ist, und dann ist etwas geplatzt, haben sie mir erzählt. Ein erbärmlicher Tod für einen Krieger.«

Thorgunna erschien mit einer Schale, aus der es appetitlich duftete, dazu gab sie mir einen Kanten dunkles Brot. Lächelnd nickte sie mir zu. »Schwere Zeiten für uns, Händler«, sagte sie. »Ich wünschte wahrhaftig, ich wäre wieder in Hestreng. Dort habe ich ein Federbett, das vermisse ich jetzt sehr. Ingrid und Botolf werden es bestimmt schön gemütlich darunter haben.«

Es klang sehnsüchtig, aber nicht bitter. Sie hatte mich bei dem Namen genannt, den ich in glücklicheren Zeiten getragen hatte: Händler.

Ich strich mitfühlend über ihren Arm, denn ich wusste, wie ihr ums Herz war. Wahrscheinlich war sie krank vor Sorge darüber, was wir noch alles durchmachen müssten, ehe sie wieder zu Hause bei ihrem Federbett sein könnte. Sie wandte sich um und trieb die beiden schottischen Thrall, Hekja und Skirla, zur Arbeit an.

Später, als Bjaelfi mir andeutete, dass die Zeit gekommen war, ging ich zu Lambi, der schwer atmend und schwitzend dalag, sein Haar klebte ihm am bleichen Gesicht. Finn war schon da, ebenso Thorgunna und Thordis, die Lambi kalte Tücher auflegten und beruhigend auf ihn einsprachen. Sie glaubten nicht mehr daran, dass es ihm noch helfen würde, und taten es eher, um sich selbst abzulenken.

Jon Asanes stand blass und mit geröteten Augen auf der anderen Seite des Lagers und hielt Lambis Handgelenk. Die beiden waren gleichaltrig und waren vom ersten Moment, als sie sich in Kiew kennengelernt hatten, Freunde gewesen und hatten miteinander getrunken und gelacht, wie junge Männer es eben tun. Ich selbst war auch nicht viel älter, und doch kam ich mir im Vergleich zu ihnen uralt vor. Ich konnte nie an ihren Vergnügen teilhaben und beneidete sie, wenn sie ihre Kräfte maßen oder, die Arme umeinandergelegt, umhergingen.

»Heya«, sagte ich leise zu Lambi. »Hier liegst du also, und die Frauen tanzen um dich herum. Hätte ich mir ja denken können.«

Er brachte ein schwaches Lächeln zustande, doch das Atmen machte ihm so viel Mühe, dass er nicht sprechen konnte. Seine Augen waren unruhig und voller Angst.

»Ich … habe … nichts gemacht«, brachte er heraus, und Finn schüttelte den Kopf.

»Die Götter brauchen keinen Grund für das, was sie tun«, brummte er bitter.

»Nein. Ich meine … ich habe … noch nicht … gelebt. Ich wollte … einen Namen … bekannt sein …«

Erschöpft verstummte er, und Finn stieß einen Laut aus, als habe er einen Schlag erhalten. Seine Kaumuskeln arbeiteten unter dem Bart. Olaf erschien, und Lambi grinste ihn mühsam an, während er angestrengt nach Luft rang.

»Eine Geschichte«, sagte er. »Eine lustige … aber mach 's kurz. Ich muss noch … wohin.«

Olaf nickte. Er hatte die Zähne so fest zusammengebissen, dass ich mich fragte, wie er überhaupt sprechen konnte. Auch diese beiden waren Freunde gewesen, erinnerte ich mich. Lambi hatte Olaf wegen seiner Fähigkeiten und seines Standes bewundert, und Olaf war immer hingerissen von Lambis Kleidern gewesen, die ihm seinen Spitznamen eingebracht hatten: der Schöne. Und merkwürdigerweise beneidete Olaf Lambi um sein Alter, nur wenige Jahre mehr, und auch er wäre ein junger Falke im Wind gewesen.

»Es war einmal ein Geächteter, der hatte die Zeit überschritten, die man ihm zugestanden hatte, um das Land zu verlassen«, begann Olaf mit so leiser Stimme, dass nur die es hören konnten, die unmittelbar neben ihm saßen. »Nennen wir ihn … Lambi. In einem Hof, wo ein Fest gefeiert wurde, hatte er so viel getrunken, dass er einschlief. Da träumte er, dass die anderen Gäste ihn töten wollten, denn jetzt war er ja Freiwild. Von jeder Seite kamen vier Mann auf ihn zu. Einer hatte einen Speer, um ihm die Augen auszustechen. Einer hatte eine Axt, um seine Finger zu Brei zu schlagen und seine Beine abzuhacken. Einer hatte ein ziemlich großes Schwert, mit dem er seine Kehle durchschneiden wollte, und der Letzte hatte ein Messer, damit wollte er seinen Schwanz abschneiden und ihm ins Ohr stecken.«

Lambi stieß ein keuchendes Lachen aus, dann fing er an zu husten und konnte lange nicht wieder aufhören. Als er sich beruhigt hatte, fuhr Olaf fort.

»Lambi wachte mit einem lauten Schrei auf, denn er merkte, dass er tatsächlich in einer Festhalle lag und schnarchte, doch er war nicht unter Freunden – er war von Feinden umgeben. Einer hatte einen Speer und sah aus wie jemand, der einem die Augen ausstechen könnte. Ein Zweiter trug eine Axt, mit der er ganz bestimmt schon viele Finger zerquetscht hatte. Der Dritte hatte ein großes Schwert – aber der vierte Mann mit dem Messer schien nicht dabei zu sein. Lambi sah sich überall um, aber es war tatsächlich kein vierter Mann da. ›Ich danke dir, Odin‹, keuchte er und legte sich wieder hin, während die Männer näher kamen, ›es war also nur ein furchtbarer Traum.‹«

Lambi kicherte und hustete und zuckte, seine Brust hob und senkte sich noch einige Male mühsam, dann war er still. Thorgunna hielt ihre feuchte Wange dicht vor seinen Mund, dann schüttelte sie den Kopf und schloss ihm die Augen. Jon Asanes ließ den Kopf hängen und weinte hemmungslos.

Finn stieß einen tiefen Seufzer aus. »Freiwild«, sagte er leise, »das wollte er für niemanden sein. Und am Ende ist das auch alles, was man erhoffen kann.«

»Eine gute Geschichte«, sagte ich zu Olaf. »Du hast ihm das geschenkt, was er wollte, und das kann nicht jeder für seinen sterbenden Freund tun. Du hast eine seltene Gabe.«

Krähenbeins verschiedenfarbige Augen glänzten, und er schüttelte den blonden Kopf, der in dem Licht der Halle so weiß aussah, dass er fast wie ein kleiner alter Mann wirkte.

»Manchmal kann es auch eine Last sein«, flüsterte er.

Eigentlich wollten wir unsere Toten verbrennen wie früher, denn wir wussten, die Dorfbewohner würden die Leichen sofort wieder ausgraben und ihnen alles abnehmen. Doch Wladimir weigerte sich, denn dazu hätten wir ein Gebäude abreißen müssen, um genügend Holz für einen Scheiterhaufen zu haben.

»Du hast ihnen schon das Winterfutter genommen, und sie werden ihre Tiere ohnehin schlachten müssen«, brummte Sigurd, der wütend war, weil seine Toten unter dem Schnee keine Ruhe finden würden. »Bis zum Frühjahr werden sie ihre Gürtel und ihre Schuhriemen fressen – was ist da schon eine Hütte mehr oder weniger?«

Wladimir verschränkte die Arme und funkelte den Hauptmann seiner Druschina streng an. »Noch mögen sie das Volk meines Bruders sein, aber eines Tages werde ich über sie regieren, und ich will, dass sie mich fürchten – aber hassen sollen sie mich nicht.«

Sigurd konnte diesem Argument nicht folgen, das merkte man – ich selbst hatte Schwierigkeiten mit dieser Logik, aber Jon Asanes sorgte dafür, dass Wladimir lächelnd nickte.

»Der Prinz ist der Hirte seines Volkes«, erklärte er. »Ein Hirte schert die Schafe, aber er schlachtet sie nicht.«

Ich überließ sie sich selbst, mochten sie argumentieren, so viel sie wollten. Mir war zumute wie jemandem, der sich auf spiegelglattes Eis begeben hat. Ich wusste, dass Jon und Wladimir und der kleine Olaf die Zukunft waren, genau wie die Jarls und Prinzen und Könige, die jetzt regierten und Entscheidungen fällen mussten. Ich wusste aber auch, dass ich im Moment zu keiner klaren Entscheidung fähig war und dass Jon Asanes ein geeigneterer Jarl dieser neuen Zeit war als ich.

Aber er war kein Jarl der Eingeschworenen. Nein, nicht für sie, die jetzt in kleinen Gruppen und stampfend vor Kälte um die neuen Gräber standen, die wir der hart gefrorenen Erde mit Äxten und viel Schweiß abgerungen hatten. Dies waren noch Männer vom alten Schlag.

Ich benutzte die Gelegenheit, sie mit ein paar passenden Worten daran zu erinnern, welchen Preis man dafür zahle, wenn man den Schwur bräche. Eigentlich musste das niemandem erklärt werden, denn alle, die mit Martin und Thorkel losgezogen waren, waren tot, und Finn ließ sie nicht im Zweifel darüber, dass jeder, der dasselbe versuchen sollte, keine Gelegenheit mehr haben würde, Odins Zorn zu spüren.

Wir verbrachten den Morgen damit, uns abmarschbereit zu machen und neue Methoden auszuprobieren, uns gegen die Kälte zu schützen. Dann banden wir die Pferde los, klopften die Pflöcke aus der gefrorenen Erde, kratzten den Pferden mit dem Sax Eis aus den Hufen und machten uns endlich auf den Weg nach Süden, in die endlose Steppe.

Einmal noch drehte ich mich im Sattel um und blickte zurück auf das Dorf. Auf dem Erdwall sah ich eine Gestalt, und obwohl ich sie nicht genau erkannte, wusste ich, es war Tien. Ich spürte, wie er mir noch lange nachblickte.

Die Steppe dehnte sich vor uns aus wie ein Meer mit gefrorenen Wellen. Der Himmel war so weit, und die Wolken segelten schnell dahin und ballten sich zu immer neuen Formen zusammen, wie Holzrauch im Wind.

»Ich glaube, nur der Wind rettet uns«, sinnierte Gyrth düster, doch weil es durch den Wind nur noch kälter wurde, bekam er nur Knurren und Murren zur Antwort.

»Der Schnee hat einen Plan«, sagte Gyrth zwischen keuchenden Atemzügen. Sein Atem dampfte und ließ seinen Bart zu Eiszapfen gefrieren. »Er möchte die Welt in eine einzige weiße Decke hüllen, so rein wie ein gebleichtes Leintuch, aber der Wind lässt es nicht zu. Ich möchte hier ein wenig mehr hinbringen als dort, sagt der Wind. Lass es uns von diesem Dach und von dem Baum dort holen, sagt er. Der Schnee hasst den Wind, kann aber nichts gegen ihn machen. Und deshalb kann man an einem windstillen Tag im Winter den Schnee seufzen hören, denn er weiß genau, der Wind wird wieder kommen und sein ganzes Werk zunichtemachen.«

Wir mussten lachen, was uns ein wenig wärmte, aber doch nur ein wenig. Unsere Finger und Zehen schmerzten, und wir wickelten sie in Vadmaltuch und stopften Gras dazwischen, die feinen Samenköpfe des gelben Steppengrases waren der beste Schutz gegen die Kälte. Das sorgte zwar dafür, dass unsere Zehen nicht schwarz wurden, aber es machte unsere Füße so dick, dass sie nicht mehr in die Steigbügel passten.

Ein Tag verging wie der andere. Pferde starben, eins nach dem anderen, und die Männer, die sie geritten hatten, schleppten sich zu Fuß weiter. Ein paar Männer der Druschina warfen ihre Rüstung weg, denn das Gewicht der langen zweigeteilten Röcke machte das Gehen doppelt schwer. Die Eingeschworenen, die das Marschieren gewohnt waren, machten sich über sie lustig – bis Sigurd einen der Slawen zur Warnung tötete, und damit hörte das Wegwerfen der Rüstungen und auch das Gelächter auf.

Jetzt hörten wir nur noch das Seufzen des Schnees.

Sechzehn weitere Männer starben in ebenso vielen Tagen, hauptsächlich Slawen, doch zwei der Eingeschworenen blieben ebenfalls zurück. Sie waren zu steif gefroren, um sie gerade hinlegen zu können, und wir mussten ihnen die Arme brechen, damit wir sie ihnen über der Brust kreuzen konnten. Klepp Spaki hauchte in seine kalten Hände und schnitzte die Runen ihrer Namen in kleine Knochenstücke, Halli war der eine, Throst Silfra der andere. Beide hatten sich einfach hingelegt und geduldig auf die Erlösung von Hunger und Kälte gewartet, auf den sanften kalten Schlaf, während der weiße Rabe seine großen Flügel über sie ausbreitete.

Throsts engste Rudergefährten, Tjorvir, Finnlaith und Ospak, warfen etwas Hacksilber in das flache Grab, dann kam Finnlaith zu mir, das breite Gesicht unter einem Gewirr von vereistem Bart versteckt und rot vor Kälte. Seine Augen waren blau wie Eis.

»Tjorvir, Finnlaith und ich, wir vermuten, dass Throst auch von Thorkels Verrat wusste«, sagte er, und diese Eröffnung verschlug mir zunächst die Sprache. Das war eine Anklage für ein Thing, wo die Tradition es gebot, dass der Sprecher nicht getötet werden durfte.

»Deshalb ist es auch keine Überraschung für uns, dass Odin ihm das Glück entzog«, fuhr er ruhig fort. »Wenn von denen, die mit Thorkel kamen, noch mehr sterben sollten, dann sollst du aber wissen, Jarl Orm, dass das der Wunsch eines anderen Gottes ist und nicht Odins Fluch über einen Eidbrüchigen.«

Damit nickte er und stampfte davon. Er hatte mir klarmachen wollen, dass ich mich, auch wenn ich sonst niemandem trauen konnte, felsenfest auf diese drei verlassen konnte.

Gut zu wissen, dachte ich bitter. Es gab immer weniger Männer, auf die wirklich Verlass war, selbst unter den Eingeschworenen. Knochen, Blut und Stahl hatten in der Kälte Risse bekommen, und selbst die Furcht vor Odin, die sonst alle zusammenband, war brüchig geworden. Die Männer waren einfach erschöpft, und wir alle, die wir hier wortlos die Eiseskälte ertrugen, fragten uns, ob wir nicht heute oder morgen dasselbe machen würden wie Throst – uns einfach hinlegen, bis unser Herz aufhörte zu schlagen. Ich wusste, dass einige ebenfalls mit diesem Gedanken spielten.

Dann war da noch mein Schwert mit den Runen auf dem Griff. Es steckte noch immer in dem Bündel, das Martin geschnürt hatte, und ich hatte mir angewöhnt, es wie einen Bogen über der Schulter zu tragen. Die Männer dachten, ich täte es, um mir jederzeit den Griff ansehen zu können, aber in Wirklichkeit wollte ich lediglich den Anschein erwecken.

Tatsächlich nämlich waren die Runen völlig nutzlos, denn wir kamen von Norden und müssten erst Sarkel erreichen und von dort aus zurückgehen, um Attilas Grab zu finden. Doch diese Tatsache wollte ich den Männern, die vor Kälte fast umkamen, nicht auch noch zumuten.

Die Knochenstücke mit Klepps Runen legten wir den Toten auf die Zunge, in der Hoffnung, sie auf diese Weise auf dem Rückweg wiedererkennen zu können, denn die Wölfe würden sie aus den flachen Gräbern, in denen wir sie jetzt beisetzen mussten, wieder ausgraben. Einige fragten, ob das nicht völlig überflüssig sei, denn sie glaubten nicht daran, dass wir im Sommer wieder hier vorbeikommen würden, um ihre Gebeine ordentlich zu begraben.

Der Wind setzte sich durch, und das Land veränderte sich, die blendend weiße Wildnis wurde von immer mehr dunklen Flächen unterbrochen, bis wir schließlich über eine endlose graubraune Ebene zogen, hart gefroren und nur leicht mit Schnee überpudert, der hier und da zu Verwehungen zusammengetrieben war. Ab und zu eine Gruppe kahler Bäume, die ihre Äste wie Krallen in den eisigen Himmel reckten, darunter das gefrorene Steppengras, durch das der Wind fuhr, sodass es klang wie Zähneklappern.

»Die ganze Welt besteht nur noch aus Eis«, jammerte Jon Asanes in dieser Nacht, als er sich zitternd an jeden drängte, den er finden konnte, wie wir alle es machten, wenn wir um unsere Feuer saßen, die wir mit Pferdemist nährten. Wer immer in der Nähe der Pferde war, schaufelte ihn zusammen, sobald er fiel, und steckte ihn sich in die Kleider, um die Wärme zu spüren und ihn am Gefrieren zu hindern, damit er später brannte. Doch das Futter wurde knapp, die Pferde fraßen weniger und schissen weniger. Wenn sie nicht einfach starben.

»Das hier ist noch gar nichts«, erwiderte Onund Hnufa. »Ich war auf Walfang im Norden, wo sich das Eis zu Gebirgen auftürmt. Wenn es um Eis geht, macht mir niemand etwas vor.«

»Ja«, stimmte Gisur zu, als sei er auch dort gewesen, aber bei ihm handelte es sich nur um Wunschdenken.

»Es ist eine Welt aus Eis, dort oben in Bjarmaland«, fuhr Onund fort mit seiner Bassstimme, die wie ein brünstiger Seelöwe klang. »Im Herbst und im frühen Winter bildet sich das Meereis draußen im milchweißen Wasser, das den Sand enthält, den das Eis beim Vorbeischrammen vom Land abgerieben hat. Das Eis, das mit dem Land verbunden ist, heißt Festeis; das bricht im Frühling mit den Gezeiten auseinander. Eisschollen sind große, flache Eisstücke, wie diese Kacheln, aus denen sie in den Kirchen die Bilder zusammensetzen, von denen du uns erzählt hast, Händler. Der Wind und die Wellen zerbrechen sie in kleine Stücke und nehmen sie mit. Packeis besteht aus Eisschollen, die wie Schafe zusammengetrieben und aneinandergedrängt werden. Es gibt Packeis, das ist eine Handbreit dick oder noch mehr, und trotzdem gibt es nach und schmiegt sich wie ein Tuch an die Wellen an. Eis kann auch alt werden, wie Menschen. Das muss man wissen, wenn man mit dem Schiff in seine Nähe kommt. Junges Eis ist klar, eine Handbreit dick und bröckelig wie trockenes Brot – da kann man mühelos durchfahren. Einjähriges Eis ist eine Mannslänge dick, und nach zwei Jahren ist es noch dicker, es ragt weit aus dem Wasser. Es hat Pfützen und kahle Stellen und ist von einer Farbe wie Olafs linkes Auge. Um das macht man einen großen Bogen, wenn man schlau ist.«

Olaf grinste und zwinkerte mit seinem blaugrünen Auge, damit jeder sah, was Onund meinte. Er war, angezogen von dem appetitlichen Duft, von Wladimirs Feuer zu unserem gekommen und bot eine Geschichte für eine Schale unseres Essens. Er verschlang es mit einem solchen Heißhunger, dass er sich die Zunge verbrannte.

»Lecker«, sagte er. Dann machte er den Fehler, zu fragen, was es sei.

»Ist das wichtig?«, fragte Finn grinsend, aber die Antwort des Jungen klang ernst.

»Du bist nie ein Sklave gewesen, Finn Rosskopf«, sagte er. »Du brauchst niemals zu fragen, was du da isst, aber ich habe festgestellt, dass es manchmal sehr wichtig sein kann.«

Grinsend warf Gyrth ihm die gefrorene blutige Pfote eines Hirschhundes hin. »Der andere Hund«, sagte er, seine Stimme war heiser vor Kälte. »Den ersten Hund gab es gestern.«

»Das älteste Eis ist dicker als zwei Männer, die aufeinanderstehen. Manchmal ist es blau wie der Himmel«, fuhr Onund fort, und in seiner Stimme schwang Heimthra, die Sehnsucht nach Dingen, die man einst kannte und die man verloren hat, vielleicht für immer.

»Das reicht«, murmelte Kvasir, »mir ist ohnehin schon kalt genug.«

Sie verlangten Olafs Geschichte, während ich den alten, buckeligen Onund bewunderte, einen Mann, der über Eisberge gelaufen war und wusste, dass es dort Pfützen und kahle Stellen gab und dass es blaugrün war. Selbst diese Schneewüste machte ihm nichts aus.

Am nächsten Morgen, nachdem wir eine Stunde geritten waren, kamen die chasarischen Späher zurück, und wir sahen, dass sie im Näherkommen ihre klapperdürren Pferde zu größter Eile antrieben. Sie sprachen aufgebracht mit Wladimir, der wie der weiße Rabe selbst auf seinem Pferd saß.

Etwas später sahen wir, was sie gefunden hatten, und

näherten uns mit Vorsicht. Es waren die Reste zweier Zelte aus Filz und Vadmaltuch, ein paar schneebedeckte Trümmer, ein Sattel, Messinggeschirr, eine hölzerne Schale, ein Schwert, das rostend in der Erde steckte, die Nabe von einem Wagenrad, in der noch zwei Speichen steckten. Tote Pferde lagen herum, magere Steppenponys, die mit steifen Beinen auf der Seite lagen wie hölzernes Spielzeug.

Und es standen spitze Pfähle da, jeder mit einem Kopf darauf, der uns fratzenhaft und mit Raureif überzogen ansah.

Dobrynja war mit seinem Pferd an meine Seite gekommen.

»Kennst du die?« Wir erkannten niemanden, doch Gyrth zog das Schwert aus dem Boden und sagte: »Das ist eine gute nordische Waffe, Jarl Orm.«

»Lambissons Leute«, sagte Finn und kniff die Augen zusammen. »Schau mal, der hier hat Zöpfe wie Botolf. So flechten die Svearen und Slawen ihr Haar. Es heißt doch, Lambisson habe viele baltische Slawen mitgenommen.«

»Die Reiter haben sie überrascht und versprengt«, sagte Avraham, der Hinweise darauf zu erkennen glaubte. »Wahrscheinlich waren sie am Ende des Zuges. Schwer zu sagen, wann es passierte oder wo die anderen sind, der Boden ist zu hart. Aber auf Beute waren sie nicht aus, sonst hätten sie das Schwert nicht dagelassen.«

»Es ist einen Tag her«, sagte Morut und zog seinen Pelz enger. »Höchstens zwei. Die Wölfe haben sich bereits über die Köpfe hergemacht, und die Wunden sind noch frisch, also sind sie entstanden, solange sie noch nicht gefroren waren, und das wäre nur eine Sache von ein paar Stunden. In den Augenhöhlen ist auch kein Schnee. Und hier sind drei Hufabdrücke, die nach Süden zu gehen scheinen. Ich könnte ihre Spur verfolgen.«

»Mach das«, befahl Dobrynja, dann wandte er sich an Sigurd und mich, während Avraham Morut mit widerwilliger Bewunderung ansah.

»Wer immer hinter diesem Überfall steckt, könnte noch in der Nähe sein«, sagte Dobrynja. »Wir müssen dicht zusammenbleiben und wachsam sein.«

Die Männerhasser-Weiber, wollte ich sagen, tat es aber nicht. Ich machte mir nicht so große Sorgen darum wie er – diese Steppenponys waren der Beweis, dass die Kriegerinnen in einem genauso schlechten Zustand waren wie wir. Und außerdem spürte man Dorschbeißer und den kleinen Eldgrim jetzt so nahe, dass ich fast glaubte, sie sehen zu können.

Darüber sprach ich leise mit den Eingeschworenen und fügte hinzu, die Kriegerinnen seien womöglich schon alle tot. Ich dachte, es würde nicht schaden, wenn ich mit diesem kleinen Windhauch das Feuer ihrer Unternehmungslust neu beleben könnte.

»Und wenn der *buran* sie noch nicht umgebracht hat«, sagte ich optimistisch, »dann haben sie den Ritt hierher nicht überlebt. Sie hatten weniger Futter für diese Ponys, und ich denke, die meisten von ihnen werden zu Fuß gehen – wenn sie überhaupt noch leben.«

»Und ein Weib zu Fuß«, strahlte Gyrth Steinnbrodir und ignorierte die empörten Gesichter von Thorgunna und ihrer Schwester, »was für eine Gelegenheit!«

Finn lachte, aber man sollte die Nornen nicht unnötig reizen. Am folgenden Tag stolperten wir allen unseren Feinden gleichzeitig in die Arme.

KAPITEL 12

Wir erreichten eine Balka, eins dieser tiefen ausgetrockneten Flussbetten, von denen die Steppe durchzogen ist, aber unsere Augen blieben fest auf den Rauch gerichtet. Rauchfahnen am hellblauen Himmel, das bedeutete eine menschliche Ansiedlung, es bedeutete Wärme und Schutz und vor allem Essen, das man nicht in der Achselhöhle mit sich tragen musste, um es kauen zu können.

Avraham war ganz an der Spitze; er ging zu Fuß, denn als er aufwachte, hatte er sein Pferd tot vorgefunden. Er verfluchte es, denn wenn es am Tage verendet wäre, hätte man wenigstens noch etwas damit anfangen können. Aber jetzt war es bereits durch und durch gefroren.

Die Männer, die in der Nähe eines sterbenden Tieres waren, warteten meist nur auf den Moment, wenn seine Beine einknickten. Manchmal warteten sie nicht einmal, bis das Tier völlig verendet war, sondern hackten sich schon das warme Fleisch ab, tranken das Blut und zogen ihm das Fell ab, ehe es gefroren war. Selbst wenn der Reiter zur gepanzerten Druschina gehörte, bemühte er sich, so schnell wie möglich zur Seite zu springen, denn besonders Thordis und Thorgunna mit ihren scharfen Messern sahen in der Eile nicht immer ganz genau hin, wenn sie etwas abschnitten.

Morut verfolgte die Männerhasser, und der einzige Späher, den wir außer ihm jetzt noch hatten, ging nun also auch zu Fuß, deshalb kam seine Warnung nicht rechtzeitig. Aber es hätte sowieso keinen so großen Unterschied gemacht, denn wir waren vor lauter Kälte unaufmerksam geworden und konzentrierten uns nur noch auf den Rauch am Horizont.

Die Reiter kamen johlend den Rand der Balka hochgestürmt und fielen über uns her wie ein Schwarm Vögel. Ich sah, wie Sirka von einem Pfeil getroffen wurde und mit einem Schrei stürzte, während die völlig verblüfften Krieger der Druschina versuchten, die Pferde zu zügeln, und gleichzeitig ihre Waffen zum Angriff bereit machten. Avraham an der Spitze wusste, dass es keinen Zweck hatte, wegzurennen; er duckte sich unter seinen Schild, und sie galoppierten an ihm vorbei und auf uns zu.

Es waren Frauen. Es waren tatsächlich die Männerhasser-Weiber, und der Schreck darüber lähmte uns alle noch mehr als die Kälte.

Mit einem wolfsartigen Heulen rasten sie auf ihren kleinen, mageren Steppenponys zwischen uns hindurch. Ich zog mein Schwert und verwünschte den Umstand, dass mein Schild schon seit Langem auf dem Wagen lag, weil er mir beim Reiten zu beschwerlich war; ein Mann ohne Schwert ist noch immer ein Krieger, aber ein Mann ohne Schild ist nichts weiter als ein Ziel.

Einer der Slawen fiel rückwärts vom Pferd, das in Panik geriet und durchging, aber es war zu schwach, um weit zu kommen. Der Pfeil, der den Mann mitten ins Gesicht traf, war von einer kreischenden Walküre mit fliegenden Zöpfen abgeschossen worden. Ihr tätowiertes Gesicht auf dem langen Kopf verzog sich zu einer grotesken Maske, sie bearbeitete ihr zotteliges Pony mit den Fersen und lenkte es auf mich zu, während sie einen neuen Pfeil aus ihrem Köcher zog.

Ich war mir sicher, dass sie aus vierhundert Schritt Entfernung und vom galoppierenden Pferd eine Mücke ins Auge treffen konnte, und ich war so gut wie tot.

Gyrth rannte an mir vorbei, und mit seinen flatternden Umhängen aus Vadmaltuch wirkte er wie ein riesiger Vogel.

Er blieb stehen, riss den Schild des gefallenen Mannes hoch und fing den Pfeil damit ab – den Pfeil, der für mich bestimmt war. Der Aufprall dröhnte wie ein Donnerschlag.

Dann rannte er dem Pferd entgegen. Direkt darauf zu, brüllend und mit erhobenem Schild, sein Buckel traf das Tier an der linken Schulter, der Rand schlug ihm gegen die Zähne, und immer noch brüllte Gyrth und stemmte sich dagegen.

Das Pferd ging wild ausschlagend zu Boden, aber die Frau, die schnell und gewandt war, rollte sich ab und sprang wieder auf die Beine, wobei sie fauchte wie eine Katze. Sie fuhr herum und starrte auf Gyrth, der wie ein Fass über den Boden rollte, um den wild ausschlagenden Pferdehufen zu entgehen.

Sie ging auf ihn los, aber Finn war bereits zur Stelle. Sie schrie und schlug drauflos, aber er hob seine große, schwere Klinge, und unter einem Funkenregen traf ihr kleiner Krummsäbel darauf. Es klang wie ein Glockenschlag, und sie fing seinen Hieb ab, aber die Wucht des Aufpralls fuhr ihr in den Arm und machte ihre Finger taub, sodass sie ihr Schwert nicht mehr halten konnte.

Vor Frust und Wut heulte sie auf, doch selbst als ich in ihrer unmittelbaren Nähe stand, zeigte sie keine Anzeichen von Angst. Da erschien plötzlich eine riesige Gestalt inmitten dieses Durcheinanders, der Schnee stob auf, und wir standen wie geblendet.

Ein goldenes Pferd. Nicht gelb, sondern metallisch glänzend, wie aus poliertem Messing geformt. Es warf sich zwischen die Kriegerin und uns, und der Kontrast zu den struppigen Steppenponys ließ es nur noch herrlicher erscheinen.

Mir blieb der Mund offen stehen; die Frau schwang sich wieder auf ihr Pony, während das große goldglänzende Pferd zwischen uns tänzelte und Dampfwolken aus rosigen Nüstern hervorstieß. Der Reiter erschien wie ein Schatten über mir, und langes schwarzes Haar wehte im Wind, mit Strähnen, die aussahen wie Schlangen. Ich starrte die Gestalt an. In ihrer erhobenen Hand hielt sie etwas Glänzendes, was jetzt wie eine blitzende Sense auf mich niederfuhr. Finn warnte mich mit einem Schrei.

Ich erhob mein großes Schwert und spürte, wie das andere Schwert darauf traf, und hörte den hellen Klang, mit dem es zerbrach. Das goldene Pferd schnaubte und drehte sich elegant zur Seite, und sein riesiges Hinterteil prallte auf meine Hand, die ich schützend vor mir ausgestreckt hatte. Ich fiel rücklings um und überschlug mich im Schnee, wobei mein einziger Eindruck war, wie warm und feucht sich das Pferd angefühlt hatte.

Als ich wieder aufsah, war es verschwunden. Auch die Kriegerinnen waren verschwunden. Nur die Schmerzenslaute, die sie verursacht hatten, waren zu hören.

»Bei Odins Arsch, Orm«, rief Finn und kam angelaufen, »ich dachte wirklich, jetzt wäre es um dich geschehen.«

Ich richtete mich mühsam auf. Finn sah sich die traurigen Reste meines Schwerts an und stieß einen bewundernden Pfiff aus.

»Das muss ja ein Hieb gewesen sein, der eine Klinge wie diese zerbricht«, murmelte er. Ich hielt den Griff noch immer in der Hand und betrachtete es. Mir war, als gehöre das alles nicht zu mir, weder das abgebrochene Schwert noch die Hand.

»Du blutest«, sagte Gyrth, der an meiner anderen Seite erschienen war, und ich sah bestürzt auf das Blut auf meinem Handschuh.

»Das ist nicht von mir.« Jetzt fiel es mir wieder ein, die Erinnerung kam zurück wie die Flutwelle nach der Ebbe. »Das Pferd. Das goldene Pferd …«

»Richtig«, sagte Jon Asanes, der jetzt auch angerannt kam. »Hast du das Tier gesehen? Es hat geglänzt wie ein goldener Dirham. Wie ein Amulett, das man um den Hals trägt.«

»Natürlich hat er es gesehen«, erwiderte Gyrth tief aufatmend und mit einem leisen erleichterten Lachen, das sich immer einstellt, wenn man nach einem Kampf merkt, dass man noch am Leben ist. »Sein Kopf steckte ja fast in seinem Arsch.«

Jetzt lachten wir alle, laut und so ausgelassen, dass uns schließlich fast die Luft wegblieb. Ich fasste mich schneller als die anderen, denn ich musste an den Reiter des goldenen Pferdes denken – ein Weib, mit schwarzen Haarsträhnen, die wie Schlangen aussahen, und mit diesem zuckenden Blitz, der ihr Schwert war. Mir wurde mulmig zumute, und ich fragte Finn, ob er sie gesehen hätte.

Er nickte und hob warnend den Finger. »Sprich es nicht aus, Orm, mein Junge. Sag es nicht. Es war lediglich ein Reiter auf einem außergewöhnlichen Pferd, weiter nichts. Hild ist tot. Schon lange. Fang nicht wieder von ihr an, besonders jetzt nicht.«

»Das soll nur irgendein Reiter gewesen sein?«, erwiderte ich, und meine Angst machte mich noch wütender. »Mit einem Runenschwert wie mein eigenes, das diese gute nordische Klinge einfach zerschmettern kann?«

»Ach, leck mich doch, Orm«, sagte Finn und rieb seine Bartstoppeln, was er immer tat, wenn er wirklich wütend war oder nicht weiterwusste. »Leck mich doch, zusammen mit deiner Mutter. Es ist nicht Hild. Hild ist *tot,* Bärentöter. Schon seit Jahren. Du hast sie in Attilas Grab sterben sehen.«

Ich antwortete nicht. Mir war übel vor Angst bei dieser Vorstellung. Meine Gedanken waren wie Möwen, die schrien und durcheinanderstoben und nie lange genug sitzen blieben, um sich greifen zu lassen.

»*Das* war ein Pferd«, sagte Avraham, der dazugekommen war, unbekümmert. »Ein himmlisches Pferd natürlich. Hätte nie gedacht, dass ich so etwas einmal zu sehen bekäme.«

»Ein was?«, fragte Ospak ungläubig. Hinter ihm hörte man Hekja weinen, die gerade Skirlas Leiche entdeckt hatte. Sie waren seit frühester Kindheit Sklavinnen und hatten Thorgunna und Thordis stets gemeinsam gedient.

»Ein himmlisches Pferd aus dem fernen Osten«, sagte Avraham und zog mich von den weinenden Frauen fort. »Sie glänzen wie Messing, wenn sie schwitzen, und sind so wertvoll, dass man sie praktisch mit Gold aufwiegt. Die Heiden in der Steppe behaupten, sie würden manchmal auch Blut schwitzen, und das ist für sie der Beweis, dass es himmlische Wesen sind.«

»Schweißblut«, wiederholte Jon Asanes nachdenklich. Ich sah auf die blutige Handfläche meines Fausthandschuhs, gegen den das gewaltige Hinterteil des Pferdes geprallt war. Finn wandte sich zum Gehen und versuchte, mit beschwichtigenden Lauten Thordis und Thorgunna über den Verlust von Skirla zu trösten.

»Ja, das muss es sein«, stimmte Avraham zu. Dann wandte er sich an mich.

»Dobrynja möchte mit dir sprechen. Anscheinend haben wir ein neues Problem.«

Das neue Problem stand auf der Befestigungsanlage, die das Dorf umgab, es hatte einen wirren goldblonden Haarschopf und grinste fröhlich auf uns herab. Die eine Hand ruhte auf einem der angespitzten Palisadenpfähle, mit der anderen schwang er eine schwere Langaxt herum, deren Blatt in der untergehenden Sonne blitzte.

»Er, der gekommen, sucht ein Feuer,
Starr vor Kälte bis zum Knie;
Nahrung und Kleidung braucht der Wanderer,
der gezogen über verschneite Höhen.«

Seinem Akzent nach war er mehr Slawe als Nordmann und gebildeter als die meisten Menschen, trotzdem war ein Spruch wie dieser nicht gerade große Poesie.

»Nein«, sagte er in diesem Moment zu Wladimir, »ich glaube, ich habe keine Lust, euch einzulassen, auch wenn ihr mir den Gefallen getan habt, diese verrückten Weiber fortzujagen. Hier ist kaum Platz für mich und meine Leute.«

»Dann musst du über eine stattliche Anzahl von Männern verfügen«, erwiderte Dobrynja ruhig. »Wenn du uns sagst, wie viele dort drin sind, könnten wir uns über die Anzahl einigen, die hineinpasst, ohne euch Raum und Verpflegung wegzunehmen.«

»Es spielt keine Rolle, wie viele wir sind, Onkel Dobrynja«, lachte der Mann und drehte uns eine lange Nase, »denn wir werden keinen von euch reinlassen. Aber du solltest trotzdem wissen, dass wir stark genug sind.«

»Weißt du, wer ich bin?«, fragte Wladimir aufgebracht, und der Mann lachte wieder.

»Du bist der junge Prinz Wladimir. Dein Vater ist tot, und Groß-Nowgorod ist in weiter Ferne. Du bist hier in viel größerer Gefahr als ich, und diese Gefahr droht dir noch dazu durch deine eigenen Brüder. Du hättest auf deinen Onkel Dobrynja hören sollen, Junge, denn der hat dir sicher geraten, nach Hause zu gehen.«

Wladimir wurde rot vor Zorn, denn die Bemerkung hatte ins Schwarze getroffen. Dobrynja sah, wie der Junge versuchte, sein Pferd zu beruhigen, das nervös geworden war. Er streckte die Hand aus und berührte seine Schulter.

»Wir sollten später darüber reden«, sagte er.

Wladimir fuhr herum. »Rühr mich nicht an! Niemals!«

Dobrynja zögerte, dann senkte er, um Verzeihung bittend, den Kopf. Der Mann auf dem Erdwall lachte laut auf, und alle, auch ich selbst, waren unangenehm berührt, dass der Prinz sich wie ein launisches Kind aufgeführt hatte. Doch Dobrynja blieb völlig gelassen.

»Wie du wünschst, mein Prinz«, sagte er zu Wladimir. »Doch dieser große Dummkopf hier hat uns gerade zu verstehen gegeben, dass er sich lieber pfählen ließe, statt freundlich mit uns zu verhandeln. Wir wollen ihn nicht enttäuschen.«

Wladimir, noch immer zornig, lenkte sein Pferd herum, dann blieb er stehen und starrte zu dem Mann hoch.

»Du kennst mich also«, rief er mit seiner hohen Stimme, die jetzt schrill vor Wut war. »Dann sag mir wenigstens auch deinen Namen, damit ich ihn auf dem Pfahl vermerken kann, den ich dir für deine Unverschämtheit in den Arsch rammen werde.«

»Farolf«, sagte der Mann, und jetzt lachte er nicht mehr. »Ich kenne dich. Aber noch besser kenne ich den, der mit dir reitet. Orm, der Bärentöter, wenn ich mich nicht irre.«

Bei der Erwähnung meines Namens und Beinamens fuhr ich zusammen, denn der wurde meist nur höhnisch benutzt, wenn man mich herausfordern wollte. Er grinste mich an und deutete eine ironische Verbeugung an.

»Ich habe von Lambisson viel über dich erfahren«, sagte Farolf. »Und noch mehr von dem Kleinen mit dem Narbengesicht, der nicht ganz richtig im Kopf ist.«

»Dann weißt du jetzt mehr als vorher«, sagte ich. »Und weißt du auch, wo Brondolf Lambisson ist?«

»Der ist weitergezogen«, erwiderte Farolf vergnügt. »Er und sein kleiner Wirrkopf. Wahrscheinlich schon tot; diese Weiber, die allen die Eier abschneiden, sind hinter ihm her und haben nur ein paar zurückgelassen, die darauf warten, dass wir so dämlich sind, uns rauszuwagen, damit sie uns abschlachten können.«

»Die Männerhasser sind fort«, sagte ich vorsichtig, »und stattdessen sind wir hier. Es wäre klüger, das Knie zu beugen und den Balken vom Tor zu nehmen. Denn wir sind keine Frauen, und wir werden nicht warten, bis ihr herauskommt.«

»Nein«, erwiderte er ernst, »daran habe ich auch gedacht. Du und der Prinz, ihr sucht dasselbe wie Lambisson. Ihr seid stark, auch wenn eure Gefolgschaft ein wenig … geschrumpft wirkt. Trotzdem glaube ich nicht, dass ihr durch dieses Tor kommt.«

»Ihr habt Lambisson verlassen«, sagte ich, denn das war mir jetzt klar. Er nickte und lächelte, und es war dieses Lächeln, das mir unheimlich war, denn er schien sich seiner Sache sehr sicher zu sein; er wirkte glatt wie ein Aal. Die anderen hörten zu, und ihre Blicke wanderten von mir zu ihm und wieder zurück. Es war fast wie bei einem Holmgang.

»Habt ihr ihn verraten, oder verriet er euch? Aber das tut jetzt auch nichts mehr zur Sache, jedenfalls geht ihr eure eigenen Wege«, fuhr ich fort. »Und dennoch wollt ihr euch nicht mit uns zusammentun. Also habt ihr eigene Pläne. Wenn ihr das Silber sucht, dann sucht ihr Attilas Grabhügel …«

Plötzlich wusste ich es, es traf mich wie ein Schlag in die Magengrube. Er wusste, wohin er gehen musste, oder zumindest glaubte er es. Er konnte sich nur sicher sein, wenn jemand es ihm erzählt hatte. Der kleine Eldgrim war mit Lambisson gegangen, übrig blieb also nur …

Er lachte, als er mein Gesicht sah, dann gab er jemandem ein Zeichen. Ein paar grimmige, mit Leder gepanzerte Männer führten Thorstein Dorschbeißer vor. Er hing zwischen ihnen wie ein Sack, doch schließlich hob er den Kopf. Es war einmal ein Gesicht gewesen. Jetzt war es eine blaurote, verschwollene Masse mit Augen.

»Heya, Orm«, sagte er mit blutigen Lippen. »Du kommst spät.«

Ehe ich etwas sagen konnte, machte Farolf eine Kopfbewegung, und sie zerrten Thorstein ziemlich unsanft wieder fort.

»Jetzt verduftet«, sagte Farolf, »sonst hänge ich ihn verkehrt herum auf und schneide ihm die Kehle durch.«

Ich schwieg. Ich sah Wladimirs blasses, angespanntes Gesicht, sah seinen Onkel, Sigurd und alle anderen. Farolf hatte es zweifellos für eine gute Strategie gehalten, uns Dorschbeißer zu zeigen, und wenn die Eingeschworenen allein gewesen wären, wären sie jetzt nicht mehr zu halten gewesen. Aber den Slawen bedeutete Dorschbeißer nichts, und dem kleinen Wladimir war es völlig gleichgültig, ob wir ihn lebendig zurückbekamen oder nicht. Er wollte Rache und Pfählungen, und wenn er nicht auf dem Pferd gesessen hätte, hätte er mit dem Fuß aufgestampft und gebrüllt.

Farolf wollte uns natürlich vorgaukeln, dass Thorstein unter Folter alles gesagt hatte, was er wusste, sodass er ihn jetzt ruhig töten konnte – aber Thorstein wusste nichts, was er ihm hätte erzählen können. Er kannte den Weg zum

Grabhügel nicht, doch unter einer Klinge oder einem glühenden Eisen erzählt man so manches.

Ich wandte mich um, es gab nichts weiter zu sagen. Jedenfalls dachte ich das – doch in diesem Moment erhob Finn das Wort, gerade als Farolf gehen wollte.

»Der Dumme glaubt alles zu wissen,
solang er sitzt im sicheren Hof.
Doch weiß er in Wahrheit nur eins:
Was er als Antwort geben wird,
wenn Männer ihn auf die Probe stellen.«

Das war eine andere Strophe aus dem Gedicht, aus dem Farolf vorher zitiert hatte. Es war genau die richtige Antwort und umso erstaunlicher, weil sie von Finn kam. Ich war sprachlos. Und ich war nicht der Einzige; nach und nach wurde allen klar, wie klug und schlagfertig Finns Bemerkung gewesen war, und die Freude darüber wärmte uns wie ein Feuer. Die Männer johlten und schlugen begeistert auf ihre Schilde.

Doch damit hatten wir es lediglich geschafft, Farolf noch weiter zu verstimmen. Alles Weitere würden die Eingeschworenen in die Hand nehmen müssen, wie Sigurd und Dobrynja mir klarmachten.

»Meine Männer kämpfen vom Pferd aus«, erklärte Sigurd, als wir um unser mickriges Feuer saßen, das keinerlei Wärme spendete. »Ich könnte sie natürlich auch zu Fuß kämpfen lassen, aber das wäre nicht sehr erfolgreich, außerdem wären ihre Panzerhemden zu lang.«

»Aber sie haben ja ihre Bogen«, sagte Dobrynja. »Sie könnten dafür sorgen, dass die dort drinnen in Deckung gehen, während ihr den Wall stürmt, aber es stimmt schon, was Sigurd sagt – sie sind es gewohnt, vom Sattel aus zu kämpfen.«

Und nicht einmal das besonders gut, dachte ich missmutig, denn ich musste an den Angriff der Männerhasser denken. Die Aufgabe der Eingeschworenen würde nicht leicht sein; das Dorf war gut befestigt worden, um den Überfällen durch Chasaren und Petschnegen standzuhalten. Es war von einem Erdwall umgeben, der durch eine Palisade aus grob behauenen, oben angespitzten Pfählen verstärkt war. Sie war mehr als zwei Mann hoch, also würden wir Leitern brauchen, und dazu brauchten wir Holz, das wir nicht hatten. Das einzige Holz weit und breit war ein kleiner Birkenhain, aber die Bäume waren dünn.

»Wir könnten einen Wagen zerlegen«, schlug Sigurd vor, aber Wladimir, von dem nur noch die rote Nase im dicken Pelz sichtbar war, fing sofort an, mit empörter Kinderstimme zu schimpfen: »Keine weiteren Wagen. Wie sollen wir den Schatz abtransportieren, wenn wir alle Wagen aufgeben?«

Es entstand eine Stille, dann räusperte sich Dobrynja. »Also können wir nicht über den Wall. Durchs Tor können wir auch nicht, denn dazu bräuchten wir einen Rammbock.«

Wenn es nicht um Dorschbeißer ginge, könnten wir weiterziehen, dachte ich, während der kleine Olaf, Wladimirs treuer Schatten, im Feuer stocherte, dass die Funken stoben. Wie um sich über uns lustig zu machen, ertönte vom Wall her lautes Stampfen, mit dem sich jemand warm hielt.

»Wir brennen es nieder«, erklärte Wladimir. »Das Tor. Wir zünden es an.«

»Womit?«, fragte ich. »Das Holz dort ist völlig vereist, das brennt nicht ohne Öl. Haben wir das?«

»Dann finde einen anderen Weg«, rief Wladimir mit zorniger Kinderstimme. »Aber das tust du nicht, weil du es nicht willst, denn dann müsstest du ja …«

Er brach ab, denn er merkte, was er beinahe gesagt hätte, und versteckte sein Gesicht im Pelz, weil er sich schämte.

Sobald wir angriffen, würde Dorschbeißer sterben. Das war zumindest sehr wahrscheinlich, wenn Farolf merkte, dass er keine Chance mehr hatte. Aber dennoch, wenn wir uns beeilten …

Steif vor Kälte stand ich auf und zerrte mir die Eisklumpen aus dem Bart, dann verließ ich den Platz am Feuer, denn ich merkte, wie sie mich ansahen. Die Dunkelheit jenseits des Feuerscheins war noch kälter, und ich beeilte mich, an das Feuer der Eingeschworenen zu kommen, das sie im Windschatten eines Wagens und unter einem Dach aus Vadmaltuch angezündet hatten. Hinter mir hörte ich die tiefe Stimme Dobrynjas, der wahrscheinlich seinen Prinzen vorsichtig schalt und ihm klarmachte, wie sehr er auf Orm und die Eingeschworenen angewiesen war.

Die können mich alle mal, dachte ich, denn ich sah keinen Ausweg aus dieser verfahrenen Situation und fragte mich – nicht zum ersten Mal – welches Spiel Odin jetzt wieder mit uns trieb.

»Na?«, sagte Finn, »und was für Wünsche hat das Prinzlein jetzt?«

Ich sagte es ihnen, und Kvasir knurrte nur unwillig. Thorgunna sprach aus, was ich auch bereits gedacht hatte, nämlich dass wir alle weiterziehen sollten. Ich erwartete einen ärgerlichen Protest von Finn und war überrascht, als er nur weiter ins Feuer starrte und gar nichts sagte.

»Allein weiterziehen?«, wollte Ospak wissen. »Diese Druschina-Arschlöcher würden uns folgen und uns in Grund und Boden reiten, wenn wir uns einfach aus dem Staub machen.«

»Eine gute langstielige Axt würde mit denen fertigwerden«, murmelte Gyrth, der eine solche Waffe besaß.

»Ein blutiges Schwert findet immer sein Ziel«, stimmte der rote Njal zu, »wie meine Großmutter immer sagte.«

»Ein abgehackter Fuß kann nicht weit laufen«, entgegnete Hlenni Brimill grinsend, und der rote Njal runzelte die Stirn.

»Selbst der Lahme rennt, wenn er muss«, sagte er schließlich. Die Männer stöhnten, aber Tjorvir spuckte ins Feuer und sah sie beide genervt an.

»Ich bin wegen des Silbers mitgekommen. Es ist schon schlimm genug, dass wir es unter so vielen aufteilen müssen, als dass wir jetzt auch noch mit leeren Händen wegrennen sollten, nach allem, was wir durchgemacht haben. Wie meine Großmutter sagen würde, wenn sie hier wäre.«

Zustimmendes Brummen von allen Seiten aus der Dunkelheit.

»Also werden wir diesen großen Schatz teilen?«, fragte Thorgunna mit heller Stimme, als sie in den Feuerschein trat, doch ihre dunklen Augen sahen mich fest und ernst an.

»Warum sind wir denn sonst hier?«, wollte Ospak wissen.

»Um gewissen Leuten den Pfahl im Arsch zu ersparen«, brummte Hauk Schnellsegler. »Zum Beispiel dir.«

»Ja, aber …«, fing Ospak an, aber Gisur schnitt ihm das Wort ab.

»Kein Aber«, sagte er. »Macht euch nichts vor, der Schatz gehört jetzt Wladimir, dem wir ihn im Gegenzug für den Schlamassel versprochen haben, in den unser kleiner Axtmörder Olaf Krähenbein uns gebracht hat.«

»Bei Odins Arsch, das ist Quatsch«, fauchte Gyrth. »Es ist unser Schatz.«

»Ach wirklich?«, sagte Finn spöttisch. »Unser Schatz? Du

bist erst ziemlich spät zu diesem Festgelage erschienen, Steinnbrodir.«

»Zugegeben«, lenkte Gyrth ein. Doch empört fuhr er fort: »Aber jetzt bin ich ein Eingeschworener, genau wie du. Und auch ich friere mir hier den Arsch ab, genau wie du.«

»Und ist er dir in Serkland auch verbrannt?«, fragte Hauk. »Hast du am Fuß der Festung von Sarkel mitgekämpft, als wir das erste Mal hierherkamen, um den Silberschatz zu suchen?«

»Ich bin jetzt hier«, sagte Gyrth ruhig. »Und andere auch, genau wie ich. Ohne uns würdest du immer noch in Ostgotland deine Hühner füttern, Hauk Schnellsegler.«

»Wir sollten darüber nicht streiten«, sagte der rote Njal, und Hauk drehte sich zu ihm um.

»Was? Kein Großmutterspruch zum Thema, dass man über den Reichtum der Welt nicht streiten soll?«

Der rote Njal zuckte nur die Schultern und warf Hauk einen verächtlichen Blick zu. »Was schert es die Eiche, wenn die Sau sich an ihr kratzt«, sagte er.

Man hörte leises Lachen und zustimmendes Brummen, während andere wieder anfingen, sich über das Für und Wider zu streiten. Hauk sah den roten Njal zornig an und war offenbar drauf und dran, handgreiflich zu werden. Ich brachte sie alle zum Schweigen, überrascht darüber, dass ich anscheinend der Einzige war, der die wahre Sachlage erkannte.

»Es ist nicht *unser* Schatz. Auch nicht Wladimirs. Selbst Attilas nicht. Er gehört Odin – und er schenkt ihn denen, die er für die Würdigsten hält.«

Ich sah sie alle ernst an, einen nach dem anderen, bis sie die Augen niederschlugen.

»Knochen, Blut und Stahl«, betonte ich noch einmal.

»Dorschbeißer ist da drinnen. Wir werden nicht wegrennen und einen von uns hier zurücklassen.«

Es wurde still, denn diese Wahrheit schmerzte mehr als die Kälte. Schließlich rührte Finn sich und stocherte im Feuer.

»Tja, dann müssen wir also zuerst mal über diesen Wall. Immer einen Schritt nach dem anderen, wie *meine* Großmutter immer sagte.«

»Du hattest gar keine Großmutter!«, sagte der rote Njal vorwurfsvoll.

»Doch, hatte ich«, erwiderte Finn. »Und sie war eine kluge Frau. Sie konnte am Verhalten der Vögel vorhersagen, wenn jemand sterben würde, und sie hat auch gesagt, wenn man dreimal denselben Traum hat, dann wird er wahr ...«

»Klingt wie Olaf Krähenbein«, murmelte Kvasir. »Vielleicht bist du ja auch sein Onkel. Wenn ja, dann bedaure ich dich schon jetzt.«

»Und wusste deine ach so kluge Großmutter auch, wie man über Wälle springt oder durch verschlossene Tore kommt?«, wollte ich wissen, worauf sie schlagartig verstummten.

»Na?«, fragte ich und spürte, wie sie mich ansahen. Ich zerrte an dem Jarlring, den ich um den Hals trug, bis er mir ins Fleisch schnitt. »Wir müssen über diese Wälle oder durch dieses Tor kommen, wenn also jemand von euch einen Einfall hat, wäre jetzt eine gute Gelegenheit, ihn uns mitzuteilen.«

Wieder berieten sie über Leitern und einen Rammbock, und ich erklärte, warum das unmöglich war. Jon Asanes kam mit dem Vorschlag, einen Wagen umzudrehen, mit dem mehrere Männer gegen das Tor rennen könnten, was keine ganz schlechte Idee war. Doch wir verwarfen sie wieder, weil wir nicht sicher sein konnten, dass unsere Wagen stabil genug und unsere Männer für diese Aufgabe stark genug sein würden.

Schließlich reckte Kvasir sich und gähnte. »Wenn wir nicht über die Wälle oder durch das Tor kommen können, dann müssen wir eben über das Tor gehen.«

Es wurde still, und die, die es nicht richtig verstanden hatten, fragten ihre Nachbarn, was Kvasir gesagt hatte. Als sie es erfuhren, waren sie allerdings nicht klüger als wir anderen, also erklärte er es, und uns wurde klar: Während wir geredet hatten, hatte er nachgedacht.

Als er uns seinen Plan erklärt hatte, prüften wir ihn gemeinsam noch einmal auf mögliche Schwachstellen, bis wir zugeben mussten, dass Kvasir mit seinem einen Auge wieder einmal mehr gesehen hatte als wir anderen mit zweien.

»Könnt ihr das wirklich?«, fragte Dobrynja, als ich an sein Feuer zurückkam und ihm berichtete, was meine Männer am Morgen machen wollten.

»Wir werden es tun«, erwiderte ich, »denn wir sind die Eingeschworenen.«

Ich bemühte mich, meiner Stimme die nötige Festigkeit zu geben, damit er nicht ahnte, was ich wirklich von dem Plan hielt.

Dobrynja sah Sigurd an, dann blickte er auf den schlafenden Wladimir, an den sich Olaf angeschmiegt hatte, und nickte müde. Ich hockte mich neben ihn, und wir starrten ins Feuer, während die beiden vorsichtig tastend herauszufinden suchten, was sie als Vertraute und Berater Wladimirs wissen mussten – nämlich, ob mich dieser kleine Prinz so verärgert hatte, dass ich ihn im Stich lassen oder, was noch schlimmer wäre, auf Rache sinnen würde.

Dazu hatte ich keinen Grund, und ich ersparte ihnen die Frage.

»Er hat unser Leben geschont«, sagte ich und blickte ins Feuer, »und dafür versprach ich, dem Prinzen zu helfen. Zwar ist es richtig, dass ich darauf keinen Schwur geleistet habe – denn wie ihr wisst, legen wir unseren Schwur nur voreinander und vor Odin ab – aber trotzdem werde ich dieses Versprechen halten.«

Es war still. Das Feuer zischte, weil in dem gefrorenen Holz immer wieder Eisstückchen steckten. Dann räusperte sich Dobrynja.

»Er ist noch jung, er wird noch reifen«, sagte er. »Später wirst du die Freundschaft eines solchen Prinzen vielleicht einmal zu schätzen wissen. Durch den Tod seines Vaters ist all das zu früh für ihn gekommen, es traf ihn völlig unvorbereitet.«

Ich nickte. Die Freundschaft eines Prinzen würde mir tatsächlich einmal nützlich sein, wenn ich diesen Winter überlebte – oder wenn er ihn überlebte. Das sagte ich auch, und Sigurd grinste, wobei die Haut um seine silberne Nase weiß wurde.

»Ich habe im Leben die Erfahrung gemacht«, brummte er, »dass es immer Menschen gibt, die zu Großem bestimmt sind. Und Wladimir ist so ein Mensch – genau wie der kleine Olaf. Sie werden überleben.«

Selbst wenn alle anderen umkommen, dachte ich. Der kleine Olaf lächelte im Schlaf, sodass seine Zähne im Feuerschein blutrot aussahen, als hätte er eine frisch geschlagene Beute vor sich. Und dennoch, trotz all seiner kindlichen Grausamkeit und seines merkwürdigen Seidr-Zaubers hatte er fast immer Angst. Er war furchtsam und allein, trotz seines Onkels Sigurd und seiner fernen, unbekannten Verwandtschaft. Denn im Grunde war er immer noch Klerkons Eigentum und wartete vergeblich darauf, von seiner Familie gerettet zu werden.

Neben ihm bewegte sich Wladimir und stöhnte leise im Schlaf. Auch er war jetzt nichts weiter als ein schlafender kleiner Junge, der keinen Vater hatte, mit dem er die ernsthaften Gespräche hätte führen können, die für einen Jungen seines Alters so wichtig sind.

Ich wusste, wie den beiden zumute war, und deshalb wollte ich bei ihnen bleiben.

In dieser Nacht träumte ich von Hild, der Frau, die uns damals zu Attilas Grab geführt hatte und die dort dem Wahnsinn verfiel – oder vielleicht hatte die Fylgja von Attilas toter Braut von ihr Besitz ergriffen. Der Legende zufolge hatte seine Braut ihn getötet und war in seinem Grab lebend an seinen Thron gekettet worden.

Ich sah Hild, wie sie mir zuletzt erschienen, das Haar wie sich windende schwarze Schlangen, das Schwert in der Hand, das der Zwilling meines eigenen war und wie ein Blitzstrahl zuckte, als sie in die Dunkelheit entschwand und mir mit schriller Stimme ihre Verwünschungen hinterherschrie, während das Wasser anstieg, um sie zu verschlingen.

Mir war egal, was Finn glaubte. Ich wusste, dort draußen in der Steppe war Hild oder so etwas wie ihr Folgegeist, um Attilas eigene Eingeschworene gegen uns anzuführen.

Als der nächste Morgen dämmerte, waren wir zu erschöpft, um richtig wach zu werden, und auch, als wir uns schließlich aufgerappelt hatten, stolperten wir noch lange in der trostlosen weißen Umgebung umher und wussten nicht zu sagen, ob seit unseren letzten Gesprächen ein paar Stunden oder bereits ein ganzer Tag vergangen war.

Ich war über und über mit Reif bedeckt, der jetzt aus Kleidung, Bart und Haar bröckelte, als ich die übrigen Eingeschworenen anstieß, anknurrte und zuweilen anbrüllte, um sie auf Trab zu bringen. Zwei Männer waren erfroren, aber den Göttern sei Dank keiner von meinen Leuten. Sie hatten sich zum Schlafen zusammengerollt, und es war unmöglich, sie zu strecken, um ihnen das wenige Wertvolle, was sie am Leibe trugen, abzunehmen.

Ref Steinsson, der seine Seekiste nach weiteren Sachen durchsuchte, die ihn warm halten könnten, zeigte uns, was aus den dünnen Zinnplättchen geworden war, die er mitgenommen hatte, um Töpfe zu reparieren. Verwirrt starrten wir auf das graue Pulver, zu dem sie in der Kälte zerfallen waren.

Wir zündeten Feuer an. Ich würgte etwas Hafer hinunter, eingeweicht in Schmelzwasser – die Pferde bekamen dasselbe –, und wir rüsteten uns für den Tag. Als die rote Morgensonne zur Hälfte über den Rand der Welt geklettert war, standen wir bereit, eine wilde, hohläugige Bande mit eingefallenen Gesichtern, über die das Wasser lief, das unterm Helm und in den Bärten schmolz. Wir sahen aus, als würden wir es nicht einmal bis zum Tor schaffen, vom Erstürmen ganz zu schweigen.

Noch schlimmer stand es um die Auserwählten, zu denen ich gehörte. Wir hatten unsere Kettenhemden und so viel Kleidung wie möglich ausgezogen, bis wir nichts weiter als Tunika, Hose, Helm und Stiefel am Leib hatten. Die Kälte biss unbarmherzig zu, und wir stampften zitternd mit den Füßen, und wäre unser Kampfeswille nicht gewesen, der heiß in uns loderte, wären wir alle schon blau und erfroren gewesen.

Dobrynja ritt mit dem kleinen Wladimir voran, der jetzt seine versilberte Rüstung und seinen Helm mit dem Federbusch trug, von Kopf bis Fuß ein Krieger im Kleinformat. Sigurd führte sechzig Reiter an – es waren die letzten sechzig Pferde, die noch einen Mann mit Rüstung tragen konnten. Sie ritten in einem großen Bogen zum Tor auf der hinteren Seite, eine Taktik, die die Verteidiger von dem anderen Tor ablenken sollte, das uns am nächsten lag. Olaf ritt mit ihnen und winkte fröhlich.

Der Rest der Druschina wartete, zu Fuß und mit schussbereiten Bogen, in einer Reihe hinter den Eingeschworenen. Hinter dem Tor hörte man Hammerschläge; die Verteidiger bereiteten sich vor. Meine Sorge war, dass sie von innen einen Balken vor das Tor nagelten, was unser Vorhaben noch weiter erschweren würde.

»Ein guter Morgen, um zu sterben«, erklärte Wladimir ernst, zweifellos eine Redensart, die er von seinem Vater gehört hatte. Ich antwortete nichts darauf, denn das war nicht gerade geeignet, den Kampfgeist unserer durchgefrorenen Männer anzuheizen, außerdem hätte man, wenn ich den Mund aufgemacht hätte, nur mein Zähneklappern gehört.

»Los geht's«, erklärte Dobrynja.

»Jawohl, los geht's«, sagte Wladimir und brachte seinen kleinen Speer in Stellung. Dann hoben beide ihren Schild, trieben ihre Pferde an und galoppierten direkt auf das Tor zu.

Man kann über Wladimir sagen, was man will – und es wurde später viel über ihn gesagt, geschrieben und erzählt –, aber Mut hatte er. Es war Dobrynjas Idee gewesen, um herauszufinden, wie viele Bogenschützen die Verteidiger hatten, und er wollte es eigentlich im Alleingang machen, wie ich später hörte. Ein kurzer Galopp, den Speer aufs Tor geschleudert – das war die traditionelle Art, eine bedingungslose Belagerung anzukündigen –, dann im Galopp zurück in Sicherheit.

Wladimir wollte sich am Kampf beteiligen, und bewies damit einmal mehr auch seine Klugheit, denn sein Mut beeindruckte die Männer. Nach dem Gesichtsverlust, den er am Vortage Farolf gegenüber hatte hinnehmen müssen, waren alle zunächst ziemlich niedergeschlagen gewesen.

Nun galoppierte er den Wall hinauf, schleuderte seinen kleinen Speer über die Palisaden und schrie mit seiner Kinderstimme, die sich vor Aufregung überschlug: *»Idu na vy!«*

Die Druschina waren hingerissen. *Idu na vy.* Ich komme – das war der Schlachtruf seines Vaters gewesen, den er seinen Feinden entgegenzuschleudern pflegte. Wladimirs Männer brüllten vor Begeisterung so laut, dass es auf die Eingeschworenen übergriff und sie von der Hochstimmung angesteckt wurden. Sie schlugen auf ihre Schilde und heulten wie die Wölfe.

Ein paar halbherzige Pfeile flogen hinter den beiden Reitern her, als sie zurückgeprescht kamen und ihre Pferde bei uns mit Mühe zum Stehen brachten. Die Pferde keuchten bereits nach dieser kurzen Anstrengung, sie waren abgemagert und entkräftet.

»Na also«, sagte Dobrynja, und seine Augen blitzten vor Aufregung und Begeisterung. »Wir haben das Unsere getan, Jarl Orm.«

Ich wandte mich ihm zu, mein Magen verkrampfte sich bei dem Gedanken an das, was jetzt kam. Die Eingeschworenen waren bereit, und ich suchte verzweifelt nach den richtigen Worten – doch da mischte Odin sich ein, wie immer, und ließ im Dorf einen Hund bellen.

Alle Köpfe drehten sich in die Richtung. Ein Hund, lebendig und nicht aufgegessen. Das bedeutete, dass sie noch genug Verpflegung hatten, und selbst wenn sie schon halb verdorben war, diesen Hund konnte man gut schlachten, und er gehörte uns. Das sagte ich ihnen, und das waren die richtigen Worte. Die Männer hoben die Köpfe und stimmten ihr Kriegsgeheul an – die Eingeschworenen hatten Blut gerochen.

Wir rannten los, die Schilde erhoben. Die Bogenschützen der Druschina folgten und schossen im Wechsel ihre Salven – Pfeile schwirrten und trafen dumpf auf Holz. Ich sah nach links, wo Finn vor Wut fauchte, dann nach rechts, wo Ospak Schritt zu halten versuchte. Sechs Männer liefen voraus, drei davon mit Schilden.

Das Tor hatte zwei Flügel, und sein Rahmen war Teil der hölzernen Befestigungsanlage. Hier war natürlich der Erdwall unterbrochen, und man hatte auf jede Seite des Tores einen mächtigen vierkantigen Pfosten gesetzt, aber die Holzstämme der Palisade waren auch hier nicht länger als sonst überall. Das bedeutete, dass es ohne den Erdwall wesentlich niedriger war, und auch über dem Tor war keine Brustwehr, lediglich ein starker Holzbalken, sodass ein Reiter sich ducken musste, wenn er hindurchritt.

Sechs Männer warfen sich gegen das Holz des Tores. Die Verteidiger auf den Aussichtstürmen erschienen kurz, um auf sie zu schießen, doch mussten sie sich sofort wieder ducken, weil rund um ihre Köpfe Pfeile ins Holz trafen. Jetzt senkten die drei Männerpaare ihre Schilde, nahmen sie zwischen sich und drehten sich kurz zu uns um.

»Knochen, Blut und Stahl«, knurrte Finn und fletschte die Zähne wie ein wilder Hund, während Ospak ein Heulen zum Himmel schickte, dass ihm die Adern am Hals schwollen. Unsere Äxte klangen, unser Atem dampfte, und ich merkte, dass ich schwitzte, obwohl ich meine Füße vor Kälte nicht spürte. In jeder Hand eine Axt, rasten wir los, und es fühlte sich an, als liefen wir auf den Stümpfen unserer Fußknöchel.

Wir waren die Leichtesten – na ja, bis auf Finn, aber ich wollte wenigstens einen wild entschlossenen Kämpfer dabeihaben. Ospak war klein, und ich war auch kein baumstarker Ruderer mehr, also sprangen wir auf die Schilde und wurden ohne große Mühe von den beiden Männern hochgeschleudert, die wir aufgrund ihres kräftigen Körperbaus für diese Aufgabe ausgesucht hatten.

Ich warf mich auf die Palisade und suchte an den uralten glatten Pfählen nach einem Halt, dann brachte ich die Beine auf die andere Seite und ließ mich fallen. Ospak, der noch leichter war als ich, hechtete fast mühelos darüber. Finn hieb seine Axt in den oberen Balken und zog sich hoch, bis auch er hinüberklettern konnte. Und schon sprangen auf der anderen Seite drei weitere Auserwählte schwitzend auf den Schild.

Ich stürzte ziemlich unglücklich, weil ich ausgerechnet auf meinem schwachen Fußknöchel landete. Ospak lag neben mir, war aber sofort wieder auf den Beinen und stimmte sein Kampfgebrüll an. Er schleuderte eine Axt nach rechts oben und traf einen Bogenschützen. Dann wartete er auf den Ansturm der anderen Bewaffneten.

Finn landete wie eine Katze und verlor keine Zeit. Brüllend und mit wirbelnden Äxten stürzte er sich auf den ihm am nächsten Stehenden.

»Zum Tor, Orm!«

Ich stand auf und wollte mich umdrehen, da fiel neben mir jemand herunter, landete fluchend auf dem Boden und rappelte sich wieder auf. Tjorvir. Ein Zweiter landete in seiner Nähe, stand auf und wurde von einem Pfeil in den Fuß getroffen. Vor Wut aufheulend, denn der Pfeil hatte ihn an den gefrorenen Boden genagelt, musste Snorri Littli erst versuchen, ihn herauszuziehen. Tjorvir rannte fluchend zur Leiter, die zum rechten Turm hinaufführte, warf mit der Axt nach den Männern und stieg, einen Kampfschrei ausstoßend, hinterher.

Jetzt drehte ich mich zum Tor um – und erstarrte. Der Balken war da, wie erwartet, aber daran hing ein Mann, an den ausgebreiteten Händen festgenagelt wie der weiße Christus – die rechte an dem Balken, die linke an dem Pfosten. Er war Thorstein Dorschbeißer, sein Blut tropfte, und er sah mich mit seinem verschwollenen Gesicht an. Farolfs grausamer Scherz. Das Hämmern, das wir gehört hatten.

»Zum Tor!«, schrie Finn, während Runolf Hasenscharte, der gerade über die Palisade kam, an seine Seite rannte, um die Verteidiger abzuwehren, die mit Speeren, Schilden und Äxten bewaffnet waren. Irgendjemand fluchte und geiferte auf dem oberen Querbalken des Tores, aber ich nahm ihn kaum wahr.

Dorschbeißer und ich sahen uns an, seine blauen Augen glitzerten wie ein Sommersee. Er grinste mich mit blutigem Mund an, und mir war, als zwinkerte er mir zu, aber eines seiner Augen war so zugeschwollen, dass ich mich vielleicht getäuscht hatte.

Die Zeit schien sich zu einer Ewigkeit zu dehnen, aber in Wirklichkeit dauerte es nicht länger, als ich brauchte, um tief Luft zu holen und mit angehaltenem Atem Dorschbeißers rechte Hand abzuschlagen. Sie wurde am Handgelenk abgetrennt, etwas schräg und leider auch zu weit oben, sodass ein Stück vom Unterarm mitkam. Ich war nicht sehr geschickt mit der Axt, außerdem musste ich es mit der linken Hand machen, an der ich nur drei Finger hatte.

Mit meiner rechten Hand hatte ich die andere Axt unter den Balken geklemmt und brüllte vor Anstrengung, um ihn hochzuheben. In dem Moment fand ich es gar nicht so schwer, er ließ sich anheben und löste sich wie geschmiert aus der Halterung, die Torflügel flogen nach innen auf und nahmen Dorschbeißer mit, der noch immer an den rechten Torpfosten angenagelt war. Thor musste mir Kraft geschickt haben, denn meine Armmuskeln schmerzten noch wochenlang hinterher. Selbst Finn war beeindruckt, denn es waren zwei Männer nötig, um den Balken zu heben.

Ich fühlte nichts in diesem Moment. Ich versuchte nur, Dorschbeißer so vorsichtig wie möglich vom Torpfosten abzulösen, wobei ich ihn von unten stützte, damit seine verbleibende Hand nicht vom eigenen Gewicht zerrissen wurde.

Ich merkte, dass Männer durch das geöffnete Tor kamen, schreiend, brüllend, stechend, hauend und fluchend, aber ich beteiligte mich nicht daran und tötete niemanden. Selbst als der Mann mit dumpfem Aufschlag und einem knackenden Geräusch vom oberen Torbalken fiel, sah ich ihn kaum an, bis er anfing, sich vor Schmerz zu winden und zu schreien, schrill wie ein verletztes Pferd. Inzwischen hatte ich den Nagel aus seiner Hand gezogen, aber Dorschbeißer blutete so stark, dass ich mich darauf konzentrierte, seine Arme abzubinden, und den schreienden Mann vergaß.

»Ich kümmere mich jetzt um ihn, Jarl Orm«, sagte eine bekannte Stimme. Ich kniete in einer Pfütze von blutigem Schlamm und sah auf, und aus dem verschwommenen Oval, das ich nur undeutlich wahrnahm, wurde langsam Thorgunnas Gesicht. Sie lächelte traurig und kniete sich neben mich. Das Kämpfen war schon vorbei.

»Ich mach das schon«, sagte sie, und ich nickte. Ich stand taumelnd auf und merkte, wie Dorschbeißers Blut an meinen Knien gefror.

»Ein außergewöhnlicher Kampf«, sagte eine Stimme, und ich sah mich um, wo Dobrynja auf seinem mageren, müden Pferd saß. Er hob salutierend den Säbel. Der junge Prinz, ganz der triumphale Sieger, trabte natürlich schon um den Dorfplatz und verlangte, dass man Farolf zu ihm bringe.

Doch Farolf war tot – Gyrths Langaxt steckte so tief in seiner Brust, dass Finnlaith und Glum Skulasson Mühe hatten, sie mit vereinten Kräften herauszuziehen. In der Nähe kniete Finn neben Hasenscharte, der vom Turm aus zwei Pfeile in den Rücken bekommen hatte, ehe man die Bogenschützen hatte töten können.

»Farolf? Er ist tot?«, kreischte Wladimir enttäuscht. »Nun, er soll trotzdem gepfählt werden.«

Gyrth hustete, aber es klang eher wie das Grunzen eines gereizten Bären.

»Er gehört mir. Ich habe ihn getötet. Er wird zu Füßen von Runolf Hasenscharte liegen.«

Finn, der bisher wie abwesend dagelegen hatte, reckte sich blinzelnd, dann nickte er Gyrth zu und streckte den Arm aus, um sich vom Felsenbruder auf die Füße ziehen zu lassen. Sie beide sahen den Prinzen ernst und entschlossen an.

Wladimir verzog ärgerlich das Gesicht, dann sah er Finns düstere Miene und war klug genug, nachzugeben – wofür man nur sämtlichen Göttern danken konnte. Denn er war ein Prinz und regierte, seit er vier Jahre alt war, also ließ er sich nicht leicht einschüchtern.

»Ihr habt gut gekämpft«, sagte er, dann fügte er herrisch hinzu: »Ich gebe meine Einwilligung.«

»Na, das ist doch nett von ihm«, murmelte Gyrth. Finn schien in sich zusammenzusacken, plötzlich sah er alt und erschöpft aus. Er putzte sich den Schnee von den Knien und sah mich an, die Augen trüb vor Trauer und Schmerz, die Axt in seiner Hand war mit gefrierendem Blut überzogen.

»Hasenscharte«, sagte er mit fast flehender Stimme. »Immer war ich mit ihm zusammen, Orm.«

Ich wusste ihm darauf nichts zu sagen. Von den ursprünglichen Eingeschworenen waren nicht einmal so viele übrig, wie man zur Besatzung eines gewöhnlichen Faering gebraucht hätte. Vor sieben Jahren, als der Junge, den ich jetzt kaum mehr kannte, auf der *Fjord Elk* von Einar dem Schwarzen an Bord gegangen war, waren wir eine volle Mannschaft gewesen, sechzig oder noch mehr.

»Ja«, brummte Onund Hnufa und schob Wladimirs Pferd so unzeremoniell zur Seite, wie eben die Isländer mit allen umgingen, ob gewöhnlicher Mann oder König, »das Leben auf See ist hart. Aber wo ist jetzt dieser Hund?«

Kapitel 13

Sie hatten nicht gewusst, mit wem sie es zu tun bekamen, diese Slawen der Druschina von Nowgorod. Mit einer nordischen Bande aus Vogelfreien, bestenfalls abgerissenen Briganten, und nicht zu vergleichen mit Kriegern, die ihre gesamte Zeit damit zubrachten, ihre Waffenkünste zu trainieren.

Sie hatten die Geschichte gehört, wie wir mit den schuppigen Ungeheuern von Malkiew fertiggeworden waren, und hatten sie wohl sogar geschluckt, aber sie hatten uns noch nie kämpfen sehen. Jetzt wussten sie es besser. Das Dorf war in kürzerer Zeit eingenommen worden, als es dauerte, diesen Hund zu einem Eintopf zu verarbeiten, und die wenigen von Farolfs Männern, die noch am Leben waren, zitterten wie Espenlaub, denn sie waren in Wahrheit nichts als eine gedungene Bande von Strauchdieben.

Die Dorfbewohner waren heilfroh, als sie feststellten, dass wir nicht in der Absicht gekommen waren, zu plündern und zu brandschatzen, denn wir hatten unseren Auftrag erledigt und hofften nur auf einen wärmenden Herd und etwas Brot.

Der kleine Wladimir war so beeindruckt von unserem Erfolg, dass er uns sehr höflich behandelte. Sigurd, der Einzige, der geahnt hatte, was wir zu leisten imstande waren, verbrachte die nächsten Tage viel Zeit in geheimen Beratungen mit Dobrynja, der mich währenddessen kritisch musterte.

Der Rest der Truppe, Slawen und Leibeigene und die wenigen von Klerkons Männern, die noch übrig waren, behandelten die Eingeschworenen mit größtem Respekt, und die Angst breitete sich unter ihnen aus wie Gestank an einem heißen Tag. Sie murmelten etwas von »Jomswikingern« – und das war gar nicht so falsch, denn die Wenden von Wolin haben viele unserer Geschichten gestohlen und erzählen sie jetzt – von ihren Skalden aufgebauscht – als ihre eigenen.

Allerdings hatten die Helden von Joms, wie man in den Geschichten erfährt, merkwürdige Regeln, was die Frauen betraf, denen Finn im Namen der Eingeschworenen sofort aufs Heftigste entgegentrat. Die Eingeschworenen sperrten Frauen nicht aus ihren Hallen aus, denn ein Mann, der nicht bumste, war kein Krieger, sondern höchstens einer von diesen schlappschwänzigen Christenpriestern.

Die Leute lachten darüber, wenn sie auch etwas verunsichert waren, denn so ist es immer mit den Ruhmesgeschichten, auch wenn man weiß, dass das meiste davon nicht stimmt. Die Skalden werden einem einreden, das Meer sei eine Wüste, wenn sie glauben, dass sie dafür eine freie Mahlzeit bekommen, aber der Trick dabei ist, es auch möglichst pathetisch vorzutragen, denn dann bekommt man vielleicht noch einen Armring dazu. Daraus habe ich gelernt, dass zumeist diejenigen Herrscher großen Ruhm genießen, die dicke Armringe verschenken und die wissen, was der Lobgesang eines Skalden weit und breit bewirken kann. Solch ein Herrscher ist Wladimir.

»Wir haben noch gar nicht richtig über deinen Anteil an diesem Silberschatz gesprochen«, sagte der Prinz, nachdem er mich in der besten der einfachen Hütten in seine fürstliche Gegenwart hatte rufen lassen. Neben ihm saß wie immer Olaf, hinter ihm stand Dobrynja und strich sich den schwarzen Bart. Sigurd befand sich im dunkleren Teil des Raumes, wo man nur seine silberne Nase blitzen sah.

»Ich finde, du solltest dein Leben nicht so leichtfertig aufs Spiel setzen, Orm Bärentöter«, fügte Dobrynja mit einem Lächeln hinzu, das jedoch seine Augen nicht ganz erreichte. »Schließlich bist du der Einzige von uns, der den Weg kennt.«

Ich sah mir den jungen Prinzen an, dessen Gesicht durch die dunklen Augenringe und die kleine rote Nase noch blasser wirkte. Wir hatten das Thema meines Anteils überhaupt noch nicht berührt, denn zum damaligen Zeitpunkt gab es in dieser Hinsicht nichts zu besprechen – ich hatte nichts weiter getan, als mein Wissen gegen unser Leben eingetauscht. Ich fragte mich, ob er ahnte, dass die Runen auf meinem Schwertgriff nutzlos waren, bis wir nicht nach Sarkel kamen. Ich hoffte, er würde nie erfahren, dass sie vielleicht auch dann nicht ausreichen würden, um den Weg zu Attilas Grab zu finden.

Was sich allerdings geändert hatte, war, dass Dobrynja – und damit auch Wladimir – sich nicht mehr sicher sein konnten, dass ihre Druschina stark genug war, um mit den Eingeschworenen fertigzuwerden. Also tat der junge Prinz wie von Onkel Dobrynja befohlen, er lächelte freundlich und lobte unser Vorgehen beim Einnehmen des befestigten Dorfes und überhäufte uns mit Silber, das er noch gar nicht besaß.

Wir hatten lederne Becher mit gutem Bier vor uns, und wie Freunde spekulierten wir darüber, was wohl mit Morut, dem Späher, passiert war, doch insgeheim machte mich der Gedanke ganz krank, dass nicht weit von uns Dorschbeißer um sein Leben kämpfte und der kleine Eldgrim vielleicht schon tot war.

Aber Olaf hatte natürlich wieder eine Geschichte parat, diesmal zum Thema Prinzen und Freundschaft.

»Es war einmal ein Prinz«, sagte er in die unbehagliche Stille hinein.

»Nennen wir ihn aber nicht Wladimir«, unterbrach Dobrynja leise, »es sei denn, er ist ein guter Prinz.«

Olaf sah Dobrynja ruhig an, dann blickte er zu seinem Onkel mit der Silbernase, der noch immer im Dunkel stand. Es war eine so eindeutige Geste, dass Dobrynja unwillkürlich zusammenzuckte. Ich bezweifelte, ob Sigurd wirklich der Schutz für ihn war, für den Olaf ihn hielt; mit zunehmendem Alter würde er die Erfahrung machen, dass Blutsbande allein nicht ausreichen. Das einzig Zuverlässige waren Schwüre, die man vor den Göttern ablegte.

»Es war einmal ein Prinz«, wiederholte Olaf, »der Name tut nichts zur Sache, und fragt mich nicht, in welchem Land. Dort gab es ein Mädchen, das war so schön, dass alle sie Silberglöckchen nannten. Sie hatte Augen wie schwarze Wildkirschen, ihre Augenbrauen waren schön geschwungen wie die Brücke Bifrost. In ihre Zöpfe hatte sie bunte Glasperlen aus fernen Ländern geflochten, und an ihrer Mütze hing ein kleines Glöckchen, dem sie ihren Namen verdankte. Eines Tages wurde der Vater von Silberglöckchen krank, und ihre Mutter sagte zu ihr: ›Nimm das rotbraune Pferd und reite zum Hof des Prinzen. Bitte ihn, herzukommen und deinen Vater zu heilen, denn jeder weiß, dass ein wahrer Prinz Kranke allein durch seine Berührung heilen kann.‹«

»Ja, ganz richtig«, strahlte Sigurd, der damit andeuten wollte, dass die Sache in die richtige Richtung ging. Olaf strahlte, siegesgewiss wie ein Wiesel auf der Mäusespur.

»Das Mädchen schwang sich auf das rotbraune Pferd mit dem weißen Fleck auf der Stirn«, fuhr er fort. »In der rechten Hand hielt sie die ledernen Zügel mit den Silberringen, in der linken die Reitpeitsche mit dem geschnitzten Griff aus Horn. Das Pferd galoppierte, die Zügel wippten auf und ab, und das Zaumzeug klingelte lustig. Der Prinz befand sich im Hof seiner Festung und spielte mit seinen Falken. Er hörte das Hufgetrappel und sah das Mädchen auf dem Pferd. Stolz saß sie hoch im Sattel, der Wind spielte mit dem Silberglöckchen, und wenn es die Edelsteine auf ihrer Mütze berührte, tönte es hell. Die Perlen in ihren dicken Zöpfen sangen im Wind, und der Prinz vergaß den Falken auf seiner Hand, er ließ ihn los, und der Vogel flog davon. ›Großer Prinz‹, sagte das Mädchen, ›mein Vater ist krank, bitte komm und hilf uns.‹ Der Prinz sah sie an und sagte: ›Ich werde deinen Vater gesund machen, wenn du mich heiratest.‹ Silberglöckchen aber liebte einen anderen, einen schönen, starken Wolfsjäger. Voller Schreck nahm sie die Zügel in die Hand und galoppierte davon. ›Morgen früh komme ich zu dir‹, rief der Prinz ihr nach.«

»Das klingt aber gar nicht nach dem Prinzen, den ich kenne«, unterbrach Dobrynja vielsagend.

»Wirklich nicht, Onkel?«, kicherte Wladimir. »Ich kenne sogar zwei solcher Brüder.«

Olaf lächelte und fuhr fort, leise, ungerührt und unwiderstehlich. »Die Sterne am Himmel waren kaum verblichen, das Fleisch in den Kesseln war noch nicht gekocht, die kostbaren weißen Decken noch nicht ausgebreitet und das Brot noch nicht gebacken, als man in Silberglöckchens Hof lautes Hufgetrappel hörte. Der Prinz war angekommen. Wortlos und ohne jemanden anzusehen, stieg er vom Pferd und ging, ohne zu grüßen, zu dem Kranken. Die Kleider des Prinzen waren äußerst kostbar und enthielten so viel Silber, dass sie mindestens achtzig Pfund wogen. Den ganzen Tag über, vom Morgenrot bis zur Abenddämmerung, saß der Prinz bei dem kranken Mann, ohne sich zu regen und ohne zu sprechen – aber es wurde klar, dass Silberglöckchen nicht zu ihm kommen würde, und wegen dieser Unhöflichkeit wurde der Prinz immer zorniger. Spät am Abend stand der Prinz auf, zog seine edle Kappe aus Zobelfell tief in sein mürrisches Gesicht und sagte: ›Jagt Silberglöckchen fort, sie ist von einem bösen Geist besessen. Solange sie im Hause ist, wird ihr Vater von seiner Krankheit nicht genesen, und das Unglück wird nicht aus diesem Tal weichen. Kleine Kinder werden für immer einschlafen, und ihre Großeltern werden unter Qualen sterben.‹«

Dobrynja ließ ein warnendes Knurren hören, selbst Sigurd rutschte unruhig auf seinem Platz. Wladimir sagte nichts, aber Olaf schien das alles gar nicht zu bemerken. Mir lief der Schweiß über den Rücken, und ich merkte, wie er gefror. Er würde wieder dafür sorgen, dass wir alle doch noch zum Pfählen Schlange stehen müssten …

»Die Frauen im Lager fielen vor Angst zu Boden«, fuhr Olaf fort. »Die alten Männer bedeckten vor Trauer das Gesicht mit ihren Händen. Die jungen Männer sahen zu Silberglöckchen, dabei wurden sie bald rot, bald blass. Der Prinz lächelte geheimnisvoll. ›Steckt Silberglöckchen in ein hölzernes Fass‹, gebot er. ›Legt neun Eisenringe darum und nagelt den Deckel mit kupfernen Nägeln darauf. Dann werft das Fass in den reißenden Fluss.‹ Als er das gesagt hatte, ritt er zurück zu seiner Halle in seiner schönen, großen Burg und rief seine Sklaven zu sich. ›Geht zum Fluss‹, sagte er. ›Im Wasser wird ein großes Fass angeschwemmt werden. Holt es heraus und bringt es her, dann lauft in die Wälder. Wenn ihr Weinen hört, dreht euch nicht um. Wenn die Wälder von Wehklagen widerhallen, seht euch nicht um. Und kommt nicht eher als nach drei Tagen hierher zurück.‹ Es dauerte neun Tage und neun Nächte, ehe die Leute im Lager sich dazu entschließen konnten, die Befehle des Prinzen auszuführen. Neun Tage und neun Nächte lang verabschiedeten sie sich von dem Mädchen. Am zehnten Tag setzten sie Silberglöckchen in das Fass, legten neun Eisenringe darum, vernagelten es mit Kupfernägeln und warfen das Fass in den reißenden Fluss.«

»Das klingt wie eine gerechte Strafe für jemanden, der einen Prinzen beleidigt«, bemerkte Dobrynja. Wladimir runzelte die Stirn, und ich schluckte mühsam.

»Es ist ein Märchen über Odin«, erklärte ich, und Sigurd hob bei dieser offensichtlichen Lüge verwundert den Kopf.

»Wirklich?«, fragte Wladimir, und die Falten auf seiner Stirn wurden noch tiefer. »Der Prinz scheint aber gar nicht sehr göttlich.«

»Er ist ein Meister der Täuschung«, gab ich zu. »Seine Gaben sind immer verdächtig. Erinnere dich nur an die Geschichte von den neun Sklaven und dem Schleifstein ...«

Ich merkte, dass ich sinnloses Zeug plapperte und verstummte. Olaf sah mich mit seinen verschiedenfarbigen Augen völlig ausdruckslos an und räusperte sich.

»An dem Tag«, nahm Olaf den Faden seiner Geschichte wieder auf, »also, an dem Tag, an dem das Fass in den Fluss geworfen wurde, war der Jäger, der Silberglöckchen liebte, gerade dabei, seine Fallen zu untersuchen. Er sah das Fass, fing es ab und zog es aus dem Fluss. Dann nahm er eine Axt und schlug den Boden heraus. Als er Silberglöckchen sah, fiel ihm die Axt aus der Hand, und sein Herz hüpfte vor Freude wie ein Grashüpfer. Schließlich fragte er: ›Wer hat dich in dieses Fass gesteckt?‹ Sie erzählte ihm alles. Der Jäger dachte einen Augenblick nach, dann ging er zu seinen Fallen, wo ein riesiger Wolf, weiß wie Silber, ihn böse anfunkelte und dann fortfuhr, seine eigene

Pfote durchzubeißen. Normalerweise hätte der Jäger ihn jetzt mit einem Schlag auf den Kopf getötet; aber stattdessen packte er ihn beim Nackenfell und steckte ihn in das Fass, nagelte es wieder zu und stieß das Fass in den Fluss. Die Sklaven des Prinzen zogen das Fass heraus, brachten es zur großen Halle des Prinzen, wie er befohlen hatte. Noch ehe sie ganz aus der Tür waren, hörten sie, wie er dem Fass den Boden ausschlug und um Hilfe rief. Doch gehorsam taten sie, was er ihnen aufgetragen hatte. Sie hörten Schreie, doch sie drehten sich nicht um. Sie hörten Wehklagen, aber sie sahen nicht zurück, denn so wollte es ihr Herr. Drei Tage später kamen sie zurück und öffneten die Tür. Ein großer silberner Wolf mit nur drei Beinen lag auf dem Boden, er war offenbar verblutet. Daneben lag der Prinz, mehr tot als lebendig, er hatte viele Wunden, seine kostbaren Kleider waren in Fetzen, und als die entsetzten Sklaven ihn umringten und wissen wollten, was passiert sei, waren die einzigen Worte, die sie verstehen konnten: ›Silber‹ und ›Fluch‹. Er sprach nie wieder ein vernünftiges Wort.«

Es folgte eine lange Stille, dann räusperte sich Sigurd. Ohne ein weiteres Wort glitt Olaf von seiner Bank und legte Wladimir seine Hand auf die Schulter. Ich wartete noch immer angespannt auf den Wutausbruch des Prinzen, der jetzt kommen müsste.

Stattdessen sah Wladimir Olaf an und nickte ein- oder zweimal, als hätte dieser ihm eine schwierige Frage beantwortet.

»Wenn diese Sache hier erledigt ist«, sagte er, »musst du bei mir in Groß-Nowgorod bleiben.«

»Natürlich«, lachte Olaf. »Und dann gibst du mir Schiffe und Männer, und ich werde für dich kämpfen. Jon Asanes muss auch mitkommen, denn der ist klug. Zusammen werden wir deinen Namen noch berühmter machen als den deines Vaters.«

Die Erkenntnis traf mich wie ein Schlag. Aber natürlich – der kleine Wladimir fühlte sich verfolgt vom Ruhm seines Vaters und wollte nur eines: größer sein als er. Das war es auch, was ihn zu Attilas Schatz trieb.

Ich stand auf und verabschiedete mich, solange die Gefahr noch nicht vorüber war – und es dauerte nicht lange, da war Krähenbein ebenfalls an meiner Seite, was für mich nicht sehr überraschend war. Dort draußen, in der Dunkelheit des scheidenden Tages, trabte er hinter mir her, zog den Umhang fester um sich und versuchte, mit mir Schritt zu halten.

»Du hast recht«, sagte ich ungehalten, »es ist ein Fluch.«

Er schüttelte den Kopf und sah mich mit seinen verschiedenfarbigen Augen an. Ich war verwirrt, denn er sah weise aus wie ein alter Graubart, doch sein Grinsen war das eines kleinen Jungen, der er ja auch war.

»Das mit Odin war klug«, bemerkte er. »Wie du ganz richtig sagst – man sollte sich vor seinen Geschenken hüten, und daran hätten auch die neun Sklaven denken sollen.«

Fort war er, lautlos wie eine Eule, und ließ mich mit dem Gedanken an diese Sklaven zurück, die sich um den Schleifstein balgten, die der Einäugige hingeworfen hatte, und die sich in ihrer Habgier gegenseitig mit ihren Sicheln die Kehlen durchschnitten. Ich schüttelte den Kopf über ihn, und das nicht zum ersten Mal. Es war genau wie mit der Farbe seiner Augen – man war sich bei Krähenbein nie ganz sicher.

Die Besitzer des Hauses, in dem wir unser Lager bezogen hatten, verbeugten sich und lächelten freundlich. Sie waren bemüht, uns alles recht zu machen, um am Leben zu bleiben, während sie aber gleichzeitig ihre Nahrungsmittel und andere Wertsachen vor uns versteckten. Die Eingeschworenen zählten ihre Toten, wuschen sie und bereiteten alles für das Begräbnis vor.

Wie viele?«, fragte ich, und Kvasir sah auf, sein gesundes Auge war rot und tränte. Thorgunna badete es mit warmem Wasser.

»Zwei werden zu beiden Seiten von Hasenscharte liegen – Snorri und Eyolf.«

Snorri, erinnerte ich mich, hatte den Pfeil durch den Fuß bekommen. Ich wusste nicht, was mit Eyolf passiert war, den wir Kraka nannten – Krähe –, weil er Linkshänder war.

»Ja, Snorri wurde festgenagelt und ist im Kreis um seinen eigenen Fuß herumgetanzt, bis ihm die Puste ausging«, sagte Kvasir und winkte Thorgunna gereizt zu, sie solle damit aufhören. Sie warf ihm einen verständnislosen Blick zu und ging. Ich sah, dass sie noch mehr Ruß um das Auge aufgetragen hatte.

»Ein riesiger Slawe erledigte ihn mit dem Schwert, als er nicht mehr weitertanzen konnte«, schloss Kvasir.

»Und Eyolf?«

»Seine Scheide kostete ihn das Leben.«

Ich erinnerte mich, wie stolz Eyolf auf seine kunstvoll gearbeitete Scheide war. Sie war aus Eichenholz und mit Leder bezogen, das die Farbe von altem Blut hatte, innen war sie mit Schaffell ausgekleidet. Ich sah Kvasir fragend an, und er zuckte die Schultern.

»Er wollte sie nicht abnehmen, und über dem Tor verfing sich sein Schultergurt am Holz. Er konnte nicht loskommen und hing dort, und weil er Angst hatte, von Pfeilen getroffen zu werden, zappelte er so lange herum, bis der Gurt riss und er zu Boden stürzte, dabei zersplitterte die Scheide, und das Holz drang ihm in Lunge und Leber. Er ist an Ort und Stelle gestorben.«

Jetzt erinnerte ich mich an den Mann, der sich oben auf dem Tor abgemüht hatte, als ich um Dorschbeißers Leben kämpfte. Ich erinnerte mich auch, wie der Mann abgestürzt war und sich schreiend wand. Ein sinnloser Tod; kein Mensch trägt in der Schlacht eine Scheide, denn wenn sie einem nicht gegen die Beine schlägt, passiert irgendetwas anderes Dummes. Von seiner eigenen Scheide aufgespießt – ein Witz, über den man in Odins Halle laut lachen würde.

»Dorschbeißer?«

Kvasir zuckte die Schultern und deutete in die Ecke, wo Bjaelfi am Werk war; Jon Asanes leuchtete ihm mit einer Pechfackel. Bjaelfis Arm bewegte sich kräftig hin und her, und ich wusste, was er da machte – er versuchte, Dorschbeißers Armwunde zu säubern, indem er Knochen und Gewebe noch einmal sauber abschnitt. Zum Glück war Dorschbeißer ohnmächtig, sonst hätte Bjaelfi nicht so ruhig arbeiten können.

In der Nähe saß Finn und sah stumm zu, und Thordis, die sich um das Feuer kümmerte und Holzschalen bereitstellte, warf ihm immer wieder besorgte Blicke zu. Dann gab sie mir eine dampfende Schale und ein dickes Stück Schwarzbrot und hockte sich mir zu Füßen.

»Sieht gut aus«, sagte ich. Das war nicht gelogen, es war ganz erstaunlich, wie gut der Eintopf war.

»Die Verpflegung ist jetzt kein Problem mehr, Jarl Orm«, sagte sie. »Es scheint, dass die Neidinge, die wir besiegt haben, Lambisson den größten Teil seiner Vorräte gestohlen haben. Lambisson und die, die mit ihm gezogen sind, dürften inzwischen ziemlich Kohldampf haben.«

Darüber hätte ich mich freuen können, wäre nicht der kleine Eldgrim einer von ihnen gewesen. Ich hatte den Verdacht, dass Dorschbeißer die Nacht nicht überleben würde, und jetzt schien der kleine Eldgrim ebenfalls in großer Gefahr. Dazu kam der Tod von Runolf Hasenscharte … Es sah aus, als sei es das Schicksal der alten Eingeschworenen, Attilas Schatz nicht noch einmal zu erreichen.

Thordis nickte ernst, als ich das sagte. Sie deutete mit dem Kopf zu Finn hinüber.

»Er will sich von Klepp Spaki den Valknut auf die Stirn malen lassen«, sagte sie missbilligend. »Als Nächstes wird er das Amulett von dir verlangen.«

Ich sah sie überrascht an. Wenn das stimmte, dann wollte Finn sich Odin weihen und es ganz ihm überlassen, ob er am Leben blieb oder starb, und damit hätte er sich genauso gut von der nächsten Klippe stürzen können, denn jetzt würde er in einem Kampf nicht mehr nachgeben, bis er ein klares Zeichen vom Einäugigen erhielt, dass es so besser sei. Ich fühlte mich wie ein Haus, dessen Dach gerade einstürzt.

Ich aß meinen Eintopf, aber der Appetit war mir vergangen. Ich legte mich zurück, mir war warm, und ich war satt, aber mein Kopf war voll kreischender Möwen. Was würden Wladimir und sein Onkel machen, wenn der Grabhügel erreicht war? Ich musste an Finn denken. An Odin. Den Silberschatz. Die Männerhasser und deren Anführerin – womöglich doch Hild? Das Runenschwert, das sie schwang. Mein Runenschwert.

Ich versuchte, mich wach zu halten, in der Hoffnung, gerade dadurch einzuschlafen, aber all diese Gedanken wirbelten wie ein Schneesturm in meinem Kopf herum und verursachten mir Kopfschmerzen. Als Finn aus der Dunkelheit auftauchte und sich neben mich setzte, war ich fast erleichtert. Ehe er etwas sagen konnte, nahm ich das Amulett, das ich um den Hals trug, und reichte es ihm.

Er fragte nicht, woher ich es wisse, und hängte es sich um.

»Du hast einen schweren Weg gewählt«, murmelte ich bedauernd. So hatte es sich angefühlt, als ich mal in einer schlecht getrimmten Knarr segelte – jedes Mal, wenn der Wind auf eine bestimmte Stelle des Segels traf, bekam sie Schlagseite und hob sich auf Steuerbord komplett aus dem Wasser, und man konnte nichts machen, als weiterzusegeln, bis der Wind nachließ und das Schiff wieder richtig im Wasser lag – oder bis man auf Grund auflief.

»Lieber diesen Weg wählen als einen anderen«, brummte er unglücklich.

»Welchen meinst du?«

Er rutschte unbehaglich umher, dann sah er mich ernst an. »Den, bei dem ich am Ende sabbernd am Feuer sitze und die Frauen hinter meinem Rücken über mich lachen, weil mein Schwanz schlapp ist und mein Rücken krumm.«

Das also war es. Er war zu stolz, um das ertragen zu können.

»Du hast zu lange diesem Mönch Martin zugehört«, erwiderte ich. »Angst vor dem Leben? Zu alt? Ist das noch Finn Bardisson aus Skani?«

»Wer weiß? Wer wird es je wissen? Wer wird sich noch an Lambi erinnern? Oder an Hasenscharte? Wenn wir erst alle tot sind, Bärentöter, dann wird man sich nur an Storchenbein oder Skapti und die anderen erinnern, die auf dem Stein stehen, den wir in Aldeigjuborg errichtet haben. Das sind die, die berühmt sein werden.«

»Wir werden auch einen Stein haben …«

»Zu spät, Händler. Ich halte es für unwahrscheinlich, dass wir je an einen Ort kommen werden, wo Klepp Spaki in Ruhe Runen schneiden kann. Und selbst wenn – was dann? Sollen wir zurückkehren zu unseren Hühnern? Mit so viel Silber, wie wir tragen können? Was werden wir dann tun? Sollen wir rumsitzen und warten, bis die Nornen uns die letzten Lebensfäden durchschneiden?«

»Also geht es nur noch darum, einen möglichst guten Tod zu sterben, Finn Bardisson?«

Er knurrte und sagte: »Ich habe in der Grube, in der wir gefangen gehalten wurden, einen Schwur getan. Vor dem Einäugigen. Er hat sich an seinen Teil der Abmachung gehalten.«

Er setzte sich gerade auf und zwang sich zu einem Grinsen. »Wie Lambi sagte, am Ende kommt es nur noch auf eins an.« Dann zitierte er:

»Das Vieh stirbt, die Freunde sterben,
Endlich stirbt man selbst;
Doch nimmer mag ihm der Nachruhm sterben,
Welcher sich guten gewann.«

»Das ist schon richtig«, sagte ich, bitter darüber, dass er es so einfach fand, diesen Weg zu gehen. Dann zitierte ich eine Strophe aus den Sprüchen des Höchsten:

»Der Lahme kann reiten; wer keine Hände hat, Kühe treiben;
Der Taube kann kämpfen und siegen,
Der Blinde ist besser dran als der Mann im Scheunenbrand,
Doch eine Leiche interessiert niemanden.«

Vielleicht hätte Finn eine Antwort darauf gehabt, aber in dem Moment wachte Dorschbeißer auf und fing an zu stöhnen. Sein Stöhnen und seine Schmerzensschreie hielten die ganze Nacht über an, bis er im Morgengrauen starb.

Es stellte sich heraus, dass wir nach unserer schmalen Kost in letzter Zeit jetzt zu viel aßen; die Männer bekamen

Bauchkrämpfe und Durchfall, und Bjaelfi verordnete ihnen eine Medizin, bestehend aus den jungen Wurzeln des Brombeerbusches, die zusammen mit Beifuß und Strohblumen in der Milch einer Pferdestute, einer Ziege und einer Kuh gekocht wurden.

»Hilft das auch?«, wollte Skula wissen, ein knochiger Junge, der schon mager gewesen war, als er zu uns gekommen war. Er war gelb im Gesicht und wurde zusehends schwächer. Thorgunna, die es ihm einflößte, versicherte ihm, es verfehle seine Wirkung nie, aber als ich sein Gesicht beim Einnehmen der Medizin sah, war ich dankbar, dass ich keinen Durchfall hatte.

»Das andere, was Bjaelfi ihm verordnet hat, wird ihm eher helfen«, murmelte Thorgunna im Vorbeigehen. »Nämlich Bettruhe in einem warmen Federbett.«

Es waren einfach zu viele, die krank waren oder im Sterben lagen. Ich rief die Eingeschworenen zusammen und musste ihnen mitteilen, dass wir die Kranken zurücklassen würden und dass ich Freiwilligte bräuchte, die sich um sie kümmerten. Ich hatte erwartet, dass sich reihenweise Freiwillige melden würden. Die meisten aber waren entschlossen, den Marsch fortzusetzen, und schließlich musste ich zwei Männer förmlich zwingen zu bleiben.

Einer war Skula, und obwohl er wegen meiner Entscheidung ein Gesicht zog, war er doch insgeheim wohl erleichtert. Er wusste, dass er zu schwach war, um das Dorf zu verlassen, und es nicht überleben würde.

Der andere war Tjorvir, der an Furunkeln litt, die Thordis und Thorgunna immer wieder mit ihrer Nähnadel öffnen mussten. Sie bildeten sich dort, wo seine Kleidung gegen die Haut scheuerte, sodass sein Hals und seine Handgelenke ganz wund und eitrig waren – aber auch er machte ein finsteres Gesicht, weil ich ihn zurückließ.

»Das ist gar nicht gut«, sagte er kopfschüttelnd, und ich erinnerte ihn daran, dass er kaum gehen konnte, keinen Helm tragen und kein Schwert benutzen konnte, aber er wollte es nicht einsehen. Schließlich schlug Finnlaith ihm auf die Schulter – Tjorvir zuckte vor Schmerzen zusammen – und sagte: »Keine Angst, ich kümmere mich um dein Wergeld und sorge dafür, dass du deinen Teil bekommst.«

Das musste mir Jon Asanes erst erklären, und es war mir gar nicht recht, dass es ausgerechnet dieser Grünschnabel sein musste.

»Diejenigen, die mit Thorkel kamen, schämen sich für das, was er gemacht hat, und wollen nicht, dass du schlecht über sie denkst«, sagte er. »Sie würden dir bis an die Schwelle Helheims folgen – genau wie die anderen, und nicht nur, weil sie den Schwur vor Odin abgelegt haben.

Sie nennen dich nicht Bärentöter, sondern Händler«, fügte er grinsend hinzu, »denn jeder weiß, wenn man mit Orm zieht, macht man ein gutes Geschäft. Sie wissen, dass du in der Gunst des Allvaters stehst, und glauben, dass du die meisten von ihnen auch wieder heil nach Hause bringen wirst.«

Wir sprachen auch leise unter vier Augen von Olafs Plan, dass Jon in Nowgorod bleiben solle. Ich kannte Krähenbein inzwischen gut genug, um mich nicht mehr darüber zu wundern, dass ein neunjähriger Junge über die Zukunft eines Menschen entscheiden sollte, den ich seit seiner Kindheit kannte.

Jons Gesicht drückte sein Unbehagen aus. Er rieb sich das Kinn, wo sich langsam ein Bart zeigte, dunkler Flaum auf der blassen olivfarbenen Haut. Bei dieser Bewegung machte mein Herz einen kleinen Freudensprung, denn genau die gleiche Geste war eine Gewohnheit des alten Rurik gewesen, des Mannes, den ich lange für meinen Vater gehalten hatte. Doch dann wurde mir klar, dass Jon sie von mir übernommen hatte.

»Der kleine Krähenbein träumt eben seine Träume«, sagte Jon mit leichter Ironie, »und er glaubt, aus dem Verhalten der Vögel sehen zu können, ob sie wahr werden. Er wird am Ende damit Schiffbruch erleiden, denn dabei wird er von keinem wahren Gott geleitet.«

»Wie kannst du das sagen?«, entgegnete ich, »nach allem, was du mit uns erlebt hast?«

»Es war immer die Hand des weißen Christus, des Hvitkristr, wie ihr sagt«, erwiderte Jon ruhig. »Aber das hat uns schon immer getrennt.«

Was mich anbetraf, so hatte es uns nie getrennt und würde es auch in Zukunft nicht tun, versicherte ich ihm, und er strahlte mich an, dass seine weißen Zähne in dem viel zu schmalen Gesicht blitzten.

»Du nennst ihn Hvitkristr aus einem bestimmten Grund«, erwiderte er, »und vielleicht nennst du ihn schon so lange so, dass du es gar nicht mehr merkst.«

»Aus welchem Grund denn?«, fragte ich, obwohl ich es eigentlich schon wusste.

»Dieses *Hvit* bedeutet ja nicht nur ›weiß‹, sondern auch ›feige‹«, sagte er, dann sah er zu Boden. »Das und noch mehr. Also bezieht es sich auch auf mich. Ich bin kein guter Kämpfer, und den Schwur auf Odin kann ich auch nicht leisten. Ich bin in diesem Gefolge weder Fisch noch Fleisch.«

Das war richtig, aber ich begriff nach wie vor nicht, wie man einen kleinen Gott, der sich willig an ein Stück Holz nageln ließ, etwas anderes als feige nennen konnte. Aber natürlich sprach ich das mit Rücksicht auf Jons Glauben nicht aus.

Mir war das alles nicht bewusst gewesen, und es betrübte mich, dass Jon jetzt über unsere Freundschaft sprach, als habe sie nie existiert. Ich sah ihn an und dachte wieder an den mageren griechischen Jungen, den wir auf Zypern gefunden hatten. Diese Erinnerung machte es mir unmöglich zu reden, sodass ich nicht herausbrachte, was ich eigentlich hätte sagen sollen.

Er grinste etwas verlegen, und seine großen Augen strahlten. »Ich verstehe etwas von Bestechung, von Hafengebühren und Ladegewicht«, sagte er. »Ich kenne etwa ein Dutzend Währungen und weiß, was sie gegeneinander wert sind und wie man schlechten Bernstein von gutem unterscheidet. Ich spreche Griechisch und Latein und schreibe es ganz gut, meine Runen sind auch akzeptabel. Eines Tages werde ich selbst ein guter Händler sein. Aber ich bin kein Nordmann und auch kein Heide, und ein Eingeschworener werde ich auch niemals sein.«

»Das ist alles richtig«, sagte ich, aber ich war so enttäuscht, dass meine Worte bitter klangen. »Vielleicht solltest du auch hierbleiben, wenn du so wertvoll bist.«

Traurig schüttelte er den Kopf, und ich schwieg beschämt. Dann sah er wieder zu Boden.

»Als ihr in Nowgorod ankamt, habe ich … mich geschämt. Finn stank, und Kvasir war auch nicht besser. Auch du nicht, Händler.«

Ich zuckte die Schultern. Er war zu lange von uns ehrlichen Nordmännern getrennt gewesen, das war alles. Und als wir ihn zurückgelassen hatten, war er noch ein Junge gewesen. Als ich das sagte, nickte er, noch immer beschämt.

»Ihr seht aus wie die Kerle in den Geschichten, die die Priester erzählten – wilde Gesellen, die stinken und ihre Zeit damit zubringen, indem sie andere umbringen und wehrlose Frauen vergewaltigen.«

»Nicht alle sind ganz wehrlos«, versuchte ich zu scherzen, aber sein Grinsen verschwand bald wieder.

»Ich bin ein Grieche, der kein Grieche mehr ist, der in den Reihen der Varjazi kämpft und doch kein Nordmann ist. Aber ich habe meine eigenen Vorstellungen, wie mein Leben einmal aussehen soll.«

Das war richtig, und jetzt, wo er es ausgesprochen hatte, war der Schmerz darüber so stark und machte mich so hilflos, dass er schließlich in Ärger umschlug. Ich erinnerte Jon Asanes daran, dass wir ihn immer gut behandelt hatten. Egal, wie sich sein Leben gestaltete, er würde es immer uns verdanken.

Er sah mich mit seinen dunklen Augen an.

»Ihr kamt nach Zypern, und was ihr dort gemacht habt, hat meinen Bruder das Leben gekostet und mich gezwungen, mit euch in das glutheiße Serkland zu ziehen. Ich wurde von einem Pfeil getroffen und bin fast daran gestorben, dann wurde ich aus der Heimat, die ich kannte, in den fernen Norden verschleppt, in ein bitterkaltes Land voll ungewaschener Menschen, die sich in Tierfelle kleiden.«

Seine Worte waren hart, und ich sah ihn erschreckt an, aber er war noch nicht fertig.

»Ich musste mich bis vor Kurzem fügen, aber ich hatte Pläne – bis du wieder in meinem Leben auftauchtest. Und kaum war ich wieder bei euch, war ich auch schon in Gefahr, gepfählt zu werden. Und jetzt bin ich hier, in dieser kältestarren Öde, wo ich vielleicht umkommen werde.«

Er schwieg und lächelte traurig. »Ist das die gute Behandlung, von der du sprichst? Dann möchte ich nicht deine schlechte Behandlung kennenlernen, Händler.«

Mein Zorn war verflogen, stattdessen empfand ich jetzt Trauer und ein Gefühl des Verlustes. Egal, was die Zukunft bringen würde, der Ziegenjunge würde sie nicht mit uns teilen.

Wie Gunnar, mein leiblicher Vater, oft sagte: Alles, was du zum Leben brauchst, muss in eine Seekiste passen; alles Übrige soll man zurücklassen. Wie alle einfachen Regeln war auch diese nicht vollkommen, denn sie sagte nichts über die Bindung an Menschen. Das hatte er schließlich auch gemerkt, denn er hatte es nicht fertiggebracht, mich zurückzulassen.

»Trotzdem wäre es schön«, sagte Jon Asanes wehmütig, »wenn ich auch auf eurem Runenstein stehen könnte, so wie alle anderen.«

Ich nickte, sprechen konnte ich nicht. Runen auf einem Stein oder ein gut gedichteter Vers. Das war der Grund, warum niemand hier in einem Bett zurückgelassen werden wollte – nur wer aufrecht seinen Mann stand, wurde von den Skalden geehrt, es sei denn, er war einen außergewöhnlichen Tod gestorben.

Finn hatte sich, wie es schien, für einen solchen Tod entschieden.

Wir standen in der Morgendämmerung und beobachteten ihn: Finn stand da – Nordmänner knien selbst vor Göttern nicht –, barhäuptig und nach Norden gewandt. So streute er bestes, reinstes Salz in einen Becher Schmelzwasser, den er Odin widmete, wobei er sämtliche Namen Allvaters rezitierte. Schließlich stieß er den Godi in den Boden, beugte den Kopf, umklammerte den Griff und legte seinen schaurigen Eid ab, wie er es dem Gott in der Grube in Nowgorod versprochen hatte.

Ich empfand einen dumpfen, undeutlichen Schmerz, eine Erinnerung an mich selbst im gleichen Alter wie Jon Asanes, wie ich in dem ersten langen Winter, den ich mit den Eingeschworenen in Skirringsaal verbrachte, Sklavinnen nachgejagt war, während Einar Pläne machte und mich beobachtete. Hatte Einar denselben Schmerz empfunden? Er war genauso verschlossen und einsam gewesen.

Seit meinem zwanzigsten Geburtstag waren fast zwei Jahre vergangen, aber ich hatte das Gefühl, als lägen hier in der gefrorenen grauen Erde Steine, die jünger waren als ich.

Zwei Tage später schleppten wir uns wieder in die leicht verschneite Wildnis hinaus und ließen das Dorf hinter uns. Und ein Stück Erde, das wie ein Schiff geformt war, die letzte Ruhestätte von Hasenscharte und Dorschbeißer.

Kapitel 14

Eine messingfarbene Sonne versuchte, sich am bleiernen Himmel durchzusetzen, und blitzte hin und wieder zwischen den Stämmen des Birkenwaldes auf, dessen struppige, kahle Äste kaum höher aufragten als ein Mann auf einem Pferd. Es war ein trostloser Anblick. Hier und da war der Schnee auf der braunen Erde wellenförmig zusammengeblasen, es war eiskalt und windstill.

Die Wagen hielten schwankend und holpernd an, die Ponys standen mit gespreizten Beinen da und ließen die Köpfe hängen. Wir hatten jetzt die Räder montiert, da hier weniger Schnee lag, aber das erwies sich als ein Fehler. Der Boden war steinhart gefroren, und die Räder holperten und rumpelten so stark über jede Unebenheit, dass selbst die Erschöpften und Kranken lieber abstiegen und mit den anderen zu Fuß gingen, als sich zu allem anderen Elend auch noch so heftig durchrütteln zu lassen.

Gisur und ich standen bei Wladimirs großem Rappen, der jetzt auch nur noch Haut und Knochen war, und genau wie alle anderen spähten wir durch die Bäume auf das milchigtrübe Band, das uns schon eine ganze Weile begleitete – der Don.

»Siehst du«, sagte Gisur, dem beim Sprechen die Dampfwölkchen im Bart zu Eis erstarrten, »in der Mitte ist er dunkler, dort gefriert das Wasser gerade erst.«

»Nein, es taut«, behauptete Dobrynja, aber Gisur verstand sich aufs Wasser und schüttelte den Kopf so heftig, dass seine vereisten Schnurrbartspitzen leise klirrten.

»Nein. Dort ist das Eis erst vor Kurzem aufgebrochen. Vor weniger als einer Stunde – sieh mal, du kannst genau sehen, wo sich das neue Eis bildet, und das passiert dort auch nicht zum ersten Mal.«

»Das kommt vom Schiffsverkehr«, sagte Sigurd und wischte die Eiszapfen von seiner Silbernase, weil sie ihn beim Atmen behinderten.

»Richtig«, sagte Gisur. »Hier fahren die Schiffe von und nach Sarkel vorbei, sodass der Fluss in der Mitte nie ganz zufriert.«

Wir wussten, dass wir uns an der Stelle des Dons befanden, wo er einen großen Bogen nach Osten machte, dann nach Süden floss und schließlich nach Westen, wo er in den Maeotis-See mündet, der bei den Chasaren Asowsches Meer heißt, was »niedrig« heißt, weil es sehr flach ist. Wenn wir der großen Kurve folgten, kämen wir nach Sarkel, was noch mehrere Wochen dauern würde.

Gisur strahlte, denn er hatte uns die letzten vier Tagereisen mit einer Sicherheit geführt, als seien wir auf dem Meer. Selbst Avraham, der nach dem Verlust von Morut ziemlich niedergeschlagen war, musste zugeben, dass das eine großartige Leistung war. Doch jetzt mussten wir uns entscheiden: zwischen dem direkten Weg quer durch die große Schneewüste oder immer am Ufer des Don entlang, auf dem großen, eisigen Bogen nach Sarkel.

»Das ist noch ein weiter Weg«, sagte Dobrynja, »und ohne Unterbrechung in Biela Viezha.«

Nach dem Grund brauchte niemand zu fragen. Wenn der Prinz von Nowgorod mit so einer abgerissenen Bande wie uns auftauchte, meilenweit von seinem eigenen Reich entfernt und an den äußersten Grenzen der Ländereien seines Bruders, würde das kein geringes Aufsehen erregen. Das heißt, falls der Name seines Bruders in Sarkel – der Stadt, die bei den Slawen Biela Viezha hieß, die Weiße Burg – noch etwas galt, jetzt, wo Swjatoslaw nicht mehr am Leben war.

Alle blickten auf mich. Irgendwo dort draußen in dieser öden Schneewüste war der Ort, den wir suchten, und ich sollte sie mithilfe der Runen auf meinem Schwert dorthin führen. Ich hoffte, mein Lächeln wirkte so strahlend und selbstsicher, wie ich es beabsichtigte.

Wir gingen zurück zu den Wagen. Nur wenige der Druschina-Slawen hatten jetzt noch Reitpferde, und alle waren so vermummt, dass man den formlosen Bündeln kaum noch ansah, ob es Männlein oder Weiblein, Krieger oder Thrall war. Sie hüllten sich in ihre Umhänge und stampften mit den Füßen in den unförmigen geflochtenen Überschuhen aus Stroh, die man ständig vor den hungrigen Pferden verteidigen musste.

»Und jetzt, Händler?«, wollte Kvasir wissen und wischte sein nässendes gutes Auge ab. Thorgunna wollte ihm dabei helfen, aber er schlug gereizt ihre Hand fort. Sie sah ihn wütend an.

»Das Auge muss behandelt werden.«

»Mach ich schon. Geh weben.«

Thorgunna sah ihn mit ihren dunklen Augen an. »Es ist wohl Zeit, dass ich sterbe«, sagte sie entschlossen. »Man sollte mir besser mein Grab schaufeln, denn anscheinend bin ich zu nichts mehr nütze, weder für meinen Mann noch für sonst jemanden.«

»Du kannst am Leben bleiben oder sterben, ganz wie du willst«, brummte Kvasir mürrisch, »solange du mein Auge in Ruhe lässt.«

Finn, der sich so fest eingewickelt hatte, dass er wie ein

Seehund aussah, stieß ein heiseres Gelächter aus, und Thorgunna warf empört die Hand hoch und ließ Kvasir stehen.

»Wir sollten nach Süden über das Weiße Nichts nach Sarkel gehen«, sagte Finn, worauf Avraham höhnisch auflachte und Gisur die Stirn runzelte, denn dieses Weiße Nichts war ein Meer, auf dem er sich nicht zu navigieren traute.

»Warst du das, der da gerade geblökt hat?«, fragte Finn ärgerlich.

»Das, was wir bisher durchquert haben, ist noch gar nichts im Vergleich zu dem, was dort draußen liegt«, sagte Avraham mit einer vagen Handbewegung nach Süden. »Das dort ist grausamste Wildnis, in der kein Mensch – weder im Sommer noch im Winter – lange überlebt.«

»Bist du denn schon dort gewesen?«, unterbrach ihn Gyrth, und Avraham hob arrogant eine Augenbraue.

»Ich bin Chasare. Ich war schon überall.«

»Und dort auch?«

Avraham schien verlegen. »Nein«, gab er zu, doch dann reckte er trotzig das Kinn vor. »Welcher vernünftige Mensch würde im Winter ohne guten Grund dorthin gehen, wo es nicht einmal im Sommer genügend Wasser für die Herden gibt? Und außerdem … es liegt ein Fluch auf dieser ganzen Gegend.«

Er sah halb beschämt, halb trotzig um sich, aber es war ganz klar, dass er es glaubte. Mir fiel ein, dass der Ort, wo Attilas Grab war, mit großer Wahrscheinlichkeit als verflucht gelten würde, selbst wenn niemand ahnte, dass sich das Grab dort befand. Sein Bau hatte so vielen Menschen das Leben gekostet, wenn der Wind blies, musste die Steppe hier förmlich wimmeln vor stöhnenden Folgegeistern.

»Also könntest du uns nicht führen, falls wir diese Strecke wählen sollten«, sagte Jon Asanes enttäuscht.

Avraham reagierte gereizt. »Ich bin Chasare, und dies ist mein Land – ich kann euch überall hinführen. Natürlich zu einem angemessenen Preis.«

»Ha«, knurrte Finn, »jetzt ist es aber nicht mehr dein Land, du beschnittener Gauner. Hier regieren jetzt die Rus.«

»Zu welchem Preis?«, fragte ich, und Avrahams Gesicht wurde düster. Einen Moment noch starrte er Finn ins Gesicht – was ich ziemlich mutig fand –, dann nannte er den Preis eines kleinen Hofes.

Noch ehe ich etwas sagen konnte, brüllte Finn los. »Den Rost von meinen Eiern kannst du kriegen, du Arschloch!«

Avrahams Gesicht verzog sich spöttisch.

»Aha, deine Eier scheinen also aus minderwertigem Eisen zu bestehen – das erklärt wohl auch das Scheppern, wenn du läufst, denn bei jemandem wie dir klimpert bestimmt kein Geld in den Taschen.«

»Meine Eier wurden in einer nordischen Schmiede gegossen, Kleiner«, erwiderte Finn mit breitem Grinsen, »und zwar bei einer Hitze, dass jemand wie du wie ein Entenbürzel verglimmen würde. Und sie wurden so kalt abgeschreckt, dass das hier dagegen ein milder Frühlingstag ist.«

»Ich vermute, wir sprechen in der Einzahl«, spottete Avraham. »Ich habe gehört, dass zwei Nordmänner sich immer ein Paar teilen müssen.«

»Da hast du falsch gehört. Die Möwen benutzen meinen Schwanz als Sitzstange, weil sie ihn für einen Mast halten. Und wenn ich über die Bordwand eines Langschiffs scheiße, ersticken ausgewachsene Wale an meinem Schiss. Ich pisse Feuer, und meine Furze donnern. Und das, was du grausamste Wildnis nennst, ist für mich nichts als ein weiterer kleiner See.«

Die anderen waren näher gekommen, um nichts zu verpassen. Sie wurden Zeugen eines ritualisierten Wortgefechts, das sie in vollen Zügen genossen. Es ließ sie die Kälte und das Elend für einen Augenblick vergessen, und ich war froh darum. Und was noch besser war, die Gefahr einer ernsthaften Prügelei war fürs Erste gebannt.

»Du versprühst einen Haufen Dampf wie ein Wal, das ist mir jetzt klar«, erwiderte Avraham, und einige der Umstehenden brummten zustimmend. Finns Gesicht wurde finster.

»Das, was wir das Weiße Nichts nennen«, fuhr Avraham fort, »ist nur ein harmloser Name. Das wirkliche Weiße Nichts liegt südlich, nicht sehr weit von hier. Du wirst es schon von Weitem sehen, denn es ist eine unendliche Eiswüste. Wenn du die überlebst, wirst du gerade noch Zeit haben, mit deinen Göttern Frieden zu schließen, ehe deine berühmte Sitzstange abbricht wie ein gefrorener Zweig. Wenn du jemals zu diesem Silberschatz gelangen solltest, dann nur deshalb, weil irgendein Wolf deine abgenagten Knochen dort ablegt.«

Finn machte eine wegwerfende Handbewegung, und man hörte einige bewundernde »Heyas«.

»Wenn ihr eine weite Fläche seht, egal ob Land oder Meer, dann geht es euch wie allen, die nicht das Glück hatten, in Skani geboren zu sein«, sagte er spöttisch. »Ihr habt Angst. Aber wir aus Skani fürchten keine offene Weite, für uns stellt der Horizont keine Grenze, sondern eine Herausforderung dar. Odin und Wili und We haben uns die Sterne geschenkt, damit wir unseren Weg finden, und mit ihrer Hilfe weiß ich überall in der Welt, wo ich bin, und zwar bis auf einen Spatzenfurz genau.«

Er legte den Kopf auf die Seite, kniff nachdenklich ein Auge zu und blies in seinen vereisten Schnauzbart.

»Und im Übrigen«, fügte er hinzu, »hast du noch nie einen Wal blasen sehen, du dämliche Landratte.«

Das wurde abermals mit Kopfnicken und beifälligem Gebrüll quittiert, obwohl alle wussten, dass Finn, wenn er ein Schiff navigieren müsste, selbst mit beiden Händen seinen Arsch nicht finden würde und dass er ebenfalls noch nie einen lebenden Wal gesehen hatte.

»Die Steppe hat mit niemandem Mitleid«, sagte Avraham überheblich, und ich fand, dass die beiden jetzt lange genug gestritten hatten, und machte der Sache ein Ende.

»Wenn die Steppe mit niemandem Mitleid hat, dann können wir auf dich als Führer auch verzichten«, sagte ich, und alle lachten, sogar Finn. Avraham gab sich mit kleinlautem Grinsen geschlagen, wurde aber sofort wieder ernst, als ich ihn fragte, ob er uns nun führen könne oder nicht.

Er sah erst mich an, dann wanderte sein Blick zu dem noch immer grinsenden Finn, dann zu Gyrth, zu Jon Asanes und wieder zurück zu mir. Er senkte die Augen und schüttelte den Kopf.

Gisur trat von einem Bein aufs andere und blies Rotz aus seiner Nase.

»Na ja«, sagte er entschieden. »Ich muss zu meiner Schande gestehen, dass ich die große Schneewüste nicht kenne und dass ich nicht versprechen könnte, euch sicher durch sie hindurchzuführen. Es wäre am besten, dem Fluss zu folgen.«

»Ach, wozu brauchen wir diesen Chasaren!«, rief Kvasir ungeduldig. »Gehen wir mitten hindurch. So schwer kann der Weg doch nicht zu finden sein – wir brauchen doch nur der Spur von Lambisson zu folgen.«

Dieser Gedanke ernüchterte uns alle, aber niemand gab

es zu, als wir schließlich aufbrachen. Am Ende kam Avraham doch mit, denn die Alternative wäre gewesen, am Fluss zu bleiben, wo er, allein auf sich gestellt, umgekommen wäre. Doch man kann nicht behaupten, dass er uns führte.

Das Weiße Nichts verschluckte uns. Die Flocken waren winzig und trocken und drangen überall ein, penetrant wie Mücken. Der Schnee türmte sich zu hohen Wällen rund um unsere Lagerplätze und konnte nur durch das Feuer und unsere Körperwärme in Schach gehalten werden. Wenn wir morgens aufwachten, mussten wir uns unter den Zelten und den sonstigen Schutzdächern vorsichtig bewegen, um den Reif nicht herunterzuschütteln, der sich über Nacht gebildet hatte. Wir befreiten die Pfähle zum Anbinden der Pferde aus der gefrorenen Erde, zündeten Feuer an, kochten Haferbrei und waren gewöhnlich drei Stunden später bereit zum Weiterziehen.

Die Kältefäule sorgte für weitere schwarze Nasen und Zehen; Bjaelfi und Thorgunna hatten stets ihre scharfen Messer bereit, um die erfrorenen Stellen abzuschneiden. Anfangs irrten wir so ziellos umher wie Ameisen auf einem Schaffell. Doch dann, wie von Kvasir vorausgesehen, wurde es einfacher – wir orientierten uns an den Spuren, die Lambisson hinterlassen hatte. Der Schnee fiel pausenlos von einem bleiernen Himmel, er trieb wie Rauchwolken über die Ebene und stach unsere Gesichter wie Sand.

Wir folgten einer Spur des Elends, die selbst ein Blinder nicht hätte verfehlen können. Zertrümmerte Wagen, tote Pferde, blauweiße Leichen. Und bei jedem neuen Fund erwartete ich mit banger Sorge auch die Leiche des kleinen Eldgrim.

Eines Tages, als der Himmel so klar war wie das Auge

Odins, hatte ich mir gerade ein verschwiegenes Plätzchen gesucht, um mich zu erleichtern, als ich Olaf sah, der, in seinen einstmals weißen Mantel gehüllt, dastand und die schwarzen Vögel am Himmel beobachtete.

Sie warteten darauf, dass wir weiterzogen und ein paar Kadaver, die die Wölfe schon abgenagt hatten, freigeben würden. Sie folgten uns, hungrig und hoffnungsvoll wie Möwen dem Fischerboot – und genauso hoffnungsvoll folgten ein paar erschöpfte Männer dem kleinen Krähenbein und warteten auf seine Weisheiten.

»Du sagst also, wenn ein weiterer Vogel aus dem Westen zu ihnen stößt, passiert etwas Schlimmes?«

Die Stimme des roten Njal klang ungläubig, war aber gleichzeitig so unsicher und brüchig wie das Eis auf dem Don.

»Und überleg dir gut, was du sagst, mein Junge«, fügte er hinzu, »denn es gibt nichts Schlimmeres als eine unzuverlässige Zunge, wie meine Großmutter immer zu sagen pflegte.«

Olaf schwieg und nickte nur, wobei er fortfuhr, die Vögel zu beobachten.

»Bei Freyas Arsch«, knurrte Klepp Spaki durch die Umhüllung aus Vadmaltuch, mit dem er sein Gesicht unter der Kapuze umwickelt hatte, sodass man nur noch seine Augen sah. »Wie geht das? Und woher weißt du das? Nach welchen Runen richtest du dich?«

»Die Vögel selbst sind die Runen«, sagte Olaf.

»Und wie das?«, wollte Onund Hnufa wissen, der jetzt auch hinzugekommen war und hinter Krähenbein stand. Der kümmerte sich nicht weiter um die große, bucklige Gestalt, die ihn wie ein Berg überragte. »Nach welchen Regeln entscheidest du das? Nach welchen Anzeichen?«

»Das passiert hier«, sagte Olaf und zeigte auf seinen Kopf

und dann auf sein Herz. Er hüllte sich fester in seinen Umhang, und der rote Njal brummte verächtlich.

»Bei Thors Eiern, Junge – ich war in deinem Alter genauso. Rannte überall herum und sah schwarze Zwerge und Trolle und erledigte sie mit meinem hölzernen Schwert.«

Wir lachten, denn das hatten wir alle gemacht. Olafs Blick wanderte vom Himmel zum roten Njal mit seinem rauen, vom Frost geröteten Gesicht. Er strahlte Seidr aus, wie ein Ofen Wärme ausstrahlt, und ich musste mich zusammenreißen, um mich auf das Gespräch zu konzentrieren.

»Nichts für ungut«, murmelte der rote Njal. »Sei niemals der Erste, der Freundschaftsbande zerreißt, wie meine Großmutter immer sagte.«

Ein Vogel kam angeflattert und setzte sich. »Aha«, sagte Krähenbein. »Heute passiert noch etwas Schlimmes.«

»Das ist doch alles Scheiße«, sagte der rote Njal, als Olaf außer Hörweite war. »Der Wille eines Jungen ist wie der Wind, sagte meine Großmutter immer.« Er wandte sich um und erblickte mich.

»Denkst du nicht auch, dass das Scheiße ist, Händler?«

»Ich sah und schwieg, ich hörte auf die Worte der Menschen und dachte nach«, zitierte ich ein altes Sprichwort, und er runzelte die Stirn und wartete weiter auf eine Antwort.

»Scheiße«, bestätigte ich. Auf seinem Gesicht breitete sich ein zufriedenes Grinsen aus, und ich konnte mich wieder auf meine eigenen sorgenvollen Gedanken konzentrieren.

Eine Stunde später brach am Rande einer großen Balka der Achsstift an einem der Wagen, sodass ein Rad abging. Ref Steinsson nahm eine Axt und fertigte mit großem Geschick aus dem Stiel einer zweiten Axt einen neuen Stift, während die Männer den Wagen entluden, damit er für die Reparatur angehoben werden konnte.

Der rote Njal sah erst mich an, dann blickte er mit einem verstohlenen Lächeln hinüber zu Olaf.

»Verdammt«, brummte auch er. Ich zuckte die Schultern. Wenn weiter nichts Schlimmeres passierte …

»Heya, Händler – sieh mal.«

Hauk Schnellsegler, der beim Entladen half und die Arme voller Bündel hatte, machte eine Kopfbewegung in Richtung Steppe.

»Die *dschinn*, Händler, erinnerst du dich?«

Ich erinnerte mich, und an Aliabu, den Stammesangehörigen der Beduinen, der uns von den unsichtbaren Dämonen erzählt hatte, die nie die Erde berührten und deren Vorüberziehen man an den Staub- und Sandwirbeln erkannte. Jetzt kam mir die Hitze Serklands wie ein wunderbarer Traum vor.

Der Schnee tanzte, ein Wirbel aus winzigen Eiskristallen. Diejenigen von uns, die noch nie so weit von zu Hause fort gewesen waren – und das waren die meisten der neuen Eingeschworenen –, starrten abwechselnd auf dieses Schauspiel und auf Hauk und mich. Erst jetzt wurde ihnen klar, wie weit wir gereist sein mussten, um die *dschinn* in Serkland zu erleben.

»Ich wusste gar nicht, dass es hier auch *dschinn* gibt«, sagte Hauk keuchend vor Anstrengung. »Und sogar ziemlich viele, wie es scheint.«

Mir gefiel das nicht, aber ich hätte nicht sagen können, warum. Schnee stob in kleinen Wirbeln auf, mein Blick ging zum bleigrauen Himmel, und dann bemerkte ich in der Ferne eine Gestalt, die ein stolperndes Pferd in unsere Richtung peitschte und dabei etwas schrie, was wir nicht hören konnten.

Alle Arbeit hörte auf. Das Rad war wieder am Wagen, nur der Stift musste noch hineingeschlagen werden, aber jetzt blickten alle wie gebannt auf das Pferd und den Reiter, dessen fieberhafte Eile uns alle in unruhige Spannung versetzte.

Es war Morut, unser Führer, der nicht aufhörte, uns im Näherkommen etwas zuzuschreien, was uns schließlich vom Wind zugetragen wurde.

»Der *buran* kommt!«

Wir hatten gerade noch Zeit, uns in Sicherheit zu bringen, dann brach es über uns herein, ein Eissturm mit der Wucht scharfer Peitschenhiebe und einem Heulen wie von rasenden Walküren.

In größter Eile spannten wir die Ponys aus und zerrten und schoben sie in die V-förmige Balka, die mehr als drei Mann tief war und so steil abfiel, dass die meisten von uns auf dem Arsch hinunterrutschten. Diejenigen, die zu langsam waren, wurden von fliegendem Eis getroffen und stöhnten vor Schmerz, ebenso die Pferde, deren Flanken bluteten. Wir drängten uns so dicht wie möglich zusammen, Menschen und Tiere, während die Welt um uns in entfesselter Wut brüllte.

Wie Gelächter tanzte das Licht auf dem Wasser, die Gischt flog gegen die Schären, und auf dem Langschiff, das in der Bucht vor dem Strand lag, war emsiges Treiben. Ich sah den Jungen, der im Windschatten des Schiffes stand, bis zur halben Wade im Wasser, ein Bündel an sich gedrückt, die Schuhe um den Hals gehängt.

Jemand lehnte sich aus dem Schiff und rief ihm mit ärgerlicher Stimme etwas zu. Ein anderer streckte ihm helfend die Hand entgegen, er ergriff sie und wurde an Bord gezogen. Die Ruder kamen heraus, tauchten ein, und es glitzerte, der Drachen flog den Fjord hinab.

Ich. Das war ich, der zusammen mit Einar dem Schwarzen und den Eingeschworenen an Bord der Fjord Elk *Björnshafen verließ. Ich war so jung …*

»Fünfzehn«, sagte der einäugige Mann. Er war hochgewachsen, und unter dem mitternachtsblauen Umhang strahlte er eine Stärke aus, die von bestandenen Herausforderungen zeugte. Von seinem Körper war außer einer Hand nicht viel zu sehen, sie war mit einem Handschuh bekleidet und hielt einen Stab.

Mit seinem klaren blauen Auge sah er mich an, sein Blick war durchdringend. Das Gesicht war von welligem grauem Haar umrahmt, auf dem er einen breitkrempigen Hut trug. Ich kannte ihn.

»Allvater«, sagte ich, und er lachte leise. Einauge, Graubart, Vernichter, der Wütende, der Rasende.

Odin.

»Nur zum Teil und zugleich alles davon«, antwortete er. Er nickte beifällig über das, was er sah – das Bild schwankte und flimmerte, als streiche ein plötzlicher Wind darüber, wie ein Spiegelbild im Teich.

»Der weiße Christenpriester mit Gudleif«, sagte er, und ich sah den Kopf auf dem Pfahl, der Kopf, der einst Gudleif gewesen war, der mich als sein Pflegekind großgezogen hatte. Caomh, der irische Sklave, der einst Priester gewesen war – einmal Priester, immer Priester, wie er zu sagen pflegte –, stand neben der Verwüstung, die Einar dort angerichtet hatte, und sah uns nach, wie wir davonruderten.

»Nachdem Gudleifs Söhne gestorben waren, wurde Björnshafen Teil des Gewebes. Der Priester des weißen Christus hatte es geschafft, dass sie jetzt alle dem einen Gott folgen.«

Er sagte es mit Bitterkeit, der Vater der Asen. Warum hat er diesen weißen Christus geduldet, diesen Jesus aus dem warmen Süden? Schließlich war er Odin …

»Wir müssen das dulden, was die Nornen weben, selbst wenn es um Götter geht«, antwortete er. »Die alten Schwestern werden müde, vielleicht wollen sie ihren Webstuhl stilllegen und können es nicht eher tun, als bis die Dynastie der Ynglinger ausgestorben ist.«

Es war eine lange Dynastie. Krähenbein, Urgroßenkel von Harald Schönhaar, gehörte auch dazu. Wollten die Nornen ihn etwa auch töten?

Einauge schwieg, was mich ärgerte. Man sollte annehmen, ein Gott wüsste über diese Dinge Bescheid, besonders über einen Rivalen wie diesen Christus.

Er knurrte unwillig. »Ich weiß genug, um zu wissen, dass genug nicht genug ist. Ich weiß genug, um zu wissen, was ich nicht tun darf, und das ist wahre Weisheit.«

Etwas rumpelte, tief wie Donner, und ein grauer Keil schob sich aus dem Dunkel hervor. Wie Bernstein im Fels sahen mich die Augen an, und aus dem grauen Maul drangen Dampfwölkchen, als der Wolf den Handschuh des Gottes leckte.

»Siehst du, Freki«, sagte der Einäugige, »sie kommt zurück.«

Etwas Schwarzes, Zerzaustes kämpfte sich im Wind voran, flatternd und hüpfend kam es tiefer, bis es auf seiner Schulter landete. Mit schwarzen Augen sah es mich unverwandt an, dann beugte es sich vor und knabberte am Ohr des Einäugigen, der nickte.

Munin, der über die ganze Welt fliegt und sich mit seinem kleinen gefiederten Kopf alles merkt, war mit seinem Schnabel, der schwarz war wie Ebenholz, zum Ohr von Allvater Odin zurückgekommen und berichtete ihm nun flüsternd von Kränkungen und Missetaten und von Kriegern, die für Walhall bestimmt, aber noch nicht gefallen waren. Ich fürchtete mich nicht, was so merkwürdig war, dass ich zu der Überzeugung gelangte, ich befände mich in einer Traumwelt auf der anderen Seite.

»So ist es«, sagte der Einäugige, als hätte ich es ausgesprochen. »Und du möchtest wissen, was sein wird. Doch das liegt natürlich in den Händen der Nornen.«

»Silber«, sagte ich, und obwohl noch viele Worte und Fragen, die ich hätte aussprechen sollen, mir im Kopf herumwirbelten, schien das auszureichen, und er nickte wieder.

»Silber«, erwiderte er. »Selbst das können sie weben, die Schwestern, aber sie weben blind und sitzen im Dunkeln, und das hilft mir. Auf dem Silber muss natürlich ein Fluch liegen, sonst taugt es nicht für dieses Gewebe.«

Ich verstand gar nichts.

»Frag doch danach, Orm Gunnarsson – wie viel ist das Silber wert?«, hörte ich eine Stimme.

Höfe und Schiffe, Krieger und Frauen … einfach alles.

»Mehr noch«, bestätigte der Einäugige. »Und dieser Wälsungenschatz, den sie Attila mitgaben, ist das Geschenk für einen König. Ein verfluchtes Geschenk. Mein Geschenk.«

Und was erwartet dieser Gott im Gegenzug? Was könnte ein Gott noch wollen, das er nicht schon hat? Krieger für die letzte Schlacht? Wenn es das war, dann brauchte er uns nur zu töten.

Der Einäugige lachte. »Es gibt mehr Kriege, als du ahnst, und diese Schlachten dauern sehr lange. Diesen Kampf kämpfe ich schon seit der Zeit vor Hilds Ururururgroßmutter, bis zurück zur ersten dieser Linie. Denk daran, wenn es am dunkelsten ist, Orm Händler – die Gabe, die ich gebe, ist die Gabe, die ich bekomme. Was du bist, das bin ich auch.«

Das verstand ich nicht, was ich gar nicht zu sagen brauchte – aber er hatte von Hild gesprochen. Er sah mich amüsiert an, und sein Auge blitzte, er wusste es.

»Der Erste ihrer Linie war der Speer, der als Kampfansage über die Köpfe der weißen Christenpriester geschleudert wurde«, sagte er, wodurch ich auch nicht klüger wurde. Er lachte ein tiefes, rumpelndes Lachen und fügte hinzu: »Um Weisheit

zu erlangen, muss man neun Nächte am Weltenbaum hängen, Junge.«

Der Rabe Munin breitete seine ramponierten Flügel aus und schwang sich in die Luft. Wir sahen ihm nach, dann knurrte der Einäugige, als habe er Rückenschmerzen oder sei hungrig.

»Er sucht seinen weißen Bruder, um ihn heimzubringen – Fimbulwinter ist noch nicht angebrochen, und er hat genug Federn abgeschüttelt.«

Das blaue Auge wurde bernsteinfarben wie das eines Wolfes, und auch bei dieser Verwandlung Allvaters empfand ich keine Furcht, lediglich Neugier. Denn so war er, weder das eine noch das andere, weswegen man ihm nie ganz trauen konnte.

»Das ist die eine Lehre, die du von hier in die Welt mitnimmst«, brummte er mit noch tieferer Stimme. »Die zweite ist, dass der Einäugige dir ein Opfer abverlangen wird, und das wird etwas sein, was dir lieb und teuer ist.«

Der Wind heulte, und der Schnee trieb herein, als wollte er uns auslöschen, er reizte meine Augen und zwang mich in die Knie.

Aber ich hatte keine Angst, denn dies war noch nicht Fimbulwinter …

»Für dich mag das ja ein verdammter Trost sein, Händler«, sagte die Stimme neben meinem Ohr, »aber nicht für die, die noch immer bis zum Hals im Schnee stecken.«

Hände zogen mich auf die Beine und schüttelten mich, dass ich zähneklappernd die Augen aufmachte. Licht drang herein. Licht und ein Schwall eisiger Luft, als hätte ich zwischendurch zu atmen aufgehört. Onund Hnufa, das große, ungeschlachte Walross mit dem vereisten Schnauzbart, sah mein Gesicht an und brummte zufrieden.

»Gut. Du wirst es überleben – jetzt komm und hilf den anderen und hör auf, vom Fimbulwinter zu faseln.«

Wir gruben sie aus. Schneeberge kamen in Bewegung

und platzten auf wie Kastanienschalen, Menschen husteten, krächzten und schnappten nach Luft, sie hielten sich aneinander fest und fanden wieder ins Leben zurück.

Fünfzehn waren tot, zehn davon Sklaven, darunter Hekja. Thorgunna und Thordis, beide mit blau gefrorenen Gesichtern, klammerten sich aneinander und mussten aufpassen, dass ihnen beim Weinen die Augenlider nicht zusammenfroren.

Von der Druschina waren auch drei tot, zwei von Klerkons Männern ebenfalls, was nur noch einen übrig ließ, den großen, stupsnasigen Smaländer Kveldulf, Nachtwolf, dunkel und wild und mit Eis überpudert. Er und Krähenbein funkelten sich böse an, und ich merkte, dass Kveldulf mehr Angst hatte als der Junge.

»Das war ein unbarmherziger Sturm«, bemerkte Hauk Schnellsegler.

»Wenn wir nicht noch rechtzeitig gewarnt worden wären, hätte es uns noch viel schlimmer getroffen«, sagte Gyrth, der schwerfällig durch den Schnee stapfte, der hüfttief im Tal der Balka lag. Seine zerfetzten Felle schleiften wie Schwänze hinter ihm her.

»Dafür verdienst du einen Armreif«, sagte ich zu Morut, der mich mit seinem zerfurchten Gesicht angrinste. »Ich verspreche ihn dir, sobald es irgendwo warm genug ist, dass ich ihn von meinem Arm herunterbekomme.«

Er quittierte es mit einer Verbeugung, um sich dann, noch immer grinsend, dem mürrischen Avraham zuzuwenden.

»Siehst du? Ich bin zurückgekommen, wie versprochen«, sagte er. »Die Steppe kann mich nicht umbringen. Ich höre, du hast versucht, einen Weg über das Große Nichts zu finden, ausgerechnet du, der nicht mal mit beiden Händen seinen eigenen Schwanz findet.«

Avraham, mit violetten Augenringen im blau gefrorenen Gesicht, hatte weder Kraft zu antworten noch seine Erleichterung darüber zu verbergen, dass Morut wieder bei uns war.

Unter Anleitung des kleinen Fährtenlesers führten wir die Pferde durch die Balka bis dahin, wo sie flacher wurde und in eine große Eisfläche mit bereiften Grasbüscheln mündete, über die der Wind den neuen Schnee des *buran* trieb. Von hier konnten wir zu den Wagen zurückgehen, aber wir hatten so viele Pferde verloren, dass wir zwanzig Wagen zurücklassen mussten, und mit ihnen alles, was wir an Ausrüstung entbehren konnten.

Die Druschina hatte jetzt gar keine Pferde mehr, und selbst Wladimir ging zu Fuß. Am klügsten waren noch Thorgunna und Thordis, sie ließen die gefrorenen Pferde zerlegen und auf einen Wagen laden, obenauf kam Holz von einigen Wagen, die wir zerhackt hatten. Jetzt hatten wir Fleisch und Holz zum Kochen, selbst wenn Finn behauptete, dass er sich nicht entscheiden könne, welches von beidem besser schmecke.

»Ich dachte, dir schmeckt alles«, sagte Thorgunna. Ihre vom Wind geröteten Wangen sahen wie Äpfel aus. Sie lachte, und Finn brummte gutmütig, während er mit gespieltem Abscheu die Pferdekeule ansah.

»Du legst sie in einen großen Kessel, zusammen mit einem Hufeisen«, sagte er. »Wenn das Eisen weich ist, ist das Fleisch fertig.«

Die restlichen Wagen wurden am Abend verbrannt. Wir schlugen unser Lager auf und holten die großen Kupferkessel hervor, um so viel Fleisch wie möglich zu garen. Ob mit oder ohne Hufeisen, an diesem Abend war uns warm, und unsere Bäuche waren voll, und mehr war nicht nötig, um uns wieder zusammenzuschweißen. Wir, die wir bereits unser sicheres Ende vor Augen gehabt hatten, fingen wieder an, davon zu sprechen, wie es weitergehen würde.

»Noch so ein Sturm würde uns erledigen«, sagte der rote Njal. Neben ihm saß der junge Prinz Wladimir und starrte trübsinnig ins Feuer, denn jetzt waren wir nur noch ein erschreckend kleiner Haufen und wärmten uns zusammen am selben Feuer.

»Wir werden es schaffen«, sagte er.

Niemand sprach, bis Morut beschloss, uns zu erzählen, wie es ihm in der Zwischenzeit ergangen war.

Er hatte die Männerhasser-Weiber lange verfolgt. Sie waren in einer vereisten Balka geritten, bis sie an einen zugefrorenen See kamen, in dem eine Insel lag. Den ganzen Weg entlang hatten kaputte Wagen, tote Pferde und tote Männer gelegen; alles Lambissons Leute. Morut hatte keine weiteren Frauen gesehen – aber das goldglänzende Pferd, erzählte er, war ebenfalls vor Kälte und Hunger gestorben, ebenso wie die Steppenponys. Avraham stöhnte beim Gedanken an den Verlust des schönen Pferdes.

Das sei doch ein gutes Zeichen, sagte ich, denn das bedeute vermutlich, dass die Männerhasser ebenfalls umgekommen waren. Bis auf eine, dachte ich, denn man konnte die Fylgja, die das glänzende Pferd geritten und den Zwilling meines Schwertes geschwungen hatte, nicht töten. Dazu wollte ich aber nichts sagen, ich griff nur nach dem Bündel auf meinem Rücken, in das das Schwert gewickelt war, doch ich merkte, wie Finn mich ansah.

Er knurrte etwas und hätte wohl verächtlich ausgespuckt, aber da er den Arm um Thordis gelegt hatte, entschied er sich dagegen.

»Es gibt keine Fylgja von Hild, Händler«, sagte er. »Dieses Miststück von einer Schlampe ist schon lange tot.«

Er wusste, dass ich ihm nicht glaubte, und ich hoffte, Kvasir würde mir bei diesem Streit den Rücken stärken, aber der lag in Thorgunnas Armen und schlief fest.

»Nun ja, wenigstens weiß ich, dass dies noch nicht der Fimbulwinter ist«, lenkte ich ein.

Ich erzählte von meinem Traum. Einige, darunter auch Gyrth, zuckten nur mit den Schultern; damit wollten sie sagen, dass es eben nur ein Traum gewesen war, verursacht durch einen Schlag auf den Kopf, doch aus Höflichkeit hielten sie den Mund. Andere dagegen nahmen die Sache ernster.

»Durch einen Zauber wird man oft klüger«, erklärte der rote Njal, »wie meine Großmutter immer sagte. Mir scheint, der Händler Orm hat gerade einen guten Handel mit Odin abgeschlossen.«

Er strahlte, aber Finn sah eher aus, als sei er wenig erbaut davon, dass sein Jarl im Traum mit Göttern redete. Klepp Spaki interessierte sich sehr für das Rätsel, erklärte aber gleichzeitig, das sei, als versuche man bei Gegenwind zu rudern.

»Ach, bist du endlich ein Seemann geworden?«, fragte Hauk spöttisch, und Klepp, der sich eingestehen musste, dass er absolut nicht seefest war, lächelte verlegen.

Finn entschied, dass mein Besuch beim Allvater wahrscheinlich gar nichts zu bedeuten habe, und ich wusste nicht, ob ich darüber erleichtert oder empört sein sollte.

»Schließlich haben wir nichts gehört, was wir nicht schon wissen«, fuhr er fort, »sogar das mit dem Opfer einer Sache, die ihm lieb und teuer ist. Odin will immer etwas Wertvolles auf seinem Altar, am liebsten frisches Blut. Vielleicht meint er sogar mich, denn ich habe mir ja nach meinem Schwur in Nowgorod das Valknut-Zeichen aufmalen lassen.«

»Was wolltest du mit dem Schwur erreichen?«, fragte Sigurd, und seine Nase glänzte im Feuerschein. Finn rutschte verlegen umher und sah Prinz Wladimir an. Ursprünglich hatte er damit dessen Tod herbeigewünscht und geglaubt, er habe sein Ziel erreicht, als wir die Glocken läuten hörten.

Aber natürlich war es der Vater des Jungen gewesen, der gestorben war, und Finn hatte es darauf zurückgeführt, dass er es jemandem wie Odin, der ständig seine Gestalt wechselt, nicht genau genug gesagt hatte. Mir fiel eine Antwort ein, mit der ich Finn aus der Klemme half.

»Er tat es natürlich, um aus dem Gefängnis herauszukommen«, sagte ich. Finn nickte erleichtert und warf mir einen dankbaren Blick zu. Wladimir runzelte die Stirn und dachte über die Antwort nach, immer wieder zeigte er ein ungesundes Interesse daran, die Vor- und Nachteile der verschiedenen Götter zu vergleichen.

»Ich glaube«, hörte man eine hohe Kinderstimme, »dass die Menschen lieber Thor Opfer bringen, weil er sie nicht so oft im Stich lässt wie Allvater Odin.«

Alle Köpfe fuhren herum zu Krähenbein, der in seinen Mantel gehüllt im Feuerschein saß.

»Was weißt du davon, dass die Götter einen im Stich lassen?«, fragte Gyrth neugierig, und die, die über Krähenbeins Vergangenheit Bescheid wussten, rückten verlegen auf ihren Plätzen und wünschten sich, er hätte diese Frage nicht gestellt.

Der kleine Olaf warf Gyrth einen seiner zweifarbigen Blicke zu und räusperte sich.

»Ich habe die Falschheit der Götter und die der Menschen erlebt«, sagte er und zog eine Hand aus dem Umhang, um mit einem Zweig im Feuer zu stochern, sodass die Funken sprühten. Trotzdem wollten nur wenige weiter abrücken, auch wenn ihr Haar angesengt wurde, denn wir wussten, bald würde uns allen wieder kalt sein.

»Es war einmal ein Schäfer«, sagte Olaf, und ums Feuer lief ein Flüstern der Vorfreude, aber auch der Bangigkeit, die Olafs Geschichten immer mit sich brachten.

»Es war am Ende eines tiefen, dunklen Winters, fast so schlimm wie dieser. Er brachte seine Schafe aufs Feld, um sie ein wenig grasen zu lassen, und setzte sich unter einen Baum, um auszuruhen. Plötzlich kam ein Wolf aus dem Wald. Es war ein Herr unter den Wölfen, das Fell um seinen Hals war schneeweiß, und er war so hungrig, dass ihm der Speichel vom Maul tropfte.«

»So einen Hunger kenne ich«, sagte jemand, wurde aber sofort wieder zum Schweigen gebracht.

»Der Schäfer nahm seinen Speer und sprang auf«, fuhr Krähenbein fort. »Der Wolf wollte den Mann gerade anspringen, doch da sah er den Speer und überlegte es sich anders, denn der Speer hatte eine schöne silberne Spitze, und dem Wolf war es nicht recht geheuer, dass ein Schäfer eine so schöne Waffe hatte. Sie starrten einander an, und keiner wagte es, einen ersten Schritt zu tun. In dem Moment kam ein Fuchs vorbei. Er sah, dass der Schäfer und der Wolf Angst voreinander hatten, und beschloss, die Situation zu nutzen. Er rannte zum Wolf und sagte: ›Vetter, es gibt keinen Grund, vor einem Menschen Angst zu haben. Stürz dich auf ihn, bring ihn zu Fall und lass ihn dir schmecken.‹ Der Wolf sah ihn mit seinen goldgelben Augen an und sagte: ›Du bist zwar gerissen, aber klug bist du nicht. Sieh ihn dir doch an, er hat einen silbernen Speer, der bestimmt Zauberkraft hat. Damit wird er mich aufspießen, und das wird mein Ende sein. Verschwinde mit deinen dummen Ratschlägen.‹ Der Fuchs dachte einen Moment nach, dann sagte er: ›Nun, wenn es so ist, dann gehe ich zu ihm und bitte ihn, dich nicht aufzuspießen. Was gibst du mir, wenn ich dich rette?‹ Der Wolf sagte, er könne alles haben, was er sich wünsche, also ging der Fuchs zu dem Schäfer und sagte: ›Onkelchen Schäfer, was stehst du hier rum? Der Wolf will dich fressen, aber ich habe ihn überredet, noch eine Weile zu warten. Was gibst du mir, wenn ich dich rette?‹ Der Schäfer sagte: ›Alles, was du haben möchtest.‹ Der Fuchs lief wieder zum Wolf und sagte: ›Vetter, du wirst lange leben und Vater vieler Welpen werden – ich habe den Schäfer gerade überredet, dich nicht aufzuspießen. Jetzt beeile dich und lauf weg, ehe er es sich anders überlegt. Wir sehen uns später.‹ Der Wolf drehte sich um und rannte fort, so schnell er konnte – was er ja eigentlich schon längst hätte tun können, wenn er nicht so große Angst gehabt hätte. Der Fuchs kam zum Schäfer zurück und sagte: ›Onkelchen Schäfer, du hast doch dein Versprechen nicht vergessen?‹ Der Schäfer fragte ihn, was er sich wünsche, und der Fuchs sagte: ›Nicht viel, nur einen Biss aus deinem Bein. Das reicht mir.‹«

»Ha – selbst das klingt ganz lecker«, rief ein dunkler Slawe. Diejenigen von uns, die Rudergefährten kannten, die so etwas getan hatten, rutschten unangenehm berührt herum und sagten nichts dazu.

»Der Schäfer streckte sein Bein aus«, fuhr Olaf fort. »Gerade als der Fuchs seine Zähne hineinschlagen wollte, ließ der Schäfer ein Gebell hören. Der Fuchs fuhr zurück und fragte: ›Wer war das?‹ Der Schäfer zuckte mit den Schultern. ›Was interessiert dich das? Nimm deinen Biss und dann verschwinde.‹ Der Fuchs legte schlau den Kopf auf die Seite. ›O nein. Ich komme nicht näher, ehe ich weiß, wer da gebellt hat.‹ Der Schäfer seufzte. ›Dann will ich es dir sagen. Diesen Winter hatten wir im Dorf nichts mehr zu essen. Und dann hatte mein Schäferhund zwei Welpen. Na ja … und ich war so hungrig, dass ich sie aß. Jetzt sind sie in meinem Bauch groß geworden, und ich glaube, sie können dich riechen und möchten sich auf dich stürzen, deshalb bellen sie.‹ Der Fuchs bekam noch mehr Angst, aber er zeigte es nicht. Würdevoll sagte er: ›Ich hätte keine Schwierigkeiten mit deinen Welpen. Aber ich muss mich beeilen, weil ich den Wolf in einer dringenden Angelegenheit sprechen muss. Halte also deine Schäferhunde noch eine Weile fest. Wenn ich wiederkomme, werde ich ihnen eine solche Lehre erteilen, dass sie nie wieder Lust haben werden, einen Fuchs anzugreifen.‹ Der Schäfer lachte. ›Dann beeil dich‹, sagte er. Der Fuchs rannte in den Wald und war froh, dass er mit dem Leben davongekommen war. Als er wieder ruhiger atmete, suchte er den Wolf auf und sagte: ›Nun, Vetter – ich habe dein Leben gerettet, als du vor dem Schäfer Angst hattest, und du hast mir etwas versprochen.‹ Der Wolf stieß ein langes Heulen aus. ›Was habe ich versprochen?‹, knurrte er. ›Ich bin nicht dein Vetter. Ich bin der Jarl dieser Wälder. Wer wagt es, zu behaupten, ich hätte Angst gehabt?‹ Er hob die Pfote, um den Fuchs niederzuschlagen, doch der war schon fortgerannt, ehe der Wolf dazu kam, und dachte bei sich: ›Undank ist der Welt Lohn.‹ Dann kroch der Fuchs in seinen Bau, wo er seine Kinder warnte, sich stets von Menschen und Wölfen fernzuhalten.«

»Ja, das ist wahr«, pflichtete der rote Njal bei. »Der Dorsch, der mit Haien schwimmt, ist schnell gefressen, wie meine Großmutter immer sagte.«

»Heya«, murmelte Gisur. »Ich hoffe, du bist in Zukunft immer nett zu Menschen und Wölfen, damit sie dir diese nicht sehr schmeichelhafte Geschichte verzeihen, junger Prinz Olaf.«

»Und ebenso die Götter«, sagte Onund Hnufa vielsagend.

»Nur wenn es sich um Schäfer handelt«, sagte Krähenbein, und einige lachten, aber es klang angestrengt. Sie wussten immer noch nicht, wie sie die Runen dieses Jungen lesen sollten.

In diesem Moment tauchte eine große, dunkle Gestalt im warmen Umkreis des Feuers auf – Kveldulf, das Gesicht trotzig erhoben.

»Ich bin der Letzte von Klerkons Männern«, verkündete er und sah Krähenbein an. »Ich heiße Kveldulf. Ich bin als Berserker bekannt, und ich kann mich verwandeln. Ich stelle fest, dass ihr immer weniger werdet, wahrscheinlich könntest du einen guten Mann gebrauchen.«

Das stimmte, aber weder schätzte ich Kveldulf noch traute ich ihm, und noch weniger wollte ich ihn bei den Eingeschworenen haben. Krähenbeins Gesicht war starr; seine Augen glitzerten, eins wie Eis, das andere sprühte dunkles Feuer. Kveldulf war Klerkons Mann gewesen, und ich fragte mich, was zwischen den beiden vorgefallen war, als Krähenbein dort ein Thrall, ein Sklave, war.

»So ist es«, sagte ich, »aber wir sind die Eingeschworenen. Du hast vielleicht von uns gehört und von dem Schwur, den wir ablegen. Könntest du ihn auch ablegen und danach leben?«

»Man kennt mich in Smaland als einen Mann, der sein Wort hält«, erwiderte er, erbost über mein spöttisches Gesicht.

Krähenbein räusperte sich, und alle sahen ihn an.

»Ganz richtig«, sagte er mit hoher, dünner Stimme. »Als ich zum zweiten Mal weggelaufen war, hattest du mir versprochen, dass ich meine Mutter nie wiedersehen würde. Und es stimmte, ich habe sie nie wiedergesehen.«

Es war so still geworden, dass man nur den Wind hörte. Ich brach schließlich das Schweigen.

»Welche Fähigkeiten hast du denn, die wir brauchen könnten?«, fragte ich Kveldulf.

Verwundert sah er mich an. »Das habe ich doch gesagt. Man kennt mich als Berserker, der seine Gestalt verändern kann. Ich töte. Ein vernünftiger Jarl würde mich mit offenen Armen willkommen heißen.«

Das war eine Beleidigung, und ich merkte, wie die Wut in mir aufstieg. Das überraschte mich selbst, denn ich merkte, dass durch die dauernde Kälte vieles in mir taub geworden war.

»Von deinen Taten ist mir nichts bekannt«, sagte ich. Mir war es in diesem Moment egal, ob ich damit die Ehre des Mannes kränkte, was immerhin gefährlich sein könnte. »Ich habe dich auch bei den Kämpfen, die wir hinter uns haben, noch nie in einen Schild beißen sehen.«

»Bei dem Kampf gegen das Dorf war ich krank«, musste er zugeben. Finn lachte verächtlich auf, und Kveldulf sah ihn wütend an.

»Jetzt geht es mir aber wieder gut genug, dass ich jemandem, der mir keinen Respekt zeigt, Manieren beibringen kann. Ich habe gehört, dass man auch zu den Eingeschworenen kommen kann, indem man gegen einen von ihnen kämpft.«

Ich merkte, dass Finn das als Herausforderung ansah, was ich um jeden Preis vermeiden wollte. Ich wollte mit Kveldulf nichts zu tun haben.

»Die Zeiten sind schlecht, und wir sind weniger geworden«, sagte ich. »Ich habe mich für einen neuen Weg entschieden.«

Die Männer beugten sich gespannt vor, davon hatten sie bisher nichts gehört. Das wäre auch unwahrscheinlich gewesen, denn es war mir selbst gerade erst eingefallen. Ich schrieb es der Kälte zu und überhaupt allem, was wir bisher durchgemacht hatten, dass ich jetzt geradezu tollkühn wurde.

Ich hielt meine linke Hand hoch, die in einem kältestarren Lederhandschuh steckte. Wenn ich nicht am Feuer gesessen hätte, hätte ich noch einen Fausthandschuh darübergetragen.

»Wie viele Finger siehst du?«

Er schien überrascht, dann grinste er, denn er hielt die Frage lediglich für eine Formalität.

»Fünf natürlich.«

Ich bog die leeren Finger des Handschuhs nach unten und diejenigen, die wussten, dass ich an dieser Hand nur zwei Finger und den Daumen hatte, lachten. Kveldulfs Gesicht wurde noch wütender.

Kvasir ließ ein lautes, dreckiges Lachen hören.

»Da gibt es ja Steine, die mehr Grips haben«, sagte er. »Jarl Orm sollte einen von ihnen den Eid der Eingeschworenen ablegen lassen.«

»Heya«, brummte Gyrth grinsend. In mir meldete sich ein leises Schuldgefühl, denn es wäre nicht nötig gewesen, Kveldulf zu demütigen. Er hatte offenbar große Mühe, das alles zu verstehen.

Kveldulf zitterte wie eine Wasserfläche, die im nächsten Moment überlaufen würde, schließlich drehte er sich um und verschwand in der Dunkelheit, wobei Finns unbarmherziges Gelächter hinter ihm her klang. Langsam entstanden wieder Gespräche am Feuer, aber ich beteiligte mich nicht daran, ich spürte die Missbilligung, die mir von der anderen Seite des Feuers entgegenschlug.

Schließlich hörte man Thorgunnas verächtliches Schnauben. »Die unbedachte Zunge spricht sich selbst ihr Urteil aus, wenn man sie nicht im Zaum hält«, zitierte sie.

»Du klingst wie die Großmutter vom roten Njal«, erwiderte ich in dem Versuch, es mit einem Scherz abzutun. »Oder wie meine Pflegemutter.«

»Die hast du wohl nie gehabt, wie mir scheint«, sagte sie scharf, »denn die hätte dir bessere Manieren beigebracht.«

Das ging etwas zu weit, und Kvasir legte ihr die Hand auf den Arm, damit sie sich zurückhielt.

»Sieh dir doch an, wo wir hier sind, Jarl Orm«, unterbrach Thordis, die sich so weit vorgebeugt hatte, dass ihre Augen im Feuer funkelten. »Hier, in dieser Wildnis, wo wir dir in ein ungewisses Schicksal folgen. Wenn dein Wyrd dich jetzt einholt, haben wir das Recht, zu sprechen. Hier stehen mehr Leben auf dem Spiel, als du ahnst.«

Das weckte Erinnerungen an Einar. Das konnte ich nicht einfach so abtun.

»Wollt ihr denn Kveldulf? Dann nehmt ihn bei euch auf und werdet glücklich mit ihm – aber ich will ihn nicht am Hals haben …«

In dem Moment wurde mir bewusst, was sie gesagt hatte, und mir blieb der Mund offen stehen. Ich sah Thordis an, dann Finn, dann wieder sie. Finn machte ein betretenes Gesicht, und Thordis lachte leise.

»Nicht ich, Rosskopf … jedenfalls noch nicht.«

Thorgunna, fest in ihren Umhang gewickelt, hob den Kopf. »Ich bin nicht mehr allein.«

Das war die Art, wie man es bei uns im Norden bekannt gibt, und Kvasir hatte offenbar schon längere Zeit Bescheid gewusst, denn er zeigte keinerlei Regung. Ich dafür umso mehr. Jon Asanes lachte; der rote Njal und die anderen fingen sofort an, darüber zu reden, und die Nachricht verbreitete sich im Lager wie ein Lauffeuer.

»Bist du ganz sicher?«

Das war eine sehr blöde Frage, und mit ihren schwarzen Augen sah sie mich spöttisch an.

»Selbst bei dieser Kälte und unserer miserablen Ernährung merke ich, wenn sich Leben in mir regt, Jarl Orm«, sagte sie spöttisch. »Außerdem habe ich mit einem Ei geschlafen und am nächsten Morgen das eine Ende abgeschlagen. Dem Dotter nach zu urteilen wird es ein Junge.«

Ich lehnte mich zurück und sah sie an, dann Kvasir, und hatte das Gefühl, dass die beiden sich irgendwie gegen mich verbündet hatten. Einer der großen Slawen – es war der, der behauptet hatte, auch er könne ein menschliches Bein essen – sagte: »Ein Ei!« Es klang, als hätte er zu gern gewusst, wo sie einen solchen Schatz noch aufgetrieben hatte.

»Jetzt siehst du also, Händler«, fuhr Thordis unbeirrt fort, »warum wir uns alle Sorgen machen.«

Sie hatte recht, und ich schämte mich noch mehr als vorher und musste meinen Kopf ein paarmal schütteln, um wieder klar denken zu können.

»Meine Worte waren unüberlegt«, gab ich zu, »aber der Grund war richtig. Was geschehen ist, ist geschehen. Ein törichter Mensch liegt die ganze Nacht wach und überlegt hin und her; am nächsten Morgen ist er hundemüde und genauso schlau wie zuvor.«

»Wie deine Pflegemutter immer sagte«, fügte der rote Njal hinzu. »Wahrscheinlich hat sie meine Großmutter gekannt.«

Allgemeines Gelächter, dann summte der Kreis am warmen Feuer bald wieder von vielen leisen Gesprächen. Ich jedoch konnte die Augen nicht von Thorgunna abwenden, immer wieder sah ich sie an und dachte über dieses neue Leben nach und wunderte mich, dass es an einem Ort wie diesem überhaupt entstehen konnte. Und gleichzeitig machte ich mir Sorgen.

Ich hatte schon genug Frauen und Kinder hier, um die ich mich kümmern musste. Jetzt lastete noch zusätzlich dieses Ungeborene auf meinen Schultern, noch ehe es den ersten Atemzug getan hatte.

KAPITEL 15

Ich stand auf dem Rücken eines graubraunen Wals, der aus dem gefrorenen See auftauchte, und starrte in den Schlund seines Blaslochs, und Finn, Kvasir und ein paar andere zogen mich auf, weil ich die Insel nicht wiedererkannt hatte, als ich sie vom Ufer des gefrorenen Sees aus gesehen hatte.

Wir waren auf einem Weg des Elends hierhergekommen, einer Spur aus gefrorenen Leichenteilen, von denen die Raubtiere bei unserer Ankunft flüchteten.

Der kleine Morut hatte uns geführt. Immer wieder hatte er geduldig auf uns gewartet und dabei sein klapperdürres Pferd mit einer Mischung aus gehacktem Stroh und Tierfett gefüttert. Ich bewunderte den kleinen Chasaren aus demselben Grund, weswegen ich damals den Beduinen bewundert hatte, der so mühelos den Weg durch die Wüsten Serklands gefunden hatte. Selbst Finn nickte dem Mann ab und zu anerkennend zu, während das Gesicht Avrahams je nachdem bald Verachtung, dann wieder große Erleichterung ausdrückte.

Morut machte uns auch auf das prächtige goldene Pferd aufmerksam, das jetzt allerdings nicht mehr glänzte, sondern weiß vom Raureif dalag und dessen Beine steif abstanden. Als wir näher kamen, rannten die Wölfe fort, doch sie entfernten sich nicht sehr weit. Sie ließen sich auf der gefrorenen Steppe auf den Bauch fallen und warteten mit gekreuzten Vorderpfoten darauf, dass wir weiterzogen. Geduldig und reglos wie Felsen lagen sie da, die

Hunde Odins, denn sie hatten viel Mühe gehabt mit den Tieren und Menschen, die hier herumlagen. An einem hart gefrorenen Kadaver sind keine weichen Teile, in die man die Reißzähne schlagen kann.

»Was für ein Verlust«, sagte Avraham voll Bedauern, und die, die hinter ihm her stolperten, nickten zustimmend – allerdings meinte der Chasare damit nicht die toten Menschen, sondern dieses Pferd.

Morut knurrte nur verächtlich, was ihm einen vernichtenden Blick von Avraham einbrachte. Neugierig fragte der kleine Wladimir den Fährtenleser, was er mit diesem Knurren gemeint habe.

Morut zeigte auf das einst so prächtige Tier und sah dann sein eigenes struppiges Pony an. »Diese beiden sind eigentlich ganz ähnlich«, sagte er grinsend, »turkmenische Pferde. Aber das blutschwitzende Pferd war zu edel für diese Gegend, mein kleines dagegen ist dafür trainiert.«

»Kann man ein Pferd dafür trainieren?«, fragte Thorgunna und musterte die gefrorenen Überreste mit einem Blick, den ich nur zu gut kannte. Wenn es um die Verwendung von Überresten ging, konnten sie und Thordis den Wölfen noch etwas vormachen.

Morut nickte, während die Männer die Toten absuchten, doch gaben sie ihre Plünderungsversuche bald auf, als sie merkten, dass die Leichen am Boden oder aneinander festgefroren waren.

»Von fünfen, mit denen man anfängt, halten zwei es meist nicht durch«, gab er zu, und da ich mit der Pferdezucht aufgewachsen war, wusste ich sofort, dass man es also nur machen konnte, wenn man über eine unbegrenzte Anzahl von Tieren verfügte, deren Fütterung fast nichts kostete.

»Such dir ein Tier aus, das du für geeignet hältst, so um

die sieben oder acht Jahre alt«, sagte Morut, indem er seinem Pony eine Handvoll Stroh mit Tierfett gab. »Ein jüngeres Pferd könnte dieses Training nicht durchhalten, bei dem es schließlich aufs Kämpfen und für Raubzüge vorbereitet wird. Du legst einen Sack Erde oder Sand auf den Sattel, zuerst nur so schwer wie ein Reiter, aber über die nächsten acht Tage macht man ihn immer schwerer, bis das Pferd das Gewicht von zwei Steppenreitern trägt – das ist so schwer wie einer von euch großen Nordmännern mit Rüstung und allen Waffen. Während das Gewicht zunimmt, wird gleichzeitig die tägliche Ration an Futter und Wasser langsam verringert. Damit muss das Pferd dann jeden Tag sechs oder sieben Meilen gehen oder traben. Nach den ersten acht Tagen reduziert man dann allmählich das Gewicht wieder über einen Zeitraum von acht Tagen, wobei man aber die Futterration weiter verknappt. Wenn es gar nichts mehr auf dem Rücken trägt, gibt man ihm zwei oder drei Tage gar kein Futter mehr und macht dafür den Bauchgurt immer enger.«

»Und dann hast du es endgültig umgebracht«, spottete Avraham, der gerade versuchte, eine festgefrorene Leiche mit dem Fuß umzudrehen.

»Wenn es ein Pferd wie dieses herrliche Tier hier ist, dann ja«, gab Morut zu. »Oder auch die, die ihr in eurem Heer geritten habt. Aber nicht dieses hier.«

»Wie heißt denn dein tolles Pferd?«, fragte Krähenbein mit seiner dünnen Stimme – doch dann hob er schnell die Hand und machte eine abwehrende Bewegung, ehe der Spott der anderen ihn traf. Man gab ja einem Tier, das man vielleicht essen müsste, keinen Namen.

»Dann sollte ich wahrscheinlich dankbar sein, dass ich einen Namen habe«, murmelte er.

Morut grinste noch immer und erzählte weiter, während

wir an diesem Trümmerfeld, übersät von Toten und Ausrüstungsgegenständen vorbeizogen, wobei seine Stimme uns ablenkte und beruhigte.

»Ungefähr am zwanzigsten Tag lässt du es arbeiten, bis es schwitzt, dann nimmst du ihm den Sattel ab und übergießt es vom Kopf bis zum Schwanz mit eiskaltem Wasser. Dann bindest du es in der Steppe an einen Pfahl und lässt es grasen. Über die nächsten sieben oder acht Tage sollte die Leine dann immer etwas länger werden, bis man das Pferd schließlich ganz losbindet, damit es wieder zur Herde zurückkehren kann. Ein Pferd, das diese Behandlung durchgestanden hat, ist ein wertvolles Tier und stellt ein Vermögen dar, denn es kann vier oder fünf Tage ohne Unterbrechung arbeiten und kommt mit einer Handvoll Futter pro halbem Tag aus, dazu braucht es nur einmal am Tag etwas Wasser.«

Er strich dem genügsamen Tier liebevoll übers Maul, und ich schwor mir, dass ich Morut mit seinem Pferdeverstand später in Hestreng haben wollte.

»Vielleicht hätten diese Männer so ein ähnliches Training durchlaufen sollen«, sagte Hlenni Brimill und zeigte mit dem Kopf auf die Toten.

»Hier sind aber keine toten Männerhasser-Weiber darunter«, bemerkte Ref. »Entweder sie hatten keine Verluste, oder sie haben ihre Toten fortgebracht.«

»Es ist auch nichts geplündert«, brummte Gyrth. Tatsächlich hatten wir festgestellt, dass alle Toten noch ihre Kettenhemden und Helme trugen.

»Vielleicht haben diese *amazonoi* sich nicht getraut, sie sind schließlich nur Frauen«, meinte Jon Asanes, und als Kveldulf nur verächtlich ausspuckte, wurde der Junge rot vor Zorn. Doch niemand ergriff Partei für ihn, denn Kveldulf hatte ja recht. Den Frauen hatte nicht der Mut gefehlt, sondern sie waren nur erschöpft gewesen. Aus demselben Grund ließen auch wir die Toten liegen, und nicht, weil wir zu zimperlich gewesen wären, ihnen die Glieder zu brechen, um sie gerade liegend zu begraben – denn was kümmerte es die Toten?

Es fehlte uns die Kraft. Wie Onund zu Jon sagte, als wir uns weiterschleppten: Man kann sich einen Unterschlupf bauen und darin einen dreitägigen Schneesturm verschlafen – wenn man nicht vorher schon zu erschöpft ist. Es ist die Erschöpfung, die einen solchen Tiefschlaf im Schnee zu einer Todesfalle macht. Was hätten wir davon, wenn wir hier einen Haufen Zeug erbeuteten, das wir ohnehin nicht schleppen könnten, oder uns verausgabten, indem wir Gräber schaufelten, die die Wölfe eine Stunde später wieder aufscharren würden?

Deshalb schonten wir unsere Kräfte und stolperten über gefrorenes Geröll eine Böschung hinab zu der großen Senke mit dem zugefrorenen See und der Insel in der Mitte. Eine Insel, die aussah wie der Rücken eines Wals, der sich aus dem Wasser erhob. Eine Insel mit sechs Wagen darauf und einem Loch.

Ich brauchte eine Weile, bis klar wurde, was ich sah. Wir gingen hinunter zu der Stelle, wo die Überlebenden von Lambissons Mannschaft das vereiste Seeufer so weit abgeflacht hatten, dass sie die Wagen hinüber zur Insel schieben konnten.

Hier war es auch gewesen, wo Finn und der kleine Eldgrim mich beim ersten Mal aus dem gurgelnden, schlammigen Wasser gezogen hatten. Irgendwo dort unten, im Eis eingeschlossen, waren die Gebeine von Krummnacken, dem anderen Eldgrim, den wir den Langen nannten, Sighvat und den anderen. Dies war tatsächlich die Stelle – wir waren nur aus einer anderen Richtung auf sie gestoßen, zu einer anderen Jahreszeit und sieben Jahre später. Mir wurde klar, dass ich das Schwert mit den Runen gar nicht mehr brauchte.

Diese Erkenntnis war niederschmetternd. Wir hatten uns auf der Suche nach diesem Schwert durch halb Serkland gequält, Männer waren umgekommen oder hatten den Verstand verloren, um diese Waffe wiederzufinden, und der einzige Grund waren diese Runen, die ich in den Griff geritzt hatte. Und jetzt schien es mir, dass ich, auch wenn ich mich in der großen Schneewüste neunmal und nochmals neunmal um die eigene Achse gedreht hätte, diesen Ort mit verbundenen Augen gefunden hätte, weil ich von Odin oder der Fylgja von Hild geführt wurde. Oder von beiden.

Ich sah Finn an, und er grinste mit seinen aufgesprungenen Lippen. Falls auch er daran dachte, wie nutzlos das Schwert auf meinem Rücken war, dann zeigte er es nicht. Er wischte sich nur das Blut vom Mund und sagte: »Nun sind wir also doch wieder hier, Orm, mein Junge.«

Ich schlurfte über das geriffelte verschneite Eis, die anderen hinter mir her, dann betraten wir die vereiste Insel und gingen bis zu dem Loch.

Denn dies war natürlich keine Insel.

Es war das Dach von Attilas Grabkammer.

Wir fanden Hrolf Eriksson, genannt Fiskr, der in einem der Wagen lag, der Letzte von Lambissons Männern, der auf der Insel noch am Leben war. Sie nannten ihn Fiskr – Fisch –, weil er einst im Sturm mit der Leine zwischen den Zähnen ans Ufer geschwommen war, um das Schiff festzumachen, wodurch er die Mannschaft gerettet hatte. Viele von uns kannten ihn gut und waren froh, dass er noch lebte, selbst wenn er zur falschen Seite gehörte.

»Ich hätte an Land bleiben sollen«, stöhnte er, als Bjaelfi

seine Salbentöpfe hervorkramte, die er immer bei sich trug. »Mit dem Schiff kam ich nach Birka, was mir nichts als Unglück brachte.«

»Du hättest gar nicht erst an Land gehen sollen«, sagte Bjaelfi ernst, »dann hättest du nicht die meisten deiner Zehen und ein Stück deiner Nase durch die Kältefäule verloren.«

»Nun, wenigstens hast du ein sehr kostbares Bett«, bemerkte Sigurd, »und eine Nase kann man notfalls auch verschmerzen.«

Hrolf Fiskr lachte, denn er lag in wollene Umhänge und Pelze gehüllt auf einem Haufen Silber, das aus dem Grab herausgeholt worden war. Drei Wagen waren schon damit beladen, und die Männer jubelten und wühlten darin herum und zeigten sich gegenseitig altersschwarze Krüge, verbogene Schalen und ganze Hände voll Münzen, bis Sigurd und Dobrynja sie anbrüllten, die Sachen liegen zu lassen.

Lambisson, so erzählte Hrolf Fiskr, war womöglich schon tagelang dort unten im Grab – er konnte es nicht genau sagen, denn er hatte viel geschlafen, bis sein Fieber nachließ. Es waren noch andere mit Lambisson dort hinuntergestiegen, sie hatten Eimer mit Silber beladen und sie durch das Loch heraufziehen lassen, aber vor drei Tagen hatte das plötzlich aufgehört, und seitdem war nichts mehr passiert. Bis auf Lambisson waren alle wieder hochgekommen.

»Was ist mit dem kleinen Eldgrim?«, fragte ich, während Bjaelfi begann, sein kleines Messer zu schärfen. Hrolf warf ihm einen nervösen Blick zu und fuhr sich über die aufgesprungenen Lippen.

»Der kleine Mann? Ach natürlich, der war ja einer von euch.«

Er dachte nach, dann schüttelte er den Kopf und wollte

ausspucken, aber sein Mund war zu trocken. »Dieser Christenmönch hat ihn ziemlich gequält – wollte wohl damit seinem Gedächtnis auf die Sprünge helfen. Er fügte ihm Verbrennungen zu, damit er sich erinnerte.«

Er verstummte und sah mich ernst an. »Das war grausam, und richtig war es auch nicht.«

»Und trotzdem hat es nichts geholfen«, sagte ich. »Und wo ist der kleine Mann jetzt?«

»Weg«, erwiderte er. »Er war hier, als ich einschlief, und als ich aufwachte, war er fort.«

»Also nicht dort unten?«

Er machte eine hilflose Geste. »Vielleicht, vielleicht auch nicht. Brondolf Lambisson ist jedenfalls noch unten, das sagten die Männer, die heraufkamen und ihn dort zurückgelassen haben«, sagte er und spuckte endlich aus.

»Dann sind sie abgehauen, die Neidinge«, fuhr er fort. »Sie behaupteten, Lambisson habe den Verstand verloren, und der kleine Mann sei schuld, der habe ihn verflucht. Sie ließen mich zurück, weil ich nicht laufen konnte. Ein ganzes Dutzend, riesige Slawen, aber keiner von ihnen war bereit, mich zu tragen, diese Arschlöcher. Sie hatten zu viel Angst vor diesen verrückten Frauen, die immer wieder zurückkamen und uns mit ihren Pfeilen beschossen … Glaubt mir, ich sage euch ja alles, was ich weiß, ihr könnt das Messer ruhig wieder wegstecken.«

»Damit will ich dir doch nur helfen, du Dummkopf«, sagte Bjaelfi. »Natürlich könnte ich die schwarze Fäule weitermachen lassen, bis sie dein Gesicht und deine Füße aufgefressen hat …«

Ich kniete neben dem Loch, das groß und ungleichmäßig durch eine Schicht Erde gegraben war – aber ich sah keinen Lehm. Das deutete darauf hin, dass der See selbst bei höchstem Wasserstand das Dach von Attilas Grabkammer nicht bedeckte, was jemand gewusst haben musste. Große Steinplatten, drei Finger dick und sehr schwer, waren aus dem Dach entfernt worden, und ich sah, dass sie auf einem Gerüst aus gespaltenen Stämmen gelegen hatten. In einer baumlosen Gegend wie dieser war Holz genauso wertvoll wie das Silber, das sich darunter befand, und es war offenbar von weither gebracht worden. Selbst in fünf Jahrhunderten war es nicht verrottet – aber von den Stämmen, die entfernt worden waren, gab es keine Spur. Wahrscheinlich hatte man sie verbrannt.

Jetzt gab es dort ein schwarzes Loch, und einen Fuß weiter unten sah man ein Stück von einem der großen Steinbogen, eine Spanne dick und drei Spannen breit, die sich alle zur Mitte hin wölbten und die Grabkammer stützten, die wie eine Jurte gebaut war.

An dem Bogen waren zwei dicke Seile befestigt – eines, um daran hinabzusteigen, an dem anderen hing ein lederner Eimer. Onund zog ihn herauf, er war leer. Aus dem Loch drang Grabeskälte.

»Kein Werkzeug«, knurrte Dobrynja, als er in das Loch spähte. Hinter uns schrie Hrolf auf, als Bjaelfi einen tiefen Schnitt an der Nase ausführte. »Ein Vermögen an Silber, ein paar Ausrüstungsgegenstände, etwas Mehl und getrocknetes Fleisch, aber kein Werkzeug.«

Auch in den Wagen war kein Werkzeug, also konnte Lambisson dieses Loch nicht gegraben haben. Ich mochte gar nicht daran denken, von wem es sonst stammen konnte.

»Wir haben unser Werkzeug verloren«, gestand Fisch, als ich wieder zu ihm ging. Thorgunna tupfte das Blut von seiner frisch operierten Nase, aber es tat Fisch nicht sehr weh, denn die schwarzen Stellen waren abgestorben gewesen. Er war froh, dass wir gekommen waren, egal ob Freund oder

Feind, denn seine Leute hatten ihn allein und krank zurückgelassen, weil sie annahmen, er würde sterben.

»Wir betrachteten es als einen Glücksfall, als wir dieses Loch fanden«, fuhr er fort, »aber jetzt denke ich, dass diese verrückten Weiber es gemacht haben müssen, als Köder, um uns wie einen Fisch zu fangen.« Er grinste über das Wortspiel mit seinem Namen.

Ich betrachtete das Loch. Der kleine Eldgrim konnte dort unten sein, und wenn ja, dann war er entweder tot oder er wanderte hilflos umher und wusste nicht, wo er war. Doch das interessierte nur wenige der Eingeschworenen, sie waren ausschließlich mit der Frage beschäftigt, was man dort unten noch finden würde. Selbst Finn, der gerade ankam und etwas in der Hand hatte, das er immer wieder grinsend in die Luft warf und auffing. Er hielt es mir hin.

»Kommt dir das bekannt vor, Bärentöter?«

Es war eine Münze, und ich trug unter meinem Serk ihren Zwilling an einem Lederband um den Hals. Einst hatte Hild es getragen, die Frau, die irgendwie gewusst hatte, wie man an diesen Ort kommt, und die uns ohne Karte und ohne eingeritzte Runen auf einem Schwert hierhergeführt hatte. Jetzt wusste ich, wie es geschehen war.

Ich starrte die Münze an, die unheilvoll zu blinken schien. Wälsungensilber aus dem Hort des Drachen Fafner, den Sigurd getötet hatte, das fluchbeladene Geschenk, das Odin uns versprochen hatte. Jetzt spürte ich Hilds Anwesenheit; es schien, als tasteten kalte, unsichtbare Finger aus dem Loch heraus nach mir, nach dem Schwert, nach den Münzen …

An dieser Erinnerung lag mir gar nichts; sie war dort unten in dem Loch, und ich spürte sie und sah sie wieder, schwarz vor dem dunklen Hintergrund, wie sie uns mit dem hellen, glänzenden Schwert verfolgte, dessen Zwilling ich hatte. Es überraschte mich nicht, dass man einige Tage nichts mehr von Lambisson gehört hatte, und ich hätte ihn nur zu gern dort gelassen – wenn es nicht um Eldgrim gegangen wäre.

Nein, nicht einmal seinetwegen, wenn ich ganz ehrlich sein soll. Ich hatte den kleinen Mann gern, aber er allein hätte mich auch nicht zu der schwarzen Öffnung in Attilas Grabkammer zurückgebracht. Es waren »Knochen, Blut und Stahl«, und das war eine weitaus größere Verpflichtung als die Furcht vor der wahnsinnigen Hild, die dort unten mit dem Schwert auf mich wartete.

Es war die Angst, den Schwur zu brechen, und vor der Strafe des Einäugigen.

»Leg das sofort hin.«

Die scharfe Kinderstimme ließ mich herumfahren, und ich sah, wie Prinz Wladimir, die Hände in die Seiten gestemmt, Finn wütend anfunkelte. »Niemand bereichert sich an meinem Silber. Niemand!«

Finns Grinsen verschwand. Er sah erst mich an, dann den Prinzen mit dem spitzen Gesicht, und er verstand, woher der Wind wehte. Er zuckte mit den Schultern und warf die Münze auf den Wagen zurück, wobei er seinen finsteren Blick nicht von dem Prinzen abwendete.

Wladimir, dessen Ärger jetzt in kindlichen Trotz umgeschlagen war, funkelte mich böse an – da erschien Dobrynja und schlug mit sanfter, freundlicher Stimme vor, wir sollten die mit Silber beladenen Wagen über das Eis aufs Festland schieben. Er folgte dem Prinzen stets in respektvollem Abstand.

»Wir sollten sie alle umbringen«, brummte Finn hinter ihnen her, und mein Blick war Antwort genug – wir waren zu wenige und konnten sonst auf niemanden zählen.

»Und außerdem«, sagte ich, »selbst den Göttern von Asgard würde es schwerfallen, uns beizustehen, wenn wir einen Prinzen von Nowgorod, den Sohn von Swjatoslaw, töten würden. Mögen seine beiden Brüder auch Rivalen sein – aber dafür würden sie uns nicht danken.«

Finn dachte nach, dann zuckte er die Schultern und ging wortlos davon, wobei er mit seinem dreckigen Fingernagel in seinen Zähnen herumstocherte. Ich entnahm seiner unbekümmerten Reaktion, dass er mir zwar recht geben musste, aber dass er trotzdem anders handeln würde. Wenn die Zeit reif war …

Das Silber besänftigte alle. Die Slawen und meine Eingeschworenen arbeiteten ohne Murren – sie hatten entschieden, dass es ihre Beute sei – während Thordis und Thorgunna im Windschatten der Wagen ein Lager errichteten. Als die Feuer brannten und der Tag in eine kalte Nacht überging, stellte ich fest, dass Avraham und Morut verschwunden waren.

Wir hatten Fleisch und Brot, wir saßen einigermaßen warm und geschützt – und natürlich kam es sofort wieder zu den üblichen Gruppierungen. Die Druschina hielt Abstand zu den Eingeschworenen, die lärmend und unbekümmert um ihr eigenes Feuer saßen, während der Prinz und seine beiden Ratgeber sich von uns allen zurückgezogen hatten und die Köpfe zusammensteckten. Krähenbein jedoch, der in seinem einstmals weißen Pelzumhang fast verschwand, saß bei uns, und das wärmte mich ein wenig.

Aber die Sorge um den kleinen Eldgrim ließ mich nicht los, und ich konnte an nichts anderes denken. Ich wollte in dieses Loch hinunter, doch zu meiner Schande pflichtete ich Finn bei – seine Ausrede war, Essen und Wärme müssten Vorrang haben –, um nicht in dieses Grab steigen zu müssen.

Ich sah Finn an, während Thorgunna und Thordis im

Topf rührten und das Essen austeilten. Die Eingeschworenen schaufelten mit ihren Hornlöffeln Pferdefleisch in die Öffnungen hinter ihren Bärten, sie schmatzten, grinsten und schnurrten wohlig wie zufriedene Kater. Wir befanden uns in dieser Wildnis, in der einem die Nase abfror, mit nichts weiter als Vadmaltuch als Schutz und zähem Pferdefleisch und Wasser als Nahrung, doch im Vergleich zu unserer bisherigen Situation waren wir alle hochzufrieden mit dem Leben.

Nun ja, vielleicht nicht alle.

»Diese listigen Arschlöcher planen etwas«, knurrte Finn nicht besonders leise. Jon Asanes sah hinüber zum Feuer des Prinzen, dann sah er Finn stirnrunzelnd an.

»Er ist ein Prinz«, sagte er. »Ein Adler in einem Schwarm Spatzen. Du tust ihm unrecht, wenn du ihn listig nennst.«

Finn massierte Pferdefett in Bart und Wangen, ein guter Schutz gegen die Kälte. Er sah Jon von oben bis unten an und schüttelte den Kopf.

»Du magst ja in Holmgard viel gelernt haben«, stellte er fest. »Wie man in einem Dutzend Sprachen labert und in den meisten davon auch rechnet. Aber ein paar wichtige Dinge hat man dir nicht beigebracht, Ziegenjunge. Zum Beispiel, dass sich Adler nicht zu fein sind, anderen Vögeln ihre Beute abzujagen.«

Jon sprang auf, zornrot im Gesicht. Eine Weile suchte er nach Worten, dann platzte es aus ihm heraus.

»Der Adler ist ein edler Vogel. Und darum wirst du nie ein Prinz sein, Finn Rosskopf«, sagte er mit zitternder Stimme. »Du hast eben nicht genug von einem Adler in dir.«

Er stürmte davon, und Finn sah hinter ihm her. Dann zog er eine Knochennadel hinter seinem verbliebenen Ohr hervor. »Mir gefiel er besser, als er noch wie eine Ziege herumsprang und uns Löcher in den Bauch fragte«, brummte er und stocherte in den Zähnen. »Jetzt denkt er, er weiß alles und kommt dahergefegt wie der Wind in den Bäumen.«

»Die Laune regiert das Kind wie das Wetter den Acker, wie meine Großmutter zu sagen pflegte«, bemerkte der rote Njal.

»Die hat wohl den Ziegenjungen gut gekannt«, murmelte Finn missmutig.

»Heya – weißt du, was mit dir los ist?«, lachte der rote Njal. »In dir steckt einfach nicht genug von einem Adler.«

Die Knochennadel brach ab, und Finn seufzte und schüttelte traurig den Kopf.

»Stimmt – aber ich vermute langsam, dass in unserem kleinen Griechen wirklich etwas von einem Rus-Adler stecken könnte«, sagte er mit dreckigem Grinsen und warf die Nadel fort.

Darauf antwortete niemand, aber alle dachten an das, was sie über die unnatürlichen Gelüste der Griechen zu wissen glaubten. Ich war noch völlig überrascht von der Wendung, die das Gespräch genommen hatte, als Thorgunna sich mit scharfer Stimme einmischte.

»Ihr solltet euch alle schämen, du, Jon Asanes und der Prinz«, sagte sie aufgebracht. »Wenn ich ein Mann wäre, Finn Rosskopf, würde ich dich verprügeln und dafür sorgen, dass du nur noch Sachen essen kannst, die dir jemand vorgekaut hat, denn die Zähne würde ich dir auch ausschlagen.«

Finn, der merkte, dass er sich zu weit ins offene Wasser gewagt hatte, um wieder zurückzurudern, ließ Thorgunnas Wutausbruch beschämt über sich ergehen und sagte nichts, er kratzte nur die Frostbeulen an seinen Händen, bis sie bluteten. Alle anderen saßen da und kauten auf Pferdeknorpeln herum und versuchten, nicht zu viel über Jon nachzudenken. Über seine Liebesgedichte, seine Freundschaft mit Lambi und darüber, dass jedermann wusste, dass es bei den Griechen die Knabenliebe gab und dass die Slawen im Ruf standen, wollüstig zu sein.

Thordis nahm Finn die leere Schale von den Knien und gab ihm eine von ihren Nadeln. »Hier«, sagte sie, »damit du weiterstochern kannst. Dann wirst du nicht nur besser aus dem Mund riechen, sondern du wirst hoffentlich auch mal eine Weile schweigen.«

»Eine Frau, ein Hund und eine alte Eiche«, murmelte Finn und nahm die Nadel, und jeder vollendete in Gedanken die Redensart für ihn – je mehr du sie schlägst, desto besser werden sie. Doch niemand sagte es laut – nicht einmal Njals Großmutter.

Thorgunna schnaubte, klapperte mit dem Geschirr und schaufelte Schnee zum Schmelzen in den Kessel. »Kleiner Olaf, wenn du noch eine Geschichte weißt, jetzt wäre eine gute Gelegenheit, sie auszuspucken.«

Das war eine gute Idee, denn wir alle hatten uns so an den Jungen gewöhnt, dass er fast übersehen wurde – doch jetzt blickten alle erwartungsvoll auf ihn, der gleichzeitig der Freund eines Prinzen und eines Ziegenjungen war, und er lachte über Finns mürrisches Gesicht, auch wenn sein Lachen nicht bis zu seinen Augen reichte.

»Es war einmal ein Adler«, fing er an, und ich hob warnend die Hand, denn seine Geschichten waren wie ein Hund, der die Hand beißt, die ihn füttert, und wir hatten schon genug Unfrieden gehabt. Als ich ihm das sagte, zuckte er die Schultern.

»Ich will es hören«, sagte jemand, und wir alle sahen Kvasir an, der sich ein Tuch über beide Augen gelegt hatte, weil der Feuerschein seinem guten Auge wehtat. Ich wusste, er wollte es Thorgunna zuliebe hören, und ich verwünschte ihn stumm.

»Es war einmal ein Adler«, fing Krähenbein wieder an, als ich nickend zugestimmt hatte. »Er stand in der ganzen Kraft seiner Jugend. Das war vor langer Zeit – fragt nicht, wann – und an einem Ort weit von hier – fragt nicht, wo – zu einer Zeit, als die Lindwürmer noch auf der Erde krochen und sich noch nicht in verwunschenen Höhlen auf ihren Goldschätzen zusammengerollt hatten.«

»Wenn es um Gold geht, dann klingt das nach einer guten Geschichte«, warf Finnlaith aufgeräumt ein, aber Ospak stieß ihn an, er solle still sein.

»Da war also so ein Lindwurm«, fuhr Krähenbein fort, »und der Adler und der Wurm waren Freunde, oder wenigstens glaubte der Wurm das, denn er war gern mit dem Adler zusammen und bewirtete ihn auch stets großzügig auf seinem gemütlichen Hof, sodass der Adler immer gern wiederkam.«

»Heya«, stimmte Hauk zu, »diese Großzügigkeit habe ich auch schon kennengelernt.« Und er erhob seinen Holzbecher gegen mich, als sei es ein Trinkhorn voll Met und als säßen wir alle in einem solch gemütlichen Hof.

Andere lachten leise und stimmten zu, also hatten sie die Anspielung auf meinen Namen schnell verstanden. Auch war es nicht schwer zu erraten, wer der Adler war, und ich spürte, wie Angst in mir hochstieg und mir den Magen verknotete. Dies würde mit Sicherheit die schlimmste Geschichte von allen werden.

»Jedes Mal, wenn der Adler fortflog«, fuhr Krähenbein mit seiner hohen Stimme fort, »lachte er, denn er konnte die Gastfreundschaft des Lindwurms auf der Erde genießen, doch der Wurm würde nie seinen hohen Adlerhorst erreichen können.«

»Also ist in dir auch nicht genug von einem Adler, Orm«, lachte der rote Njal.

»Die häufigen Besuche des Adlers, sein Stolz und seine Undankbarkeit wurden bald zum Gespräch unter den anderen Tieren, und sie hielten es für das Beste, den Wurm darüber aufzuklären«, fuhr Krähenbein fort, ohne sich von der Unterbrechung stören zu lassen. »Der Adler und der Frosch sprachen nie miteinander, denn der Adler pflegte oft herabzustoßen und sich einen Frosch zum Abendessen mitzunehmen, also suchte der Frosch den Wurm auf und sprach mit ihm. Der Wurm glaubte ihm nicht, deshalb sagte der Frosch: ›Das nächste Mal, wenn dich der Adler besucht, bitte ihn um einen Kessel mit einem Deckel, damit du ihm für seine Küken im Adlerhorst auch etwas zu essen mitgeben kannst.‹ Der Wurm tat, wie ihm geheißen, und der Adler brachte ihm einen großen Kochkessel mit Deckel. Dann ließ er es sich schmecken, und als er wieder aufbrach, sagte er: ›Ich komme bald zurück, um das Geschenk für meine Küken abzuholen.‹ Dann flog er fort und lachte sich eins, wie immer. Der Frosch sagte: ›Und jetzt, Wurm, steig du in den Kessel. Ich bedecke dich mit etwas frisch Gekochtem, dann kommt der Deckel drauf, und der Adler wird dich hoch hinauf zu seinem Hof in der Gebirgsspalte tragen.«

»Ich halte nicht viel von diesem Frosch«, sagte Finn. »Ein listiger Kerl.«

»Du bist bestimmt noch nicht mit allen Zähnen fertig«, sagte Thordis, und er zuckte mit den Schultern und schwieg.

»Bald kam auch der Adler wieder und flog mit dem Kessel davon, er ahnte nicht, dass der Lindwurm darin saß und jedes Wort hörte, das der Adler beim Fliegen sagte. Und was er hörte, war, genau wie der Frosch es gesagt hatte, unfreundlich und hämisch, sodass der Wurm seine Wut zügeln musste, als der Kessel im Adlerhorst ausgeleert wurde.

Der Wurm kroch heraus und sagte: ›Freund Adler, du hast mich so oft in meinem Heim besucht, dass ich dachte, es wäre doch nett, wenn ich auch mal deine Gastfreundschaft in Anspruch nähme.‹ Der Adler war außer sich. ›Ich werde dir das Fleisch von den Knochen reißen‹, sagte er – aber an den harten Schuppen des Wurms tat er sich nur den Schnabel weh. Der Lindwurm war traurig und sagte: ›Jetzt sehe ich, welcher Art deine Freundschaft mit mir ist. Bring mich nach Hause, denn unsere Freundschaft ist zu Ende.‹ Der wütende Adler schlug seine Krallen in die Schuppen des Lindwurms, was diesem überhaupt nichts ausmachte, und erhob sich mit ihm in die Lüfte. ›Ich werde dich fallen lassen, damit du zerschmetterst‹, schrie der Adler. Doch der Wurm umschloss das Bein des Adlers mit seinen Zähnen.«

»Er hätte ihn einfach anblasen sollen«, rief Onund. »Dann wäre der Adler verglüht.«

Über diesen unerwarteten Ausbruch mussten alle lachen, und der Bucklige, der eine solche Aufmerksamkeit nicht gewohnt war, zog den Kopf ein und schwieg betreten.

»Damit hätte er dem Adler ganz schön die Federn versengt«, bestätigte Finn. »Hätte ihn auf der Stelle gebraten. Warum hat er das in deiner Geschichte nicht gemacht, kleiner Krähenbein?«

»Und wie wäre er dann nach Hause gekommen?«, gab dieser zurück. »Der Wurm ist sehr viel klüger als du, Finn Rosskopf.«

»Deshalb ist er ja auch der Jarl«, sagte Gyrth, »und nicht du.«

Das brachte Finn noch mehr Gelächter und Pfiffe ein. Dann schlug Kvasir sich laut mit der Hand auf den Schenkel, und es wurde wieder still.

»Ich wollte, dass er diese Geschichte erzählt – jetzt lasst uns hören, wie sie ausgeht.«

Krähenbein dankte mit einer angedeuteten Verbeugung und räusperte sich.

»Der Adler stöhnte und jammerte«, fuhr er fort. »Er verlangte, der Wurm solle ihn loslassen. Er wurde dreimal rot und dreimal weiß, erst drohte er, dann bettelte er, losgelassen zu werden. ›Das will ich gern tun, wenn du mich bei meinem Hof abgesetzt hast‹, sagte der Wurm.«

Krähenbein imitierte das Sprechen, indem er sich die Hand in den Mund steckte wie jemand, der gleichzeitig beißt und spricht. Es klang so sehr wie Finn mit seinem römischen Nagel, dass die Männer sich auf die Schenkel klatschten und vor Begeisterung brüllten.

»Der Adler flog hoch«, erzählte Krähenbein weiter. »Dann flog er tiefer. Er stürzte hinab wie ein Pfeil. Er drehte sich und wirbelte herum, aber es half alles nichts. Er konnte den Wurm nicht loswerden, bis er ihn sicher vor dessen Hof abgesetzt hatte. Als der Adler fortflog, rief der Wurm hinter ihm her: ›Zur Freundschaft gehören immer zwei. Ich heiße dich willkommen und du heißt mich willkommen. Aber da du mich nur verspottet hast, brauchst du nicht wiederzukommen.‹ Und so kommt es, dass Lindwürmer nur noch an dunklen Orten leben, denn sie trauen weder Adlern noch sonst jemandem, dass man sie nicht bestiehlt.«

»Teile dein Vermögen, sonst werden die Menschen dir nur Böses wünschen«, kommentierte der rote Njal, doch er hatte keine Zeit, seine Großmutter zu erwähnen, denn Dobrynja war herübergekommen. Wenn er die letzten Worte von Krähenbein gehört haben sollte, ließ er es sich jedenfalls nicht anmerken. Er nickte mir lediglich zu und deutete mit einer Handbewegung an, dass er mich sprechen wolle.

Ich ging zu ihm, während hinter mir das Murmeln und

Lachen weiterging und meine Männer, die Krähenbeins Geschichte wohl verstanden hatten, anfingen, sich darüber die Köpfe heißzureden.

»Der Prinz hat entschieden, dass wir nach Biela Viezha gehen müssen«, sagte Dobrynja leise und gebrauchte den Rus-Namen für Sarkel. »Wir nehmen alle Pferde, die wir noch haben und lassen sie die Wagen mit dem Silber ziehen, die wir hier schon haben, ein Wagen ist für Vorräte und Ausrüstung. Dann besorgen wir uns in Biela Viezha weitere Pferde und Wagen und kommen hierher zurück. Ich habe Avraham und Morut vorausgeschickt, sie sollen herausfinden, wie es in der Festung aussieht.«

Das war ein kluger Taflzug, erst mal herauszufinden, ob man in der Festung überhaupt willkommen war. Jetzt, wo Swjatoslaw tot war, gab es keine Garantie, dass die Grenzbefestigung, die bis vor Kurzem chasarisch war, weiterhin loyal bleiben würde. Wenn ja, dann würde ihre Loyalität Jaropolk, dem Prinzen von Kiew, gehören, und nicht Wladimir, dem Prinzen aus dem fernen Nowgorod.

Dobrynja nickte höflich, als ich das zu bedenken gab.

»Ihre Loyalität wird der Seite gehören, wo sie am meisten profitieren«, sagte er nüchtern. »Der Prinz von Nowgorod ist immer noch ein Sohn Swjatoslaws. Sie werden uns genügend Vorräte und Pferde für einen Saumzug geben. Wir werden zurückkommen und von hier mitnehmen, so viel wir können, und Schiffe organisieren, die uns den Fluss hinunter bis zum Schwarzen Meer bringen, denn bis dahin wird das Eis mit Sicherheit aufgebrochen sein.«

Das Beste war, so schnell wie möglich von hier zu verschwinden, davon hatte Dobrynja seinen Neffen überzeugt. Das war nicht ganz verkehrt, denn wir konnten unmöglich die gesamte Grabkammer ausräumen und schon das, was wir jetzt hatten, war ein Vermögen wert. Doch wenn wir erst einmal in Biela Viezha gewesen wären, wäre dieser Ort kein Geheimnis mehr; die Plünderer würden in Scharen kommen, und man würde anfangen, um den Besitz des Grabschatzes zu kämpfen.

Ich nickte zustimmend und sagte: »Sobald ich mich um den kleinen Eldgrim gekümmert habe.«

Dobrynja schien etwas überrascht, ich merkte, dass er gehofft hatte, mit dem ersten Tageslicht aufbrechen zu können. Offenbar dachte er, meine Suche in dem Grab nach jemandem, den er ohnehin für tot hielt, sei völlige Zeitverschwendung. Um ganz ehrlich zu sein, auch ich dachte so und hatte auch keine große Lust, Brondolf Lambisson wiederzubegegnen, wie er dort mit seinem Silber in der Finsternis saß. Das alles, zusammen mit der Angst, dass dort unten eine böse Fylgja lauern könnte, waren Gründe, warum ich Dobrynja nur zu gern zugestimmt hätte – aber der kleine Eldgrim und unser Schwur verpflichteten mich, noch einmal in die Dunkelheit hinabzutauchen.

Er dachte kurz nach, dann nickte er lächelnd. Wir umklammerten unser Handgelenk, und er ging zu seinem kleinen Adler zurück, der mit dem silbernasigen Sigurd lachend am Feuer saß. Krähenbein saß jetzt ebenfalls dort neben seinem Onkel – und Kveldulf, was mir nicht recht gefiel.

Und neben Jon Asanes, was mir noch weniger gefiel.

KAPITEL 16

Es war das eisige Herz dieser Schneewüste, dieses grauenvolle Grab. So kalt, dass selbst eine Flamme darin gefrieren könnte, wie Finn es einmal ausgedrückt hatte, und jetzt spürte auch er die kalte, gleißende Gewalt, die von diesem Ort ausging, als er sich an dem geknoteten Seil hinabließ, seinen Nagel zwischen den Zähnen und in einer Hand die flackernde Fackel. Ich hatte ebenfalls eine Fackel, mit der anderen Hand umklammerte ich mein Runenschwert – ohne diese Klinge wäre ich nicht in dieses Loch hinabgestiegen – und wartete unten auf ihn. Der Feuerschein funkelte auf den frostkalten Wänden wie Sonnenschein auf dem Meer. Leicht geduckt drehten wir uns um, auf alles vorbereitet.

Ich war schon einmal hier unten gewesen, aber Finn noch nicht. Ich sah, wie ihm vor Staunen der römische Nagel aus dem Mund fiel. Das Seil schaukelte leicht, als er es losließ, ein Band der Hoffnung, das uns wieder zum Licht und in die Welt der Lebenden zurückführen würde. Hier unten jedoch war nur der Tod; er grinste uns von seinem großen silbernen Thron herab an, sodass ich mich überwinden musste, um hinzusehen.

Als ich mich schließlich dazu gezwungen hatte, sah ich nur den zerschlissenen Brokat einst kostbarer Roben, die zu einer Art Kissen gefaltet auf dem Thron lagen, und sorgfältig darauf gebettet eine Ansammlung von Knochen einschließlich eines Schädels, der uns sein Willkommen entgegengrinste. Attilas Schädel.

»Einar?«, brachte Finn mühsam heraus. Seine Lippen zitterten nicht nur vor Kälte.

Ich schüttelte den Kopf. Vor dem großen eisigen Thron lagen weitere Gebeine, einige davon stammten von Ildiko, der Prinzessin, die Attila getötet hatte – ein Handgelenk und ein Unterarm, in fünf Jahrhunderten schwarz verfärbt, hingen noch immer an der Fessel, mit dem man sie für alle Zeiten an Attilas letzten Thronsitz gekettet hatte.

Die anderen Knochen stammten hauptsächlich von Einar; ich erkannte den Schädel, an dem noch immer Strähnen seines schwarzen Haars hingen, das Einzige, was von den stolzen Krähenflügeln noch übrig war. Ich zeigte darauf, und Finn schluckte schwer und machte ein Abwehrzeichen, dann suchte er am Boden nach seinem römischen Nagel und hob ihn auf.

»Heya, alter Jarl«, flüsterte er, als fürchtete er sich, laut zu sprechen. »Du siehst, wir sind zurückgekommen. Sei freundlich zu uns.«

Irgendwie hielt ich das für nicht sehr wahrscheinlich. Ich hatte Einar auf dem Thron sitzend zurückgelassen, sterbend und mit meinem Schwert in der Brust. In ihrer rasenden Entschlossenheit, eines der beiden Runenschwerter in ihren Besitz zu bringen, hatte Hild Attilas sterbliche Überreste, die in diese kostbare Roben gehüllt gewesen waren, vom Thron gefegt.

Und doch waren sie jetzt wieder dort oben, säuberlich an ihrem Platz, während Einars Gebeine wie die eines toten Hundes zu seinen Füßen lagen. Ich suchte und fand weitere Schädel, die ich im Licht der Fackel betrachtete – Ketil Krähe, Sigtrygg, Illugi – sie alle waren hier gestorben.

Ich nannte ihre Namen, und meine Stimme wirkte fast lautlos, wie Schnee, der vom Dach fällt.

»Und Hild, Bärentöter?«, fragte Finn. Er steckte den

Nagel in seinen Stiefel und gewann langsam wieder seine alte Selbstsicherheit zurück. »Der hier scheint etwas kleiner, das ist niemand, an den ich mich erinnere. Vielleicht ist sie das.«

Ildiko, dachte ich, als er das gelbe Grinsen und die leeren Augenhöhlen der Prinzessin hochhielt, deren Arm noch immer am Thron hing. Ich erwartete nicht, die sterblichen Überreste von Hild zu finden, denn ich glaubte nicht daran, dass sie tot sei. Irgendjemand hatte Attila wieder auf seinen Thron gesetzt und damit klar gezeigt, was mit den Gebeinen von Eindringlingen geschieht. Ich sagte, ich glaubte nicht, dass dies Lambissons Werk war.

Finn runzelte nachdenklich die Stirn, er schien nicht sehr glücklich mit der Antwort. Er hielt die Fackel höher, um die schwarzen Wände näher zu beleuchten, und wollte offenbar gerade fragen, wo denn nun all das Silber sei, als er es sah.

Er schnappte laut nach Luft und sank auf die Knie, überwältigt von der unvorstellbaren Menge der Schätze. Denn die schwarzen Wände, die er sah, *waren* das Silber, schwarz vom Alter und aufgehäuft wie alter Plunder. Schalen, Wasserkrüge, Weinkrüge, Statuen, Teller, Becher, das meiste davon mit Edelsteinen besetzt, alles halb begraben unter einem Meer von Münzen und Armreifen.

Wir sahen Schilde, Speerspitzen, Klingen, Teile von Rüstungen, alles platt gedrückt, zusammen mit mächtigen Silbertellern, die mit Perlmutt eingelegt waren, silberne Tierfiguren mit goldenen Reißzähnen, Tänzerinnen auf Alabastersockeln, glitzernde Vögel mit Bernsteinaugen und Flügeln aus Elfenbein.

Zu unseren Füßen lag das große Horn eines Auerochsen mit Bändern aus Silber und Jaspis; ein silbernes Halsband, mit Porphyr besetzt; ein großer Silberpokal mit zwei

Henkeln, mit Serpentin eingelegt; die Maske eines altertümlichen Helms mit starren Augen aus Amethyst.

Finn hob einen Gegenstand nach dem anderen auf und ließ ihn mit kältestarren Fingern wieder fallen, dann förderte er einen zerdellten, aber schön gravierten Silberteller zutage, groß wie ein Wagenrad, der voller Leben zu sein schien – Palmblätter, Lilien und Weinreben, zwischen denen Vögel flatterten, ein endloses Gewebe aus Blüten und Gefieder. Er war mit alten Münzen bedeckt, und als Finn ihn aufhob, lösten sie sich – ein klingender, kostbarer Wasserfall.

Er kniete nieder, dieser Mann, der vor niemandem das Knie beugte, und seine Schultern bebten. Er weinte, fassungslos über diesen unermesslichen Schatz und darüber, dass nach allem, was wir durchgemacht hatten, nach all unseren Verlusten, die wilde Jagd der Eingeschworenen nun tatsächlich zu Ende war.

Ich war mir nicht sicher, ob er um die Toten weinte oder darüber, was er hier entdeckt hatte, oder dass wir es überhaupt noch hierhergeschafft hatten. Er wusste es höchstwahrscheinlich selbst nicht. Aber es war ein erstaunlicher Anblick, Finn weinen zu sehen.

Schließlich legte er den großen Silberteller vorsichtig hin und zog langsam den Godi aus der Scheide. Er setzte die Schwertspitze auf das Silber, umfasste den Griff und beugte den Kopf.

»Allvater, einer der Deinen dankt dir an diesem Abend«, sagte er. »Er ist dein treuer Krieger, und er hat Gefährten, die du kennst – sie starben hier und sind bereits bei dir. Ihnen sage ich: ›Noch nicht, aber bald.‹ Dir aber sage ich Dank und nenne deine Namen.«

Und er begann, sie zu rezitieren, düstere und kalte Namen, einen nach dem anderen. Als Jarl hätte ich ehrfürchtiger sein müssen, aber ich hatte den Einäugigen auch schon anders erlebt und fand nicht, dass er das alles verdient hatte, nur weil er uns hierhergeführt hatte – wir hatten schließlich teuer dafür bezahlt, und die Sache war auch noch nicht ausgestanden, davon war ich überzeugt. Zerstreut sah ich mich um und nahm aus dem Augenwinkel eine Art Barrikade aus Holz wahr, die ich mir näher ansehen wollte.

Es war die zusammengebrochene Öffnung des alten Tunnels, den wir an der Seite der Grabkammer gegraben hatten, als wir das erste Mal mit Einar hierhergekommen waren. Ich erinnerte mich, wie Illugi, kaum einen Schritt entfernt, von hier den Knauf seines Stabes wütend auf den Boden geschleudert und die Götter angefleht hatte – die ihn zu diesem Zeitpunkt schon nicht mehr erhörten –, uns gegen die schwarze Fylgja namens Hild beizustehen. Dann war das Plätschern von Wasser zu hören gewesen, und in die Grabkammer war Wasser eingedrungen …

Dennoch war sie nicht überflutet worden. Das Holz, das aus den Seiten herausragte, waren Planken von unseren Wagen, die wir damals benutzt hatten, um den Tunnel abzustützen, und ich erinnerte mich, wie ich in dem saugenden Schlamm stecken geblieben war. Ich dachte wieder an die nackte Angst, die mich ergriffen hatte, als Hild in ihrem grausam verzweifelten Bemühen, mich zu erreichen, mit ihrem Runenschwert die Stützen durchschlug. Dann war das Wasser gekommen, das die Balka füllte – wie immer, wenn es in der Steppe regnet und sich das Wasser hier zu einem See sammelt, der nur im Hochsommer austrocknet.

Ich legte die Hand auf das eiskalte Holz. Dort drinnen war sie. Ihr Wüten hatte den Tunnel zum Einsturz gebracht und das Grab wieder versiegelt, sodass nur wenig Wasser eingedrungen war, das schließlich hier eingeschlossen wurde. Wenn sie tot war, dann lag sie nur wenige Fuß entfernt von hier, vielleicht nur wenige Zoll, und noch immer hatte sie das andere Schwert bei sich. Ich berührte die Wand, doch sie war steinhart gefroren, viel zu hart, als dass man die Wahrheit hätte ausgraben können.

»Wafud, Hropta-Tyr, Gaut, Weratyr«, rezitierte Finn, dann war er fertig. Er ließ den Griff des Schwerts los und stand mühsam auf.

»Beim Hammer, Orm, mein Junge«, sagte er immer wieder und schüttelte den Kopf. »Jetzt sieh dir das bloß an.«

Ich legte ihm eine Hand auf die Schulter; er schien sich zu besinnen, dann nahm er die Fackel, ergriff sein Schwert und blies die Backen auf.

»Jetzt bin ich also wirklich hier gewesen und habe es selbst gesehen«, sagte er mit glänzenden Augen. »Alles Silber der Welt. Jetzt weiß ich es. Jetzt weiß ich es wirklich, Junge.«

Wir gingen die engen Balkas entlang, die sich durch den Silberberg zogen; unsere Fackeln warfen unheimliche Schatten und ließen die Eiszapfen glitzern, die diese Höhle in einen Silberpalast verwandelten, wie geschaffen für den Schatz eines Kriegsherrn.

Von seinem zerschlissenen Brokatkissen aus sah Attila hinter uns her und grinste aus leeren Augenhöhlen.

In einem der Gänge fanden wir Lambisson – er saß zusammengekauert in der Dunkelheit, als wir uns im Schein unserer Fackeln näherten. Er hockte auf einem Berg Silber, den er zusammengetragen hatte – Münzen und Halsringe, kleine Gegenstände, die in einen Eimer passten. Er lebte, und fast schien es, als hätte er nur auf uns gewartet.

»Brondolf«, sagte ich freundlich, blieb aber in sicherer Entfernung stehen, denn in der Dunkelheit war er für uns nur ein Schatten, und ich wusste nicht, was er in der Hand hatte oder wo der kleine Eldgrim war.

»Du musst Orm, der Bärentöter, sein«, flüsterte er mit schwacher Stimme, dünn wie ein Faden der Nornen. Finn kam näher und hielt die Fackel hoch, sodass wir ihn besser sehen konnten.

Lambisson war am Ende seiner Kräfte. Der weiße Rabe hatte seine Träume zunichtegemacht und seinen Geist ausgelöscht. Sein Gesicht war eine einzige wunde Fläche, und er war so mager, dass seine elegante Tunika an ihm hing wie ein trocknendes Fischernetz am Strand. Hunger und Krankheit hatten seine Kräfte aufgezehrt, und er hatte keine Ähnlichkeit mehr mit dem Brondolf Lambisson, den ich gekannt hatte. Dem aalglatten, stolzen Lambisson, dem ich einst in seiner ausgefallenen Rüstung und dem extravaganten Helm auf einem Berg begegnet war. Dieser Mann war tot, und der hier würde es ebenfalls bald sein.

Doch in seiner Hand glänzte eine Klinge, und man spürte noch einen Funken seines früheren Selbstbewusstseins. Er brachte ein Lachen zustande, mühsam und leise wie das Flattern eines Nachtfalters, als er den Blick von der Fackel abwandte und mich ansah.

»Ich erinnere mich nicht an dein Gesicht«, flüsterte er. »Ich erinnere mich an Einar, aber nicht an dich. Und doch haben die Nornen unsere Schicksale mitineinander verwebt, fester, als wären wir Brüder. Ist das nicht merkwürdig, Orm Bärentöter? Ich kenne dich besser als jede Frau, die ich hatte.«

Das leise Lachen flatterte wieder auf und verlor sich im Dunkel. Finn trat zur Seite, und ich hockte mich hin.

»So merkwürdig ist es gar nicht«, erwiderte ich. »Die Nornen spinnen unseren Lebensfaden, und wir müssen das Gewand anlegen, das sie für uns weben.«

»Dann ist dieses Gewand ganz bestimmt vergiftet«, flüsterte er – doch dann wurde seine Stimme lauter: »Ich glaube, es wäre besser, dein Begleiter würde still stehen.«

Finn blieb sofort stehen und machte eine Geste, dass er verstanden habe. Dann hockte er sich hin, als säße er gemütlich am Feuer.

»Ich bin Finn Bardisson aus Skani«, sagte er sachlich. »Ich könnte dich umbringen, wenn ich wollte, Brondolf Lambisson, egal, ob du eine Klinge hast oder nicht. Es ist besser, wenn du das von Anfang an weißt.«

»Ich suche den kleinen Eldgrim«, nahm ich wieder das Wort auf. »Es ist nicht nötig, jemanden zu töten. Es sind genug Menschen gestorben, dafür ist Freya meine Zeugin. Ich will nur Eldgrim haben.«

Er rührte sich und senkte den Kopf, aber die Hand blieb fest an der Klinge.

»Du sprichst wie ein Freund«, flüsterte er. »Das könnten wir niemals sein.«

»Nein, aber Feinde brauchten wir auch nicht zu sein.«

Einen Herzschlag lang war es still, dann sagte er: »Wie gefällt dir meine neue Festung, Bärentöter? Ist sie nicht schön? Sie ist reich.«

Sein leises Lachen klang wie der letzte Atemzug eines Sterbenden. »Reich genug, um Birka zu retten, hatte ich gedacht – aber Birka ist tot.«

»Du kannst alles behalten«, sagte ich entschieden. »Ich will nur Eldgrim. Dann kannst du deine Stiefel füllen und ohne Kampf abziehen.«

Er beugte sich vor, das erfrorene Gesicht sah im Fackelschein noch blutiger aus, dazwischen die schwarzen Stellen von der Kältefäule, die an seinen Wangen fraß. Seine Augen glitzerten, und von seinen aufgeplatzten schwarzen Lippen tropfte Blut. Er schüttelte den Kopf.

»Das hatte ich befürchtet«, seufzte ich. »Hör mein letztes Angebot: Finn und ich gehen zu dem Loch im Dach zurück und klettern hinaus, und du schickst uns den kleinen Eldgrim hinterher. Du kannst hierbleiben oder gehen, ganz wie du willst.«

»Und ihr werdet abziehen und alles zurücklassen?«

»Alles was?«, entgegnete ich. »Du kannst es nicht essen, Brondolf, und wärmen wird es dich auch nicht. Du bist schon halb erfroren und verhungert. Ich will nicht …«

Er machte eine schnelle Bewegung, und ich merkte erst jetzt, dass er uns hereingelegt hatte, als er wie ein Blitz auf uns zustürzte – mit schwirrender Klinge. Er war nicht ganz so hinfällig, wie er sich den Anschein gegeben hatte.

In meiner Erinnerung blitzte das Bild von Ketil Krähe wieder auf, wie er in derselben Dunkelheit über einen Berg von klirrendem Silber gestolpert war, während seine Füße sich in seinen bläulichen Eingeweiden verfingen. Nur dass er damals Hild mit ihrem Runenschwert zum Opfer gefallen war.

Diese Erinnerung wurde mir fast zum Verhängnis, denn sie lähmte mich einen Moment. Brondolf hatte noch genug Kraft für einen letzten verzweifelten Versuch – sein Schwert fuhr herum, sodass ich zurücktaumelte und mein eigenes Runenschwert, das ich vorsorglich über meine Knie gelegt hatte, in die Höhe sauste und seinen Hieb abfing.

Es klang wie ein Hammer auf dem Amboss. Ich hörte einen Ton wie von einer gesprungenen Glocke und wusste, dass es sein Schwert war, das an meinem zerbrochen war. Dann traf er auf mich, geifernd wie ein wütender Stier, in der Hand nichts weiter als den Schwertgriff mit der abgebrochenen Klinge.

Keuchend und mit lautem Krachen gingen wir zu Boden, ich sah Sterne. Ich hörte ein Grunzen und einen Schrei, dann spürte ich ein heftiges Zucken, und schließlich hörte ich ein schmatzendes Geräusch.

Eine Hand ergriff mich, ich wurde hochgezogen, und Finn – nass von Brondolfs Blut und Hirnmasse – hielt mich im Arm. Brondolf lag auf dem Gesicht mit einem rautenförmigen Loch im Hinterkopf, unter ihm sammelte sich Blut.

»Dabei wollten wir doch nur den kleinen Eldgrim hier rausholen«, keuchte Finn und betrachtete seinen von Blut tropfenden Godi. »Kein Grund, gleich wild zu werden.«

Und dabei war der kleine Eldgrim gar nicht hier, wie wir jetzt feststellen mussten. Wir schlitterten über den nassen, dunklen Boden und suchten alles ab, fanden aber keine Spur von ihm. Dann kamen wir dorthin zurück, wo Lambisson lag, und drehten ihn um, denn es heißt, dass die Augen eines Toten die Wahrheit sprechen.

Sein wundes Gesicht war eingefallen vor Hunger und verfärbte sich schon bläulich weiß, in seinen toten Augen spiegelte sich das Eis der Wände wider, hell und klar wie Silber. Sein Gesicht sprach zweifellos die Wahrheit, nur war es nicht die Wahrheit, die wir suchten.

Finn sah sich um. Er betrachtete die Silberberge und die glänzenden Wände, dann nahm er das Valknut-Amulett ab und schlang es um die Finger des Toten, die schon steif wurden. Ich war erstaunt: Das Amulett gehörte mir, und ich hätte Lambisson nicht einmal den Rotz aus meiner Nase gegönnt. Als ich Finn das sagte, nickte er, als habe er verstanden.

»Es ist nicht für ihn«, krächzte er heiser. »Es ist zu Ende, Orm. Dieser verfluchte kleine Mönch hatte recht – dieser ganze Kampf, den Weg hierher zu finden – und wofür? Wir müssten für immer hierbleiben, wenn wir uns den Schatz sichern wollten, und wir müssten es jeden Tag gegen den Rest der Welt verteidigen. Ich würde das Doppelte von dem hier geben, wenn Storchenbein und Hasenscharte und Skapti und all die anderen dort am oberen Ende des Seils auf uns warten würden. Ja, sogar Einar, obwohl du da wohl anderer Meinung bist.«

Er schüttelte den Kopf und stand auf, aber seine Worte trafen mich wie ein *buran*. Natürlich hatte er recht. Wir konnten unsere Stiefel und Wagen füllen und aus unseren Tuniken und Umhängen Säcke nähen, und trotzdem würden wir kaum eine Delle in diesem riesigen Silberberg hinterlassen. Nach uns würden andere beutegierige Horden kommen, um der letzten Ruhestätte Attilas das Herz auszureißen. Jetzt war es kein Geheimnis mehr.

Das Geschenk Odins. Es hatte sich nicht gelohnt, wie ich schon immer geahnt hatte, und das sagte ich Finn. Der nickte, dann tat er etwas, das mich so überraschte, dass ich fast mein Schwert fallen ließ. Er legte mir die Hand auf den Arm und sah mich mit ernstem Gesicht an: »Du hattest völlig recht, dass du nicht wieder hierherkommen wolltest. Wir hätten auf dich hören sollen.«

Mich durchflutete ein heißes Gefühl der Scham. O ja, ich war dagegen gewesen, hatte meine Skepsis geäußert, hatte mich gegen das Unternehmen gestemmt wie der Mann an der Spitze eines Schweinekopfs – aber wer hatte denn die Runen in den Griff meines Schwerts eingeritzt? Wer war es, der ganz genau wusste, er würde sie früher oder später wieder brauchen, weil er der Versuchung nicht widerstehen konnte, hierher zurückzukommen?

Steif und mit schmerzenden Gliedern standen wir auf, als wir eine Stimme hörten, die wie ein kalter Nebel durch die dunklen Gänge drang und um die schwarzen Silberberge waberte. Eine hohe, dünne Stimme, eine Frauenstimme. Sie rief meinen Namen. Ein unsäglicher Schauer durchfuhr mich.

Hild.

Ich sah Finn an, und er sah mich an, und ausnahmsweise sah ich einmal kein verächtliches Stirnrunzeln, nur seine nervöse Zunge, mit der er sich über die trockenen Lippen fuhr.

»O-o-orm!«

»Beim Auge Odins, Junge«, flüsterte Finn heiser.

»Fi-inn!«

»Hast du das gehört?«, fragte ich, und sein Gesicht war Antwort genug.

»Das habe ich sogar mit meinem einen Ohr gehört«, knurrte er, dann packte er den Godi mit einer Hand, die Fackel mit der anderen und machte ein entschlossenes Gesicht. »Also, wenn das dieses tote Miststück ist, dann werde ich ihr gegenübertreten.«

Finn war bekannt dafür, dass er sich vor nichts und niemandem fürchtete, aber für mich war die Angst eine unsichtbare Kraft, gegen die ich mich stemmen musste – Schritt für Schritt, einen engen Gang nach dem anderen durch Berge altersschwarzer Schätze, bis dorthin, wo eine Fackel brannte und von oben ein schwaches Licht durch das Loch in der Decke fiel. Es waren nicht mehr als vielleicht zwanzig Schritt, aber es war der weiteste Weg, den ich jemals gegangen bin.

Dort stand eine Gestalt, dunkel und drohend, sie hielt eine Fackel in der erhobenen Hand und sah uns an wie einer der Hunde Helheims.

»Hier bin ich, du Miststück!«, schrie Finn, und wenn seine Stimme auch etwas brüchig klang, musste ich ihn bewundern, denn meine Kehle war so trocken vor Angst, dass ich keinen Ton herausgebracht hätte.

»Bist du das, Finn Bardisson? Komm hierher, wo ich dich sehen kann – und mäßige gefälligst deine Worte!«

Wir sahen uns an, und dann gab Finn einen Laut von

sich, als habe ihn jemand geohrfeigt. »Thordis! Das ist ja Thordis, bei Odins haarigem Arsch!«

»Haut ab! Lasst mich los«, schimpfte sie und stieß uns weg wie zwei aufdringliche Hunde. Sie sah uns fragend an.

»Schon gut, aber du glaubst gar nicht, wie gut es tut, dich zu sehen«, lachte Finn und versuchte wieder, sie zu umarmen. Dabei pfiff der Godi ihr um die Ohren, und sie wich ängstlich zurück, sodass Finn sich entschuldigte und das Schwert wegsteckte.

»Was machst du hier?«, fragte ich und fühlte schon wieder kalte Angst in mir aufsteigen.

»Gute Frage«, schnaufte Thordis und zog ihr leinenes Kopftuch wieder züchtig über ihr Haar, von dem sich ein Zopf gelöst hatte, der ihr fast bis zum Gürtel reichte. Sie blies sich eine Strähne aus dem Gesicht und strich ihre Kleider glatt. »Ich hätte es ja schon längst gesagt, wenn ihr nicht diesen … diesen …«

»Sprich endlich!«

Sie erzählte, was sich zugetragen hatte – und wir griffen hastig nach dem geknoteten Seil und riefen nach oben um Hilfe.

Wladimir und seine Gefährten waren mit dem Silber losgezogen. Unsere Männer hatten sich darüber geärgert, aber ich hatte Kvasir eingeschärft, nichts Unüberlegtes zu tun, also sorgte er dafür, dass sie der Druschina nicht an die Gurgel gingen. Die Eingeschworenen waren auf die Insel getrieben und von den Slawen entwaffnet worden. Ihre Waffen waren in einiger Entfernung abgelegt worden, und sobald diese heimtückische kleine Prinzenratte außer Schussweite war, durften die Eingeschworenen ihre Waffen zurückholen.

Dann war Kvasir ihnen gefolgt, zu Fuß, denn wir hatten keine Pferde mehr. Er hatte Gisur die Verantwortung übertragen, und – dafür verfluchte ich ihn bis ans Ende der Welt und wieder zurück – Thorgunna war unbemerkt allein zurückgeblieben, als alle anderen mit ihren Waffen zum Grabhügel kamen. Dann war sie Kvasir gefolgt. Als alle wieder an Attilas Grab waren, schickte Gisur Thordis nach unten, um uns zu suchen, und die Tatsache, dass er eine Frau an diesen Ort geschickt hatte, sagte eigentlich alles, aber ich war viel zu wütend, um es begreifen zu können.

»Was in aller Welt hat Kvasir sich dabei gedacht?«, schrie Finn, als er aus dem Loch kletterte.

Von unten rief Thordis zurück: »Jon Asanes ist auch weg – Kvasir wollte hinter ihm her!«

»Und Thorgunna?«, wollte ich wissen, während ich beide Hände unter ihr Hinterteil schob, um ihr am Seil nach oben zu helfen.

»Sie wollte mit Kvasir gehen«, sagte sie keuchend vor Anstrengung. »Und pass auf, was du mit deinen Händen machst, Jarl Orm, sonst musst du für diese Freiheit bezahlen und mich heiraten.«

»Entschuldige«, murmelte ich und kletterte ebenfalls hoch.

Oben wartete Gisur, und schnell bildete sich ein Ring aus lauter Rücken um uns, als alle Eingeschworenen sich, den Schild nach außen, um die Öffnung stellten. Nicht weit von uns saß Fisch mit Hauk Schnellseglers Bogen und seinen letzten sechs Pfeilen.

»Warum wollte sie unbedingt mit Kvasir gehen?«, fragte ich, noch immer wütend, und wandte mich halb zu Gisur um. »Und warum hast du sie gehen lassen, du Schwachkopf?«

»Er ist ihr Mann«, erwiderte Thordis. »Er kann mit dem einen Auge, das ihm geblieben ist, auch nicht mehr viel sehen und wird bald ganz blind sein – und trotzdem sieht er klarer als du, Jarl Orm, denn das hättest du eigentlich schon vor Monaten merken müssen.«

Ich schnappte nach Luft. Finn rieb sich verlegen den Bart, und mir war klar, dass er es gewusst hatte. Gisur ebenfalls. Alle hatten es gewusst, merkte ich plötzlich, nur ich nicht. Doch jetzt sah ich es auch, an jedem Axthieb Kvasirs, der danebenging, hätte ich es erkennen müssen, an seiner neuen Angewohnheit, den Kopf wie ein Vogel auf die Seite zu legen, um besser sehen zu können, an dem Stoffstreifen, den er sich gegen das Licht über die Augen legte.

Für kurze Zeit verdrängte die Sorge um Kvasir meinen Ärger. Gisur räusperte sich, und ich stürzte mich erneut auf ihn.

»Du hättest sie daran hindern müssen«, schrie ich. »Und ihn auch, du Blödmann. Hast du jemanden hinter ihnen hergeschickt?«

Mein Angriff ließ ihn leicht taumeln, dann richtete er sich auf und fasste sich.

»Kvasir hatte das Kommando, also tat ich, was er mir gesagt hatte«, erwiderte er ruhig. »Und unter den Umständen war es das Beste, dass ich Thorgunna erlaubte, ihm zu folgen, Jarl Orm.«

»Was für verdammte Umstände?«, brüllte ich rot vor Zorn.

Die Eingeschworenen standen um uns herum, sie waren alle bewaffnet, trugen ihre Rüstung und hatten die Schilde erhoben. Gisur deutete über ihre Schultern hinaus in die schneeverwehte Steppe.

Mein Zorn verging wie der letzte Atemzug eines Sterbenden. Oberhalb der steilen Böschung, zu beiden Seiten des gefrorenen Sees, standen lautlos die Kriegerinnen auf ihren Steppenponys. Es waren Hunderte – der Teil meines Gehirns, der noch funktionierte, nahm wenigstens dreihundert von ihnen wahr. Sie warteten – geduldig wie Wölfe standen sie im Kreis um den kleinen Schildwall auf der Insel, die Attilas Grab war.

Wir waren nicht mehr als zwanzig, die letzten Eingeschworenen, die es auf der Welt noch gab, und jeder von ihnen so abgenutzt wie ein alter Schleifstein. Dunkle Bärte, in denen das Eis glitzerte wie gefrorene Tränen, eingesunkene Wangen, rot geränderte Augen und tropfende Nasen. Die Männer, die mich Jarl nannten, duckten sich unter ihren angerosteten Helmen, mit knochigen, mageren Knien über zerfetzten Beinwickeln und zerschlissenen Stiefeln, die Füße zwei Klumpen erfrorenes Fleisch und Hände, die vor Frostbeulen juckten und bluteten.

Und doch hatten sie die Schilde erhoben, ihre Speere waren gefettet, und die Klingen ihrer Schwerter glänzten und spiegelten ihre Augen wider, mit denen sie den Kreis der berittenen Kriegerinnen beobachteten. Sie strichen über ihre vereisten Bärte und grinsten das alte wilde Grinsen von Männern, die den Abgrund vor sich und Wölfe hinter sich haben, doch nicht einer unter ihnen wäre auf den Gedanken gekommen, wegzurennen oder seine Waffen niederzulegen – selbst Fisch nicht, der unseren Schwur nicht abgelegt hatte.

In dem Moment liebte ich sie und keinen mehr als Finn, der für sie alle sprach. Er blies die Backen auf und grinste, dass seine vernarbten Lippen rissen.

»Da haben wir doch wieder Odins Glück gehabt«, strahlte er, »dass wir unsere Waffen rechtzeitig zurückholen konnten. Jetzt haben wir diese Männerhasser-Weiber, wo wir sie haben wollten, und diesmal werden sie uns nicht entkommen.«

Die anderen brüllten und schlugen auf ihre Schilde. Unter den Reiterinnen entstand Bewegung, sie warfen die Köpfe zurück und stimmten ihren schrillen Kriegsschrei an, dieses entsetzliche Hundegeheul, das uns schon vorher so erschreckt hatte und nun aus dreihundert Kehlen ertönte.

Fisch, der auf seinen verletzten Füßen noch schmerzhaft hinkte, schleppte sich bis zu einem Punkt, von dem aus er schießen konnte, dann spannte er die Sehne und ließ den Pfeil fliegen. Ob beabsichtigt oder nicht, der Schaft jedenfalls schwirrte wie gewünscht, doch die Spitze hatte einen kleinen Konstruktionsfehler, ein kleines Loch, in dem sich der Wind fing. Ein schrilles, lautes Pfeifen ertönte, bis der Pfeil in den zitternden Hals einer Reiterin drang und sie mitten in ihrem Geheul verstummen und rückwärts vom Pony fallen ließ.

Als seien sie alle in den Hals getroffen, verstummten die anderen. Es entstand eine solche Stille, dass wir hören konnten, wie die getroffene Reiterin gurgelnd in ihrem Blut ertrank, während ihr Pony, vom Geruch des Blutes nervös geworden, schnaubte.

»Scheiße«, sagte Hauk Schnellsegler bewundernd. »So einen Schuss habe ich mit dem alten Bogen noch nie hingekriegt.«

»Das erste Mal, dass ich sehe, wie ein Fisch etwas fängt«, bemerkte Gyrth, und alle lachten. Die Männer schlugen erneut auf ihre Schilde und grinsten sich an, als hätten sie die Schlacht schon gewonnen.

»Ich glaube«, knurrte Klepp Spaki, »du hast sie ein kleines bisschen verärgert.«

Sie legten ihre Pfeile an die Sehne, und ich bekam einen trockenen Mund. Wir hatten kaum genug Männer für einen geschlossenen Kreis, und niemand war übrig, um ein Dach aus Schilden zu machen; dreihundert Pfeile aus allen Richtungen würden uns hier festnageln.

Die Frauen ritten unschlüssig hin und her, und wir hörten wütendes Geschrei. Finn schleuderte mit dem Daumen den Rotz von seiner Nase und kniff die Augen zusammen.

»Weiber«, spottete er. »Über alles müssen sie streiten, sogar über die beste Art, uns umzubringen.«

Der Aufprall auf seinen Helm war laut, und einige Köpfe drehten sich um. Thordis hielt ihre Klinge flach nach oben, bereit für einen weiteren Angriff auf Finns verbeulten Helm. Ihr Gesicht war wütend, und die Männer lachten, doch Finn grinste sie bewundernd an.

»Sie kommen«, schrie Fisch und trat zurück, damit die Männer zu seinen beiden Seiten wie eine Wand zusammenrücken konnten.

Nur eine der Reiterinnen wagte sich auf das Eis. Ihr Pony ging unsicher und rutschte bei jedem Schritt. Ich hoffte gegen alle Vernunft, dass die Frauen verrückt genug sein würden, uns vom Eis aus anzugreifen. In dem Chaos, das dadurch entstünde, hätten wir eine Chance.

Sie kam näher, ihr schwarzer Umhang blähte sich im Wind, ihr Zopf lag wie eine schwarze Schlange um den schräg abgeflachten Schädel. Ich schluckte trocken; in ihrer erhobenen Hand hielt sie etwas hell Glänzendes – das Runenschwert. Hilds Schwert.

Sie rief mich an, ihre Stimme ließ mich erstarren.

»Orm, den man Bärentöter nennt.«

Sie sprach ein gutes Griechisch, aber auch diejenigen, die kein Griechisch konnten, verstanden den Namen, selbst Finn, dessen Griechisch gerade ausreichte, um sich eine Ohrfeige einzuhandeln. Er sah mich an und wusste, was ich dachte … Hild.

»Dein Mädchen ruft dich«, sagte er in die angespannte Stille hinein.

»Wer die Liebe einer Frau sucht, sollte sanfte Worte finden und Wohlstand versprechen«, zitierte der rote Njal, als ich mich mit zitternden Knien an ihm vorbeidrängte. Ich spürte meine Füße nicht, versuchte aber wenigstens, meine Zunge an ihm zu schärfen.

»Eines Tages, roter Njal, musst du mir erklären, wie diese bemerkenswerte Verwandte von dir in der Gesellschaft anderer Menschen so lange am Leben bleiben konnte«, fauchte ich ihn an.

Er grinste. »Stimmt schon, die Mutter von meinem altern Herrn hatte ihren eigenen Hof und bekam nicht oft Besuch – aber trotzdem war sie eine weise Frau.«

Dann nickte er in Richtung der Frauen auf ihren Pferden.

»Lass sie nicht zu lange warten, Bärentöter«, sagte er trocken.

Ich sah, dass die Frau ihr Pony antrieb, und alle Bogen wurden gesenkt, obwohl die Pfeile an der Sehne blieben. Ich ging auf sie zu, sie kam auf mich zu, vom Eis herunter und auf den Rand der Insel, wo ihr Pony festeren Halt hatte. Sie schwang ein Bein über den Hals des Tieres – was mit ihren Beinschienen und dem Schuppenpanzer gar nicht so einfach war – und sprang leicht zu Boden, wobei ihr Umhang sie umfloss wie eine Haarmähne.

Es war nicht Hild. Ich dachte zunächst, sie trüge einen Schleier wie die Frauen in Serkland, aber als ich näher kam, sah ich, dass es Tätowierungen waren, die Kinn, Nase und Wangen bedeckten, ein blauschwarzes Gewirr irgendeines Steppenzaubers, durchzogen von drei tiefen alten Narben auf jeder Wange. Und ihr Kopf war auch auf diese unheimliche Art nach hinten abgeschrägt – aber mir war egal, wie sie aussah, Hauptsache, es war nicht Hild.

Sie hob ihr Schwert, der Zwilling meines eigenen, vorsichtig und ohne die Augen von mir abzuwenden – dann rammte sie es in den Boden und trat zur Seite, eine Armlänge vom Griff entfernt, und hockte sich hin.

Mit trockenem Mund trat ich ebenfalls vor, wobei ich aus Höflichkeit darauf achtete, dass sie außerhalb meiner Reichweite blieb. Dann tat ich dasselbe wie sie und ließ mich auf ein Knie nieder, wie es Sitte der Nordmänner ist.

Nicht mehr als eine Mannslänge voneinander entfernt, sahen wir uns stumm an, während der Wind leise seufzte und kleine *dschinn* aus Schnee über den gefrorenen See trieb.

Sie war ziemlich mager, hatte sich aber geradezu festlich herausgeputzt, von den goldenen Perlen in ihren Zöpfen bis zu den Halsketten aus silbernen Tieren und den schönen Armreifen. Ihre Rüstung bestand aus hochpolierten Hornplättchen, die von Pferdehufen abgespalten worden waren, darunter trug sie weite, mit Gold durchwirkte Hosen. Doch am hellsten glänzten ihre schwarzen Augen.

Die Stille dehnte sich aus, bis ich es nicht länger ertragen konnte, also nickte ich ihr höflich zu und sagte: »Skjaldmeyjar.«

Sie neigte den Kopf auf die Seite wie ein neugieriger Vogel und antwortete lächelnd in gutem Griechisch: »Ich hoffe, dass das in deiner Sprache etwas Nettes ist.«

Ich erklärte ihr, was es bedeutete – Schildmaid – obwohl sie mir wie jemand vorkam, den man »Valmeyjar« nannte, was unwissende Menschen, die nicht von den Fjorden stammen, mit »Schlachtenmaid« übersetzen. Doch in Wirklichkeit bedeutet das Wort »Leichenmaid«, »Hüterin der Gefallenen«, und es ist ein Name, den man einem Weib geben würde, das aussieht wie eine Wolfsgroßmutter, die schon zwei Wochen tot ist. Doch das erzählte ich ihr nicht.

»Du kennst meinen Namen«, fügte ich hinzu und wartete ab.

»Mich nennt man Amacyn«, erwiderte sie. »Das ist der

Name, den ich als Anführerin der *tupate* trage und den alle Anführerinnen bekommen, die damit alle ihre Familienbande aufgeben. Es bedeutet so viel wie Mutter der Leute, aber die dummen Griechen dachten, es sei der Name für uns alle, und deshalb nannten sie uns *amazonoi.*«

»Wer sind die *tupate?*«, fragte ich, und mir schwirrte schon jetzt der Kopf. Sie breitete die Hände aus, eine Geste, die alle Reiterinnen einbeziehen sollte. »Das sind wir. Auf Griechisch hießen wir *tabiti.* Es ist schwer zu übersetzen, aber am nächsten käme wohl der Begriff – Eingeschworene.«

Jetzt musste ich mich erst mal auf eine Ferse setzen. Eingeschworene. Wie wir. Das sagte ich, und sie reagierte mit einer kleinen Handbewegung, die wohl bedeuten sollte: vielleicht – vielleicht auch nicht.

»Du hast ein Schwert«, sagte ich auf Griechisch. »Genau wie meins. Hild hatte es zuletzt.«

Sie lächelte und bedeckte ihr Gesicht mit der Hand, was bei ihnen Sitte war, wie ich später erfuhr. »Hild. Habt ihr sie so genannt? Die im Grab des Herrn der Welt ist?«

»Es ist der Name, den sie sich selbst gab«, antwortete ich mühsam atmend, denn mir war, als stünde ich am Abgrund und hätte das absurde Bedürfnis, loszufliegen. »Wie bist du zu diesem Schwert gekommen?«

»Hild«, wiederholte sie, dann lachte sie, ein überraschendes, leichtes Lachen. »Ildiko. Ja, das wäre ein Teil ihrer Buße. Oder ein schlechter Scherz.«

Ich verstand nicht, und sie merkte es. Sie nickte ernst und hockte sich etwas bequemer hin, sodass ihre Knie jetzt neben ihrem Kinn waren, und legte die langen, mageren Hände darum.

»Vor langer Zeit«, sagte sie, »als die Wälsungen Attila, dem Herrn der Welt, ihre Schätze und eine Frau namens Ildiko brachten, waren wir ausersehen, dafür zu sorgen, dass das Leben unseres Herrn im Jenseits nicht gestört werde.«

Sie machte eine lässige Handbewegung und sprach, als sei das erst gestern gewesen.

»Wir sorgten dafür, dass niemand, der am Bau des Grabes beteiligt war, das Geheimnis verraten konnte, angefangen bei denen, die gruben, über die, die planten, bis hin zu denen, die die Schätze hierherbrachten.«

Sie schwieg und sah mich mit ihren schwarzen Augen an, dass es mir das Herz zusammenzog. Fast hätte ich glauben können, sie sei selbst dabei gewesen und habe das Gemetzel überwacht.

»In der Steppe floss tagelang Blut«, sagte sie, »sodass schließlich nur noch die Auserwählten und die Fliegen wussten, wo das Grab lag. Das war das Werk der Auserwählten.«

Wieder entstand eine lange Pause, in der sie an den Riemen ihrer weichen Stiefel nestelte und ihre Gedanken sammelte. Meine Gedanken drehten sich um all die kreischenden Folgegeister, die in dieser Gegend umgehen mussten, und darum, ob diese Frau auch dazugehörte, weil sie mit einer solchen Autorität von der Zeit vor fünfhundert Jahren sprach. Kein Wunder, dass das Gebiet auf viele Meilen unbewohnt blieb.

»Natürlich rechneten wir damit, dass der Herr der Welt es noch lange nicht bewohnen würde«, fuhr sie fort, »aber die Wälsungen kamen mit ihren Silbergeschenken, ihren Schwertern und mit Ildiko, der neuen Braut. Sie blieben nicht zur Hochzeit – natürlich wagten sie es nicht, da Ildiko den kaltblütigen Mord plante – und als sie gingen, ging eine von uns mit.«

»Eine von … euch?«, fragte ich verunsichert. »Eine der Auserwählten?«

Sie nickte. »Ihr Name, soweit die Wälsungen ihn kannten, war derselbe wie meiner – Amacyn. Sie war damals die Anführerin der *tupate,* aber sie vergaß ihren Eid aus Liebe zu dem Schmied namens Regin. Sie folgte ihm zurück in den Norden, und bis es entdeckt wurde, war es zu spät. Der Herr der Welt forderte ihren Tod, um das Geheimnis der Grabkammer zu bewahren, aber wir sollten damit bis nach seiner Hochzeit warten. Doch da war es zu spät, denn in der Hochzeitsnacht tötete Ildiko ihn.«

Ich dachte an die lange Zeit, die seitdem vergangen war, und was diese Liebe gekostet hatte.

»Die Eidbrüchige wurde dann also nicht weiter verfolgt?«, fragte ich, als die Steinchen des Mosaiks sich langsam zusammenfügten.

Die Frau zuckte die Schultern. »Die *tupate* hatten ihr Gesicht verloren, und der, der uns auserwählt hatte, war tot«, sagte sie. »Seinen Söhnen bedeuteten wir nicht viel – doch wir hatten geschworen, dieses Grab zu bewachen, und das taten wir nach bestem Vermögen. Die letzte Aufgabe der *tupate* war, den Herrn der Welt hierherzubringen und dann jeden zu töten, der nicht zu uns gehörte. Danach kehrten die *tupate* in ihre Heimat zurück, aber ihre Töchter wurden in der Kriegskunst ausgebildet, und das Geheimnis wurde an sie weitergegeben, und auch sie dienten, so gut sie es konnten, über die Jahrhunderte hinweg. Treu bis zur letzten Aufgabe – das Geheimnis des Grabes zu bewahren. Der Schwur erlaubte uns nichts anderes.«

Ich kannte die Macht eines solchen Schwurs und wusste, wer an ihn gebunden war. Hild. Die Frau nickte.

»Es wurde bekannt, dass die eidbrüchige Amacyn mit dem, was sie getan hatte, schließlich nicht mehr leben konnte«, fuhr sie leise fort. »Sie gebar eine Tochter und machte das, was wir alle machten, sie gab das Geheimnis des Grabes weiter. Ich weiß es von meiner Mutter, und dadurch weiß ich auch, dass Amacyn sich dann in Regins Schmiede versteckt hielt und nicht mehr herauskam und sie versiegelte, sodass sie nicht mehr benutzt werden konnte. Der Schmied Regin starb, und man sagt, sein Herz sei gebrochen, weil er alles, was er liebte, verloren hatte, seine Frau und seine Schmiede. Alles das kam erst allmählich im Laufe der Jahre ans Tageslicht.«

Jetzt erkannte ich das Gewebe, den böswillig gewebten Mantel des Elends, den die unschuldigen Töchter dieses Dorfes, in dem die Schmiede war, tragen mussten. Alle, die danach gekommen waren, konnten die Kette ebenfalls nicht durchbrechen, sie warteten, bis sie ein Mädchen geboren hatten – oder sie erwählten eins –, und wenn dieses Mädchen zur Frau herangereift war, gaben sie das Geheimnis von Attilas Grab weiter, ein Echo dessen, was Regins Frau einst gewesen war. Dann gingen sie aus Schamgefühl über das, was geschehen war, in den Berg mit der Schmiede. Vielleicht wurden die, die es nicht freiwillig taten, sogar mit Gewalt dorthin verbannt; es wurde zu einem Ritual für die Dorfbewohner, und sie wagten nicht, sich zu widersetzen.

Die Frau hockte still da, während ich mühsam versuchte, das Ganze zu verstehen.

»Und Hild war die Ausnahme«, sagte ich, als ich den ganzen traurigen Knoten endlich entwirrt hatte. Sie war aus dem kleinen karelischen Dorf entführt worden, weil der Mönch Martin glaubte, er sei einem Geheimnis auf die Spur gekommen. Er hatte sich einen Mann gesucht, Vigfus, genant Skartsmadr Mikill, der es ihm beschaffen sollte. Und als der keinen Erfolg hatte, versuchte er zusammen mit seinem Haufen Dänen, die Dorfbewohner zu erpressen, indem sie etwas mitnahmen, was für sie wertvoll war, nämlich die junge Hild, die um ihre Mutter trauerte, die in die Schmiede gegangen war, und die selbst noch völlig verwirrt war von dem Geheimnis, das sie eben erst erfahren hatte.

Schließlich sollte der Skartsmadr Mikill noch erleben, wie wichtig Hild für die Bewohner war; er und seine Dänen wurden mit einer solchen Grausamkeit angegriffen, dass sie nur so rannten und Hild als ihre einzige Beute mitnahmen. Als man sie endlich an Martin von Hammaburg auslieferte, hatten alle ihre Wut und ihren Hass an ihr ausgelassen, sodass sie fast wahnsinnig geworden war.

Ich schilderte dieser späteren Amacyn die Geschichte ihrer ehemaligen Namensvetterin – der armen, verwirrten Hild, die wir gerettet hatten, der man die Last eines Geheimnisses und einer jahrhundertealten Sünde aufgebürdet hatte und die geradezu brannte vor Sehnsucht nach Rache an denen, die sie missbraucht hatten. Und so hatte sie uns zu Attilas Grab geführt, als Gegenleistung für den Tod von Vigfus und seinen Männern.

Dafür hatten wir gesorgt, und dann hatte Hild ihren Teil der Abmachung erfüllt – und dafür bezahlt, indem sie ihren Verstand verlor. Hatte die Göttin der Steppe sie in den Wahnsinn getrieben? Oder war es die Fylgja von Ildiko? Oder das Schuldgefühl, weil sie all jene verraten hatte, die das Geheimnis bis in den Tod bewahrt hatten?

»Vielleicht alles zusammen«, meinte Amacyn und stand langsam auf. »Es ist nicht mehr wichtig, das Geheimnis wurde entdeckt. Sie hatte den Eid gebrochen.«

Und alle, die einen solchen Eid brechen, müssen sterben. Das wusste auch ich nur zu gut.

»Nachdem ihr damals von hier fortgezogen wart«, fuhr Amacyn fort, »kamen die wenigen von uns, die noch lebten, hierher; aber in der Steppe herrschte Krieg, und es dauerte einige Zeit, bis wir alle wieder versammelt waren, deshalb konntet ihr entkommen.«

Ich schluckte. Wenn sie uns damals eingeholt hätten, als wir uns völlig erschöpft auf den Weg zum Schwarzen Meer gemacht hatten …

»Dann war die chasarische Herrschaft zu Ende«, fuhr sie fort, »und schließlich kamen auch die Letzten von uns wieder hierher. Wir mussten uns Zugang durch das Dach verschaffen, um zu sehen, was geschehen war. Wir sahen einen fremden Toten auf dem Thron, und der Herr der Welt lag am Boden, dann sahen wir noch weitere Tote, darunter eine Frau. Sie hatte eins der Schwerter, die dem Herrn gehört hatten, und wir dachten uns, dass einer von den Überlebenden das andere haben müsse.«

Ich konnte nichts sagen. Hild war also wirklich tot, Finn hatte recht gehabt. Und plötzlich wurde mir klar, was diese Frau wollte.

»Ja«, sagte sie, obwohl ich kein Wort gesagt hatte. Dann seufzte sie und rieb die Frostbeulen an ihren Händen, und mir wurde klar, dass sie in demselben jammervollen Zustand war wie ich – wie wir alle, hier draußen in dieser eisigen Wildnis.

»Wir sind die Letzten unserer Art«, fuhr sie fort. »Es ist mein Schicksal, dass es zu meiner Zeit geschah, dass das Geheimnis des Grabes bekannt wurde. Wir wussten, dass ihr zurückkommen würdet, und warteten auf Nachricht, dass Nordmänner übers Grasmeer kämen. Es war kein Leichtes für uns, hier herauszukommen und sie zu töten, aber wir hatten nicht mit noch mehr Männern gerechnet und ganz bestimmt nicht mit dem Prinzen von Nowgorod. Da wussten wir, dass unsere Zeit vorüber war.«

Schweigend stand sie da, starr wie die gelben Halme des gefrorenen Steppengrases. Ihre Augen tränten.

»Wir sind nur noch wenige und werden immer weniger«, sagte sie mit einer Stimme wie ein *dschinn* im Wind. »Ihr nennt uns Männerhasser, aber das ist nicht richtig. Wir haben Väter und Brüder, und einige von uns haben Männer und Kinder, die sie lieben. Zu viele von uns sind schon gestorben. Wir konnten das Geheimnis nicht bewahren, und dieser Kampf in der Steppe war das Ende für uns. Wir verlassen die Welt. Wir werden heimgehen zu den Männern. Wir werden aufhören, die Köpfe unserer Töchter zu verformen und ihnen die Wangen zu zerschneiden, noch ehe wir sie säugen – um ihnen zu zeigen, dass Narben nie vergehen. Aber einen letzten Dienst können wir dem Herrn der Welt noch erweisen.«

Die Worte trafen mich wie flatternde Rabenflügel. *Wir verlassen die Welt.* Vielleicht verlassen ja alle Eingeschworenen die Welt, dachte ich. Und jetzt war sie gekommen, um über eine Möglichkeit zu beraten, die Sache ohne weiteres Blutvergießen zum Ende zu bringen. Das verstand ich nur zu gut.

Auf diese Weise waren die Eingeschworenen schon einmal in der Nähe von Attilas Grab gerettet worden, und ich hielt es für möglich, dass es uns wieder gelingen würde. Ich sah mein Schwert an, dann die Frau, der es mehr bedeutete als alle Schätze der Welt. Jetzt wusste ich auch, woher sie meinen Namen wusste und was sie glaubte, uns dafür anbieten zu können, aber dennoch fragte ich, der Form halber:

»Was gebt ihr mir dafür zum Tausch?«

Kapitel 17

Als ich meine Frage gestellt hatte, steckte die Kriegerin zwei Finger in den Mund und pfiff, wie man einem Hund pfeift, worauf Reiterinnen erschienen, und neben einer von ihnen schleppte sich, mit einem Strick angebunden, eine Gestalt daher. Als sie näherkamen, setzte mein Herzschlag für einen Moment aus.

Meine Vermutung war richtig gewesen: Es war der kleine Eldgrim.

Er war klapperdürr, und als er grinsend den Mund aufmachte, sah man, dass er ein paar Zähne verloren hatte. Aber in seinem Kopf war offenbar noch ein Rest seines früheren Verstandes erhalten geblieben.

»Ho, Orm, mein Junge. Wie kommst du denn hierher?«

Die Frau namens Amacyn sah mich an.

»Wäre das ein angemessener Tausch für dich?«

Den kleinen Eldgrim in unserer Mitte, zogen wir unter den Augen der berittenen Kriegerinnen davon, deren Anführerin jetzt zwei Schwerter in den Händen hielt. Finn reichte mir eine Holzaxt. »Die wirst du vielleicht brauchen können, bis du zu einer besseren Klinge kommst, Jarl Orm«, grinste er.

Mir wurde kalt ums Herz. Ich fragte mich, was jetzt aus mir werden sollte, denn ich war überzeugt, das Runenschwert hatte schützende Kräfte gehabt – und jetzt war es weg. Für immer. Es war leicht gewesen, es auszuhändigen; und doch war es die Klinge, die einst der Anlass gewesen war, weshalb wir aus der Großen Stadt in die Gluthitze Serklands gezogen waren, und die uns angetrieben hatte, mit Männern auf Leben und Tod zu kämpfen, die einst unsere Rudergefährten gewesen waren.

Die anderen hatten sich bereits in Bewegung gesetzt, aber ich war noch zurückgeblieben, weil ich sehen wollte, was die Frauen tun würden. Später holte ich die Eingeschworenen ein, aber ich ignorierte ihre fragenden Gesichter, und weil ich mein Runenschwert für sie geopfert hatte, bissen sie sich auf die Lippen und wagten keine Fragen zu stellen.

Noch später, als wir schon weit weg waren, trug der Wind das jaulende Geheul der Kriegerinnen hinter uns her. In die Augen der Männer trat wieder Angst, dass die Frauen uns verfolgen könnten, aber als ich nicht darauf reagierte, beruhigten sie sich wieder.

Nein, es kamen keine rachedurstigen Amazonen mehr hinter uns her. Ich wusste, was geschehen war, und sagte nichts, ich blieb in mich gekehrt und versuchte, so gut es ging, mich gegen den eisigen Wind zu schützen, bis wir eine felsige Hochebene erreichten, die dicht mit Kieferngebüsch und weißen Birken bewachsen war und über die wir das verschneite Grasmeer endlich verlassen konnten. Die Sonne am bleigrauen Himmel sah aus wie ein Tropfen aus flüssigem Metall.

Vor uns lag, allerdings noch verborgen in der eisigen, glitzernden Marsch, der mächtige Tanais-Strom, wie die Skythen einst den Don nannten. Den Don hinunterzufahren war einst der Traum jedes jungen Mannes gewesen, es galt als ein kaum zu überbietendes Abenteuer. Doch in Wirklichkeit war eine Fahrt auf dem Don alles andere als eine Vergnügungsreise, was denn auch auf vielen Gedenksteinen nachzulesen war, die von trauernden Hinterbliebenen in der Heimat aufgestellt wurden.

Ich sah mich nach Klepp Spaki um, eine dunkle, vor Kälte zitternde Gestalt. Wir würden nicht einmal einen Gedenkstein haben, denn wir hatten mit ihm den geschicktesten Runenschneider mitgenommen und der würde wahrscheinlich auch hier sterben.

Ich kniff die Augen zusammen, die bei dem grellen Licht tränten. Wenn es schon mich so stark beeinträchtigte, war es kein Wunder, dass Kvasirs Auge noch stärker darunter litt, und ich verfluchte mich dafür, dass ich die Anzeichen dafür nicht früher bemerkt hatte.

Weiter südlich, kurz bevor der Donez, der schwarze Bruder des Dons, sich ihm zugesellt und wo beide Flüsse sich in einem Gewirr aus tausend schlammigen Wasserläufen verästeln, lag Biela Viezha, das chasarische Sarkel. Wir waren nahe genug an der Stadt, um den Rauch ihrer Feuer zu sehen, und vor diesem Hintergrund kam eine einzelne dunkle Gestalt auf uns zugeritten.

»Scheint allein zu sein«, sagte Finnlaith. »Soll ich schießen, wenn er in Reichweite kommt?«

»Soll Fisch ihn sich angeln«, meinte Onund, was mit grimmigem Gelächter quittiert wurde.

»Hier können wir uns nirgendwo verstecken«, sagte ich, »also hat er uns gesehen, genau wie wir ihn. Aber habt ihr den Eindruck, dass ihn das beunruhigt?«

»Das können wir leicht ändern«, sagte Finn, doch er rührte sich nicht. Einen Augenblick standen wir still, dann sagte der kleine Eldgrim: »Es ist kalt hier.«

»Ich weiß«, sagte Thordis leise. »Aber von jetzt an wird es immer wärmer werden.«

Ich sah ihn mir an, die trüben und etwas desorientierten wasserblauen Augen in dem narbigen Gesicht – er war eingewickelt in Umhänge und Tuniken, die er von allen Seiten bekommen hatte, weil die Männer ihn als eine Art

Talisman für uns alle betrachteten. Als Thordis ihm die zerfetzte alte Tunika vom Leib gezogen hatte, hatte sie scharf die Luft eingezogen und uns seinen nackten Rücken gezeigt. Ich war zurückgewichen; der Rücken war mit teils schwarzen, teils noch rohen Wunden bedeckt, halb verheilte Verbrennungen, die ihm mit einem kleinen Christenkreuz zugefügt worden waren und die zusammen ein einziges großes Kreuz bildeten, am Rückgrat entlang und quer über beide Schulterblätter. Jetzt wurde mir klar, wie Martin die Erinnerungen aus dem verwirrten Kopf des kleinen Eldgrim ans Tageslicht befördert hatte.

»Wenn mir dieser Mönch jemals wieder über den Weg laufen sollte«, hatte Thordis gesagt, »dann würde ich gern ein paar Worte mit ihm reden.«

Sie versuchte, noch mehr wollene Tücher um Eldgrims Kopf zu wickeln, und er brummte unwillig.

»Hör auf, an mir rumzufummeln, Frau«, knurrte er zitternd, »am Kopf ist mir warm genug.«

Er sah mich hilflos an.

»Ich habe Dorschbeißer irgendwo verloren«, sagte er mit ratlosem Gesicht. »Runen«, sagte er.

»Wir haben Dorschbeißer gefunden«, sagte ich, und er nickte lächelnd. Dann fragte er: »Wo sind Einar und die anderen … nein, warte … die sind tot. Orm … tut mir leid, ich …«

Er verstummte und runzelte die Stirn. »Lambisson. Dieser dreckige kleine Mönch … Er hat mich gequält, der Lump. Immer wieder hat er mich nach Runen gefragt und Silber …«

Wieder unterbrach er sich, und man hörte ein Schluchzen, das klang wie das Wimmern eines Kindes. Thordis schlug ihren Umhang um ihn, und ich empfand Schmerz und ohnmächtige Wut.

»Was machen wir jetzt?«, wollte Gisur wissen. »Gehen wir zum Grab zurück? Was ist mit dem Silber?«

Wir würden nie mehr zum Grab zurückgehen, und das Silber hatte man uns genommen, aber das sagte ich nicht, und auch nicht, woher ich es wusste. Mir war, als hätte ich etwas Wichtiges vergessen, das ich dort im Schnee zurückgelassen hatte – aber es war nur das Schwert. Es war ein Teil von mir gewesen, und ich vermisste es. Ich spürte den Verlust noch lange, es war, als habe man mir einen Arm oder ein Bein abgeschnitten, aber wenn ich das Lächeln in den Augen des kleinen Eldgrim sah, dann bereute ich den Tausch nicht.

»Kvasir und Thorgunna«, sagte ich. Gisur schüttelte sorgenvoll den Kopf.

»Sobald wir einen befreit haben, verlieren wir zwei andere«, sagte er, und sein grimmiges Gesicht erzählte den Rest; hier irgendwo waren unsere Gefährten, und sie waren auf unsere Hilfe angewiesen. Doch es gab Wagenladungen mit Silber, und das gehörte den Eingeschworenen.

Der Reiter kam näher, und plötzlich sagte Finn: »Morut.«

Der chasarische Fährtensucher kam auf seinem unverwüstlichen Pony angetrabt und führte ein zweites am Zügel, ein kleines, zähes Tier mit struppiger Mähne. Er blieb in einiger Entfernung stehen und wartete, bis wir ihn erreicht hatten.

»Heya, kleiner Mann«, brummte Finn, und Morut nickte zurück, unsicher, wie wir ihn empfangen würden. Da er ganz offen auf uns zugeritten war, wollte ich ihn anhören.

»Der Prinz ist in Sarkel«, berichtete er. »Na ja, nicht direkt *in* Sarkel. Der Prinz von Nowgorod darf sich nicht innerhalb der Festung aufhalten, deshalb wohnt er in der Stadt. Er ist unten am Fluss, wo er Schiffe beschafft und die Wagen entladen lässt.«

»Hältst du es für wahrscheinlich, dass die Festung Wladimir noch aufnimmt?«, fragte ich. Morut schüttelte den Kopf und spitzte die aufgeplatzten Lippen, die er jetzt eingefettet hatte.

»Er hat Avraham hingeschickt, um sie zu überreden, aber ich glaube, er plant genau das Gegenteil – zwei Tagesmärsche von hier sind nämlich Männer aus Kiew unterwegs, die von Sveinald und seinem Sohn angeführt werden. Sie wären schon längst hier, aber zwischen ihnen und Sarkel ist der Fluss wieder zugefroren, also mussten sie ihre Schiffe verlassen und zu Fuß weitermarschieren.«

Das war eine wichtige Neuigkeit – aber ich fragte mich, woher Morut es wusste. Der kleine Fährtensucher zuckte die Schultern. »Tien war dabei. Sie hatten in ihren großen, schweren Schiffen nur zwei Pferde mitgebracht. Sie schickten Tien auf einem davon nach Sarkel, um Neuigkeiten in Erfahrung zu bringen, und wir trafen uns nicht weit hinter der Brücke am Wehrgraben.«

Tien. Ich verfluchte ihn, denn mir war klar, dass er, sobald wir im Weißen Nichts verschwunden waren, nach Kiew geeilt war und alles erzählt hatte.

»Ja«, bestätigte Morut, »aber in Kiew wusste man es bereits, denn dieser Mönch Martin war plötzlich halb tot aus der Wildnis aufgetaucht. Er erzählte ihnen alles, und sie retteten ihm dafür das Leben, aber er hat einen Fuß verloren, der ist ihm erfroren.«

Martin. Finn schüttelte knurrend den Kopf. »Hättest du ihn bloß damals in Birka umgebracht, als du die Möglichkeit dazu hattest, Orm«, sagte er.

Dieser Tag lag so weit zurück, dass er kaum mehr war als ein Atemhauch auf poliertem Stahl.

»Und was ist mit Tien?«, fragte Gyrth. Eine gute Frage, an die ich selbst hätte denken müssen. Morut sah mich an, dann Onund, dann wieder mich.

»Nun, ihr wisst ja«, sagte er langsam, »wir waren nie Freunde, und als er mir alles erzählt hatte, was ich wissen wollte, habe ich ihm seine Beleidigungen heimgezahlt. Das hier war einmal sein Pferd.«

Niemand sagte etwas, doch alle sahen den Fährtensucher mit neuem Respekt an. Ich war zu sehr mit dem Gedanken an Sveinald und seinen Sohn beschäftigt, die noch nichts wussten, außer dass Tien, ihr Fährtensucher, noch nicht zurückgekehrt war. Sie gingen zu Fuß und mussten sich durch Eis und Schnee kämpfen – also blieb uns noch etwas Zeit.

»Avraham hofft darauf, die Garnison von Sarkel in seine Hand zu bekommen, um gegen alle Fremden vorzugehen«, fuhr Morut schlecht gelaunt fort. »Ich halte das für eine sehr dumme Idee, denn die Garnison ist heutzutage ebenso sehr slawisch wie chasarisch, und alle nennen sie jetzt Biela Viezha. Avraham ist total verblendet und träumt noch von ihrer einstigen Größe. Am Ende wird er in der Garnison noch von dem Silber erzählen und sie damit überzeugen.«

Diese Vermutung hatten Dobrynja und Sigurd sicher auch. Sie würden versuchen, so schnell wie möglich zu verschwinden, ehe sowohl die Garnison von Biela Viezha als auch Sveinalds Druschina aus Kiew von der Ladung Silber etwas erfuhren.

»Warum erzählst du uns das alles, kleiner Mann?«, fragte Hauk Schnellsegler im selben Moment, als ich diese Frage auch stellen wollte.

Morut dachte nach und runzelte die Stirn.

»Prinz Wladimir hat weder mir noch Avraham gesagt, dass er geplant hatte, dass ihr in die Hände der *oior pata* fallt, um euch euren Anteil des Silbers zu stehlen«, antwortete er. »Das ist eines Prinzen einfach unwürdig, und das sagte ich Avraham auch. Doch dem war es egal, seiner Meinung nach seid ihr ungläubige Heiden und verdient das, was Gott euch auferlegt.«

»Diesem aufgeblasenen Kerl werde ich noch mal die Luft rauslassen«, versprach Finn.

»Und du bist nicht dieser Meinung?«, fragte ich, und Morut schüttelte den Kopf.

»Es ging mich nichts an«, erwiderte er ehrlich und sah mich an. »Ich fand, ein Streit um einen solchen Berg von Schätzen war ziemlich dumm, denn es ist so viel da, dass alle genug bekommen.«

»Richtig«, sagte ich, »und jetzt bist du hier. Wer hat dich also geschickt, Wladimir oder sein Onkel?«

»Niemand außer Gott. Oder vielleicht Allah, ich habe mich noch nicht entschieden, wem ich folgen werde. Der Prinz weiß nicht, dass ich weg bin, und auch sonst niemand. Ich wollte nur sehen, ob die *oior pata* euch getötet haben – aber es sieht so aus, als hättet ihr sie gezähmt.«

In seiner Stimme schwang Bewunderung mit – aber dann umwölkte sich seine Stirn wieder.

»Um ehrlich zu sein, ich fand es schlimm, dass sie den Blinden getötet haben, und auch, wie sie mit seiner Frau umgegangen sind.«

Thordis konnte nicht aufhören zu weinen, selbst als Finn unbeholfen seinen Arm um sie legte. Eldgrim tätschelte sie, als sei sie ein Hund oder ein kleines Kind, und murmelte leise vor sich hin, obwohl er nicht recht verstand, warum ihr hier draußen in der kalten Steppe das Herz brechen wollte.

Sonst sprach niemand; der Verlust von Kvasir traf die Eingeschworenen schwer. Als Morut fertigerzählt hatte, war es gespenstisch still.

Kvasir hatte sie eingeholt, gerade als der Zug aus Pferden und Wagen die Brücke über den Wehrgraben bei Biela Viezha erreicht hatte. Hier war nichts weiter als ein einfacher Palisadenzaun, der gerade ausreichte, um hungrige Wölfe von den Jurten fernzuhalten, denn dies war das Lager des Steppenvolks, das mit Ziegen, mit langhaarigen zweihöckrigen Kamelen, mit Pferden und Hunden hierherkam, um im Schutz der hohen weißen Festungsmauern zu überwintern.

Morut hatte gesehen, dass Kvasir angekommen war, und hatte beobachtet, wie er mit leeren Händen, die er nach beiden Seiten ausgestreckt hielt, zu Wladimir, Dobrynja und Sigurd gebracht wurde, wo er knapp außer Reichweite ihrer Schwerter stehen blieb.

»Ich hatte den Eindruck«, sagte Morut, als wir in einem Birkenhain standen, wo der Wind mit den dürren Zweigen spielte, »dass er von dem Jungen sprach, von Jon, denn der wurde auch gebracht, und sie schienen miteinander zu streiten.«

»Er wollte Jon Asanes zurückholen«, sagte ich. Morut zuckte die Schultern.

»Der Junge war kein Gefangener. Er war aus eigenen Stücken mit uns gekommen, er alberte mit Krähenbein herum und sprach davon, dass er mit seinem Anteil des Silbers in die Große Stadt gehen wollte.«

Das hatte ich lange vermutet, aber jetzt, wo es mir bestätigt wurde, durchfuhr es mich wie ein Messer. Finn knurrte ärgerlich und schüttelte den Kopf, aber ich wusste nicht, ob aus Zweifel an Moruts Geschichte oder aus Abscheu über Jons Verhalten.

»Dann stand Kveldulf auf und sagte etwas«, fuhr Morut fort. »Es gab einen Wortwechsel, und Dobrynja sagte zu Kvasir, er solle verschwinden, das hörte ich ganz genau, denn ich war näher herangetreten. Jon Asanes beschwor Kvasir ebenfalls, zu gehen, ehe die Sache eskalierte.

Kvasir sagte zu Jon Asanes, es würde Orm das Herz brechen, wenn er nicht mitkäme, und Kveldulf fing davon an, es sei wohl am besten, wenn Kvasir ebenfalls für immer dabliebe. Dafür verpasste Kvasir Kveldulf einen solchen Faustschlag, dass er krachend zu Boden ging. Und er sagte zu Kveldulf, er solle gefälligst das Maul halten, wenn Männer ernsthafte Gespräche führten.«

»Heya«, warf Finn bewundernd ein. Mir wurde übel, weil ich wusste, was jetzt kommen würde.

»Kveldulf sprang auf, er war außer sich«, fuhr Morut fort, »er zog sein Schwert, und sie gingen aufeinander los. Wladimir ermahnte sie, sofort aufzuhören, Dobrynja fluchte, und Sigurd rief nach der Druschina, sie sollten kommen und die beiden trennen. Aber es war auch klar, dass Kvasir kaum etwas sehen konnte, also brauchte Kveldulf sich nicht groß anzustrengen, er tötete ihn mit einem einzigen Hieb zwischen Hals und Schulter.«

Finn stöhnte laut auf, und die anderen rutschten herum und stöhnten ebenfalls, als hätte dieser Hieb ihnen selbst gegolten.

Wir saßen da wie betäubt, und ich brachte kaum die nächste Frage heraus. »Und dann?«

Morut runzelte die Stirn. »Na ja, Kvasir lag da in seinem Blut, und Dobrynja seufzte und sagte, das wär 's wohl, aber Sigurds Gesicht war wie versteinert, er schüttelte den Kopf und meinte, sie würden jetzt bestimmt alle großen Ärger bekommen.«

»Womit er völlig recht hat«, brachte Finn mühsam heraus. Er ballte die Fäuste und umklammerte seinen Godi so fest, dass seine wunden Stellen wieder aufplatzten und zu bluten anfingen.

Morut sah unbehaglich in die Runde, und ich merkte, dass er den Rest der Geschichte am liebsten nicht erzählt hätte. Er sah mich an, schluckte mühsam und nickte.

»Kveldulf kniete sich neben Kvasir hin, der noch nicht ganz tot war, und sagte zu ihm: ›Ich bin also ein Stein, ja?‹, was ich nicht verstand. Dann zog er sein langes Messer …«

Morut unterbrach sich und sah in mein regloses Gesicht. Aber ich konnte es ihm nicht ersparen, er musste die Geschichte beenden.

»Er stach ihm die Augen aus.«

Finn wurde ganz still, was ich nicht erwartet hatte. Hauk sprang auf und fing an zu fluchen; der rote Njal schlug heulend auf den vereisten Boden, bis seine Fäuste bluteten, während der kleine Eldgrim wimmerte, obwohl er nicht genau wusste, warum – aber Finn blieb kalt und reglos wie ein Fels. Als ich seine Schulter berührte, merkte ich, dass er zitterte wie ein Pferd vor einem Kampf.

»Was passierte mit Thorgunna?«, fragte ich, und Morut nickte trübsinnig.

»Sie ließen seine Leiche draußen in der Steppe liegen«, sagte er, »und Kveldulf nahm die Augen und steckte sie in einen Beutel, den er am Gürtel trug, und sagte, Finns anderes Ohr würde irgendwann auch noch dazukommen und er würde, wenn es Thor gefiele, im Laufe der Zeit vielleicht einen ganz neuen Menschen aus den Einzelteilen der Eingeschworenen zusammensetzen.«

Er sah mich nachdenklich an. »Dann sagte er, der letzte Teil würde dein Kopf sein«, schloss er vorsichtig.

»Was ist mit Thorgunna?«, fragte ich wieder; ich hatte bei dieser Geschichte über Kveldulfs dumme Prahlerei kaum zugehört.

Morut sah in die wütend blitzenden Augen in unserer Runde und fragte sich wahrscheinlich, ob er sich mit seiner Erzählung nicht womöglich sein eigenes Grab schaufelte.

»Wir waren erst ein paar Stunden am Flussufer«, sagte er, »suchten uns Schiffe und fingen an, sie zu beladen, als Thorgunna ankam. Wir wussten natürlich, wer sie war, und sie ging sofort zu Wladimir und kniete vor ihm und bat ihn um die Augen ihres Mannes, also war klar, dass sie ihn schon gefunden und auch erfahren hatte, was passiert war. Der Prinz sah nicht sehr glücklich aus und sagte, es tue ihm leid, was geschehen war, denn das Töten eines Eingeschworenen sei nicht in seinem Sinn gewesen. Thorgunna wiederholte nur ihre Bitte, und der Prinz sah aus wie ein Hund, der gleich eine Tracht Prügel erwartet, denn um ihre Bitte zu erfüllen, musste er Kveldulf einen Befehl erteilen – was er auch tat. Kveldulf war ziemlich erbost darüber, konnte aber nichts weiter machen, als Thorgunna den Beutel auszuhändigen, was er äußerst widerwillig tat.«

Morut schwieg und sah in unsere grimmigen Gesichter.

»Erzähl weiter«, befahl ich.

Morut schüttelte traurig den Kopf. »Vielleicht wäre es besser, wenn ich …«

»Heraus damit!« Finns Stimme war wie eine Ohrfeige, und Morut fuhr zusammen, dann nickte er.

»Thorgunna sah Kveldulf furchtlos an, den Beutel in der Hand. Dann beugte sie sich vor und sagte etwas zu ihm, was ich nicht hören konnte – aber er wurde blass vor Zorn und schlug sie ins Gesicht.«

Wieder gerieten alle in Aufruhr. Gyrth schwang seine Langaxt und hieb fluchend auf den gefrorenen Boden. Doch Finn blieb ruhig und sah nur einmal kurz hinüber zu Thordis, die noch immer weinte.

»Sie fiel zu Boden, und er trat sie in den Bauch, ehe Sigurd ihn wegzerren konnte und ihn hinausstieß. Ich sah, wie Jon Asanes zu Thorgunna ging, um ihr aufzuhelfen, und sie sagte etwas zu ihm, worauf er ebenfalls blass wurde und erstarrte, als ob man ihn geschlagen hätte. Sie stand allein auf, aber dann krümmte sie sich vor Schmerzen und fiel wieder hin; sie blutete und sagte nichts mehr.«

»Ist sie tot?«, wollte Bjaelfi wissen.

Morut schüttelte den Kopf. »Nein. Sie trugen sie auf ein Boot, das an Land liegt. Der kleine Krähenbein ist sich aber sicher, dass sie ihr Kind verloren hat. Er weinte, denn er sagte, das habe er bei seiner Mutter auch schon erlebt und er sei sicher, dass es derselbe Mann war, der es ihr angetan hatte.«

Es war still geworden, langsam wurde es dunkel. Wir saßen da wie gelähmt, kaum fähig, einen Gedanken zu fassen. Schließlich machte Morut Feuer, und das Licht und die Wärme brachten uns langsam wieder in die Gegenwart zurück, als hätten wir alle geschlafen.

Unnütz zu fragen, was als Nächstes passieren sollte; die kalte Wut hatte uns alle gepackt wie ein Nebel von Hel, der das Feuer flackern lässt. Thordis sprach aus, was wir alle dachten.

»Odins Geschenk«, zischte sie. »Wie konnten wir uns nur einbilden, dass ausgerechnet wir dem Fluch von Fafners Silber entgehen würden?«

»Wir bringen sie alle um!«, heulte Hlenni mit wutverzerrtem Gesicht. Der rote Njal aber legte ihm beruhigend die Hand auf den Arm.

»Ein Feuer, das nur noch Asche ist, musst du nicht mehr löschen«, sagte er. Und leiser fügte er hinzu: »Wie meine Großmutter immer sagte.«

Ich musste an meinen Traum denken, in dem Odin mir gesagt hatte, der Einäugige würde mir ein Opfer abverlangen; etwas, das mir lieb und teuer sei. Wie mit allen Versprechungen dieses Verwandlungskünstlers war es nie das, was man vermutete; der Einäugige war nicht Odin, sondern Kvasir gewesen, und das Opfer war er selbst gewesen.

Bis zu diesem Augenblick hatte ich nicht gewusst, wie sehr ich Allvater Odin hasste. Ich hasste ihn mit einem kalten, grausamen Hass, als wir Moruts Feuer austraten und wie jagende Wölfe über die Steppe trabten, die unter dem silbernen Mond glitzerte, als sei sie mit Schätzen übersät. Ich hasste ihn, als wir unter Moruts Führung Kvasirs Leiche fanden, um die Thorgunna sorgsam ihren blutigen Umhang geschlagen hatte.

Ich konnte nicht – wagte nicht – in das augenlose Gesicht meines Freundes zu blicken. Wir wickelten ihn fest ein und verschnürten ihn, dann zogen wir ihn hinter uns her wie ein Bündel alter Felle. Niemand beklagte sich über die zusätzliche Last, denn wir hätten es nicht übers Herz gebracht, ihn als Beute für die Wölfe zurückzulassen.

Als sich blass und frostig der Morgen ankündigte, hockten wir, noch immer fassungslos über Kvasirs Tod, in einem Gehölz aus Bäumen und dichtem Gebüsch nicht weit von der Wehrgrabenbrücke. Auf der anderen Seite der Brücke war das Dorf mit seinen Jurten, den gemauerten Häusern und umzäunten Höfen. Vereinzelt sah man ein schwaches Licht, und das leise Stimmengewirr wurde hier und da von Hundegebell oder dem Meckern einer Ziege unterbrochen.

Rechts von uns erhoben sich die mächtigen weißen Festungsmauern von Biela Viezha mit ihren flackernden Feuern, die uns zeigten, wo die Wachtposten saßen.

Ich schickte Morut vor, ich musste wissen, wohin man Thorgunna gebracht hatte und wo die Schiffe waren.

»Du hast bestimmt schon einen klugen Plan«, sagte Gisur. Finn knurrte nur und zog seinen Nagel aus dem Stiefel. Er kannte meinen klugen Plan, und als ich ihn erklärte, rieb Gisur nur seinen struppigen Bart und runzelte die Stirn. Doch nachdem er und ein paar von den anderen ihre Meinung zum Besten gegeben hatten, wurde uns klar, dass mein Plan – ob er nun klug war oder nicht – der einzig mögliche war.

Also warteten wir. Das Tageslicht kroch langsam herauf, konnte sich aber gegen den frostigen Dunst über dem Wasser noch nicht durchsetzen. Es wurde wenig gesprochen, nur ab und zu hörte man ein Brummen, während die Männer Riemen festzurrten und ihre Kettenhemden zurechtrückten. Sie besaßen nur noch das, was sie am Leib trugen oder in Händen hielten, alles andere war von Wladimir mitgenommen worden.

Doch mehr brauchten sie im Moment auch nicht, und als Morut zurückkam, hatte auch ich alles, was ich brauchte. Ich sah meine Männer an und suchte nach den passenden Worten, aber meine Kehle war wie zugeschnürt. Also sah ich nur auf das eingewickelte Bündel am Boden, dann sah ich die beiden Männer an, die es ziehen würden, und sie verstanden. Die Augen der anderen blitzten wild entschlossen.

»Heya«, brummte Finn leise und steckte seinen Nagel in den Mund. Dann brachen wir auf und schlüpften blitzschnell und leise wie ein Wolfsrudel im Morgendunst über die Brücke.

Nachdem ich Morut erklärt hatte, was ich zu tun gedachte, hatte er ganz richtig bemerkt, dass es eigentlich gar kein richtiger Plan sei. Wir würden schnell und überraschend angreifen, denn wir konnten uns hinter Zäunen und Zelten gut verstecken, die uns zwar schützten, andererseits aber nicht genug Platz für einen Schildwall bieten würden. Wir würden alles töten, was sich uns in den Weg stellte, dann Thorgunna herausholen, uns ein Schiff nehmen und wie wild rudern, um das Gewirr aus Wasserläufen zu erreichen, die alle zum Asowschen Meer führten.

»Einfach und brutal – aber ein richtiger Plan sieht anders aus«, sagte Morut kopfschüttelnd.

»Ich find 's gut«, widersprach Finn trotzig.

»Was meine Meinung nur bestätigt«, erwiderte Morut.

Wir rannten zwischen den Häusern und Jurten hindurch, sprangen über geflochtene Weidenzäune, erschreckten Pferde, sodass sie auseinanderstoben, hieben hier und da auf eine Ziege ein und stapften durch den aufgewühlten Morast aus Erde und Mist.

Die Festung von Sarkel, die Weiße Burg, stand blass und undeutlich in der Ferne, wie ein riesiger Eisberg in einer schwarzen See. Rundherum Jurten, ein paar Steinhäuser, Einfriedungen mit windschiefen Zäunen, dazu die festen Rahmenzelte von Flussschiffern, die hier überwinterten. Irgendwo am Fluss musste auch Wladimir mit seiner Mannschaft fröstelnd auf das Tageslicht warten, um die Schiffe zu beladen und zu verschwinden, ehe man sich in der Garnison geeinigt hatte, was man mit ihnen machen wollte.

Wir waren ein Rudel Wölfe auf der Jagd, aber wir wollten keine Hühner fangen. Wir hatten es auf die Hunde abgesehen.

Meine Aufmerksamkeit war so sehr von Thordis und dem kleinen Eldgrim in Anspruch genommen, weil ich sehen wollte, ob sie auch wirklich in die richtige Richtung gingen, wo nicht gekämpft werden würde, dass ich in eine Herde nervöser Pferde geriet und mir einen Weg durch die Tiere bahnen musste, um die beiden nicht aus den Augen zu verlieren.

Plötzlich stieß ein übermütiges Pony mich mit dem Hinterteil, und ich wurde mit Wucht gegen eine Jurte geworfen. Ich hörte es im Gestänge krachen, und innen entstand ein Tumult. Licht flammte auf, der Vorhang an der Türöffnung wurde zur Seite geschoben, und eine dunkle Gestalt überschüttete mich mit Beschimpfungen. Ich fluchte, und die Frau spuckte nach mir; aber als ich ihr zeigte, was ich in der Hand hatte, stieß sie einen Angstschrei aus und verschwand im Inneren.

Ich war von den anderen getrennt worden. Ich kniff angestrengt die Augen zusammen und rannte weiter, ehe andere Jurtenbewohner womöglich mit Waffen erschienen. Dann hörte ich ein Wolfsgeheul, das ich gut kannte: Finn hatte unsere Feinde entdeckt.

Kurz darauf hatte auch ich das Feuer erreicht, um das sich Wladimir und seine Männer gedrängt hatten. Etwas weiter hinten lag etwas Dunkles, was sich bei näherem Hinsehen als der unglückliche Wachhabende der Druschina entpuppte, voll bewaffnet, aber tot.

Die Männer kämpften und keuchten, Funken stoben, es hagelte Hiebe und Flüche. Aus dem heulenden Gewirr löste sich eine Gestalt und kam auf mich zu – ich wusste nicht, ob er näher kam, um mich anzugreifen, oder ob er nur das Pech hatte, mir bei der Flucht in die Arme zu laufen, aber mir war es egal. Ich traf ihn, als er eine Armlänge von mir entfernt war, mit einem schweren Hieb aus der Rückhand, sodass die Klinge meiner Axt ihm in die Leistenbeuge drang und er brüllend zu Boden ging. Als er sich mit trommelnden Fersen am Boden wand, sah ich ihn mir näher an; ich kannte ihn nicht, also war es einer unserer Feinde. Ich seufzte erleichtert auf, und als ich ihn mit einem Hieb in den Hals erledigte, schwor ich mir, in Zukunft aufmerksamer zu sein.

Ich wandte mich wieder dem Kampf zu, der ums Feuer

herum brandete, als ich Ref Steinsson hörte: »Pass auf, der Große dort …«

Ich passte auf und sah ihn, einen großen, muskulösen Slawen mit dem Gesicht eines Jungen, dem noch kaum ein Bart spross, er kam aus dem Feuerschein direkt auf mich zu, das Schwert hoch erhoben und mit lautem Gebrüll, genau wie sein bester Freund es ihn wahrscheinlich gelehrt hatte.

Sein bester Freund lag vermutlich mit durchschnittener Kehle hier zu meinen Füßen – und wenn er gekonnt hätte, hätte er diesem jungen Riesen sicher geraten, das Schwert tiefer zu halten und es nicht ganz so wild zu schwingen.

Ich trat zur Seite, als die breite Klinge herabsauste, dabei drehte ich mich blitzschnell um, und meine Axt traf ihn mit solcher Wucht am unteren Ende des Rückens, dass ich sein Rückgrat krachen hörte und mein Gleichgewicht verlor. Er fiel mit lautem Schrei, ich beeilte mich in panischer Angst, wieder auf die Füße zu kommen, denn schon sah ich wieder jemanden auf mich zukommen. Ich schwang die Axt, von der die Blutstropfen flogen.

»Ich bin 's – Finn! Und pass auf, was du da mit deinem Hackebeil machst, Orm.«

Er grinste wie eine Bärenfalle, aber seine Augen waren wachsam. Ich hatte mich geduckt, doch jetzt reckte ich mich hoch auf und grüßte ihn, indem ich mit der Axt winkte.

»Ihr seid jetzt einigermaßen in Sicherheit und könnt zu den Schiffen gehen.«

»Zu spät«, sagte Finn. »Die anderen haben sich nur zurückgezogen und uns den Weg zum Ufer abgeschnitten.«

Etwa zwanzig Schritt von uns entfernt standen die Eingeschworenen mit höhnischem Geschrei Wladimirs Männern gegenüber und schwangen die Waffen. Die Druschina waren in der Dunkelheit nichts weiter als ein paar Gestalten mit blassen Gesichtern. Doch hinter ihnen war der Fluss mit den Schiffen, mit denen wir entkommen wollten – aber bisher hatten wir weder Thorgunna gefunden noch wussten wir, wie wir zu den Schiffen gelangen konnten.

»Wir sind erledigt«, hörte ich eine resignierte Stimme.

»Quatsch«, brüllte Finn und ließ seinen Eisennagel durch die Luft wirbeln. »Wir sind noch lange nicht geschlagen.«

Diese Feststellung überzeugte niemanden, denn es würde nicht lange dauern, bis Dobrynja seinen Männern wieder Mut gemacht hatte und sie merkten, dass von uns nur noch eine Handvoll übrig war. Dann würden sie auf uns losgehen, egal ob wir nun die berühmten Eingeschworenen waren oder nicht. Ich sah schon, wie die Männer sich wieder aufreckten, mit den Schultern rollten und ihre Amulette berührten, denn es war sehr wahrscheinlich, dass sie hier sterben würden.

In dem Moment kam Gisur angerannt und hinter ihm, wie ein schwerfälliger Tanzbär, Gyrth.

»Wir haben Thorgunna gefunden!«, schrie er und zeigte mit dem Finger in die Richtung, aus der er gekommen war.

Auf dem oberen Rand des langen, vereisten Abhangs, der sich bis zum Fluss hinabzog und nicht so weit entfernt, als dass man es mit einem entschlossenen Trab nicht erreichen könnte, thronte ein Strug-Boot auf einem Gestell aus hölzernen Kufen. Packen und Bündel lagen daneben, bereit zum Einladen, doch vorerst sollte sie leicht genug bleiben, um den Abhang hinunter ins Wasser zu gleiten. Ihre Besatzung hatte sich wohlweislich aus dem Staub gemacht, nachdem bewaffnete Männer aufgetaucht waren, und Wladimir hatte es für ein gutes Versteck für Kvasirs kranke Frau gehalten.

Es war ein so merkwürdiger Anblick, als sei uns ein Fisch auf einem Pferd erschienen, dieses Schiff am Berghang, aber wir rannten darauf zu und stolperten und rutschten über den Schnee. Hinter uns waren die vereisten Rundhölzer aufgestapelt, die man braucht, um im Sommer die Schiffe zwischen Wolga und Don über Land zu befördern, und dahinter die Festung, dieser Koloss, der mit Licht und Lärm zum Leben erwacht war.

Die Männer kletterten an Bord, und die Haltetaue, die das Schlittengestell hielten, ächzten und knarrten, als wollten sie jeden Moment reißen.

»Thorgunna?«, schrie ich, und die Männer antworteten mir. Ich zog mich hoch, und Gisur führte mich dorthin, wo sie lag, in Pelze gewickelt und blass. Ihre Augen waren offen, und sie brachte ein Lächeln zustande, wobei ihr eine glänzende Träne über die Wange rollte. Thordis fiel neben ihr auf die Knie, und die beiden schluchzten, vor Freude und Trauer gleichermaßen, wie mir schien.

»Wir haben ihn mitgebracht«, sagte ich verlegen, als die Männer das starre, blutige Bündel an Bord hievten, das einst Kvasir gewesen war. »Wir reisen heim.«

»Was ist mit dem Silber?«, wollte Gisur wissen, und sein Bart bebte.

»Wir müssen zurückgehen und es holen, nach allem, was passiert ist«, sagte auch Hauk entschlossen.

»Zurückgehen und holen«, wiederholte der kleine Eldgrim, dann schüttelte er den Kopf. »Wohin zurückgehen? Gegen wen kämpfen wir jetzt?«

Hinter den Leichen, die noch immer dort draußen zwischen den Feuern lagen, hörte man Rufe und das unverkennbare Geräusch von Ketten und quietschenden Scharnieren, als in der Festungsmauer ein schweres Tor geöffnet wurde.

»Es gibt kein Silber und keine Grabkammer mehr«, sagte ich. »Nur einen rachedurstigen jungen Prinzen und eine nervöse Garnison. Wenn wir Glück haben, gehen die beiden aufeinander los, und wir können entkommen.«

»Wir kriegen doch dieses Schiff nie rechtzeitig ins Wasser«, murmelte Gisur, als die Männer sich an den steif gefrorenen Tauen zu schaffen machten.

»Ich muss jetzt gehen«, rief Morut von unten. Ich sprang vom Schiff und trat zu ihm.

»Komm doch mit uns«, sagte ich, denn ich hatte den kleinen Mann gern und bewunderte sein Wisssen über Pferde.

Er schüttelte grinsend den Kopf.

»Wie? Soll ich vielleicht den Rest meines Lebens Schiffe über die Steppe ziehen, von Fluss zu Fluss? Außerdem kann es sein, dass dieser Blödmann Avraham beschließt, sich auf die Seite der Festung zu schlagen, und ich will nicht gegen ihn kämpfen. Wenn ihr ihn findet, versucht zu vermeiden, ihn umzubringen.« Er sah mich an, dann fügte er hinzu: »Und außerdem, wie könnte ich mein wunderbares Pferd zurücklassen?«

Ich lachte, dann zog ich den Armreif hervor, den ich dem toten Kvasir abgenommen hatte.

»Wie versprochen«, sagte ich. »Und für Kvasir finde ich ein noch wertvolleres Geschenk, mit dem ich ihn begrabe.«

Morut fing den Armreif geschickt auf und drückte ihn ans Herz, ehe er ihn in seiner Tunika verschwinden ließ.

»Gute Reise«, sagte ich, und er winkte kurz, dann verschwand er im Dunst. Im selben Moment sah ich, dass die Reiter aus der Festung auf uns zugeritten kamen.

»Kappt die Taue!«, schrie Finn, und die Männer, die bisher versucht hatten, die vereisten Pflöcke aus der Erde zu schlagen, hielten inne und griffen nach ihren Klingen. »Durchschlagen, ihr Hundesöhne!«

Sie hieben und fluchten; und einer von ihnen – ich konnte nicht sehen, wer es war – drehte sich gurgelnd um die eigene Achse und fiel, von einem Pfeil im Hals getroffen.

Im selben Moment kam ein Reiter, der sein widerwilliges Pferd mit den Fersen bearbeitete, aus der Dunkelheit gerast. Hauk, der mit einem zu stumpfen Schwert eins der Taue durchschlagen wollte, fuhr herum und traf das Pferd an den Vorderbeinen, die wie Zweige brachen. Ein Schneegestöber wirbelte auf, als es unter schrillem Gewieher zu Boden ging, das die Schmerzensschreie des Reiters übertönte. Er war unter dem Pferd eingeklemmt und bemühte sich, freizukommen, bis Hauks Schwert auf sein Gesicht niedersauste.

Die Strug schwankte, und in panischer Furcht sprangen einige Männer an Bord, obwohl wir anderen noch alle Hände voll zu tun hatten. Gyrth sprang von Bord und eilte uns zu Hilfe; Hauk drehte sich gerade um, als ein weiterer Reiter aus der Dunkelheit auftauchte und ich feststellen musste, dass wir umstellt waren.

»Geh an Bord!«, schrie ich Hauk zu und schwang meine Axt, um anzudeuten, was ich vorhatte. Er zögerte kurz, dann sprang er an der Bordwand hoch, bekam den Rand mit seiner freien Hand zu fassen, und die anderen zogen ihn hinauf.

Gyrth sah mich an und fletschte seine gelben Zähne. Er musste gewusst haben, dass er nicht wieder an Bord kommen würde – vorher waren vier Männer nötig gewesen, um ihn hochzuziehen. Er drehte sich um wie ein Wirbelsturm aus fliegendem Fell und brüllte in die Dunkelheit, den Kopf zurückgelegt, die Arme ausgestreckt, in der Hand die große Axt.

»Orm!«, brüllte Finn, aber ich hackte auf das Tau ein,

das nach nur zwei Hieben nachgab; die Strug schwankte stärker und legte sich leicht auf die Seite. Jetzt hing sie nur noch an einem einzigen Tau, und ich sah, wie es zuckte und sich dehnte.

Ein Pfeil zischte über meine Stiefel und schlitterte durch den Schnee, ein weiterer fiel mir vor die Füße, und ich fühlte den Luftzug eines dritten an meiner Wange, als ich mich umdrehte, um das letzte Tau zu durchschlagen.

Ein Pferd kam im Dunkeln angestolpert, in seinen wilden Augen sah man fast nur das Weiße, die Nüstern gebläht. Sein Reiter stieß einen lauten Triumphschrei aus und hieb mit seinem Krummschwert nach mir, aber ich hatte mich bereits seitwärts zu Boden geworfen und holte mit der Axt aus.

Mit lautem Schmerzensschrei bäumte das Pferd sich auf, ein Vorderbein war zerschmettert, und der Reiter fiel aus dem Sattel und landete im aufstiebenden Schnee. Ich ging mit erhobener Axt auf ihn los und ließ sie so entschlossen niedersausen, dass ich mein Handgelenk erst im letzten Augenblick und nur mit äußerster Anstrengung drehen konnte. Die Klinge grub sich dicht vor dem kreideweißen Gesicht in den Boden, doch sie hatte eine der Flechten auf seiner Stirn mitgenommen.

»Dafür kannst du dich bei Morut bedanken«, knurrte ich Avraham an, der mit offenem Mund dalag. Ich zog die Axt heraus, wobei ein Hagel von kleinen Eisstückchen auf ihn niederging. Dann versetzte ich ihm mit dem stumpfen Ende einen Schlag zwischen die Augen.

»Orm!«

Finns Brüllen kam im letzten Moment; die Reiter waren schon fast bei uns, und ich sah in Gyrths schiefes, grinsendes Gesicht.

»Heya!«, schrie er, hob seine Langaxt und ließ sie auf

das Schiffstau fallen, das mit einem kleinen Eishagel abriss. Ich lag halb auf einem Knie, als die Strug ächzte und sich in Bewegung setzte, ein großes, schweres Tier auf hölzernen Kufen; das Eis splitterte und krachte, als sie durch ihr eigenes Gewicht anfing, den Hang hinunterzugleiten.

Plötzlich tauchte Gyrths Gesicht dicht neben meinem auf, so dicht, dass ich seinen stinkenden Atem und seine wilden Augen wahrnahm, die mich anstarrten.

»Spring«, sagte er, dann war er weg und stürzte sich in die Menge der Reiter. Ein Pfeil traf ihn, doch der schien nicht viel mehr auszurichten als ein Holzsplitter im Finger. Ich sah, wie er die Zügel eines Pferdes ergriff und es fast in die Knie zwang, dann schmetterte er den Kopf der Axt ins Gesicht des Reiters. Das Pferd kämpfte und versuchte, sich zu befreien, doch Gyrth rammte seinen eigenen Kopf mit dem Helm gegen die Blesse des Tieres, sodass es mit einem Grunzen in die Knie ging und die Augen verdrehte.

Immer mehr Reiter kamen aus der Dunkelheit, und ich hörte, wie er ihnen seinen Namen entgegenbrüllte. »Steinnbrodir! Hier ist Steinnbrodir!«

»Orm, du Vollidiot – das Tau!«

Finns Schrei brachte mich zur Besinnung, und die Welt drehte sich wieder. Das Tau, das über den Boden schleifte, glitt weg, und ich bekam es gerade noch mit der linken Hand zu fassen. Es war vereist und rutschte mir durch die wenigen Finger, die ich an dieser Hand hatte, also ließ ich die Axt fallen und ergriff es mit der anderen Hand.

Der Ruck ließ meine Muskeln vor Schmerz aufschreien, aber jetzt hielt ich es mit beiden Händen fest, und in einem Wirbel aus Sternen und Schneegestöber wurde ich von dem hüpfenden und krachenden Schiff, das sich auf seinen hölzernen Kufen benahm wie ein bockendes Pferd, den Hang hinuntergezogen. Einer von Wladimirs

Druschina kam in seinem langen Kettenhemd angerannt, um uns anzugreifen, doch die Strug, die immer schneller wurde, machte einen Satz, und er wurde mit gebrochenen Knochen zur Seite geschleudert.

Dann gab es einen lauten Knall, und alle möglichen Sachen flogen durch die Luft; doch ich hielt fest, ich war wie verloren in diesem Chaos aus Eis und Schmerzen. Mit dem letzten Rest meines Wahrnehmungsvermögens sah ich das hölzerne Gestell hinter mir splittern und davonfliegen, und Wladimirs Männer, die noch immer hinter uns her waren, wichen erschrocken zurück.

Die Strug schoss weiter, überwand den Rest des Ufers – und glitt schließlich in den dunklen Fluss.

Ich verlor das Seil aus den Händen. Ich war hochgerissen worden, und einen kurzen Moment hatte ich das wunderbare Gefühl zu fliegen, wobei ich den klaren Sternenhimmel über mir sah – gefolgt vom Schock des kalten Wassers, so kalt, dass meine Haut brannte. Ich ging unter und drehte mich in der eiskalten Dunkelheit, kam einmal hoch und sah, wie sich die Strug von mir entfernte, während die Männer schrien und brüllten und versuchten, sie anzuhalten – dann versank ich wieder, und die Welt war nur noch ein dumpfes Rauschen in meinen Ohren.

Schließlich waren es Hlenni Brimill und Onund, die mich retteten. Der eine entdeckte mich, und der andere sprang ins Wasser wie ein Walrossbulle, ergriff mich und brachte mich an die Oberfläche.

Als ich die Augen öffnete, lag ich an Deck, triefend und zitternd, voll blauer Flecke und mit Handflächen, die nur noch aus rohem Fleisch zu bestehen schienen. Hlenni rieb mich so kräftig ab, dass er mich fast erdrückte, aber unter seinen Händen kehrte wieder Leben in meinen Körper zurück. Ganz in der Nähe machte der rote Njal dasselbe mit Onund, der unter seinem Umhang zitterte, aber trotzdem ein Grinsen zustande brachte und herüberwinkte. Ich nickte zähneklappernd, ich wusste, was ich ihm schuldete.

»Rudert, ihr Hundesöhne!«, brüllte Gisur, als die Pfeile pfiffen und auf Holz trafen – doch das Geschrei zeigte uns, dass Wladimirs Männer jetzt in dem allgemeinen Chaos und in der Dunkelheit gegen die Garnison von Sarkel kämpften.

Sie ruderten, die Hundesöhne, so schnell sie konnten und vor Anstrengung keuchend. Im Moment waren sie viel zu sehr damit beschäftigt, um daran zu denken, was sie verloren und gewonnen hatten; sie merkten lediglich, dass die Pfeile blind abgeschossen wurden und uns nicht mehr trafen.

Später, als die Ruderer stöhnend innehielten, um wieder zu Atem zu kommen, zog Klepp Spaki Bilanz. Wir hatten sowohl Katli Björnsson als auch seinen Bruder Vigo in diesem Kampf verloren, und ich wusste, sie ließen eine Mutter zurück, die allein um sie weinen würde.

Und Gyrth. Finn erzählte mit unbewegtem Gesicht, dass er noch wie ein riesiger Felsbrocken einen weiteren Reiter überrollt hatte und dann verschwunden war. In meinem Kopf hörte ich ihn noch immer brüllen: *Hier ist Steinnbrodir.*

»Und was ist nun Odins Geschenk bei dieser ganzen Sache?«, fragte Klepp bitter, während ich zitternd dasaß und ihm nicht sagen wollte, dass es wirklich ein Geschenk war, wie der Einäugige seine Hand über uns gehalten hatte. Denn wenn er es nicht getan hätte, wären wir jetzt alle tot.

Thordis entdeckte den Rest von Odins zweischneidigem Geschenk, als sie sich zusammen mit Bjaelfi um Thorgunna kümmerte. Sie lag, ähnlich wie wir Fisch vorgefunden hatten, auf einem Haufen unordentlich hingeworfener Pelze – die einen Berg hastig eingesackter Münzen, Armreifen, zerbeulter Teller und verbogener Schmuckstücke bedeckten, all die kleinen Gegenstände, die auf mindestens einem der Wagen gewesen waren. Ein Vermögen, das zusammen mit Thorgunna gut versteckt worden war und mich jetzt anklagend anfunkelte. Der kleine Wladimir würde über den Verlust außer sich sein.

Ich starrte noch immer auf diese Schätze und fragte mich, ob Wladimir sich damit abfinden oder mit dem Fuß aufstampfen und uns verfolgen würde, als Fisch den Rest unseres Wyrd ans Licht beförderte, während sich alle Männer, die noch bei Kräften waren, in der Mitte des Flusses in die Riemen legten.

»Und wem gehört das hier?«, fragte er und kam herangehinkt, nachdem er das Schiff nach etwas Essbarem und wärmerer Kleidung abgesucht hatte. Er hatte eine grauweiße Gestalt beim Genick gepackt und hielt sie hoch wie ein Kaninchen.

Uns allen blieb beinahe das Herz stehen, die Männer wurden blass, und ich stöhnte auf. Das Silber war schon schlimm genug, aber das hier war nun wirklich ein Grund, uns mit aller Kraft nachzujagen.

»Ich wollte doch Thorgunna nicht allein lassen«, sagte Krähenbein und sah mich mit tränennassem Gesicht an. »Sie war immer gut zu mir.«

KAPITEL 18

Es dauerte eine ganze Weile, bis es den wenigen Überlebenden der Eingeschworenen dämmerte, wie es um uns stand. Wir hatten also doch etwas von dem Silber ergattert, und darüber herrschte großer Jubel – aber wir hatten jetzt auch Krähenbein am Hals, und seinetwegen würde man uns verfolgen. Die Männer unterhielten sich schon wieder leise murmelnd über Fafners Fluch.

Wir waren noch neunzehn Mann – den hinkenden Fisch mitgezählt –, und mit dieser Mannschaft mussten wir den stillen, träge fließenden Don hinunter zum Asowschen Meer rudern. Das war keine leichte Aufgabe. Die Strug war ein Boot, für das auf jeder Seite fünfzehn Ruderer vorgesehen waren, also waren wir unterbesetzt, wie immer. Das Boot war aus einem einzigen Baumstamm gemacht, aus einer Eiche so groß wie neun Mann, und durch eine Weidenbeplankung verstärkt, obwohl wir einige dieser Planken bei unserer halsbrecherischen Schlittenfahrt verloren hatten. Es war zwei Mann breit und mit Dollen für die Ruder versehen, die äußere Beplankung hatte am Freibord die Höhe eines stehenden Kriegers.

Große Bündel trockenen Reets, jedes Bündel so dick wie ein kleines Fass und mit Bändern aus Linden- oder Kirschholz zusammengehalten, waren außen an der Beplankung befestigt. Sie machten das ganze Schiff so gut wie unsinkbar, selbst wenn es voll Wasser laufen sollte. Das war praktisch, denn wir hatten kein nennenswertes

Deck und hätten nur wenige Männer zum Ausschöpfen gehabt.

Es hatte auch ein ganz passables Segel, was darauf schließen ließ, dass das Boot auch in tieferem Wasser fuhr, vielleicht entlang der Küste des Asowschen oder sogar des Schwarzen Meeres, was gut in unsere Pläne passte. Gisur machte uns jedoch darauf aufmerksam, dass Mast und Segel nur für schönes Wetter geeignet waren; wenn es stürmte, war es besser zu rudern.

Schließlich hatten die Schiffbauer schwere Rippen und Querstücke eingebaut und, wo nötig, mit Pech verschmiert, auch gab es an jedem Ende ein Steuerruder, denn die ganze Angelegenheit war so lang und wäre auf einem Fluss so schwerfällig zu drehen gewesen, dass es einfacher war, einfach umgekehrt zu rudern, um in die andere Richtung zu fahren.

Und genau das war das Problem. Es war ein leichtes Boot – leicht, damit es mit voll besetzer Mannschaft von einem Fluss zum anderen gezogen werden konnte –, aber mit einer viel zu kleinen Besatzung wie der unseren und mit Odins verfluchtem Silber an Bord war es so beweglich wie ein Mühlstein. Natürlich würde es nicht sinken, aber mit unserer kümmerlichen Besatzung rührte es sich kaum vom Fleck, und wir hielten zweimal den Atem an, als es über unsichtbare Sandbänke knirschte oder nicht gewillt war, sich einen Weg durch das träge, halb gefrorene Eis zu bahnen.

Bald würde auch die Zeit kommen, wenn die Ruderer sich andersherum setzen und bis ans Ende ihrer Kräfte arbeiten mussten, um das Ungetüm um die engeren Flussbiegungen herumzumanövrieren.

Ich wusste noch vom letzten Mal, als ich hier war, dass der Fluss sich teilte, ehe er das Asowsche Meer erreichte.

Der südliche Arm war gerade, übersichtlich und kurz, der nördliche hingegen wand sich und war wesentlich länger, doch er teilte sich nochmals und bot deshalb eine weitere Möglichkeit, Verfolger abzuschütteln. Beide Ufer waren gesäumt mit hohem Schilf.

Ich kannte die südliche Strecke, und Hauk, Finn, Hlenni, Brimill und der rote Njal, mit denen ich damals zusammen war, waren sich einig, dass dies der bessere Weg sei, vorausgesetzt, wir hätten keine Verfolger hinter uns, ehe wir an die erste Gabelung kamen. Selbst der kleine Eldgrim erinnerte sich in einem klaren Moment daran, dass er schon einmal hier gewesen war.

»Wir sind schließlich nur noch dieser kleine Haufen«, sagte der rote Njal und sah in die Runde, als wir kurz Pause machten, um etwas von dem alten Brot zu kauen, das wir an Bord gefunden hatten. Niemand sagte etwas, denn er hatte recht, und es war eine schwere Entscheidung. Es waren nur sieben übrig von der ursprünglichen Mannschaft der Eingeschworenen, die schon bei Einar dem Schwarzen dabei gewesen waren, als ich dazustieß. Die Männer blickten auf die verschnürten Bündel – Kvasir und die Brüder Björnsson, die wir mit an Bord hatten, um sie irgendwo anständig zu begraben. Finn seufzte, und Thordis, die gerade zu Thorgunna ging, strich sich nachdenklich eine Haarsträhne aus dem Gesicht.

Über dem schwarzen Wasser lag Nebel, und das Eis stieß an unsere Strug, als wir so dasaßen, reich wie Könige, und uns an trockenem Brot und kaltem Flusswasser labten und jeder an seinen Teil des Silbers dachte – und an seinen Teil des Fluches, der darauf lag.

Und doch würden wir Odins Gabe nicht preisgeben, ohne zu kämpfen.

»Wir müssen anlegen und Feuer machen«, erklärte

Bjaelfi, der zu uns trat, um sich die tiefe Schnittwunde in Ref Steinssons Arm anzusehen.

»Nein«, sagte ich, »es sei denn, du sehnst dich nach einem Kampf mit Wladimirs Slawen.«

»Thorgunna muss richtig versorgt werden«, fügte Thordis hinzu. »Dazu brauchen wir heißes Wasser und etwas Zeit.«

Damit löste sie einen ziemlich schweren Seegang bei mir aus, aber ich steuerte dagegen, trotz ihres finsteren Gesichts.

»Wir können nicht anhalten. Bjaelfi soll einfach tun, was er kann.«

»Das habe ich schon«, sagte der Heiler mürrisch und durchwühlte einen der Beutel an seinem Gürtel. »Thordis hat recht.«

Er unterbrach sich, öffnete ein kleines Fläschchen und tröpfelte etwas von dem Inhalt in die Wunde auf Refs Arm; der Schmied wurde blass und biss sich auf die Lippen, dass sie bluteten, während Bjaelfi die Wunde mit einem Lappen verband, der Holzkohle und heilende Runen enthielt.

»Ein Saft aus zerdrückten Ameisen«, sagte Bjaelfi und schlug Ref herzhaft auf die Schulter. »Das und die Runen von Klepp. Der macht nie einen Fehler, das wird die Fäulnis verhindern.«

Ref brummte traurig vor sich hin. Er hatte seine Seekiste und sämtliches Werkzeug verloren, das er zum Teil selbst angefertigt hatte. Dagegen zählte der mögliche Verlust eines Armes fast gar nichts.

»Sie wird sterben«, sagte Thordis mit Überzeugung und sah mich an, bis ihre Augen meine kalte Vernunft durchdrungen und mein Herz erreicht hatten. Endlich nickte ich.

»Es war einmal ein Mann …«, piepste eine Stimme, aber noch ehe sie ein weiteres Wort hervorbringen konnte, hörte man ein lautes Klatschen, und Krähenbein flog Hals über Kopf rückwärts und landete in einer Gruppe von Ruderern, die ihn laut protestierend wegschubsten.

Krähenbein rappelte sich auf und rieb sich das Ohr, dann hüllte er sich wieder in seinen weißen Pelz ein. Seine Augen füllten sich mit Tränen, vermutlich eher aus verletztem Stolz als vor Schmerz. Thordis ging zu ihm und warf Finn einen strafenden Blick zu.

»Jetzt nicht, Junge«, knurrte Finn und blies auf seine verschorften Fingerknöchel, die wieder aufgesprungen waren. Hauk Schnellsegler lachte und schüttelte den Kopf über Finns Kühnheit.

»Hel wird sich das nicht bieten lassen«, sagte Onund ruhig, »und wenn dieser ungewöhnliche junge Mann es sich jetzt in den Kopf setzt, dich mit einem Zauberfluch zu belegen, dann hast du es wegen dieser Ohrfeige verdient. Mir jedenfalls gefallen seine Geschichten.«

»Er soll verrecken«, knurrte Finn. »Ich musste gerade wieder daran denken, wie wir überhaupt in diese Situation gekommen sind – das haben wir doch nur seinem Übereifer mit der Axt zu verdanken. Und seine Geschichten sind immer wie diese Zitronenfrucht aus Serkland, die so süß aussehen, bei denen sich einem aber alles zusammenzieht, wenn man sie isst. Außerdem – könnte ich noch mehr verflucht sein, als ich es ohnehin schon bin?«

Die Männer, die diesen letzten Satz gehört hatten, stöhnten auf, schüttelten die Köpfe und berührten ihre Talismane und Amulette – trotz ihrer Bewunderung für diesen Mann, der in Serkland Zitronenfrüchte gekostet hatte. Dies war in der Tat kein Thema, über das man sprach, wenn die Möglichkeit bestand, dass die Götter zuhörten.

Die Großmutter vom roten Njal hatte natürlich auch dazu etwas zu sagen.

»Wenn du die Götter flüstern hörst, schleudere deinen Speer nach ihrem Atem«, sagte er.

Kurz darauf glitten wir um die nächste Biegung dieses schwarzen Flusses, der wie betrunken hin und her torkelte, und dann sahen wir in der Ferne Rauch. Wir hielten auf diese grauen Fahnen zu, doch zunächst mussten wir eine weitere Biegung meistern, in der wir die schwerfällige Strug fast rückwärts rudern mussten, so scharf war die Kurve, dann sahen wir einen Sandstrand, hinter dem sich, etwas erhöht, einige Jurten befanden.

Ich stand im Bug der Strug und hob beide Hände, um zu zeigen, dass ich unbewaffnet war, und ich musste aufpassen, dass ich das Gleichgewicht nicht verlor; doch die Bewohner der kleinen Siedlung liefen mit lautem Geschrei davon. Hinter mir verborgen stand allerdings Fisch, der vorsorglich den Pfeil an die Sehne gelegt hatte.

Wir näherten uns langsam, wir wollten das Boot nicht an den Strand ziehen, denn Gisur hatte zu bedenken gegeben, dass wir sie im Ernstfall nicht schnell genug wieder ins Wasser bekommen würden. Also wateten Finnlaith und Hauk mit Leinen an Land und machten sie fest, und allmählich kamen die Bewohner vorsichtig näher.

Es waren Chasaren, die mit ihren Herden hier überwinterten. Als sie sahen, dass das, was in unseren Händen blitzte, Silber war und keine Waffen, vergaßen sie ihr Misstrauen, und wir konnten Thorgunna an Land bringen und in eine der Jurten tragen, deren Wohnlichkeit mich überraschte. Und fast genauso überraschend war die Tatsache, dass ich mit Münzen bezahlte, auf denen der Kopf eines gewissen Valentin war, der einst über das mächtige Rom geherrscht hatte.

Wir blieben den ganzen Tag und die Nacht, umgeben von einer Behaglichkeit, die wir fast vergessen hatten: dem

Anblick trocknender Zöpfe von Knoblauch und Zwiebeln, gerupfter Enten und gehäuteter Hasen, dem Geruch nach verbranntem Haar und versengten Federn, dem Knurren von Hunden, die sich um Abfälle balgten.

An diesem Abend hielt Klepp Spaki stolz eine Laus zwischen den Fingern und erklärte, wenn er wieder Läuse habe, wisse er auch, dass er noch am Leben sei.

Wir kannten keine Sprache, die diese Chasaren verstanden hätten, obwohl wir zusammen über Griechisch, Latein, unser Nordisch, ein wenig serkländisches Arabisch und sogar ein paar Brocken von der Sprache der Kriwitschen und der Tschuden verfügten. Diese Chasaren hatten ihre eigene Sprache, von der einige glaubten, es sei dieselbe, die Attila vor langer Zeit gesprochen hatte, die aber niemand von uns kannte. Sie sprachen auch die Sprache der Juden, aber davon kannten wir nur die derben Flüche, die wir von Morut gelernt hatten.

Trotzdem ist der Handel eine Sprache, die alle verstehen, also hatten wir bald etwas zu essen und sogar etwas grünen Wein, auf den Finn sich sofort stürzte, doch vor allem erfuhren wir, dass das Eis in der Mitte des Asowschen Meeres angefangen hatte zu schmelzen, denn es war vollkommen zugefroren gewesen. Das bedeutete, dass es dort jetzt eine Strömung gab, die das Eis am engsten Teil aufgebrochen hatte, dort, wo es ins Schwarze Meer übergeht.

»Also kommen wir dort auch hinaus«, strahlte Gisur, der sich einiges Wissen darüber angeeignet hatte. »Jetzt können wir hinfahren, wo du willst, Jarl Orm.«

Onund räusperte sich vernehmlich. »Solange wir nahe genug an der Küste bleiben – damit wir notfalls schwimmen können. Ich habe nicht allzu viel Vertrauen in diesen schwimmenden Baumstamm.«

Am nächsten Morgen scheuchte ich alle frühzeitig auf,

und wir beluden unser Boot mit Vorräten. In der Nacht hatten wir die Brüder Björnsson begraben. Wir hatten sie unter den Augen der Chasaren noch einmal neu eingehüllt, damit sie sahen, dass wir ihnen keine wertvollen Gegenstände mitgaben und dass es sich nicht lohnte, die Gräber zu schänden. Wir hatten sie ohne Waffen oder Armreifen begraben, aber ich hatte öffentlich das Versprechen gegeben, ihren Anteil an dem Silber ihrer Mutter zukommen zu lassen, und hoffte, ihre Folgegeister würden damit zufrieden sein.

Doch Kvasir war noch immer bei uns, ich wusste nicht, wo er seine letzte Ruhestätte finden würde. Bis Ostgotland würden wir ihn nicht mitnehmen können, aber darüber hatte Thorgunna auch ein Wort mitzureden, und die war noch immer leichenblass und schlief, als wir sie in den geschützten Bug des Schiffes zurücktrugen.

Wir stießen ab und fuhren hinaus in die Mitte des Flusses, während die Kinder des Dorfes am Ufer hin und her rannten und lachend mit Stöcken nach uns warfen, während ihre Eltern uns freundlich hinterherwinkten.

Langsam und keuchend vor Anstrengung brachten wir das Boot um die Biegung und setzten unsere Reise auf dem schwarzen Fluss fort. Die Riemen pflügten durch den dünnen Brei aus Eiswasser, und am Ufer verdichtete sich das Gestrüpp aus Birken und Weiden. Ich wartete, bis die Rauchfahnen des chasarischen Dorfes verschwunden waren, dann wandte ich mich um und fiel beinahe über Krähenbein, der über meine Schulter gestarrt hatte.

»Was ist?«, fragte ich, denn ich dachte, er habe Finns Ohrfeige noch immer nicht verschmerzt. »Ärgere dich nicht zu sehr über Finn; eigentlich hat er dich ganz gern, aber er braust halt leicht auf …«

»Nein«, sagte er und sah noch immer über meine Schulter, »daran denke ich gar nicht mehr – obwohl ich eines Tages dafür Wergeld von ihm verlangen werde. Nein, ich beobachte die Vögel.«

Ich drehte mich um und spähte in den tief hängenden Nebel. Über uns flogen Enten in Pfeilformation.

»Es ist gut, wieder Vögel zu sehen«, pflichtete ich ihm bei. »Der Winter verliert seine Kraft.«

»Die Enten sind sehr mager«, sagte er, »fast wie die gerupften Vögel, die wir in dem Dorf gesehen haben. Aber jetzt, wo das Eis aufgebrochen ist, fressen sie wie verrückt.«

Ich runzelte die Stirn, ich erinnerte mich an die mageren Enten, verstand aber nicht, warum ihm das wichtig war. Er sah mich mit seinen ernsten zweifarbigen Augen an.

»Warum fliegen hungrige Enten dann aber hoch über dem Wasser?«

Ich brauchte einige Sekunden, bis mir die Antwort einfiel, und als ich sie wusste, fing mein Herz an zu rasen, dass ich dachte, es würde mir die Brust zerreißen. Alle erschraken, als ich plötzlich einen Satz machte und sie anschrie.

»Rudert, ihr Hundesöhne – rudert!«

Wir waren zu wenige, und es war zu spät. Die langen schwarzen Formen glitten näher heran; sie kamen von dort, wo sie die fressenden Enten aufgescheucht hatten, und schienen förmlich hinter uns herzufliegen, an Bord Wladimir und bewaffnete Krieger seiner Druschina.

Zwei Schiffe. Mir sank das Herz in die Stiefel. Eins wäre schon genug gewesen. Schließlich befahl ich meiner Mannschaft, die Ruder einzuziehen, worauf sie hastig anfingen, Waffen und Kettenhemden hervorzukramen, noch ehe sie recht zu Atem gekommen waren.

»Das dürfte ein aufregender Tag werden«, knurrte Finn, der neben mir in den Bug kletterte.

Vielleicht unser letzter, dachte ich, als ich meine einzige

Waffe umklammerte – eine Zimmermannsaxt, die ich an Bord gefunden hatte. Sie brauchten nichts weiter zu tun, als sich zurückzulehnen und zu warten, bis die Slawen uns mit ihren Bogen niedergeschossen hatten; die Hälfte von uns hatte keine Schilde mehr, und wir hatten nur noch einen Bogen und eine Handvoll Pfeile.

Die Boote kamen näher, im Bug des einen standen Dobrynja und der kleine Wladimir, im anderen waren Sigurd Axtbiss und ein merkwürdiges Geschöpf, halb Mensch, halb Tier, das mir eine Gänsehaut bereitete, bis ich merkte, es war Kveldulf, der sich einen Wolfspelz um die Schultern gelegt hatte und eine Maske über dem Helm trug.

»Das trifft sich gut«, murmelte Finn, »mit dem hatte ich ohnehin noch ein Hühnchen zu rufen.«

»Ist er wirklich ein Nachtwolf?«, fragte Ref ängstlich.

»Wenn er tatsächlich einer ist und seine Gestalt verändern kann«, erwiderte Onund verächtlich, »dann haben wir nicht viel zu befürchten, denn es ist ja heller Tag.«

Sie kamen näher. Jetzt waren sie nur noch zwei Bootslängen entfernt, sie ruderten rückwärts, und das Boot hielt an. Träge trieben wir nebeneinander her, wobei wir uns fast unmerklich drehten.

»Gebt uns Prinz Olaf zurück und den Schatz, den ihr gestohlen habt«, hörte ich Wladimirs schrille Stimme. Mir kam es aber so vor, als sei das nicht wirklich das, was er wollte; sondern er versuchte nur, nahe genug an uns heranzukommen, um seinen kleinen Speer schleudern zu können und uns mit seinem Schlachtruf *Idu na vy* bis auf den letzten Mann abzuschlachten. Was ihn davon abhielt war …

Krähenbein. Der schob sich zwischen Finn und mir hindurch und stand offen für jeden Pfeil im Bug, was es den anderen unmöglich machte, auch nur zu versuchen, auf uns zu schießen. Ich legte ihm die Hand auf die Schulter: Denn trotz seines unheimlichen Seidr, trotz allem, was er uns eingebrockt hatte – ich mochte den Jungen und wollte nicht, dass ihm etwas passierte.

Einen Moment sah er zu mir hoch, dann wandte er sich wieder nach vorn und hielt die Hände an den Mund. »Es war einmal ein Mann«, rief er mit hoher, schriller Stimme, »nennen wir ihn Wladimir …«

»Jetzt ist nicht die Zeit für solche Scherze«, unterbrach ihn Dobrynja, und seine tiefe Stimme hallte über das Wasser.

»Wladimir musste mit seinem Schlitten einen weiten Weg zum Wald fahren, um Brennholz zu holen«, fuhr Krähenbein unbeirrt fort. Seine Stimme war wie ein Pfeil, der auf den Prinzen gerichtet war. »Da begegnete er einem Bären, der sein Pferd verlangte, sonst drohte er, bis zum Sommer alle seine Schafe zu reißen.«

»Prinz Olaf«, versuchte Dobrynja es wieder, er verstummte jedoch, als Wladimir, der aufmerksam zugehört hatte, gebieterisch die Hand hob. Das grimmige Gesicht seines Onkels glich dem von Peruns hölzernem Standbild.

Die Boote kamen sich etwas näher, damit Krähenbein nicht so zu schreien brauchte.

»Der Mann hatte die Wahl, zu erfrieren oder sich auf diesen Handel einzulassen«, fuhr Krähenbein fort. »Denn niemand sieht es gern, wenn seine Schafe gerissen werden. Er versprach, dem Bären am nächsten Tag das Pferd zu übergeben, wenn er an diesem Abend noch das Holz nach Hause bringen dürfe. Der Bär ließ sich darauf ein, und Wladimir fuhr mit seiner Ladung nach Hause, obwohl er mit diesem Handel alles andere als zufrieden war, wie man sich vorstellen kann. Da traf er einen Fuchs.«

»Jetzt reicht es!«, brüllte eine vertraute Stimme, bei der selbst die Stare am Ufer erschrocken aufstoben.

»Bist du das, Kveldulf?«, rief Finn zurück. »Ich höre mit meinem einen Ohr, dass es etwas gibt, das ich besitze und du gern hättest. Es könnte sein, dass ich dir, wenn der Junge mit seiner Geschichte fertig ist, einen Priester zum Geschenk mache.«

»Von dem Schwert habe ich gehört«, kam die gebrüllte Antwort. »Mit dem werde ich dir dein anderes Ohr abschneiden …«

»Der Fuchs«, fiel Olafs Stimme Kveldulf ins Wort, »fragte Wladimir, warum er so bedrückt sei, und der Mann erzählte ihm von seinem Handel mit dem Bären. ›Überlass mir deinen fettesten Hammel, und ich werde dich von dem Versprechen befreien, das garantiere ich dir‹, antwortete der Fuchs, und der Mann schwor ihm, es zu tun. Der Fuchs indes hatte einen klugen Plan ausgeheckt. Wenn Wladimir mit dem Pferd ankäme, würde er aus seinem Versteck heraus Lärm machen, und wenn der Bär dann fragte, was los sei, sollte der Mann sagen, da sei ein Bärenfänger mit Pfeil und Bogen.«

Als Krähenbein sich kurz unterbrach, um tief Luft zu holen, war es so still, dass man das Wasser unter dem Kiel glucksen hörte.

»Am nächsten Tag passierte genau das, was der Fuchs vorhergesagt hatte. Als der Bär von dem Jäger mit dem Bogen erfuhr, bekam er große Angst. Die Stimme im Wald fragte den Mann, ob er schon Bären in der Gegend gesehen habe. ›Sag nein!‹, bat ihn der Bär, und der Mann tat es. ›Und was ist das da neben deinem Schlitten?‹, fragte die Stimme aus dem Wald. ›Sag, es sei ein alter Baumstumpf‹, bat der Bär, und wieder tat der Mann ihm den Gefallen.«

»Die Geschichte kenne ich«, sagte der kleine Eldgrim hocherfreut hinter mir, aber alle zischten, er solle still sein, denn die Geschichte hatte uns in ihren Bann geschlagen, obwohl uns der Schweiß ausbrach bei dem Gedanken, was hinterher möglicherweise passieren könnte.

»Die Stimme im Wald sagte, solche Baumstümpfe könnte man gut auf den Schlitten rollen und als Feuerholz mitnehmen«, fuhr Krähenbein fort. »Ob Wladimir dazu Hilfe brauche? ›Sag, du kannst das allein, und rolle mich auf deinen Schlitten‹, sagte der Bär, und auch das tat der Mann. ›Binde ihn gut fest, damit er nicht herunterfällt‹, sagte die Stimme aus dem Wald. ›Brauchst du dazu Hilfe?‹ ›Sag, du kannst mich allein festbinden‹, verlangte der Bär, und der Mann band ihn fest. ›Du musst eine Axt in den Baumstumpf schlagen«, sagte die Stimme aus dem Wald, ›damit du den Schlitten auf den steilen Bergwegen ins Tal hinabsteuern kannst.‹ ›Jetzt tu schnell so, als schlügest du deine Axt in mich hinein‹, bat der Bär.«

Auch wenn die Spannung fast so spürbar war wie der Nebel um uns, mussten einige der Männer lachen, als sie ahnten, was jetzt kommen würde.

»Da nahm der Mann seine Axt«, sagte Krähenbein, »und mit einem Hieb spaltete er dem hilflosen Bären den Kopf. Dann gingen der Mann und der Fuchs heim zu Wladimirs Hof, wo Wladimir versprach, den fetten Hammel aus dem Stall zu holen. Als er wiederkam, trug er einen Sack, in dem sich etwas regte, und dem Fuchs tropfte schon das Wasser von den Lefzen, denn es war ein harter Winter gewesen. ›Jetzt gib mir, was du mir schuldig bist‹, sagte der Fuchs. Wladimir band den Sack auf, aus dem zwei rote Jagdhunde geschossen kamen. Der Fuchs sprang auf, zu geistesgegenwärtig, um sich so fangen zu lassen, aber mit bitterer Stimme rief er: ›Gut gemacht, aber schlecht bezahlt. Die schlimmsten Feinde sind die, denen du als Ehrenmänner vertraust.‹«

Wieder kehrte Stille ein, und alle schienen dem Plätschern des Wassers am Boot zu lauschen.

»Du hast dich nicht wie ein Prinz verhalten«, fuhr Krähenbein schließlich fort, und es klang wie eine Ohrfeige. »Ich bin auch ein Prinz, und meine Mutter war eine Prinzessin. Und sie hat mir Benehmen beigebracht, Prinz Wladimir. Ich hielt dich für einen Freund, genau wie Jarl Orm. Dankst du deinen Freunden so für ihre Hilfe?«

»Ich erinnere mich an deine Mutter, Junge«, brüllte Kveldulf, aber Sigurd brachte ihn mit einem kräftigen Schlag auf die Schulter zum Schweigen.

»An dich erinnere ich mich auch, Nachtwolf«, erwiderte Olaf. »Und an meine Mutter ebenfalls.« Jetzt war seine Stimme kaum noch ein Flüstern, aber sie wurde übers Wasser getragen wie das Zischen einer Schlange, und es sträubten sich mir die Nackenhaare.

»Übergib uns den Jungen«, befahl Dobrynja.

»Du hast mir gesagt, dass ich eines Tages für die Freundschaft von Prinzen dankbar sein würde«, sagte ich, und dabei lief mir der Angstschweiß den Rücken hinunter. »Aber auch diese Sache hat zwei Seiten – nämlich dass ein Prinz auch für die Freundschaft der Eingeschworenen dankbar sein könnte.«

»Ich bleibe bei Jarl Orm«, rief Krähenbein mit seiner Kinderstimme. »Bis er mich nach Groß-Nowgorod bringt, wo er sein Schiff wieder übernimmt. Wenn ihm dabei etwas zustoßen sollte, würde ich das nicht als das gute Benehmen eines Prinzen betrachten.«

Er sagte nicht, welche Konsequenzen das haben würde, und komischerweise dachte auch niemand daran, zu fragen, was ein solcher Junge dann machen würde – aber alle hatten wohl ihre eigenen Vorstellungen davon. Nur einer hatte keine Angst und brüllte seinen Ärger hinaus.

»Scheiße!«, schrie Kveldulf, und hinter ihm hörte man die Männer murmeln. Ich merkte, dass einige von seiner Bootsmannschaft zu Lambissons Männern gehörten, nämlich die, die geflohen waren und Fisch zurückgelassen hatten. Und ich fand, dies könnte eine gefährliche Mannschaft sein.

»Und kommst du dann in Nowgorod zu mir?«, wollte Wladimir wissen.

»Ich verspreche es«, erwiderte Krähenbein. »Bald wirst du Männer brauchen, die für dich kämpfen, Prinz Wladimir, wenn du Großfürst von Kiew werden möchtest. Zusammen werden wir alle deine Feinde in die Flucht schlagen. Und Jarl Orm hier ist ein größerer Schatz als alles Silber. Wenn du jetzt gegen ihn kämpfst, verlierst du auch ihn als Helfer – und es würde mich nicht wundern, wenn auch mir dann zufällig eine Klinge den Hals durchschneiden würde.«

Das war eine Voraussage, von der ich eine Gänsehaut bekam, und ich war nicht der Einzige, wie ich dem Gemurmel um mich entnahm. Kveldulf blieb ungläubig der Mund offen stehen, er war so entgeistert, dass er nichts mehr sagen konnte. Auch ich war ziemlich fassungslos; hatte dieser Neunjährige wirklich gerade behauptet, ich würde ihn töten, wenn wir angegriffen würden? Hatte er mich gerade dazu verpflichtet, Wladimir im Machtkampf gegen seine Brüder zu helfen?

Es folgte eine kurze geflüsterte Beratung, dann tönte Dobrynjas Donnerstimme übers Wasser.

»Der Prinz ist einverstanden«, verkündete er laut. »Zieh in Frieden und nimm mit, was du hast, Jarl Orm. Bring Prinz Olaf unversehrt am Ende des nächsten Sommers nach Nowgorod. Wenn nicht, wird der Prinz auf dich Jagd machen und dich und alle deine Männer an der Wolchowbrücke pfählen lassen.«

»Bei Thors Arsch, nein!«, brüllte Kveldulf, der abwechselnd rot und wieder blass geworden war. »Habe ich mich dafür halb tot gerudert?«

»Du bist dafür bezahlt worden«, schnauzte Dobrynja ihn an, »und du wirst dich fügen. Einen Pfahl kann man hier genauso leicht finden wie in Groß-Nowgorod.«

Ich würgte Finns Lachen gerade noch rechtzeitig ab, indem ich ihm meinen Ellbogen in den Bauch stieß, denn in dieser Situation hielt ich es für das Beste, bescheiden zu schweigen. Gisur befahl alle an die Riemen, und wir beeilten uns, von hier wegzukommen, nachdem noch vor ganz kurzer Zeit der sichere Tod auf uns gewartet hatte. Wir konnten unser Glück kaum fassen.

Erst viel später, als wir nach Atem ringend und schweißüberströmt wagten, eine Pause einzulegen, wurde uns unser Glück bewusst. Wir waren entkommen. Wir waren am Leben geblieben.

Finn, der so müde war, dass er seinen Mund nicht einmal mehr richtig schließen konnte, drehte sich zu Krähenbein um, den Thordis gerade mit feuchten Augen in ihren Umhang hüllte. Er tätschelte den Jungen, als sei er ein besonders gelehriges Hündchen.

»Bei Odins Arsch, kleiner Olaf«, brummte er bewundernd. »Wenn ich noch einmal über deine Geschichten schimpfe, dann erinnere mich einfach an den heutigen Tag, und ich werde sofort meinen Mund halten.«

Olaf sagte nichts, er blickte auf den Fluss hinaus. Man sah nicht viel mehr von ihm als den blonden Haarschopf, der aus Thordis' Umhang herauslugte. Nervös fuhr ich herum, aber es war nichts, und als ich Krähenbein ansah, reckte er das Kinn aus seiner Umhüllung und lächelte müde.

»Die Enten fliegen noch immer. Sie haben Angst vor den Wölfen.«

Gegen Abend war uns allen schwindelig von den vielen Biegungen des Flusses, der immer enger wurde. Durch das Dickicht am Ufer konnte man auch nicht recht erkennen, was dahinter war, doch schließlich fanden wir einen kleinen Kiesstrand, wo wir das dünne Eis durchbrachen und das Boot entladen konnten.

Krähenbeins Bemerkung über die Wölfe hatte die Runde gemacht, aber die Eingeschworenen zündeten wie zum Trotz große Feuer zum Kochen an, als ob sie den Nachtwolf herausfordern wollten. Dennoch, während Finn alles, was er an Kräutern und Gewürzen noch hatte, in die beiden umgekehrten Helme rührte, in denen wir jetzt unseren Eintopf kochen mussten, ließ ich Toke und Snorri die erste Wache übernehmen.

Es gab uns allen großen Auftrieb, als Thorgunna am Arm von Thordis ans Feuer gehumpelt kam und sich auf einem zusammengefalteten Umhang niederließ. Sie lächelte uns dankbar an, als wir ihr eine Schale von dem Eintopf gaben, von dem sie mit ihrem Hornlöffel etwas aß.

Nach einer Weile, als wir alle gegessen hatten und uns leise über alles Mögliche unterhielten, nur nicht darüber, wo wir waren und wo wir hinwollten und was wir dort mit unserem Reichtum machen würden, stellte Thorgunna ihre Schale hin und sah mich an.

»Ich möchte dir danken, dass du Kvasir mitgenommen hast«, sagte sie. »Morgen werde ich meinen Mann dem Wasser übergeben, an Ran, der bestimmt genauso in den Flüssen wie im Meer lebt. Ich traue den Menschen in dieser Gegend nicht, dass sie ihn in einem Grab in Frieden lassen würden, und jetzt, wo ich seine Augen habe und er für Walhall wieder unversehrt ist, bin ich zufrieden.«

Ihren dunklen Augen sprachen jedoch eine andere Sprache, und ich wusste, dass ihre Trauer nicht nur Kvasir galt, sondern vor allem auch dem ungeborenen Kind, das sie durch den brutalen Tritt verloren hatte.

An diesem Abend hielt Finn mir die Fackel, und ich durchsuchte den Silberschatz und fand schließlich einen Halsring, der sogar Finn einen bewundernden Pfiff entlockte. Der Ring aus solidem Silber wog mindestens zwölf Unzen und bestand aus kleinen S-förmigen Bogen, verbunden durch Rosetten, die mit roten Steinen besetzt waren, von denen die meisten noch vorhanden waren. Der Ring hatte einen sorgfältig gearbeiteten Verschluss, und Finnlaith war überzeugt, dass er irischer Herkunft war, was ich für möglich hielt.

Am Morgen, als der Nebel noch über dem Wasser lag, steckte ich den Halsring in Kvasirs Leichentücher, was Thorgunna mit dankbarem Lächeln quittierte. Sie nahm seine steifen Finger und schnitt mit ihrer kleinen Schere behutsam seine Nägel, denn jeder weiß, dass Naglfar, das Boot, das Loki befehligt, aus den Fingernägeln toter Männer gemacht wird. Es soll zu Beginn des Ragnarök die Riesen von Jotunheim nach Asgard tragen, also ist es gut, den Bau so lange wie möglich hinauszuzögern.

Dann zog sie das blutige kleine Säckchen hervor, in dem Kvasirs geschrumpfte Augen waren, und band es um sein Handgelenk, damit es nicht verloren ging. Dann beschwerten wir ihn mit Steinen und ließen ihn über die Seite des Bootes gleiten, wo er kaum Wellen verursachte, als er schnell und lautlos im Wasser versank. Ich empfahl ihn den Göttern an und hatte Mühe, meine Fassung zu bewahren.

Doch kaum hatten wir uns von diesem traurigen Moment erholt, da hob Krähenbein den Kopf und deutete mit dem Arm auf etwas.

»Der Nachtwolf ist da.«

Er kam schnell näher und hoffte, uns zu überraschen – aber wir alle trugen zu Ehren Kvasirs unsere Rüstung und hatten unsere Waffen gezogen, also brauchte ich nur an den Bug zu treten, wo Kveldulf in einem schwarzen Schiff auftauchte, begleitet von Lambissons alter Mannschaft, genau wie ich es erwartet hatte.

Er stand ebenfalls im Bug, seinen Wolfspelz um die Schultern gelegt, die bösartige Maske vor dem Gesicht, und feuerte seine Männer mit Gebrüll an, während die Riemen eintauchten und das Wasser spritzte. Er hatte zu wenige Männer, um gleichzeitig rudern und kämpfen zu können, und ich wusste, er würde bald das Rudern einstellen und sich von der Strömung tragen lassen, bis er uns erreicht hatte und seine Männer ihre Waffen ergriffen hatten. Genauso hätte ich es auch gemacht.

Finn sprang neben mir auf die Bordwand. Fisch lehnte sich weit hinaus, zielte und schoss; man hörte einen Schrei, und einer der Ruderer, der den Pfeil in den Hinterkopf bekommen hatte, fiel auf den Ruderer, der vor ihm saß. Die Ruderer auf dieser Seite kamen ins Stottern, das Boot trieb seitwärts, und Kveldulf wirbelte herum, brüllend vor Wut.

»Wieder einer am Haken, Fisch«, schrie Finnlaith, aber Fisch machte ein düsteres Gesicht.

»Das kommt mich teuer zu stehen – das war Milka, und der schuldete mir noch Geld«, schimpfte er.

Kveldulfs Leute waren noch damit beschäftigt, sich kampfbereit zu machen, als Fisch vier seiner letzten fünf Pfeile abschoss, von denen drei trafen. Bei jedem Mann, der fiel, schrie er hinüber: »Mich einfach zurücklassen, was? Das sollt ihr mir büßen! Mich einfach zurückzulassen ...«

Jetzt wusste ich, dass Kveldulf keine Bogenschützen hatte, und ich sagte Fisch, er solle aufhören zu schießen und den letzten Pfeil nur an die Sehne legen, damit sie nicht merkten, dass wir nur noch den einen hatten.

»Gut«, knurrte Finn und zog seinen Eisennagel aus dem Stiefel. »Jetzt geht es Arm gegen Arm und Klinge gegen Klinge – und wir sind schließlich die Eingeschworenen.«

Letzteres hatte er herausgebrüllt, und hinter ihm schlugen die anderen mit ihren Waffen auf die Bordkante oder was sie noch an Schilden hatten. Ich ergriff meine Zimmermannsaxt und drehte den Rücken sorglos Kveldulf zu, der brüllend und fluchend seine Mannschaft zurückbeorderte, damit sie ihren Bug näher an unseren heranbrachten. Sie waren nicht mehr als einen Speerwurf entfernt.

Sie sahen mich an, sogar Thorgunna, die zu meinen Füßen saß. Ich warnte sie, dass das nicht der sicherste Platz für sie sei, ehe ich mich wieder meiner bösartig grinsenden Mannschaft zuwandte und sie daran erinnerte, was und wer wir waren. Dann, falls irgendjemand immer noch Angst vor dem Nachtwolf haben sollte, erinnerte ich sie daran, dass wir noch nie einen Beweis für seine angeblichen Taten gesehen hätten.

»Und im Übrigen«, schloss ich, »ich bin Orm, der Töter des weißen Bären – was ist dagegen schon ein Wolf!«

Darauf folgte wieder ein ohrenbetäubendes Gebrüll, und als ich mich umdrehte, fiel mir auf, dass Kveldulfs Männer sich verunsichert ansahen. Kveldulf dagegen stand im Bug und fuchtelte mit dem Schwert, und bei diesem Anblick stieß Finn ein böses Knurren aus, tief und unheimlich.

»Kvasirs Schwert.«

Vor langer Zeit hatten wir drei Waffen nordischer Herkunft gefunden, die arabische Piraten erbeutet hatten. Ich hatte eins behalten und Finn und Kvasir ganz ähnliche gegeben, perfekte Klingen, deren Herkunftsmerkmale direkt unter der Oberfläche im Metall zu lesen waren. Man nannte sie »Vaegir« – Wellenschwerter. Finn hatte seine Klinge den »Godi« genannt, und er hatte sie noch immer. Ich hatte meine längst verloren. Kvasir war mit seiner Klinge in der Hand gestorben, und jetzt wussten wir, wer sie ihm abgenommen hatte.

»Hol es zurück«, sagte eine Stimme, und Thorgunna kroch mühsam unter die Beplankung im Bug.

»Geh ans andere Ende«, sagte ich, aber Krähenbein schob sich zwischen uns, wie er es schon einmal getan hatte, und lenkte Finn und mich ab.

»Keine Geschichten diesmal, junger Prinz«, sagte Finn ernst. »Ich glaube nicht, dass der Nachtwolf so viel Geduld mit uns hat.«

Krähenbein nickte, dann zeigte er auf das schwarze Band des Flusses, über dem der Nebel hing. »Mein Onkel kommt«, sagte er.

Da hatte er recht, wie jeder sehen konnte. Ein zweites schwarzes Schiff kam hinter Kveldulf um die Biegung des Flusses, das Klatschen der Ruderblätter hörte sich an wie die Füße eines Läufers. Im Bug, die Silbernase glänzend in der Morgensonne, die endlich durchgedrungen war, stand Sigurd, der Kveldulf mit lauten Flüchen bedachte.

Die Männer des Nachtwolfs, die nicht wussten, ob sie sitzen und rudern oder aufstehen und kämpfen sollten, befiel ein großes Unbehagen. Ich erinnerte mich an Klerkon auf dem Marktplatz von Nowgorod, als ich auf einer Seite erschien und Finn auf der anderen. *A fronte praecipitium, a tergo lupi* hatte er gesagt – vor mir der Abgrund, hinter mir Wölfe. Jetzt saß der Wolf selbst in der Falle.

Unsere Schiffe lagen jetzt sehr nahe beieinander, nicht mehr als anderthalb Mannslängen voneinander entfernt. Finn biss auf seinen Nagel und stieß ein Triumphgeheul aus, und Kveldulfs Fell sträubte sich, wie bei einem Wolf, der er ja sein wollte.

Er war mutig und stark und geschickt, dieser Kveldulf. Er wäre ein guter Gegner im Kampf gewesen, wenn man nicht immer damit hätte rechnen müssen, dass er einem in den Rücken fällt. Doch immerhin zeigte er sich als der Wolf, der zu sein er vorgab.

In voller Rüstung und mit fliegendem Fell machte er einen Satz von seinem Bug auf unseren, wobei er sich streckte, sodass sein zähnefletschender Kopf auf dem Helm wie lebendig erschien und er tatsächlich aussah wie ein richtiger Wolf, der es auf ein Schaf abgesehen hatte.

Mit der freien Hand ergriff er die kurze Stange auf unserem Bug und wirbelte herum, sodass er auf dem kleinen Halbdeck landete. Ein schwerer Stiefel traf den verblüfften Finn in die Rippen, sodass er zurücktaumelte und ein Geräusch von sich gab, wie wenn man in eine Kuh sticht, die zu viel frisches Gras gefressen hat, und die Männer um ihn auseinanderstoben wie Taflsteine.

Ich duckte mich, aber Krähenbein war im Weg; dann schwang Kveldulf sein Schwert herum, und ich schaffte es gerade noch, die Axt zu heben, sodass nur sein Schwertgriff gegen meinen Helm prallte. Ich taumelte zurück, rutschte von den Planken des Halbdecks ab und landete neben Finn wie ein Käfer, der auf dem Rücken liegt und mit den Beinen zappelt.

Mit bösartigem Grinsen ergriff Kveldulf Krähenbein am Kragen und warf den Kopf zurück, um seinen Triumph hinauszubrüllen. Mit seinem Überraschungsmanöver hatte er uns alle überrumpelt, und seine Männer beantworteten sein Geheul ihrerseits mit Geschrei und setzten jetzt alles daran, unser Schiff zu erreichen und zu entern, ehe Sigurd sie einholen und es verhindern würde.

Ich setzte mich auf, mein Kopf brummte, und mein Mund war voll Blut. Neben mir versuchte Finn verzweifelt, seinen Godi wieder in die Hand zu bekommen, und Fisch brüllte vor Wut, denn Finn war auf ihn gefallen und hatte seinen Bogen zerbrochen.

Kveldulf grinste bösartig auf uns herab, in der einen Pranke Krähenbein, Kvasirs Schwert in der anderen.

»Ein Stein bin ich also?«, donnerte er. »Na, jetzt hast du jedenfalls gesehen, wie ich kämpfe, Finn Pferdearsch. Und ihr Hornochsen von Eingeschworenen – schmeißt diese beiden hier über Bord und kommt mit mir, denn in dieser Taflpartie habe ich den Königsstein mattgesetzt.«

Er hatte recht, wir waren erledigt, aber auf jeden Fall würde ich mit der Klinge in der Hand sterben und nicht gefesselt und hilflos in diesem schwarzen Wasser versinken …

Eine Hand schob sich unmerklich hoch, Krähenbein sah sie, einer blassen Spinne gleich. Die weißen Knöchel umklammerten eine kleine, spitze Schere, wie man sie zum Haareschneiden benutzt oder um die Fransen am Ärmel einer Tunika abzuschneiden – oder die Fingernägel des toten Ehemannes.

Mit aller Kraft, die sie noch hatte, stieß Thorgunna sie tief in den Fuß, der sie getreten und ihr ungeborenes Kind getötet hatte.

Kveldulf schrie auf und wollte zurückweichen, aber Thorgunna hatte die Schere durch den Stiefel, durch seinen Fuß und in die Schiffsplanken gerammt, sodass er strauchelte und Krähenbein loslassen musste. Thorgunna fiel erschöpft aufs Deck zurück, und Krähenbein duckte sich, so tief er konnte, als Kveldulf, blind vor Wut und Schmerz, sich losriss und mit Kvasirs Schwert einen großen Bogen beschrieb, um es auf die hilflose Thorgunna niedersausen zu lassen.

Es kam wie ein Schock für Kveldulf, als Krähenbein plötzlich aufsprang, das Gesicht zu einer hasserfüllten, rachedurstigen Maske verzerrt, und wie ein Lachs hochschnellte, genau wie er es auf dem Marktplatz von Kiew schon einmal getan hatte.

»Für meine Mutter«, sagte er, nur gerade laut genug, dass die Umstehenden es hören konnten.

Auf Kveldulf musste es wie Donner gewirkt haben. Genau wie Klerkon musste auch für ihn plötzlich sein schlimmster Albtraum wahr geworden sein. Krähenbein hatte meine Zimmermannsaxt aufgehoben, und ihre scharfe Klinge musste Kveldulf in dem Moment, als sie vor seinen Augen erschien, so groß vorgekommen sein wie der Rand der Welt. Dann spaltete sie Kveldulfs zwei Gesichter, das Menschen- und das Wolfsgesicht, säuberlich und gerade mittendurch.

Einen Augenblick lang hing der Nachtwolf noch an der Klinge wie ein seltsames Einhorn, und der letzte Ausdruck in seinen brechenden Augen war fassungsloses Staunen. Das Schwert fiel ihm aus der Hand und polterte mir vor die Füße, und der Inhalt seines Schädels rann als blutige, gelblich weiße Masse über sein Gesicht. Er fiel nach hinten, klatschte aufs Wasser und verschwand.

Jetzt brach das Chaos aus. Kveldulfs Mannschaft war schon nahe genug, um bei uns an Bord zu springen – jetzt sahen sie ihren Anführer im Wasser verschwinden, tot wie ein geschlachtetes Schaf. Die Eingeschworenen drängten sich alle an die Bordwand, was die Strug zwar gefährlich aus dem Gleichgewicht brachte, sie aber so tief neigte, dass die Männer das andere Schiff mit Speeren und Klingen leicht erreichen konnten. Das schüchterte Kveldulfs Leute vollends ein, sie ergriffen ihre Ruder und ruderten in panischer Hast zurück.

Jetzt war auch Sigurd angekommen. Seine Bogenschützen schossen ihre Pfeile ab, dass es zischte wie Regen auf dem Wasser, und ein Mann nach dem anderen fiel. Einige sprangen über Bord und versuchten, ans Ufer zu schwimmen, aber auch sie wurden getroffen, bis schließlich keiner mehr übrig war.

Als die Schreie endgültig verstummt waren, trat Sigurd in den Bug und grüßte mich mit seinem Schwert, während ein paar seiner Männer auf Kveldulfs Boot sprangen, um es in Besitz zu nehmen, wobei sie alle töteten, die noch ein Lebenszeichen von sich gaben.

»Das war nicht das Werk des Prinzen«, brummte Sigurd. »Der hält sich an sein Versprechen und hat mich geschickt, damit euer Himmel nicht einstürzt, genau wie ihr es für ihn getan habt.«

»Wir sehen uns wieder, Sigurd Axtbiss«, sagte ich und nickte zum Abschied. Er nickte ebenfalls – dann zögerte er.

»Kümmere dich um den Sohn meiner Schwester. Es hat lange gedauert, bis ich ihn gefunden hatte.«

»Da ich es war, der ihn gefunden hat, ist es nicht sehr wahrscheinlich, dass ich ihn einer Gefahr aussetzen werde«, erinnerte ich ihn. Ich legte Krähenbein die Hand auf die Schulter, er zitterte noch immer, geschockt darüber, was er getan hatte. Doch nicht mehr so stark wie beim ersten Mal, stellte ich fest; das Töten wurde mit jedem Mal etwas leichter, und ich zweifelte nicht daran, dass auch dieser kleine Krähenbein eines Tages nach einer richtigen Schlacht nicht mehr zittern würde.

»Genieß das Abenteuer im fremden Land, freu dich auf die guten Sachen, die es dort zu essen gibt, und dann geht es wieder nach Hause«, hörte ich eine Stimme, und ich wusste, wer es war. Ich erinnerte mich, wie der kleine Eldgrim diese Worte gesagt hatte, um einen Jungen zu trösten, der auf Zypern von einem Pfeil verwundet wurde und fast daran zugrunde gegangen wäre. Die weiße Narbe hatte Jon Asanes bis heute auf den Rippen, aber jetzt war er fest in einen blauen Umhang gehüllt und stand hinter Sigurd.

»Heya, Ziegenjunge«, rief der kleine Eldgrim, als Jon Asanes neben Sigurd trat. »Du bist auf dem falschen Schiff!«

»Bin ich das?«, fragte Jon, aber die Antwort bekam er von Thorgunna, die, von Thordis gestützt, mühsam aufgestanden war. Sie sagte nichts, sondern spuckte nur ins Wasser; Jon stieß einen gequälten Schrei aus und ließ den Kopf hängen.

»Kein Erbarmen?«, fragte Finn leise.

Thorgunna sah ihn mit ihren schwarzen Augen an. »Erbarmen gibt es nur zwischen ihm und seinem weißen Christus«, sagte sie heiser. »Meine einzige Verpflichtung ist es, dafür zu sorgen, dass sie sich endlich treffen.« Sie hielt mir den Griff von Kvasirs Schwert hin und sah mich streng an.

Sie war so ernst, dass niemand zu sprechen wagte. Finn taten die Rippen zu sehr weh, als dass er etwas hätte sagen wollen, mir brummte immer noch der Kopf, und außerdem war mir übel.

Trotzdem blieb ich stehen; die eine Hand hatte ich locker um den Griff von Kvasirs Schwert gelegt, die andere lag auf Krähenbeins Schulter, als wir uns rudernd auf den Weg machten und seinen Onkel und Jon Asanes verließen. Thordis ging mit Finn ans andere Ende, wo er sein Kettenhemd auszog, damit sie seine Rippen begutachten konnte.

Thorgunna, jetzt allein, hielt sich an der Bordwand fest und starrte auf die Strudel im schwarzen Wasser, in dem wir Kvasir an Ran übergeben hatten.

»Wenigstens hat er ein Opfer erhalten, wie es besser

nicht sein könnte«, sagte ich zu ihr, »denn der Feind, der ihn getötet hat, liegt jetzt zu seinen Füßen.«

Sie lächelte glücklich, aber ich wusste, dass sie vor lauter Tränen nichts sehen konnte.

»Du wirst in Hestreng immer ein Zuhause haben«, fuhr ich fort, weil ich dachte, es würde ihr ein Trost sein. Mit einer schnellen Bewegung wischte sie ihre Tränen weg.

»Inzwischen hat Ingrid ihre Beine dort so fest unter dem Tisch, dass ich meine Schlüssel wohl nie zurückbekommen werde«, erwiderte sie schon wieder mit einem Funken ihres alten Temperaments, sodass ich leise lachen musste.

»Wir könnten heiraten. Dann wärst du die Herrin, und niemand könnte es dir streitig machen.«

Ich hatte es leichthin gesagt, es war mehr als Scherz gemeint, aber ich merkte, es war mir aus dem Herzen gekommen, und plötzlich schien es das einzig Richtige zu sein. Ich war davon genauso überrascht wie sie.

Sie machte den Mund auf und wieder zu, dann schnaubte sie verächtlich. »Das sagst du, nachdem du es wie toll mit dieser Aoife getrieben hast?«

»Das war damals – und außerdem ist sie nur eine Thrall.«

»Ach, und deshalb musstest du ihren Hintern mit beiden Händen festhalten?«

»Na ja, nicht direkt ...«

Ich verstummte und war mir plötzlich nicht mehr so sicher wie noch vor einem Augenblick.

»Hammel bumsen ruhiger als du«, sagte sie leise.

Ich unterdrückte ein Stöhnen. Mein Magen zog sich zusammen. »Das erwartet man von einem Jarl«, brachte ich heraus.

»Das nenne ich Pflichtgefühl! Aber meine Mutter hat mich immer gewarnt: Heirate nie einen Krieger, denn sein Herz gehört dem Wind.«

»War die Großmuter vom roten Njal zufällig eine Schwester von ihr? Aber in dieser Sache hatte sie vielleicht wirklich mal recht, und trotzdem hast du nicht auf sie gehört und Kvasir geheiratet.«

»Machst du jetzt den guten Namen meiner Mutter schlecht? Thordis und ich sollten dich gemeinsam übers Knie legen.«

»Was, dieselbe Thordis, die Kvasir zu sich hereingelassen und gegen Morgen wieder rausgelassen hat?«

Bei der Erinnerung mussten wir beide lachen. Mir war wieder etwas leichter ums Herz – doch dann wurden ihre schwarzen Augen wieder ernst, und sie sah mich an.

»Aber das lasse ich mir nicht nachsagen«, protestierte sie. »Ich habe ihn nie über Nacht bei mir behalten, ehe wir richtig verheiratet waren. Und mit dir wird es nicht anders sein.«

»Wenn ich mich richtig erinnere, haben deine Schwester und Ingrid Kvasir und mich geradezu angefleht, ihnen die Verantwortung für dich abzunehmen.«

»Das haben sie nicht getan!«

»Sauertopf haben sie dich genannt. Und Thor-Faust.«

»Alles Lügen! Das würden sie nie wagen.«

»Hast du Ingrid wirklich im Scheißhaus eingeschlossen? Und Thordis eine tote Ratte ins Bett gelegt?«

»Ich bringe sie beide um …!«

Sie verstummte und sah mich an. Der Wind blies ihr das Haar aus dem rosigen Gesicht, und ihr dicker Umhang lag eng um ihren stolzen Bug. Sie merkte, dass ich sie bewundernd ansah und errötete.

»Zu früh«, sagte sie schließlich und starrte hinaus auf die Heckwelle im schwarzen Wasser, wo Kvasir versunken war. »Aber danke für das Angebot.«

Ich lächelte. Sie lächelte auch. Ich zog sie an mich, und

sie murrte leise, denn in meiner Nervosität war ich wohl etwas grob. Doch sie stieß mich nicht weg.

»War Odins Geschenk das wirklich alles wert?«, fragte sie. Die Antwort wusste ich auch nicht.

Wir verließen den Fluss und begaben uns aufs Schwarze Meer, und einige Wochen später wurde uns auch mehr als deutlich, worin Odins Geschenk bestand, als wir in die Bucht einer kleinen Insel glitten, um unser Nachtlager aufzuschlagen. Wir waren alle schon so sehr in Gedanken in der Heimat, dass wir die drei Schiffe übersahen, die aus dem Dunst auftauchten. Onund, der mit seinem großen Buckel noch größer wirkte, wenn er über die Bordwand hing, rief uns die Warnung zu.

Leise und vorsichtig kamen sie näher, wie winterhungrige Wölfe, die einen fetten Hammel umkreisen.

»Heya«, rief Hauk, während Bogen aus der Umhüllung gezogen und Pfeile angelegt wurden – wir waren wieder gut bewaffnet. »Wer seid ihr?«

»Männer von Thrond«, hallte die Antwort über Wasser. »Im Gegensatz zu euch haben wir drei Schiffe und alle bemannt mit tapferen Männern.«

Thrond war weit genug im Norden von Norwegen, dass ich wusste, sie bevorzugten Raubzüge, doch wenn das Kräfteverhältnis ungleich war, würden sie sich als Händler ausgeben. Jetzt dachten sie, sie hätten eine reiche Beute vor sich, was man nicht leugnen konnte. Trotzdem blieb ich sitzen, das Kinn auf die Hand gestützt, und gab mir den Anschein, völlig gelassen zu bleiben, was nicht leicht ist, wenn einem die Knie schlottern.

»Wir sind die Eingeschworenen von Orm, dem Bärentöter«, rief Hauk. »Wir wollen keine Schwierigkeiten, aber wenn ihr drauf aus seid, sollt ihr sie kriegen!«

Es entstand eine lange Pause, dann fing ein Schiff an, zurückzurudern. Auf den beiden anderen war offenbar Streit ausgebrochen. Schließlich rief eine Stimme – diesmal wesentlich höflicher im Ton, wie mir schien –, dass sie näher kommen wollten, um zu sehen, ob wir wirklich die seien, für die wir uns ausgegeben hatten.

»Kommt so nahe heran, wie ihr euch traut«, schrie Finn wütend, »aber Finn Rosskopf warnt euch, außer Reichweite seiner Klinge zu bleiben!«

Darauf drehten alle drei Schiffe um und ruderten so schnell sie konnten aus der Bucht, unser Gelächter schallte hinter ihnen her. Später traf ich einen der Männer, der auf dem Hauptboot gewesen war – ein braver Mann, der auf einer Handelsknarr nach Hestreng kam, um Leder und Knochenwerkzeug zu verkaufen. Er erzählte mir, dass damals ihr schlimmster Albtraum wahr geworden sei, als sie Orm Bärentöter so ungerührt im Bug sitzen sahen, das Kinn auf der Hand, als warte er darauf, dass die Eingeschworenen ihm das Abendessen servieren.

Ich sagte ihm nicht, dass ich wie versteinert dagesessen hatte, weil ich gerade erkannt hatte, welcher Art Odins Geschenk war.

Es war Ruhm.

Der Ruhm, den er für sich selbst erwarb, denn unser Ruhm war der Ruhm des Allvaters. Die Menschen gaben den Glauben an ihren weißen Christus auf, wenn sie von uns hörten und von den Schätzen, die Odin uns gegeben hatte. Solange die Erinnerung an die Eingeschworenen lebendig blieb, konnte Odin in einem kleinen Teil des Nordens den weißen Christus noch in seine Schranken verweisen, auch wenn die Nornen die Fäden der Yngling-Könige nicht mehr weiterspannen und den neuen Christengott hereinließen.

Wir waren eine Waffe in der Hand des Einäugigen und waren es immer gewesen, genau wie Hild und Einar und alle anderen; der Silberschatz war nur der Lockvogel gewesen, der uns zum Ruhm verholfen hatte und Odins Namen zu neuen Ehren.

Und dennoch waren wir noch immer vom Glanz des Silbers geblendet. Später, als wir zu einem schnellen Morgenmahl aufstanden, hatte das tückische Glitzern die Männer schon wieder in seinen Bann geschlagen, als sie darüber lachten, wie die Männer von Thrond aufgestoben waren wie verschreckte Stare auf dem Stoppelfeld.

Wie Gisur sagte, als er die Männer wieder auf ihre Ruderbänke trieb, es war das sichere Zeichen, dass Odin seine Hand noch immer über uns hielt und dass unser Schatz nichts mit Fafner zu tun hatte und bestimmt nicht verflucht war.

»Andererseits«, sagte Ospak, »könnte es auch bedeuten, dass Odin immer noch will, dass wir auch den restlichen Schatz bekommen, der noch in Attilas Grab ist.«

Bei dem Gedanken, alle Strapazen, die wir überstanden hatten, noch einmal durchmachen zu müssen, entrang sich so manch einem ein lautes Stöhnen – doch es gab auch zustimmendes Nicken von denen, deren Gier nach Silber immer noch groß genug war, dass sie noch einmal zum Grabhügel gezogen wären. Ich aber hielt die Zeit für gekommen, dass es alle erfuhren. Ich trat vor sie hin, sodass mich alle ansehen mussten.

Dann erzählte ich ihnen, worüber ich in der Steppe nicht hatte sprechen wollen, an dem Tag, an dem wir alle keuchend vor den Kriegerinnen weggerannt waren.

Ich war noch eine Weile an Attilas Grab zurückgeblieben. Ich wollte sehen, was die Männerhasser-Weiber mit den abgeschrägten Köpfen jetzt anfangen würden, und auch die Frau, die sich Amacyn nannte und das Grab bewachte. In jeder Hand ein Runenschwert, war sie zu dem Loch im Dach der Grabkammer gegangen und hatte sich darübergestellt, während alle ihre Kameradinnen am Ufer des zugefrorenen Sees mit gesenktem Kopf auf ihren Pferden saßen.

Ich hatte das hackende Geräusch gehört. Wenn ihr Runenschwert so gut wie meins war, dann konnte es einen Amboss durchdringen, und beide Schwerter zusammen würden erst recht den steinernen Stützbogen durchschlagen, lange ehe sie stumpf wurden. Ich hatte mich abgewandt, taub vor Kälte und ... sehr erleichtert.

Die anderen waren schon weit voraus, als ich glaubte, das Dach einstürzen zu hören, aber vielleicht war es auch nur das Blut, das in meinen Ohren rauschte, denn ich musste mich sehr anstrengen, um sie einzuholen, und wie alle anderen war auch ich geschwächt von Hunger und Kälte.

Aber wir alle hatten das Katzengejaule dieser Frauen gehört, ihr letzter Gruß an ihre letzte Anführerin.

Ich konnte es mir gut vorstellen, wie diese große Jurte aus Stein und Holz und Erde zusammenbrach. Wie das Eis brach und das schwarze Schmelzwasser hereinströmte und das Silber, den Dreck und die Knochen bedeckte – und die Frau, die ihre letzte Aufgabe erfüllt hatte und jetzt sterbend zu Attilas Füßen zusammenbrach.

Die Letzte ihrer Linie, ohne Tochter und ohne die Last, das Geheimnis weitergeben zu müssen. Das Verschwinden dieser Eingeschworenen aus unserer Welt ließ mich erschauern, denn sie waren wie wir und doch so fremdartig wie ein Hund mit zwei Köpfen. Ich mochte nicht daran denken, dass ich mit dem Untergang dieser Frau vielleicht mein eigenes Schicksal gesehen hatte.

Die Strömung würde das Silber in den Schlamm hinaustragen und es meilenweit im Fluss verteilen. Auf Jahre hinaus würden Menschen Schätze aus dem Wasser fischen; manche würden sich vielleicht dem Folgegeist des Ortes stellen und danach graben, wenn eine Trockenzeit käme und der See leer wäre. Vielleicht würde eines Tages jemand ein Schwert mit einer Runenschlange finden, vielleicht sogar zwei, und sich darüber wundern, dass die Zeit und das Wasser ihnen nichts hatten anhaben können.

Aber nicht wir. Die Eingeschworenen hatten zum letzten Mal Silber von Odin erhalten, wie ich den Männern versicherte.

Sie waren still, und schließlich nickte Gisur, reckte sich und rieb sich das Gesicht, als habe er geschlafen und wollte einen bösen Traum verscheuchen.

»Rudert, ihr Hundesöhne«, brummte er. »Es ist noch ein weiter Weg bis nach Hause.«

Historische Nachbemerkung

Ein großer Teil der Befriedigung beim Schreiben historischer Romane verdankt sich der Tatsache, dass die Wahrheit oft noch merkwürdiger ist als das Erfundene. Zum Beispiel brauchte ich einen Vorfall, der Orm im Jahre 972 auf dem Marktplatz von Nowgorod bei Prinz Wladimir in große Schwierigkeiten geraten lässt. Auftritt Krähenbein, auch bekannt als Olaf Tryggvesson, neun Jahre alt, der seine Axt im Kopf seines verhassten Peinigers Klerkon versenkt. Das hätte man sich nicht ausdenken können.

Es sei denn, man ist ein Benediktiner namens Oddr Snorrason, der im 12. Jahrhundert lebte. Die Geschichte von Olaf Tryggvesson ist eine der bekanntesten nordischen Sagen, und auch wenn man dem Erzähler des 12. Jahrhunderts eine gewisse »journalistische Freiheit« zubilligt, klingt es glaubwürdig. Und es war so haargenau das, was ich für meine Geschichte brauchte, dass ich eine Gänsehaut bekam.

Die Geschichte von dem kleinen Olaf ist historisch belegt, so wie ich sie hier erzählt habe. Verändert habe ich lediglich die Tatsache, dass es sein Onkel Sigurd und nicht Orm war, der ihn gefunden und gerettet hatte. Klerkon dagegen, der ebenfalls eine historische Gestalt ist, habe ich eine ganz neue Lebensgeschichte gegeben.

Zwei weitere Veränderungen waren rein kosmetischer Natur – Onkel Sigurd hatte keine silberne Nase, und Krähenbein hatte, soviel ich weiß, auch keine verschiedenfarbigen Augen. Ersteres war eine Laune von mir, das Zweite schien mir gut zu Krähenbein zu passen, weil es als ein Merkmal von Größe und übernatürlichen Fähigkeiten angesehen wurde.

Auch verfügte Krähenbein nicht über einen solchen Märchenschatz, doch ansonsten ist alles über Olaf »Krähenbein« Tryggvesson so, wie die Geschichtsschreibung es berichtet, einschließlich des Spitznamens und der Tatsache, dass er aus den Bewegungen der Vögel die Zukunft vorhersagte, bis zu dem Zeitpunkt, wo er zum Christentum übertrat und 995 König von Norwegen wurde.

Um das zu finanzieren, überfiel dieser mit den Wikingern 991 Großbritannien, wo er – nach der Überlieferung der Sachsen – die legendäre Schlacht von Maldon gewann und ein gehöriges Dänengeld erpresste, die bekannte Zahlung verzweifelter englischer Könige, die hofften, sich damit die Wikinger vom Hals zu halten. In den folgenden Jahren erpresste er noch mehr Geld, um dann finanziell gut ausgestattet den norwegischen Thron zu erobern, auf dem er jedoch nicht lange saß.

Das alles passierte natürlich viel später, nachdem er Prinz Wladimir von Nowgorod geholfen hatte, dessen Brüder zu besiegen und alleiniger Herrscher über die Kiewer Rus zu werden. Der Frieden unter den drei Prinzen der Rus hielt fünf Jahre und wurde, wie vorherzusehen war, von Lyut und Sveinald beendet.

Genau wie Wladimir und sein Onkel Dobrynja sind auch Sveinald und sein unsympathischer Sohn Lyut historische Gestalten und genauso, wie ich sie beschrieben habe – arrogant und herrschsüchtig. Wenn jemand es verdient hatte, von Finn ins Feuer gestoßen zu werden, dann Lyut, der 977 den Fehler machte, in Prinz Olegs privaten

Wäldern zu jagen und, als man ihn dabei erwischte, dem Prinzen sagte, er solle sich verkrümeln, was er nicht überlebte. Sein aufgebrachter Vater Sveinald überredete daraufhin Jaropolk, gegen seinen Bruder in den Krieg zu ziehen.

Oleg wurde besiegt und getötet, Wladimir floh nach Norden und bat die Schweden um Hilfe, die er auch bekam; schließlich kehrte er mit einer Armee von Wikingern zurück, besiegte seinen Bruder Jaropolk und wurde 980 in Kiew zum alleinigen Herrscher der Rus gekrönt – und der junge Krähenbein saß vermutlich ganz in seiner Nähe. Damit begann der Prozess, in dem der lose Verbund der slawischen Völker sich zusammenschloss, woraus später das mächtige Russland wurde.

Von seinen drei Jahren im nordischen Exil verbrachte Wladimir zwei bei Olaf Tryggvesson, wo er als Wikinger an Raubzügen entlang der gesamten Ostseeküste teilnahm. Es sollte niemanden überraschen, dass es im 10. Jahrhundert ganz normal war, dass zwei Jünglinge aus noblen Familien im Alter von fünfzehn beziehungsweise achtzehn Jahren ganze Schiffe mit bärtigen Kriegsveteranen befehligten, die die Rechtmäßigkeit dieser Tatsache auch nie infrage stellten.

Die Figur des Onkel Dobrynja schließlich geht auf die russische Sagengestalt Dobrynja Nikitsch zurück, den Helden, der mit einem großen Drachen oder Lind*wurm* kämpfte, der in der altnordischen Sprache natürlich *Orm* heißt.

Somit sind die historischen Tatsachen – selbst unter Berücksichtigung mittelalterlicher Aussschmückungen – ein ganz gutes Gerüst, um mit Leben ausgefüllt zu werden. Um die Geschichte jedoch zu vervollständigen und die Sage der Eingeschworenen zu erzählen, brauchte ich auch Feinde. Das bringt uns zu den Männerhasser-Weibern.

Die deutsche Archäologin Renate Rolle fand die ersten Beweise für die Existenz der Amazonen bei Certomylik in der Ukraine. Elena Fialko fand bei Akimovka weitere Spuren der Kriegerinnen, und die Ausgrabungen von Jeannine Davis-Kimball bei Pokrovka an der russisch-kasachischen Grenze förderte viele weitere Funde zutage, einschließlich des Skeletts eines Mädchens, nicht älter als vierzehn Jahre, mit stark gebogenen Beinen, was darauf schließen lässt, dass sie ihr kurzes Leben auf einem Pferderücken verbracht hatte. In ihrem ledernen Köcher steckten Dutzende von Pfeilen, und zu ihren Füßen lag der Hauer eines großen Ebers.

Für Orm und die Eingeschworenen konnte es keinen besseren Weg zu Ruhm und Ehren geben, als nach dem Vorbild des Herkules mit den Amazonen zu kämpfen – und außerdem reizte mich einfach der Gedanke, dass Attilas treueste Krieger Frauen waren.

Der Zweck dieser Geschichte war es, den Eingeschworenen zu »großem Ruhm« zu verhelfen, so groß, dass es auch als Sinnbild für Odin gelten und eine kleine Barriere für die Flutwelle der Christianisierung darstellen konnte, die zu dieser Zeit über den Norden schwappte.

Nun ja, und wenn man einen nordischen Helden des Dunklen Zeitalters braucht, der mindestens so berühmt ist wie Beowulf, dann braucht man auch einen Feind dieser Zeit, der mindestens ein solches Ungeheuer wie Grendel ist. Ich bin bei der *Beowulf*-Sage jedoch immer wieder über die Frage gestolpert, wer das eigentliche Scheusal der Geschichte ist – Beowulf, der Mensch, der sowohl Grendel als auch dessen Mutter abschlachtet, oder die beiden Letzteren: die Mutter und der Sohn in der Gestalt von Ungeheuern, die irgendwie in der Schublade der bösen Dämonen gelandet sind, aber eigentlich Mitleid verdienen.

Schottland hat seine eigenen Mythen von Ungeheuern, darunter wohl keine grauenvollere als jene von den Wechselbälgern und von Elfen gestohlenen Neugeborenen. Heute glaubt man, dass viele dieser Märchen als Erklärung für Kindermorde erfunden wurden, die selbst im 19. Jahrhundert noch passierten. Es ist leichter, sich eines ungewollten oder missgestalteten Kindes zu entledigen, wenn man behaupten kann, es sei gegen das eigentliche Wunschkind ausgetauscht worden und von Natur aus bösartig.

Schauermärchen von Kindern mit Fischhaut oder von schuppigen Wechselbälgern bekommen eine neue Bedeutung, wenn man an eine Krankheit denkt, die es zu allen Zeiten gegeben hat und unter der auch heute noch Menschen leiden – die Ichthyose. Es ist eine genetische Krankheit, bei der die Haut verhornt, sodass sich Hornplättchen, ähnlich wie Fingernägel, am Körper bilden. Da die Haut dadurch eng wird und sich zusammenzieht, verformt sich auch manchmal das Gesicht. Die schlimmste Form, die Harlekin-Ichthyose, ist eine wahrlich erschütternde Krankheit, und die Neugeborenen überleben selten länger als achtundvierzig Stunden. Es ist exakt so, wie ich es hier beschreibe, und der Anblick eines solchen Kindes bricht einem das Herz.

Natürlich sind Menschen mit diesem Leiden – abgesehen von ihrem Äußeren – nicht anders als alle anderen Menschen, und ich hielt es für richtig, dass es in einer Siedlung solcher vermeintlicher »Ungeheuer« mehr Familiensinn und Menschlichkeit gibt als bei den gesunden Dorfbewohnern, die Orm ausschickten, diese gefürchteten »Drachen« zu töten. Wie immer kaschiert auch hier die Legende die Schande der eigentlichen Tat.

Schließlich noch ein Wort zum Runenstein, der bevorzugten Art, Namen und Taten für die Nachwelt festzuhalten. Die Verbreitung und die Anzahl der Runeninschriften aus der Eisen- und Wikingerzeit ist beachtlich und reicht vom Schwarzen Meer bis Grönland, von der Insel Man bis Athen. In Island gibt es nur wenige, in Dänemark etwa 500, in Norwegen geschätzte 750 – aber in Schweden sind es 3000, davon etwa ein Drittel allein in der Provinz Uppland.

Der bekannteste ist der Runenstein von Rök, ein Gedenkstein aus dem 9. Jahrhundert, der in Östergötland in Schweden gefunden wurde. Dieser Granitblock, der zum Gedenken an einen verlorenen Sohn aufgestellt wurde, enthält die längste bekannte Runeninschrift – 725 Runen eines Textes, über dessen Inhalt sich die Gelehrten allerdings noch streiten. Er enthält geheime Formeln, vergessene Anspielungen und epische Verse, und alles in so poetischer Form, dass Varinn, ihr Verfasser, zumindest in meiner Einschätzung eine Art nordischer Shakespeare gewesen sein muss.

Ich fand, dass die Eingeschworenen ein solches Denkmal verdient hatten.

Wie immer, sollte man diese Geschichte am besten im Dunkeln am Feuer erzählen. Etwaige Fehler oder Versäumnisse sind allein meine Schuld, sollten aber der Geschichte keinen Abbruch tun.

GLOSSAR

Aldeigjuborg – Staraja Ladoga; Stadt östlich des heutigen St. Petersburg; ein Handelshafen am Wolchow, der dort in den Ladogasee mündet; der Wolchow war die »Zufahrtsstraße« der Nordmänner auf dem Weg nach Süden.
Berserker – altnordisch: berserkr; kampfwütiger Krieger mit der Kraft von zwölf Männern.
Birka – Björkö; im 9. und 10. Jahrhundert der wichtigste Handelshafen der Ostsee, auch berühmt als Ort der ersten christlichen Gemeinde in Schweden, die von Ansgar gegründet wurde (s. Hammaburg). Nach 972 wird Birka in den historischen Aufzeichnungen nicht mehr erwähnt, man nimmt an, dass ein Versanden des Hafens und der versiegende Silberfluss aus dem Osten die Stadt absterben ließen. Stattdessen gelangte jetzt das weiter östlich gelegene Gotland zur Blüte.
Björnshafen – Orms Heimatdorf; fiktiv. Es basiert auf archäologischen Ausgrabungen vieler Siedlungen wie z. B. Ribblehead in Yorkshire.
Chasaren – Vom 8. bis 10. Jahrhundert erstreckte sich das Reich der Chasaren von den Nordküsten des Kaspischen und des Schwarzen Meeres bis zum Ural und westlich bis nach Kiew. Im 8. Jahrhundert trat die überwiegend türkische Bevölkerung zum Judentum über.
Druschina – Persönliches Heergefolge der Rus-Fürsten.
Dyfflin – Dubh Linn (Dublin, »Schwarzer Teich«); wurde im 9. Jahrhundert von den Nordmännern gegründet und war einer ihrer bevorzugten Handelsplätze.

Faering – Ruderboot, Beiboot.
Fylgja – Weiblicher Folgegeist.
Godi – Priester.
Hammaburg – Früherer Name für Hamburg, Bischofssitz von Ansgar, der die Priester ausschickte, um den Norden zu christianisieren. Im Gegenzug griffen die Wikinger 845 die Stadt an, und Bischof Ansgar kam nur knapp mit dem Leben davon.
Hedeby – Haithabu (»Heidedorf«); eines der bekanntesten Zentren für Handel und Handwerk. Am südlichen Ende der Halbinsel Jütland gelegen; damals zu Dänemark gehörend, jetzt Schleswig-Holstein; 1066 zerstört; heute Museumsdorf.
Hel – Göttin der Unterwelt Helheim.
Holmgang – Zweikampf.
Holmgard – »Inselstadt«, der Name der Nordmänner für Nowgorod, ursprünglich die Hauptstadt des Gardarike (s. dort) bis zur Eroberung von Kiew.
Isba – Holzhaus der Rus.
Jarl – König; regionales Oberhaupt.
Jorsalier – Iaursalier; altnordischer Name für Jerusalem. Im 10. Jahrhundert die Stadt der »Menschen des Buches«: Juden, Christen und Moslem. Trotz der Kriege, die um die Stadt herum tobten, herrschte in ihrem Inneren religiöser Frieden. Für die getauften Nordmänner, die neuesten und am weitesten gereisten Pilger (Jorsalarfari), war es wichtig, die Stadt zu besuchen.
Jorvik – für die Nordmänner seit 866 die wichtigste Stadt in England, das heutige York.
Känugard – Kyjiw, Kiew (»Stadt des Fürsten Kyj«); spätere Hauptstadt des Rus-Reiches, aus dem sich das moderne Russland entwickeln sollte. Die Stadt war von türkischen Stämmen gegründet worden und wurde von den

schwedischen Nordmännern Askold und Dir ca. 860 »befreit«.
Knarr – Knörr, auch Knorr; Handelsschiff.
Loki – Gott, bekannt für seinen Listenreichtum.
Miklagard – Konstantinopel, auch die Große Stadt genannt; war im 9. und 10. Jahrhundert *die* Stadt, der Big Apple jenes Zeitalters und Hauptstadt des Byzantinischen (Oströmischen) Reiches.
Muspelheim – In der altnordischen Mythologie das südliche Feuerreich, der Gegenpol zum nördlichen Eisreich Niflheim.
Neiding – Nithing; ehrloser Mensch.
Norvasund – Die Straße von Gibraltar.
Perun – Oberster Gott in der slawischen Mythologie.
Rus – Rusiyyah (arab.); Osteuropa (siehe Känugard).
Sarkel – Biela Viezha (»Weiße Burg«); byzantinische Festung der Chasaren am Don, von wo aus die Handelswege nach Osten so erfolgreich kontrolliert wurden, dass die Kiewer Rus schließlich beschlossen, sie einzunehmen.
Sax – Messer, kurzes Schwert.
Seidr – Zauberei, Magie.
Serk – Unterhemd.
Serkland – Allgemeine Bezeichnung für den Nahen Osten und Nordafrika. Der Name entstand, weil die Nordmänner glaubten, die Menschen dort trügen nie etwas anderes als ihre Unterwäsche (serk: ein weißes Unterhemd).
Skalde – Dichter.
Strathclyde – Region im Westen Schottlands.
Tafl – Kurz für Hneftafl: Brettspiel.
Thing – Volks-, Gerichtsversammlung.
Thrall – Sklave, Leibeigener, Diener.
Vadmal – Schwerer Walkwollstoff.
Varjazi – Varangii, Waräger; (Söldner-)Bünde von Nord-

männern im Dienst der Rus (von altnordisch »várar«: Schwur).
Wergeld – Blutgeld; Strafe (oder Belohnung), die dem Wert eines Mannes (Wer) entspricht.
Wetsche – Eine Art Thing der altrussischen Städte.
Wik – Große Bucht; allgemein die Küsten Skandinaviens.
Wikinger – Männer der Wik: eine der möglichen Erklärungen für den Namen des seefahrenden Teils der skandinavischen Bevölkerung.
Wyrd – Schicksal, Verhängnis, Tod.

Danksagung

Ganz oben auf meiner Liste derjenigen Personen, die dieses Buch wahr werden ließen, stehen die Eingeschworenen – die gesamte Mannschaft der Glasgower Wikinger (www.glasgowvikings.co.uk), eine inzwischen ziemlich altgediente Mannschaft, deren Stolz es ist, auf der *Fjord Elk* zu segeln. Mein Dank geht auch an *The Vikings Reenactment Group* (www.vikings-online.org.uk), die nach wie vor die Wirte der Pubs in Angst und Schrecken versetzen und die staunende Öffentlichkeit mit ihren unterhaltsamen und lehrreichen Darbietungen erfreuen.

Doch alles das wäre nichts, wenn da nicht James Gill wäre, mein Agent bei United Agents, der das Potenzial dieser Romane erkannt hat – dafür besonderen Dank –, und besonders auch Clare Hey, meine Lektorin bei HarperCollins, die das Unglück hatte, meine Bücher als erste Probe ihres Könnens bearbeiten zu dürfen. Sie machte *Drachenboot* besser, als es vorher war. In der Glasgower Niederlassung von HarperCollins sorgen Marie Goldie und ihre Kolleginnen nicht nur dafür, dass Signierstunden das reinste Vergnügen werden, sondern sie bringen es dabei auch noch fertig, dass ich mich fast berühmt fühle. Weiter so!

Ostgotland, A.D. 975

Die Sonne hielt sich hinter den bleifarbenen Wolken, aber immerhin hatten sie einen Silberrand. Der Regen prasselte, das Meer wogte schwarz und träge wie ein Walross auf dem Felsen, und der Wind trieb mir Sprühnebel in die Augen.

»Leider stürmt es nicht genug«, erklärte Hauk Schnellsegler. Natürlich hatte er recht. Es stürmte nicht stark genug, um unsere Feinde aufzuhalten, deren großes, grün umrandetes Segel der Wind blähte, der sie den Fjord herauftrieb. Auf dem Schiff, an dessen Bug eine Schlange bösartig das Maul aufriss, sah dieses Segel aus wie eine Drachenschwinge, und das gab dem Schiff auch seinen Namen.

Auf der *Fjord Elk* lagen die Riemen knapp über dem Wasser und wurden nur benutzt, um das Tier am Bug im Wind zu halten, der uns die Feinde entgegentrieb; es wäre sinnlos gewesen, uns abzumühen – wir waren ohnehin unterbesetzt –, während unsere Feinde ihre Rüstung anlegten. Erst wenn sie das Segel einholten, würde es für uns ernst werden, dann waren sie zum Kampf bereit.

Stattdessen waren die Männer damit beschäftigt, Gurte festzuzurren, ihre Klingen zu prüfen und ihr Haar zusammenzubinden, das der Wind ihnen ins Gesicht wehte. Alle gedungenen Männer von Jarl Brands *Schwarzadler* waren bei uns, bis auf sechs, die mit Ref und Bjaelfi die Frauen und Kinder von der Halle in Hestreng hinunter ins Tal führten, zusammen mit so viel Verpflegung und Zeltbahnen, wie sie tragen konnten. So weit weg wie möglich vom Zorn Randr Sterkis und der rachedurstigen Besatzung der *Drachenschwinge.*

Ich hoffte, Randr Sterki würde sich damit zufriedengeben, Hestreng zu plündern und niederzubrennen und nicht allzu weit ins Landesinnere vorzudringen. Ich hatte ihm mehrere Hammel und einen Stall voll Hühner und Schweine dagelassen, die er mitnehmen konnte, dazu die Halle und die Nebengebäude zum Abbrennen – und wenn er hinter den Eingeschworenen her war … nun ja, wir waren hier und erwarteten ihn auf See.

Trotzdem, ich wusste schon, was Randr zu diesem Überfall bewogen hatte, und ich konnte es ihm nicht einmal verdenken. Wieder spürte ich einen Speer in der Kehle und hatte beinahe die Hosen voll vor Angst, so wie es mir immer ging, wenn wir Männer zu erwarten hatten, die mir mit scharfem Metall zu Leibe rücken wollten. Aber ausnahmsweise hatte ich diesmal nicht den Wunsch, irgendwoanders zu sein. Ich gehörte hierher, um die Meinen zusammen mit unseren Grünschnäbeln, die am Nestrand hockten, vor der Rache der Plünderer zu bewahren.

Vor Männern, wie wir es waren.

Gisur, der sich zwischen den Männern hindurch von Stag zu Stag schwang, sah aus wie dieser wild gewordene kleine Affe, den ich einst in Serkland gesehen hatte. Sein wettergegerbtes Gesicht sah ihm so ähnlich, dass ich grinsen musste. Mein Grinsen überraschte ihn im Angesicht dessen, was uns bevorstand, doch dann grinste er zurück.

»Wir sollten die Riemen einziehen, Jarl Orm, ehe sie zersplittern.«

Ich nickte; wenn die Schiffe aneinanderstießen, würde von den Riemen auf der entsprechenden Seite nicht mehr viel übrig bleiben, falls wir sie draußen ließen. Mit lautem Gepolter wurden sie an Bord geholt und längsseits geborgen, ab und zu fluchte jemand, wenn ihn ein Holm traf. Jetzt konnte ich den weit aufgerissenen Rachen der *Drachenschwinge* ganz klar erkennen, ich hörte bereits schwach das erste Gebrüll in der Ferne und sah, wie mit Waffen hantiert wurde.

Ich beobachtete, wie sie das Segel um die Rah wickelten, als zwei von Jarl Brands Männern sich nach vorn drängten, fast bis an den Bug der *Fjord Elk.* Sie kletterten über Riemen, schubsten Männer zur Seite und legten noch im Gehen die Pfeile an die Sehne. Sie schossen, und die Schreie, die aus der Ferne ertönten, ließen unsere Männer aufjubeln – und dann fluchen, als umgehend die Antwort kam und ins Holz eindrang. Einer der Bogenschützen, Kalf Sygni, vollführte eine halbe Drehung und umklammerte seinen Unterarm, den ein Pfeil vollkommen durchbohrt hatte.

»Den hab ich nicht kommen sehen«, schrie Finn und hob seinen Schild, während er sich zum Bug vorarbeitete und mit seinem Kettenhemd klirrend gegen die Schulter von Nes-Björn stieß, der in dieselbe Richtung wollte und ihn wütend ansah.

»Auf Jarl Brands *Schwarzadler* bin ich der Mann am Bug«, knurrte Nes-Björn.

»Du bist hier nicht auf der *Schwarzadler*«, belehrte Finn ihn, und der Hüne ließ ihn widerwillig vorbei und seinen Platz einnehmen. Auf der *Drachenschwinge* nahm sein Gegenüber, der beste Kämpfer seines Schiffes, ebenfalls seine Position ein, im Kettenhemd und mit Helm, den Schild in der Hand, allerdings mit einer Waffe, die nicht besser war als eine Zimmermannsaxt.

Sie hatten das Segel eingeholt und die Ruder an Bord gebracht, doch die *Drachenschwinge* hatte noch ausreichend Fahrt, um uns zu rammen, was die *Elk* so ins Schwanken brachte, dass der Bordrand fast die Wasserlinie berührte und die Männer, die darauf nicht vorbereitet waren, taumelten und stürzten. Randrs Männer grölten, Äxte kamen über den Bordrand geflogen, und die Männer duckten sich hinter ihre Schilde. Die Axtkämpfer zogen fest an den Tauen, die mit Ringen an ihren Axtgriffen befestigt waren, und indem sie die Blätter der Äxte fest gegen den Innenrand der *Elk* zogen, brachten sie unsere beiden Schiffe so eng aneinander wie ein brünstiges Liebespaar.

Ein Mann schrie auf, als ihm dabei das Bein eingeklemmt wurde, brüllend und um sich schlagend hing er wie ein gefangener Fuchs zwischen den Bordrändern. Holger, erinnerte ich mich dunkel, als er sich die Seele aus dem Leib schrie. Er hieß Holger.

Ein Pfeil flog vom Mast und zischte an meinem Kopf vorbei; ich trug kein Kettenhemd, denn ich war mir nicht sicher, ob ich es schnell genug ausziehen könnte, falls ich über Bord ginge. Botolf, der an meiner rechten Seite stand, quittierte meinen Fluch mit einem Grinsen.

»Jetzt weißt du, wie es sich anfühlt«, rief er, und ich lachte, weil er so zufrieden klang, denn es war ein beliebter Scherz unter uns, dass Botolf noch kein Kettenhemd gefunden hatte, das groß genug für ihn war. Dann warf er den Kopf zurück und brüllte seinen Namen heraus; Randr Sterkis Männer schrien und heulten; die Seiten der Schiffe krachten, und die Männer warfen sich vorwärts, während die miteinander verbundenen Schiffe ächzten und schwankten.

Das Schlimmste an einem Kampf – sobald die ersten Verwundungen erst einmal die Angst vertrieben haben –, ist, dass es wirklich Schwerarbeit ist. Der Gestank und das Entsetzen, der Schrecken, der einem die Gedärme verknotet, der brutale Hass, alles das waren Dinge, an die ich mich gewöhnt hatte – aber es war die schiere mörderische Knochenarbeit, an der ich immer wieder fast verzweifelte. Es ist, als pflüge man ein steiniges Feld, in dem die Steine hochkommen und einen treffen wollen, bis einem vor Erschöpfung die Knie zittern und man nicht mehr kann. Das einzig Gute für einen Jarl ist dabei, dass man nicht zu tief ins Getümmel gerät, zumindest nicht am Anfang, aber man muss standhaft bleiben wie ein Fels in der Brandung und so tun, als sei man Herr der Lage.

Ich stand fest auf meinem Platz, geschützt von Botolfs Schild, und beobachtete, wie die Mannschaft der *Drachenschwinge* uns zu entern versuchte, wobei die Ränder beider Schiffe von der plötzlichen Gewichtsverlagerung fast ins Wasser eintauchten. Sie kämpften und hieben aufeinander ein und starben auf den Ruderbänken. Meine geliehenen Männer versuchten fieberhaft, die Taue durchzuhauen, die uns aneinanderbanden, andere versuchten, die Männer auf der *Drachenschwinge* auszuschalten, die beide Schiffe wieder näher zusammenbringen wollten.

Es waren großmäulige Schreihälse, die Mannschaft von Randr Sterki. Sie fuchtelten mit Speeren und Äxten herum und waren in Leder gekleidet, doch manche von ihnen verfügten auch nur über ziemlich primitive Brustpanzer aus geknotetem Tau. Sie trugen ein Sammelsurium von Helmen, keiner davon ein besonderes Zierstück, und ihre Klingen waren schartig wie ein Hundekiefer – selbst Randr Sterkis Mann im Bug, der ein Kettenhemd trug, schwang ja nichts Besseres als eine Zimmermannsaxt. Doch sie waren angetrieben vom Durst nach Vergeltung, und das machte ihre Arme stark und ihre Klingen scharf.

Randr stand in der Mitte seines Schiffs und brüllte Flüche, er war von einer Gruppe Männer umgeben, die sich von den anderen Männern so stark abhoben wie Schafköttel auf Schnee. Bei ihrem Anblick bekam ich weiche Knie, es waren Männer, die vor sich hinstarrten, aber nichts sahen, die nichts als dicke Felle über ihren Hosen trugen und weißen Schaum vor dem Mund hatten, der auf die Bärte tropfte. In ihre Arme waren blutige Kraftrunen geritzt, und sie hantierten wie spielerisch mit ihren schweren Waffen. Ich bemerkte, dass einige von ihnen Schwerter hatten, die häufig benutzt und wahrscheinlich wohlverdient waren.

»Bärenhäuter!«, schrie Botolf mir ins Ohr. »Er hat Bärenhäuter, Orm …«

Noch ehe er fertig war, sah ich sie, alle zwölf, nervös wie ein Rudel Wölfe, das ein Opfer wittert. Bärenhäuter – Berserker – hatten noch nie zu Randr Sterkis Mannschaft gehört. Woher hatte er sie? Mein Mund wurde trocken; ich sah sie knurren und heulen und selbst ihre eigenen Männer umrennen, wenn diese nicht rechtzeitig aus dem Weg gingen.

Der Erste von ihnen, flachsblond und mit wirrem Bart, kam an die Bordwand und heulte zum Himmel auf, dann warf er sich auf meine Männer, noch ehe sich die Stränge seiner Halsmuskeln wieder entspannt hatten, und sie hieben auf ihn ein mit der verzweifelten Wut von Männern, die gefangen waren und nicht fliehen konnten. Der Rest der Meute folgte nach, und Randr Sterki feuerte sie mit rotem, wutverzerrtem Gesicht von der Mitte seines Schiffes aus an.

»Wir werden das Schweinsgesicht umbringen müssen«, keuchte Nes-Björn, der plötzlich auf meiner anderen Seite erschien und auf Randr zeigte. Wenn er verärgert war, dass Jarl Brand ihn zurückgelassen hatte, damit er an diesem schicksalhaften Tag mit uns kämpfte, sah man es seinem versteinerten Gesicht jedenfalls nicht an.

»Zuerst müsst ihr die Bärenhäuter fertigmachen«, sagte ich so ruhig wie möglich, während der Flachsblonde sich, eine Spur von Blut und Geschrei hinter sich herziehend, auf mich zukämpfte; Botolf hob seinen Schild und seinen Speer, den Brünnebeißer, und stemmte sich auf sein verbliebenes Bein. Ich hob mein Schwert ein wenig, als wollte ich es nur leicht auf meine Schulter legen, während mir das Herz bis zum Hals schlug, als dieser Berserker auf mich zukam.

»Ach«, sagte Nes-Björn mit einer nachlässigen Bewegung seiner Axt, »dafür haben wir schließlich unseren eigenen Mann.«

In dem Moment hörte ich ein tiefes Grunzen hinter mir, das so täuschend wie das Geräusch eines angreifendes Ebers klang, dass ich erschrocken herumfuhr. Dann sprang eine halb nackte Gestalt mit Kraftrunen auf der Haut und einer Axt in jeder Hand über die Köpfe meiner Männer hinweg, die schleunigst Platz machten, als er sich auf den Bärenhäuter stürzte. Einen Wimpernschlag später lag der Flachskopf blutend am Boden, aber die Äxte in Stygg Dusis Fäusten wirbelten weiter. Seine sorgfältig aufgetragenen Hautmarkierungen bluteten, als er sich wie ein brüllender Wirbelwind aus Armen, Beinen und Äxten über die Bordwand auf die voll besetzte *Drachenschwinge* warf, auf der die Männer auseinanderstoben.

»Stygg Dusi«, erklärte Nes-Björn mit bösartigem Grinsen, als der Mann mit dem Spitznamen »Scheue Flaute« aufheulte und mitten auf dem feindlichen Schiff starb.

»Es sind zwölf«, sagte ich, und Nes-Björn runzelte die Stirn.

»Jetzt nur noch elf – nein, zehn, denn Stygg macht seine Sache gut. Wolltest du damit etwas sagen, Jarl Orm der Eingeschworenen, oder willst du nur beweisen, wie gut du zählen kannst?«

Dann stieß er mich zur Seite und ging an den Bug, wo Finn keuchend und völlig erschöpft gezwungen war, zurückzutreten; aus seinem Mund quollen Speichelfäden.

Der Mann am Bug der *Drachenschwinge* war nirgendwo zu sehen.

Ich hörte und sah, wie Stygg Dusi die letzten Sekunden seines Lebens verbrachte, das die Nornen für ihn gewebt hatten, seit er nass in diese Welt geglitten war. Alles, was er seither getan hatte, hatte darauf gezielt, ihn in diesem Moment an diesen Ort zu führen, und ich erhob mein Schwert auf ihn und auf sein Leben, das er uns geopfert hatte. Fast beneidete ich ihn wegen seines sicheren Platzes in Walhall. *Noch nicht, aber bald,* dachte ich, diese alte Botschaft, die wir unseren Sterbenden für jene mitgaben, die uns vorausgegangen waren. Und wie mir jetzt schien, *sehr* bald.

Das letzte Tau war durchgeschlagen; Kalf Sygni, durch dessen Unterarm noch immer der Pfeil ragte, schaffte es, den letzten Mann, der nach wie vor am Tau zog, zu treffen. Die Schiffe trieben am Heck auseinander, sodass die Köpfe am Bug tanzten und sich anfauchten und es aussah, als würden sie jeden Moment aufeinander losgehen. Männer beider Mannschaften entdeckten plötzlich, dass sie auf dem falschen Schiff waren, und versuchten, sich zum Bordrand durchzukämpfen und ins Wasser zu springen.

Danach verschwamm mir alles. Ich erinnere mich, wie ich einem Mann einen solchen Stoß mit der Schulter versetzte, dass er im hohen Bogen ins Wasser flog, und erst als er dort hilflos herumzappelte, sah ich, dass er ein Bärenfell trug. Plötzlich erschien auch Finn, schüttelte Sabber und Blut von seinem Gesicht und stürzte sich brüllend und fluchend wieder ins Getümmel.

Hauk Schnellsegler fiel unter dem rasenden Gemetzel dreier Bärenhäuter; Onund Hnufa ging über Bord, aus seiner Kopfwunde strömte Blut, und auf mich kam ein Mann mit einem Brustpanzer aus geknotetem Tau zu, den ich töten musste. Als ich wieder nach Onund sehen wollte, war er fort, und ich wusste nicht, ob er noch einmal an die Oberfläche gekommen war oder nicht.

Ein kleiner, dunkler Gegenstand flog an den Bug, und Nes-Björn schlug ihn verächtlich zur Seite. Sofort war er von Feuer umgeben, einfach so. Eben hatte er noch hinübergebrüllt, man möge gefälligst herkommen und sich ihm stellen, im nächsten Augenblick war er in Flammen gehüllt, eine Feuersäule, die hilflos am Bug herumtorkelte. Er fiel nach hinten um, und die Männer schrien auf; einer kroch eilig weg, während er versuchte, die Flammen an seinem Bein auszuschlagen, doch damit setzte er seine Hände ebenfalls in Brand. Ein weiterer Mann warf einen brennenden Schild ins Wasser, und er sank – aber auf dem Wasser brannte es kreisförmig weiter.

»Zauber!«, gellte eine Stimme. Aber das war kein Runenfluch. Ich hatte es schon vorher gesehen, und der zweite kleine Behälter traf auf den Bug der Elk und entzündete sich, genau wie man es von Römischem Feuer erwartet. Die Flammen leckten an dem stolzen Geweih, das Botolf geschnitzt hatte, und ich sah es schon völlig verbrannt, als die entsetzte Mannschaft der *Drachenschwinge* dieselben Flammen auf ihrem eigenen Schiff entdeckten. Dann hörten wir Botolfs Schrei, dass noch ein zweites Schiff da war.

Ein zweites Schiff. Römisches Feuer. Bärenhäuter. Diese Dinge hatten bisher nicht zu Randr Sterkis Kampfstrategien gehört. Ich starrte angestrengt hinaus, meine Gedanken wirbelten wie die Funken meines brennenden Schiffs, während die Männer noch immer kämpften und ausrutschten und fluchten und starben.

»Orm – von dir aus auf Steuerbord …«

Ich wandte mich um und sah in einen aufgerissenen roten Rachen mit Schaum auf den Lippen wie Gischt auf dem Meer. Er hatte wirres, fettiges Haar und Augen so wild wie ein ganzer Zwinger toller Hunde, die Axt in seiner Hand schien so lang wie eine Deichsel. Ich holte mit meinem Schwert aus und verfehlte ihn, die Klinge grub sich in den Mast, wo sie stecken blieb.

Ich konnte mich notdürftig mit meinem Schild schützen, doch er splitterte unter seiner Axt und wurde zur Seite gedrückt, sodass ich ihn wegen der fehlenden Finger meiner linken Hand nicht mehr festhalten konnte. Dann warf er sich mit seinem ganzen Körpergewicht auf mich, und einen Augenblick lang roch ich den Holzrauch, den fettigen Gestank seines Pelzes und seinen ranzigen Schweiß. Meine Hand wurde verdreht, sodass ich den Griff meines Schwertes, das noch immer im Mast steckte, loslassen musste.

Was folgte, war ein Wirbel aus silbernem Himmel und dunklem Wasser, und ein kaltes Erstarren, wie wenn ein heißer Nagel ins Kühlbecken getaucht wird.

Lesen Sie weiter in

Rache
Die Eingeschworenen IV
von Robert Low
ISBN 978-3-453-43714-2

Kai Meyer

»Eines der großen deutschen Erzähltalente.«
Der SPIEGEL

»Kai Meyer schreibt Romane von großer sprachlicher Schönheit.«
Stern

978-3-453-47111-5

978-3-453-47112-2

978-3-453-26809-8